CELEBREMOS SU Gloria

NUESTRO
SEÑOR JESUCRISTO

NUESTRO
DIVINO CONSOLADOR

NUESTRA
SANTA BIBLIA

NUESTRA
GRANDIOSA SALVACIÓN

NUESTRA
VIDA EN CRISTO

NUESTRA
AMADA IGLESIA

NUESTRO
GLORIOSO FUTURO

NUESTROS GRUPOS Y
OCASIONES ESPECIALES

NUESTRO
CULTO

NUESTRO
HIMNARIO

Premio a la Excelencia
otorgado a

EXPOSICIÓN DE LITERATURA CRISTIANA

Premio Platino - 2001

Edición actualizada hasta 2010

Handwritten annotations:

Advent Hawaiian song
546 -
539 - Onward Katia the King
550 - Angels from
560 - Rock of ages
572 - yes Jesus loves
583 - Stand up for Jesus
534 - Royal Banner of the cross
568 - Glory for me
All the King   119 - Hail Redeemer King Divine
241
244
(59) - great is your faithfulness
69 - Now thank we all our god
72 - Come almighty King
79 - Eternal Father strong to save
88 - We gather together to sing the Lords praises
93 - Alleluia
98 - I love you Lord
108 - Joyful Joyful
204 - Alzad la Cruz
187 - Lead on o King eternal
49, 52, 56, 60, 62, 75, 80, 101, 107 Haydn

CELEBREMOS SU GLORIA

El comité de CELEBREMOS agradece altamente la colaboración de las casas editoriales en conceder el permiso para usar las siguientes versiones de los textos bíblicos.

(RVR)   La Biblia Reina -Valera, versión 1960, © 1960 Las Sociedades Bíblicas en América Latina.
(BLA)   La Biblia de las Américas © 1986 The Lockman Foundation.
(RVA)   La Biblia Reina -Valera Actualizada, © 1989 Editorial Mundo Hispano.
(NVI) . Nueva Versión Internacional, © 1990 Sociedad Bíblica International.
Agradecemos los permisos para sustituir "Jehovah" y "Jehová" por "el Señor". Esto se señala en las citas bíblicas con *.

El comité se complace en expresar su más profundo agradecimiento a las siguientes personas y entidades por su contribución singular a esta obra:

Grabado musical: Micro - Music y MELaser Ltda.
Diseño gráfico: Killian y McKabe
Símbolos: Diseño Gráfico Showalter
Asesoría técnica: Editorial Buena Semilla, Colombia; Ediciones Las Américas, México

Fotos: Vea el índice
Foto carátula: Fotos Kibler
Dibujos: Kris Davis

El comité reconoce a los centenares de personas que han hecho posible el identificar correctamente a los autores, compositores, y dueños con el fin de obtener los permisos correspondientes. En caso de cualquier omisión o error, se agradecerá la información sobre el particular para poder corregirlo en las futuras ediciones.

Himnario Con música:

	ISBN
Tapa dura	958-9269-11-7
Tapa dura - Espiral	958-9269-13-3
Gigante / Tapa dura	958-9269-21-4
Profesional	958-9269-25-7
Banda Si bemol	958-9269-14-1
Gloria (Himnario Electrónico)	

Himnario Sin música:

	ISBN
Tapa dura	958-9269-12-5
Rústica	958-9269-10-9
Gigante	958-9269-20-6
Bolsilibro	958-9269-27-3
Bolsilibro T.D	958-8201-74-8
CDRom	958-9269-70-2 Acetatos

DISTRIBUIDO POR:

C.P.C
8645 La Prada Dr.
Dallas, TX 75229
EE.UU. de A.
Fax 214-327 8971
ventas@libroscpc om

CLC
A.A. 29720
Bogotá, Colombia, S. Am.
Tel. (57-1) 310-4641
Fax 571-310 4875
info@clccolombia.com

Impreso en Colombia
Printed in Colombia

220 - thine be the glory
215 - Jesus ~~Christ~~ is risen today
217 - Yet the hour is nigh today
249 - Palestrina

CELEBREMOS SU Gloria
Alleluia

229 -
235 - Crown him with many crowns
241 - Crown him All
262 - Shepherd
271
280 - Wonderful ... of life
300 - Amazing Grace
308 - Just as I am, without a plea
323 -
329 -   224 - He lives
343 - Abide with me   9 - Majesty
345 -

Pertenece a

358 - They will ... we are christians by
        yes they'll know   our love

323 - (hosten)

210 En la cruz
mi dirección:
403 - Nearer my God to thee
*485 - I come to the garden alone
7 308 - Tal como soy / just as I am without a plea
600 - Deutschland ... über alles
493 - Sweet Hour of prayer
184 - Les Rameaux - Faure - las palmas
187 Cabalga majestuoso
              heut * 366 - Blessed Assurance
                  somos bautizados (Bells)
513 los que son
*516 La cruz excelsa * 326 - Old rugged cross
517 - what a friend we have in Jesus
522 - es la ... del Señor
X 203 - Bach. Hassler - Cabeza Ensangrentada
    204 - Alzad la cruz

Recuerdos

**Cantad la gloria de su nombre;
Poned gloria en su alabanza.**

Salmo 66:2

INTRODUCCIÓN

CELEBREMOS SU GLORIA se ha diseñado como un instrumento para la alabanza de nuestro gran Dios. Combina lo mejor de los himnos tradicionales con cantos contemporáneos; une lo más bello de la himnodia hispana con la música cristiana universal. Entreteje lecturas bíblicas, reflexiones de alabanza y anécdotas biográficas e históricas entre los cantos. También ofrece numerosas ayudas para enriquecer el culto, como son los pasajes bíblicos que se relacionan con cada himno, las sugerencias para tonadas alternas, y los varios índices.

La producción de este himnario fue posible gracias al apoyo de CAM Internacional (Misión Centroamericana) que en honor a su centenario asignó personal y fondos para el desarrollo de esta obra. También se agradece la colaboración de varios miembros de la Misión Alianza Evangélica, la cual, a la vez, conmemora sus cien años de ministerio.

Dedicamos este himnario a la gloria de Dios y a la memoria de dos grandes contribuyentes a la himnodia hispanoamericana:

ALFREDO COLOM MALDONADO de Guatemala y
ROBERTO C. SAVAGE de la radio HCJB de Quito, Ecuador.

Faltaría espacio para agradecer en forma debida la valiosa colaboración de más de 5,000 personas quienes llenaron cuestionarios, concedieron entrevistas, leyeron las pruebas y ofrecieron sugerencias.

Sobre todo agradecemos a Dios el privilegio de servir a su pueblo en la creación de este himnario: *CELEBREMOS SU GLORIA.*

El Comité de *CELEBREMOS*

Timoteo Anderson C., Lynn de Anderson, Felipe Blycker J., Kenneth R. Hanna, Oscar López M., Gonzalo Sandoval L., Esteban Sywulka B. y Pablo Sywulka B.

Disfrute
SU HIMNARIO

SÍMBOLOS

Guías visuales (vea las explicaciones en las páginas siguientes).

PASAJES BÍBLICOS

Se pueden utilizar como lecturas congregacionales o personales, para estudiar el trasfondo bíblico del tema. El índice al final del libro titulado "PASAJES" indica los cantos que se relacionan con cada pasaje; así el director del canto puede escoger himnos de acuerdo con el mensaje.

MATIZ

Sugiere el modo o espíritu con el cual se puede cantar la selección.

TRANSICIÓN

↑ Indica cambio de clave y [ ] cuántos tiempos musicales de transición hay antes de la última estrofa en "Gloria".

DURACIÓN

Informa el tiempo aproximado de los cantos acompañados por el himnario electrónico "Gloria". Sirve como guía para planear un culto.

PUNTO RESALTADO

Identifica cuáles estrofas forman parte de una cadena.

Is. 6:1-8
Sal. 77:13-20
Ap. 4
Con reverencia

Alabad al Señor de los señores, porque

¡San - to, San - to, San - to, Se - ñor, Jeho -

Lle - nos hoy es - tán, Se - ñor; ¡

LETRA: Basada en Isaías 6:3, Mary A. Lathbury, 1877, trad.
MÚSICA: William F. Sherwin, 1877

© *1877 J.H. Vincent*

RECONOCIMIENTOS

Indica el autor, traductor, compositor, arreglista, fuente y / o dueño.

DERECHOS RESERVADOS

(COPYRIGHT)
Una advertencia sobre la necesidad legal y moral de reconocer al dueño del himno y de obtener su permiso *antes de* hacer copias, incluyendo fotocopias, o grabaciones, pagando las regalías convenidas (la cantidad estipulada por el dueño).

Loor a ti 37

...señores, porque para siempre es su misericordia. Sal. 136: 3

...7 — F Mi — B♭ La — F Mi

...ñor, Jeho - vá!   Cie - lo y tie - rra, de tu a - mor

B♭ La — F Mi — C7 Si7 — F Mi — B♭ La — F Mi

Se - ñor; ¡Lo - or   a   ti!   A - mén.

1877, trad. Vicente Mendoza

CHAUTAUQUA (Coro)
Metro irreg.
Fa (Capo 1 - Mi)

VERSÍCULO LEMA

La congregación o la persona que está dirigiendo puede leer el versículo antes de cantar el himno; también puede servir para meditación personal.

RESPUESTA MUSICAL

Una afirmación musical que se puede intercalar entre secciones de una lectura bíblica. Se señala el trozo para cantarse con los símbolos de trompetas.

ACORDES PARA LA GUITARRA

TONADA

El nombre que identifica la melodía, seguida por la métrica poética.

TONALIDAD

Se ha tratado de usar acordes sencillos para la guitarra. Cuando son diferentes a la tonalidad indicada en la armadura, se señala la posición del *capotraste* para poder tocar con otros instrumentos musicales.

INTRODUCCIÓN INSTRUMENTAL

El trozo encerrado en estos ángulos que se sugiere como introducción musical.

DELÉITESE
CON ESTAS NOVEDADES

32 páginas a color, poesías, reflexiones doctrinales, lecturas bíblicas integradas en cada sección, índices, gráfica de acordes para la guitarra, anécdotas biográficas y de inspiración, música hispana y universal, e himnos y cánticos de ayer y hoy.

EXPLICACIÓN
DE LOS SÍMBOLOS

TONADAS OPCIONALES (Ver también Índice 666)
Significa que hay otras melodías que se prestan para cantar la misma letra.
Las sugerencias se basan en el metro y espíritu general del texto.

CADENA DE CANTOS (Índice 667)
Indica que esta selección forma parte de una serie de himnos que se pueden
cantar en secuencia y sin interrupción. El eslabón relleno representa el lugar
que el canto lleva en la secuencia. Se recomienda experimentar con diferentes
órdenes

LETRA BASADA EN UN TEXTO BÍBLICO (Índice 662)
Señala que la letra fue tomada de un pasaje bíblico directamente o con poca
modificación.

DERECHOS RESERVADOS ("copyright") (Índice 655)
Se refiere a los derechos literarios y musicales que son propiedad de la
entidad indicada y están protegidos internacionalmente por la ley. La
reproducción total o parcial de este himnario por cualquier medio, sin el
debido permiso del dueño respectivo, representa un delito y como tal, es
castigable por la ley. Las direcciones de los dueños se encuentran en el
índice.

CANON (ronda) (Índice 675)
Identifica un canto que se puede entonar por varios grupos en un orden
convenido. Por lo tanto, el primer grupo inicia el canto, y cuando éste llega
al '2', el segundo grupo comienza el canto, y así sucesivamente.

RESPUESTA MUSICAL (Índice 669)
Señala un trozo musical que se puede intercalar en la lectura de versículos
bíblicos. Esta frase musical la puede cantar la congregación o un grupo
coral, entonando la porción del canto encerrada entre estos símbolos.

BIOGRAFÍA (Índice 657)
Significa que el párrafo señalado enfoca ciertos rasgos importantes de la
vida de un contribuyente a nuestra himnodia.

BANDERA (Índice 664)
Indica el origen iberoamericano de la letra y/o la música.

ANÉCDOTAS HISTÓRICAS (Índice 658)
Se refiere al relato de un evento o circunstancia especial relacionado con
algún canto en este himnario.

[6]

ACORDES PARA LA GUITARRA (Ver también Índice 672)
Indica el símbolo de la guitarra al pie de la página que los acordes han sido adaptados con el fin de facilitar el uso de la guitarra. En tal caso se señala la posición del capotraste para que el guitarrista pueda acompañar a otros instrumentos en el tono real.

C$\sharp^{\circ}$7
Do$\sharp^{\circ}$ II

ACORDES DISMINUIDOS
Pertenece a los acordes disminuidos ($^{\circ}$), donde un número romano aparece al lado derecho del acorde inferior; esta cifra indica con qué traste el guitarrista toca dicho acorde. Ej.: Do$^{\circ}$ I = 1er traste; Do$\sharp^{\circ}$ II = 2° traste; Re$^{\circ}$III = 3er traste

E$\flat$
Re

ACORDES PARA EL TECLADO
Indica que el músico puede utilizar los acordes superiores en negrilla (Ej. **E$\flat$**) que pertenecen al sistema internacional; ellos representan el sonido verdadero, siempre en el tono real. El acorde inferior es el acorde más indicado para tocar en la guitarra. Ver "Acordes para la guitarra".

$\sharp/\flat$

TONALIDAD OPCIONAL
Significa que este himno se puede cantar o tocar en otra tonalidad.

FLECHA(S)
Señala que se encuentra en la página a color una lectura para el uso de la congregación. El número de flechas indica la distancia de su ubicación.

ÁNGULOS
Encierran un trozo de música apropiado como una introducción instrumental, para establecer el ritmo y la tonalidad del canto.

 SIGNOS DE REPETICIÓN
Indican el inicio y fin de una porción de música que se repite.

D.S. **DESDE EL SIGNO** (dal segno)
Significa que se repite la sección iniciada por el símbolo " $\%$ ".

D.C. **DESDE LA CABEZA** (da capo)
Significa que se regresa al inicio (cabeza) del canto para repetirlo.

$\boxed{1}$ $\boxed{2}$ **CASILLAS**
Indican que el segundo fin de una porción musical difiere del que se cantó la primera vez. Se señala por medio del "1" y "2".

Fin **FIN** (fine)
Señala la conclusión del canto. ¡ADVERTENCIA! Se hace caso omiso de esta indicación hasta la última repetición.

CONTENIDO

1 Celebremos

¡Celebremos! Celebremos la gloria de Dios porque él es el Creador. Unamos nuestra voz a la de las huestes celestiales que cantaron a Dios en el comienzo de la creación:

> **Alababan todas las estrellas del alba, y se regocijaban todos los hijos de Dios.** Job 38:7 (RVR)

El salmista hace eco a esa alabanza al contemplar la grandeza de Dios:

> **Alabad a Dios en su santuario; alabadle en la magnificencia de su firmamento.** Salmo 150:1 (RVR)

Celebremos la gracia de Dios porque él nos ha enviado un Salvador. Unamos nuestra voz a la de los ángeles que aquella maravillosa noche en Belén cantaron:

> **¡Gloria a Dios en las alturas!** Lucas 2:14a (RVR)

Celebremos la Palabra de Dios, que es la espada del Espíritu, porque ella es nuestro alimento y al cantarla nos trae mutua edificación:

> **La palabra de Cristo more en abundancia en vosotros, enseñándoos y exhortándoos unos a otros en toda sabiduría, cantando con gracia en vuestros corazones al Señor con salmos, himnos y cánticos espirituales.** Colosenses 3:16 (RVR)

Un día estaremos en la presencia de Dios, junto con toda su Iglesia. Entonces, con instrumentos musicales y cántico nuevo, proclamaremos:

> **Digno eres...porque tú fuiste inmolado, y con tu sangre nos has redimido para Dios, de todo linaje y lengua y pueblo y nación.** Apocalipsis 5:9 (RVR)

¡Celebremos! ¡¡Celebremos su gloria!!

NUESTRO
Maravilloso Dios

2 Celebremos su gloria

Cantad entre las gentes su gloria. 1 Cr. 16:24

Sal. 145:1-13
Ro. 15:5-13
Ro. 11:33-12:1

Con regocijo

1. Ce - le - bre - mos su glo - ria con gran go - zo, a - la - be - mos su gran - de - za; Dios e - ter - no es to - do - po - de - ro - so; nues - tro es - cu - do y for - ta - le - za.
2. Ce - le - bre - mos su glo - ria in - de - ci - ble, e - le - ve - mos nues - tro can - to; A - do - re - mos con co - ra - zón sen - si - ble al Se - ñor tres ve - ces san - to.
3. Ce - le - bre - mos su glo - ria ju - bi - lo - sos, Cris - to rei - na, so - be - ra - no; Por su gra - cia nos guí - a vic - to - rio - sos con su po - de - ro - sa ma - no.
4. Ce - le - bre - mos su glo - ria ex - al - ta - da; Je - su - cris - to pron - to vie - ne A lle - var - nos, su I - gle - sia trans - for - ma - da a la Glo - ria pa - ra siem - pre.

CORO

¡Ce - le - bre - mos y a - do - re - mos, a - la - be - mos y can - te - mos muy go - zo - sos, oh her - ma - nos, al Se - ñor, a nues - tro Dios!

L.A.

LETRA: Sonia Andrea Linares M., 1991
MÚSICA: Compositor descon., Latinoamérica, arreg. Eugenio Jordán 🔊 y N. Johnson
Arreg. © 1958 Singspiration Music. Letra © 1992 Celebremos/Libros Alianza.
Se prohíbe la reproducción sin autorización.

ALBORES
11 8 11 8 / Coro
Do

Santo, santo, grande eterno Dios **3**

Is. 6:1-8
Dn. 7:9-14
1 Ti. 1:15-17

Venid, adoremos...delante del Señor nuestro Hacedor. Sal. 95:6

Con ánimo

1. ¡Santo, santo, grande, eterno Dios! con alegría
hoy te alabamos, Rey de reyes, grande Capitán,
Todopoderoso Guerrero. Honor y gloria,
luz y dominio, tributaremos todos a ti.

2. Alabadle cielos, tierra y mar, toda su Iglesia,
sus mensajeros; Alabanzas, cantos de loor,
hoy unidos elevaremos. Juez majestuoso
y reverendo, fuego y vida eres, Señor.

3. Rey de siglos, solo eterno Dios, veraz y justo,
incomprensible; Inmortal, Autor de todo bien,
eres tú el Anciano de Días. Y para siempre
entonaremos el canto eterno de redención.

CORO
¡Santo, santo, eres tú, Señor! ¡Dios de las batallas, glorioso!

LETRA: Fanny J. Crosby, 1869, trad. H.C. Ball
MÚSICA: William B. Bradbury, 1869, arreg. Bentley D. Ackley

HOLY IS THE LORD
Metro irreg.
Fa (Capo 1 - Mi)

4 Santo, Santo, Santo

Santo, santo, santo...la tierra está llena de su gloria. Is. 6:3

Is. 6:1-8
Ap. 4
1 P. 1:13-23

Con solemnidad

1. ¡San-to! ¡San-to! ¡San - to! Se - ñor om-ni-po-ten - te,
2. ¡San-to! ¡San-to! ¡San - to! en nu - me - ro - so co - ro,
3. ¡San-to! ¡San-to! ¡San - to! la in - men - sa mu-che-dum - bre
4. ¡San-to! ¡San-to! ¡San - to! por más que es-tés ve - la - do,
5. ¡San-to! ¡San-to! ¡San - to! la glo - ria de tu nom - bre

siem - pre el la - bio mí - o lo - o - res te da - rá.
san - tos es - co - gi - dos te a - do - ran sin ce - sar,
de án - ge - les que cum - plen tu san - ta vo - lun - tad,
e im - po - si - ble se - a tu glo - ria con - tem - plar;
ve - mos en tus o - bras en cie - lo, tie - rra y mar;

¡San - to! ¡San - to! ¡San - to! te a - do - ro re - ve - ren - te,
De a - le - grí - a lle - nos, y sus co - ro - nas de o - ro
An - te ti se pos - tra, ba - ña - da de tu lum - bre,
San - to tú e - res so - lo, y na - da hay a tu la - do
¡San - to! ¡San - to! ¡San - to! te a - do - ra - rá to - do hom - bre,

Dios en tres per - so - nas, ben - di - ta Tri - ni - dad.
rin - den an - te el tro - no y el cris - ta - li - no mar.
an - te ti, que has si - do, que e - res y se - rás.
en po - der per - fec - to, pu - re - za y ca - ri - dad.
Dios en tres per - so - nas, ben - di - ta Tri - ni - dad.

Puente musical optativo entre estrofas #4 y #5 para pasar de Re (2♯) a Mi♭ (3♭)

LETRA: Reginald Heber, 1826, trad. Juan B. Cabrera
MÚSICA: John B. Dykes, 1861, arreg. F.B.J. (contramelodía)
Arreg. © 1992 Celebremos/Libros Alianza. Se prohibe la reproducción sin autorización.

NICEA
13 12 13 12
Re/Mi♭

CONTRAMELODÍA (DISCANTE)

¡San - to! ¡San - to! ¡San - to! ¡San - to!

•5.¡San - to! ¡San - to! ¡San - to! la glo - ria de tu nom - bre

¡San - to! ¡San - to! ¡San - to! ¡San - to!

ve - mos en tus o - bras en cie - lo, tie - rra y mar;

¡San - to! ¡San - to! ¡San - to! ¡San - to!

¡San - to! ¡San - to! ¡San - to! te a - do - ra - rá to - do hom - bre,

Dios en tres per - so - nas, ben - di - ta Tri - ni - dad. A - mén.

Dios en tres per - so - nas, ben - di - ta Tri - ni - dad. A - mén.

Santo, Santo, Santo

Se ha dicho que es el himno más hermoso y majestuoso de todos los tiempos y que hasta en el cielo se seguirá cantando. Por cierto, los cuatro seres descritos en Apocalipsis 4:8 permanentemente pronuncian: "Santo, Santo, Santo".

El nombre de la tonada viene del Concilio de Nicea, donde 318 delegados se reunieron en el año 325 para afirmar la sublime verdad revelada en la Biblia, que Dios existe en tres personas. Los delegados en su mayoría habían sido torturados por su fe en Cristo. El credo que redactaron permanece como un baluarte de esta doctrina fundamental.

El autor del himno, Reginaldo Heber, misionero inglés, murió sirviendo al Señor en la India. A las voces de estos hombres convencidos y valientes, unamos las nuestras cantando "¡Santo! ¡Santo! ¡Santo!"

5 Cantad alegres al Señor

Cantad alegres a Dios. Sal. 100:1

Sal. 100
Sal. 33:1-12
Sal. 9:1-11

1. Can-tad a-le-gres al Se-ñor, mor-ta-les to-dos por do-quier, Ser-vid-le siem-pre con fer-vor, o-be-de-ced-le con pla-cer.
2. Con gra-ti-tud can-ción al-zad al Ha-ce-dor que el ser nos dio; Al Dios ex-cel-so a-do-rad, que co-mo Pa-dre nos a-mó.
3. Re-co-no-ced que es Dios y Rey, nues-tro po-ten-te Cre-a-dor; O-ve-jas so-mos de su grey, y pue-blo su-yo por su a-mor.
4. Con a-la-ban-za y go-zo en-trad a la pre-sen-cia del Se-ñor; Al So-be-ra-no a-cla-mad, y ben-de-cid-le con fer-vor. A-mén.

LETRA: Basada en el Salmo 100, estr. #1 y 2 Tomás González C., 1819,
Estr. #3 y 4 Comité de Celebremos, 1991
MÚSICA: John Hatton, 1793
Estr. #3 y 4 © 1992 Celebremos/Libros Alianza. Se prohíbe la reproducción sin autorización.
Esta letra se puede cantar también con la música de #516 (La cruz) y #624 (A Dios el Padre).

DUKE STREET
8888
Mi♭ (Capo 1 - Re)

6 Celebremos su gloria

Vi yo al Señor sentado sobre un trono alto y sublime; y el
borde de sus vestiduras llenaba el templo.

**Y el que estaba sentado era semejante a una piedra de
jaspe y de cornalina...**

También alrededor del trono había veinticuatro tronos, y sobre los tronos vi a veinticuatro ancianos sentados, vestidos de vestiduras blancas, con coronas de oro sobre sus cabezas.

Y echan sus coronas delante del trono, diciendo: "Digno eres tú, oh Señor y Dios nuestro, de recibir la gloria, la honra y el poder; porque tú has creado todas las cosas, y por tu voluntad tienen ser y fueron creadas".

Después de estas cosas, oí como la gran voz de una enorme multitud en el cielo, que decía:

"¡Aleluya! La salvación y la gloria y el poder pertenecen a nuestro Dios".

Isaías 6:1b; Apocalipsis 4:3a, 4, 10b-11; 19:1 (RVA)

Sal. 149:1-5
Sal. 34:1-10
Sal. 33:1-12

Con cánticos, Señor 7

Cantad al Señor cántico nuevo. Sal. 149:1

1. Con cán - ti - cos, Se - ñor, mi co - ra - zón y voz
2. Tu ma - no pa - ter - nal mar - có mi sen - da a - quí;
3. In - nu - me - ra - bles son tus bie - nes y sin par;
4. Tú e - res ¡oh Se - ñor! mi su - mo, to - do bien;

Te a - do - ran con fer - vor, oh Tri - no, San - to Dios.
Mis pa - sos, ca - da cual, ve - la - dos son por ti.
Y por tu com - pa - sión los go - zo sin ce - sar.
Mil len - guas tu a - mor can - tan - do siem - pre es - tén.

CORO

En tu man - sión yo te ve - ré, y paz e - ter - na go - za - ré.

LETRA: James J. Cummings, 1839, trad. M.N. Hutchinson, 1877, alt.
MÚSICA: John Darwall, 1770

DARWALL
6 6 6 6/CORO
Do

8 Maravillosa Gracia

Porque la gracia de Dios se ha manifestado para salvación. Tit. 2:11

Ef. 1:3-14
Ef. 2:4 -10
Tit. 3:3-8

1. Ma - ra - vi - llo - sa gra - cia vi - no Je - sús a dar,
2. Ma - ra - vi - llo - sa gra - cia, gra - cia de com - pa - sión,
3. Ma - ra - vi - llo - sa gra - cia lla - ma con dul - ce voz,

Más al - ta que los cie - los, más hon - da que la mar,
Gra - cia que sa - cia el al - ma con ple - na sal - va - ción,
Llá - ma - nos a ser he - chos hi - jos de nues - tro Dios;

Más gran - de que mis cul - pas cla - va - das en la cruz
Gra - cia que lle - va al cie - lo, gra - cia de paz y luz
Col - ma de su con - sue - lo, nos lle - na de vir - tud

Es la ma - ra - vi - llo - sa gra - cia de Je - sús.

CORO

I - ne - fa - ble es la di - vi - na, la di - vi - na gra - cia,
I - ne - fa - ble es la di - vi - na gra - cia,

LETRA y MÚSICA: Haldor Lillenas, 1918, trad. W.R. Adell
© 1918, ren. 1946 Hope Publishing. Usado con permiso.

WONDERFUL GRACE
13 13 13 12 / Coro
Do

9 Majestad

Al único...Dios, nuestro Salvador, sea gloria y majestad. Jud. v. 25

Fil. 2:1-11
Sal. 96:1-9
Sal. 93

LETRA: Estr. #1 Jack Hayford, 1981, trad. y estr. #2-3 Comité de *Celebremos*
MÚSICA: Jack Hayford, 1981, arreg. Eugene Thomas, alt.
© 1981 Trust Music, admin. C.A. Music. Usado con permiso.

MAJESTY
Metro irreg.
Si♭ (Capo 1 - La)

D. S. al Fin

Sólo tú eres santo **10**

Ap. 15:2-4
Is. 6:1-8
Sal. 45:1-6

¿Quién no te temerá, oh Señor?...pues sólo tú eres santo. Ap. 15:4

Con admiración

A - do - rad, mag - ni - fi - cad al gran Re - den - tor.

Só - lo tú e - res san - to, só - lo tú e - res dig - no,

tú e - res her - mo - so y ma - ra - vi - llo - so;

En la cruz mo - ris - te y re - su - ci - tas - te;

tú me dis - te vi - da y muy pron - to vol - ve - rás.

LETRA: Autor descon., adapt. Kenneth R. Hanna, 1989
MÚSICA: Compositor descon., México, s. 20, arreg. F.B.J.
Arreg. © 1992 Celebremos/Libros Alianza. Se prohíbe la reproducción sin autorización.

MEX

QUERÉTARO
12 12 12 13
Fa (Capo 1 - Mi)

11 A Dios sea la gloria

Ef. 3:14-21
Ro. 11:33-12:1
Sal. 29

A él sea gloria en la iglesia en Cristo Jesús. Ef. 3:21

A Dios sea la glo - ria, a Dios sea la glo - ria; A
Dios sea la glo - ria por lo que hi - zo por mí; Con su
san - gre me ha lim - pia - do, su po - der me ha sal - va - do, A
Dios sea la glo - ria por lo que hi - zo por mí. Quie - ro vi -
vir, Se - ñor, ren - di - do siem - pre só - lo a ti; Pon - go a tus

LETRA y MÚSICA: Andraé Crouch, 1971, es trad.
© 1971 BudJohn Songs Inc., admin. C.M.I./Sparrow Corp. Usado con permiso.

MY TRIBUTE
Metro irreg.
Si♭, Capo 3 - Sol

pies lo que soy, por que dis-te to-do, Se-ñor, por mí.

Sal. 43:3-5
Ap. 19:1-10
Ap. 7:9-17
Con adoración

Canta aleluya al Señor 12

Te alabaré con arpa, oh Dios, Dios mío. Sal. 43:4
CONTRAMELODÍA (DISCANTE)

1. Can - ta a - le - lu - ya al Se - ñor,

1. Can-ta a - le - lu - ya al Se - ñor, can - ta a - le -
2. Cán - ta - le a Dios de co - ra - zón, can - ta - le a

G 4' 15"

le a Can-ta a - le - lu - ya, a - le

lu - ya al Se - ñor; Can-ta a - le - lu - ya,
Dios de co - ra - zón;

Última vez

lu - ya, can - ta a - le - lu - ya al Se - ñor.
Última vez

can - ta a - le - lu - ya; can - ta a - le - lu - ya al Se - ñor.
cán - ta - le a Dios de co - ra - zón.

3. Ya Cristo obró la redención... 4. Venció la muerte el Señor... 5. Cristo Jesús nos llevará...

SING ALLELUIA
Metro irreg.
Do m (Capo 1 - Si m)

LETRA: Estr. #1 Linda Stassen, 1974, es trad., #2 - 5 Sonia Andrea Linares M., 1990
MÚSICA: Linda Stassen, 1974, arreg. Dale Grotenhais
© 1974 Linda Stassen, admin. New Song Ministries. Usado con permiso.

13 Gloria, Gloria

Sal. 19
Job 9:1-10
Heb. 1:1-13

¡Gloria a Dios en las alturas! Lc. 2:14

Con gozo

Glo - ri - a, glo - ri - a in ex - cel - sis De - o!
¡Glo - ria, glo - ria, en lo al - to glo - ria!

Glo - ri - a, glo - ri - a, a - le - lu - ia, a - le - lu - ia!
¡Glo - ria, glo - ria, a - le - lu - ya, a - le - lu - ya!

LETRA: Basada en Lucas 2:14
MÚSICA: Jacques Berthier, 1978
© 1978 Ateliers et Presses de Taizé, Francia. Usado con permiso.

GLORIA CANON
Canon a cuatro voces
Fa (Capo 1 - Mi)

14 La grandeza de Dios

¡Bendito seas tú...nuestro Padre desde la eternidad y hasta la eternidad!

Tuyos son, oh Señor, la grandeza, el poder, la gloria, el esplendor y la majestad; porque tuyas son todas las cosas que están en los cielos y en la tierra.

Tuyo es el reino, oh Señor, y tú te enalteces como cabeza sobre todo.

Y ahora, oh Dios nuestro, nosotros te damos gracias y alabamos tu glorioso nombre.

Señor nuestro, ¡cuán grande es tu nombre en toda la tierra! Has puesto tu gloria sobre los cielos.

De la boca de los pequeños y de los que todavía maman has establecido la alabanza frente a tus adversarios, para hacer callar al enemigo y al vengativo.

Cuando contemplo tus cielos, obra de tus dedos, la luna y las estrellas que tú has formado,

Digo: ¿Qué es el hombre, para que de él te acuerdes; y el hijo de hombre, para que lo visites?

Celebrarán los cielos tus maravillas, oh Señor, tu verdad también en la congregación de los santos.

Dios temible en la gran congregación de los santos,
Y formidable sobre todos cuantos están alrededor de él.

Te alabaré entre los pueblos, oh Señor; cantaré de ti entre las naciones.

Porque grande es hasta los cielos tu misericordia, y hasta las nubes tu verdad.

Exaltado seas sobre los cielos, oh Dios; sobre toda la tierra sea tu gloria.
1 Crónicas 29:10b-11*, 13; Salmo 8:1-4 (RVA);
89:5*, 7; 57:9-11 (RVR)

Al Dios de Abraham, loor 15

#/♭

Heb. 11:8-16
Ap. 4
Rom. 2:4-15
Con vigor

[Abraham] se fortaleció en fe, dando gloria a Dios. Ro. 4:20

↑[16]
♪ 2' 39"

1. ¡Al Dios de A-braham, lo - or! su nom - bre ce - le - brad;
2. ¡Cuán li - bre y sa - bio es su Es - pí - ri - tu al o - brar!
3. La vi - da in - fun - dió en ca - da hu - ma - no ser.
4. Al Pa - dre ce - les - tial, a Cris - to el Re - den - tor,

¡Al que e - ra, es, y a - ún se - rá, mag - ni - fi - cad!
Su voz por el pro - fe - ta a - ún nos quie - re ha - blar.
Su a - mor, am - pa - ro nos se - rá sin fe - ne - cer.
Y al e - ter - nal Con - so - la - dor, can - tad lo - or.

El so - lo, e - ter - no Dios, de to - do es Cre - a - dor:
En to - do co - ra - zón su ley es - cri - ta es - tá;
¡Al vi - vo Dios, lo - or! su nom - bre ce - le - brad;
Cris - tia - nos, en - sal - zad su gra - cia y su bon - dad;

Al ú - ni - co Su - pre - mo Ser can - tad lo - or.
Es in - mu - ta - ble y siem - pre fiel en tie - rra y mar.
¡Al que e - ra, es, y a - ún se - rá, mag - ni - fi - cad!
Al tri - no Dios de A - bra - ham hoy a - la - bad. A - mén.

LETRA: Estr. #1-3 Thomas Olivers, 1770, bas. en Yigdal de Daniel ben Judah, 1404,
trad. G. P. Simmonds, ⓟ Estr. #4 Comité de *Celebremos*, 1991
MÚSICA: Melodía hebrea, arreg. Meyer Lyon, 1770
Para una tonalidad más baja (Mi m) ver #213 (Resucitó Jesús).

LEONI
6 6 8 4 D
Fa m (Capo 1 - Mi m)

16 Alma, bendice al Señor

Alabo, engrandezco y glorifico al Rey del cielo. Dn. 4:37

Sal. 103:1-5
Sal. 104:1-9, 31-34
Dn. 4:34-37

Con amplitud

1. Al - ma, ben - di - ce al Se - ñor, Rey po - ten - te de glo - ria; De sus mer - ce - des es - té vi - va en ti la me - mo - ria. ¡Oh, des - per - tad, ar - pa y sal - te - rio! en-to - nad him - nos de ho - nor y vic - to - ria.

2. Al - ma, ben - di - ce al Se - ñor que los or - bes go - bier - na, Y te con - du - ce pa - cien - te con ma - no pa - ter - na; Te per - do - nó, de to - do mal te li - bró, por - que su gra-cia es e - ter - na.

3. Al - ma, ben - di - ce al Se - ñor, de tu vi - da la fuen - te, Que te cre - ó, y en sa - lud te sos - tie - ne cle - men - te; Tu de - fen - sor en to - do tran - ce y do - lor, su dies - tra es om - ni - po - ten - te.

4. Al - ma, ben - di - ce al Se - ñor por su a - mor in - fi - ni - to; Con to - do el pue - blo de Dios su a - la - ban - za re - pi - to: Dios, mi sa - lud, de to - do bien ple - ni - tud, ¡se - as por siem - pre ben - di - to!

LETRA: Joachim Neander, 1680, trad. Federico Fliedner
MÚSICA: En *Stralsund Gesangbuch*, 1665, arreg. William S. Bennett, 1863, alt.

LOBE DEN HERREN
Metro irreg.
Fa (Capo 1 - Mi)

Sal. 92:1-8
Sal. 147:1-11
Sal. 89:1-8

Bueno es alabarte, oh Jehová 17

Bueno es alabarte, oh Señor, y cantar salmos a tu nombre. Sal. 92:1

Con alegría

•Bue - no es a - la - bar - te, oh Je - ho - vá. Bue - no es a - la -

bar - te, oh Je - ho - vá, y can - tar sal - mos a tu

nom - bre, oh Al - tí - si - mo. A -

nun - ciar por la ma - ña - na tu mi - se - ri - cor - dia,

tu mi - se - ri - cor - dia y tu fi - de - li - dad ca - da no - che.

LETRA: Basada en Salmo 92:1-2
MÚSICA: Compositor descon., Latinoamérica, s. 20, arreg. F.B.J.
Arreg. © 1992 Celebremos/Libros Alianza. Se prohibe la reproducción sin autorización.

L.A.

BUENO ES ALABARTE
Metro irreg.
Fa (Capo 1 - Mi)

18 Gloria a tu nombre, oh Dios

Sal. 115:1-8, 17-18
Sal. 96
Dt. 32:1-4

Con admiración

Oh Señor, no a nosotros, sino a tu nombre da gloria. Sal. 115:1

•1. ¡Oh ben - di - to Rey di - vi - no! te a - do - ra - mos con fer - vor;
•2. De tu tro - no en los cie - los a es - te mun - do pe - ca - dor,
•3. Ven, oh ven, Se - ñor e - ter - no, ven con glo - ria di - vi - nal;

Po - de - ro - so, ad - mi - ra - ble e - res tú, ¡oh Sal - va - dor!
Has ba - ja - do pa - ra dar - te co - mo nues - tro Re - den - tor.
Ven y lle - va a tu I - gle - sia a tu rei - no ce - les - tial.

CORO

Glo — — ria, glo — — ria,

¡Glo - ria a tu nom - bre, oh Dios! ¡Glo - ria a tu nom - bre, oh Dios!

¡Glo - ria a tu nom - bre, oh Dios! ¡Glo - ria a tu nom - bre, oh Dios! A - mén.

LETRA y MÚSICA: B.B. McKinney, 1942, trad. Salomón Mussiett C.
© 1942, ren. 1970 Broadman Press, trad. © 1978 Broadman. Usado con permiso.

GLORIOUS NAME
8 7 8 7/Coro
Fa (Capo 1 - Mi)

Levantaos, Bendecid 19

Sal. 145:1-13
Neh. 9:1-6
Sal. 146

Levantaos, bendecid al Señor vuestro Dios. Neh. 9:5

LETRA: Basada en Nehemías 9:5-6 | MEX
MÚSICA: Felipe Blycker J., 1985
© 1985 *Philip W. Blycker en* Cánticos nuevos de la Biblia. *Usado con permiso.*

NEHEMÍAS
Metro irreg.
Re m

Roberto C. Savage (1914-1987)
Roberto Savage sirvió como misionero en Colombia antes de trasladarse a Quito, Ecuador.
Allí trabajó durante 25 años en la radio HCJB como
locutor, escritor, promotor y administrador. Se le recuerda por su sonrisa y entusiasmo. Recolectó himnos
y coros, muchos de ellos inéditos, y compiló 15 cancio-
neros evangélicos de la serie "Adelante Juventud".

En estos se dieron a conocer las composiciones de
personas como Alfredo Colom y Juan Isáis. Quizá su
obra mayor fue la publicación de *Himnos de Fe y Alabanza,* en 1966. Durante todo su ministerio trató de estimular
la creación de nueva música cristiana latinoamericana.
Entre los varios himnos que tradujo al español se encuentra el #20 (Alabad al gran Rey).

NUESTRO MARAVILLOSO DIOS

20 Alabad al gran Rey

Aclamad con trompetas...delante del Rey Jehová. Sal. 98:6

Sal. 29
1 Ti. 6:11-16
Sal. 69:30-34

1. So - lem - nes re - sue - nen las vo - ces de a - mor, con gran re - go -
2. Su a - mor in - fi - ni - to, ¿qué len - gua di - rá? y ¿quién sus bon -
3. In - men - sa la o - bra de Cris - to en la cruz, e - nor - me la
4. Ve - lad, fie - les to - dos, ve - lad con fer - vor, que vie - ne muy

ci - jo tri - bu - ten lo - or Al Rey So - be - ra - no, el
da - des ja - más son - dea - rá? Su mi - se - ri - cor - dia no
cul - pa se ve por su luz. Al mun - do él vi - no, nos
pron - to Je - sús, el Se - ñor. Con no - tas a - le - gres ven -

buen Sal - va - dor; dig - ní - si - mo es él del más al - to ho - nor.
pue - de fal - tar, mil him - nos a - la - ben su nom - bre sin par.
i - lu - mi - nó, y por nues - tras cul - pas el Jus - to mu - rió.
drá a rei - nar; a su e - ter - na glo - ria os ha de lle - var.

CORO

A - la - bad, a - la - bad, a - la - bad al gran Rey. A - do -

rad, a - do - rad, a - do - rad - le su grey. Es nues - tro es - cu - do, ba -

LETRA: Fanny J. Crosby, 1875, trad. R.C. Savage
MÚSICA: William H. Doane, 1875
Trad. © 1966 Singspiration Music. Usado con permiso.
Esta letra (estrofa) se puede cantar con la música de #271 (Los cielos) y #451 (Iglesia de Cristo).

TO GOD BE THE GLORY
11 11 11 11/Coro
La♭(Capo 1 - Sol)

Te alabaré, Señor **21**

Sal. 9:1-11
Sal. 86:8-13
Sal. 111

Te alabaré, oh Señor, con todo mi corazón. Sal. 9:1

Te a - la - ba - ré, Se - ñor, con to - do mi co - ra - zón, con to - do mi co - ra -
Me a - le - gra - ré en ti y me re - go - ci - ja - ré, y me re - go - ci - ja -

zón, te a - la - ba - ré, Se - ñor. Con - ta - ré to - das tus ma - ra -
ré, te a - la - ba - ré, Se - ñor. Can - ta - ré a tu nom - bre, oh, Al - tí - si -

vi - llas, das to - tus ma - ra - vi - llas; te a - la - ba - ré, Se - ñor.
mo; oh, Al - tí - si - mo, te a - la - ba - ré, Se - ñor.

Última vez

Te a - la - ba - ré, Se - ñor; te a - la - ba - ré, Se - ñor.

LETRA: Basada en Salmo 9:1-2
MÚSICA: Compositor descon., Ecuador, s. 20, arreg. F.B.J.
Arreg. © 1992 Celebremos/Libros Alianza. Se prohíbe la reproducción sin autorización.

ECU

ECUADOR
Metro irreg.
Re m

22 Bendeciré al Señor

Y ellos alabaron con gran alegría, y se inclinaron y adoraron. 2 Cr. 29:30

Sal. 16
Sal. 34:1-10
Sal. 66:1- 8

Con fervor

Ben-de-ci - ré al Se - ñor en to-do tiem-po; su a-la-
En el Se - ñor se glo-ria - rá mi al - ma; lo oi-

(D.S.) qué al Se - ñor y él me o - yó, y de

ban-za en mi bo-ca es-ta - rá.
rán los man-sos y se a-le-gra - rán. En-gran-de-

to - dos mis te - mo - res me li - bró.

D. S. al Fin

ced al Se - ñor con - mi - go, y ex - al - te-mos a u-na su nom-bre. Bus-

LETRA: Basada en Salmo 34:1-4
MÚSICA: Compositor descon., Latinoamérica, s. 20, arreg. F.B.J.
Arreg. © 1992 Celebremos/Libros Alianza. Se prohíbe la reproducción sin autorización.

L.A.

BENDECIRÉ A JEHOVÁ
Metro irreg.
Do

23 Santo es el Señor

Toda la tierra sea llena de su gloria. Sal. 72:19

Sal. 72:17-19
Sal. 96
Is. 6:1-8

Con reverencia

San - to, san - to, san - to, po - de - ro-so Dios; po - de - ro - so Dios. La

LETRA: Basada en Isaías 6:3
MÚSICA: Nolene Prince, 1976, arreg. F.B.J.
© 1976 Resource Christian Music. Usado con permiso.

PRINCE
Metro irreg.
Do

tie - rra es - tá lle - na de su glo - ria, la tie - rra es - tá lle - na de su glo - ria, la tie - rra es - tá lle - na de su glo - ria. San - to es el Se - ñor.

Sal. 18:1-6, 46-50
2 S. 22:31-34, 47-50
Sal. 95:1-7
Con entusiasmo

Bendito es el Señor 24

Viva Jehová, y bendita sea mi roca. Sal. 18:46

● 1. Ben - di - to es el Se - ñor, e - nal - te - ci - do - se - a Dios. Dios.
● 2. Yo te a - mo, oh Se - ñor, mi ro - ca y li - ber - ta - dor. dor.
3. Yo te con - fe - sa - ré, y a tu nom - bre can - ta - ré. ré.

♩ 1' 52"

¡Ho - san - na! Ben - di - ta se - a la Ro - ca, ben -

di - ta se - a la Ro - ca de mi sal - va - ción. sal - va - ción.

LETRA: Basada en el Salmo 18, adapt. S.A. Linares M., 1991
MÚSICA: Michael O'Shields, 1981, arreg. F.B.J.
Música © 1981 Sound III, admin. Tempo Music. Usado con permiso.

O MAGNIFY THE LORD
Metro irreg.
Do

25 De Jehová cantaré

Sal. 89:1-8
Lm. 3:19-26
Is. 63:7-9

Las misericordias del Señor cantaré perpetuamente. Sal. 89:1

Con alegría

1. De Jeho - vá can - ta - ré yo las mi - se - ri - cor - dias, can - ta -
2. Con tu pue - blo ce - le - bra - ré tus ma - ra - vi - llas, can - ta -

ré, can - ta - ré. De Jeho - vá can - ta - ré yo las mi-
ré, can - ta - ré. Con tu pue - blo ce - le - bra - ré tus

can - ta - ré, can - ta - ré.

se - ri - cor - dias, gran - des mi - se - ri - cor - dias can - ta - ré.
ma - ra - vi - llas, sí, de tus ma - ra - vi - llas can - ta - ré.

Con mi bo - ca a - nun - cia - ré tu gran ver - dad y fi - de - li - dad;
Tu ver - dad pro - cla - ma - ré, pues e - res Dios po - de - ro - so y fiel;

Con mi bo - ca a - nun - cia - ré tu gran ver - dad por to - dos los si - glos.
Tu ver - dad pro - cla - ma - ré, pues e - res nues - tro Rey y es - cu - do.

LETRA: Basada en Salmo 89:1,5, estr. #1 J. Arturo Savage, estr. #2 Comité de *Celebremos*
MÚSICA: James H. Fillmore, s. 20
Letra estr. #1 © 1960 J. Arturo Savage, estr #2 © 1992 Celebremos/Libros Alianza.

FILLMORE
Metro irreg.
Mi♭ (Capo 1 - Re)

Yo Celebraré 26

Ex. 15:1-8
Sal. 145:1-13
Sal. 98:1-6

A ti cantaré cántico nuevo. Sal. 144:9

Con júbilo

Yo ce-le-bra-ré, can-ta-ré a él, can-ta-ré un nue-vo can-to. A-la-ba-ré a Je-ho-vá por-que él ha ven-ci-do con po-der.

Fin

D. C. al Fin

LETRA: Linda Duvall, 1982, es trad.
MÚSICA: Linda Duvall, 1982, arreg. F.B.J.
© 1982 Grace Fellowship, admin. Maranatha Music. Usado con permiso.

I WILL CELEBRATE
Metro irreg.
Mi m

Tuya es la gloria 27

Ap. 7:9-17
Col. 1:15-19
Ap. 4

La gloria...y la honra y el poder...sean a nuestro Dios. Ap. 7:12

Con amplitud

1. Tu-ya es la glo-ria, la hon-ra tam-bién;
2. Tu-yos los do-mi-nios, los tro-nos tam-bién;

Tu-ya pa-ra siem-pre, a-mén, a-mén.
Tu-yos pa-ra siem-pre, a-mén, a-mén.

LETRA: Autor descon., Argentina, s. 20
MÚSICA: Compositor descon., s. 20, arreg. F.B.J.
Arreg. © 1992 Celebremos/Libros Alianza. Se prohíbe la reproducción sin autorización.

ARG

RÍO DE LA PLATA
Metro irreg.
Mi♭ (Capo 1 - Re)

28 Himno al Padre

Bendito sea el Dios Altísimo. Gn. 14:20

Ex. 3:2-14
Gn. 17:1-8
Gn. 14:18-20

Con ánimo

1. Can - tad - le a u - na voz, om - ni - po - ten - te Dios,
2. Can - tad - le con a - mor, al - tí - si - mo Se - ñor,
3. Can - tad - le con fer - vor, su - pre - mo y fiel pas - tor,
4. Dad cán - ti - cos a Dios el Pa - dre, en al - ta voz,

Su nom - bre es E - lo - him, el tri - no Cre - a - dor;
Su nom - bre es A - do - nai, del mun - do due - ño y rey;
Su nom - bre es El El - yon, el gran go - ber - na - dor;
Y al Hi - jo el Sal - va - dor mil sal - mos en - to - nad;

Jeho - vá es el gran "YO SOY", y e - ter - no es El O - lam,
El Dios de ben - di - ción, nos cui - da El Shad - dai;
El sem - pi - ter - no Ser, nos guí - a con a - mor,
Con him - nos en - sal - zad al San - to Es - pí - ri - tu;

Pos - tra - os to - dos a sus pies, es nues - tro Re - den - tor.
Oh, a - la - bad - le sin te - mor, o - ve - jas de su grey.
Lo - ad a Je - ho - vá Ji - reh, de Sion sus - ten - ta - dor.
Tres ve - ces san - to, el tri - no Dios, ser - vid - le con leal - tad.

LETRA: Basada en los nombres bíblicos de Dios en Génesis, Felipe Blycker J., 1977
MÚSICA: Felipe Blycker J., 1977
© 1977 Philip W. Blycker en Cánticos nuevos de la Biblia. Usado con permiso.

GUA

ELOHIM
6 6 6 6 6 6 8 6
Mi m

29 Bendeciré al Señor Salmo 104:1-3b, 4, 24, 31, 33 (DHH) ▷

30 Mi corazón te adora ▷▷
ESP Faustino Martínez, s. 20

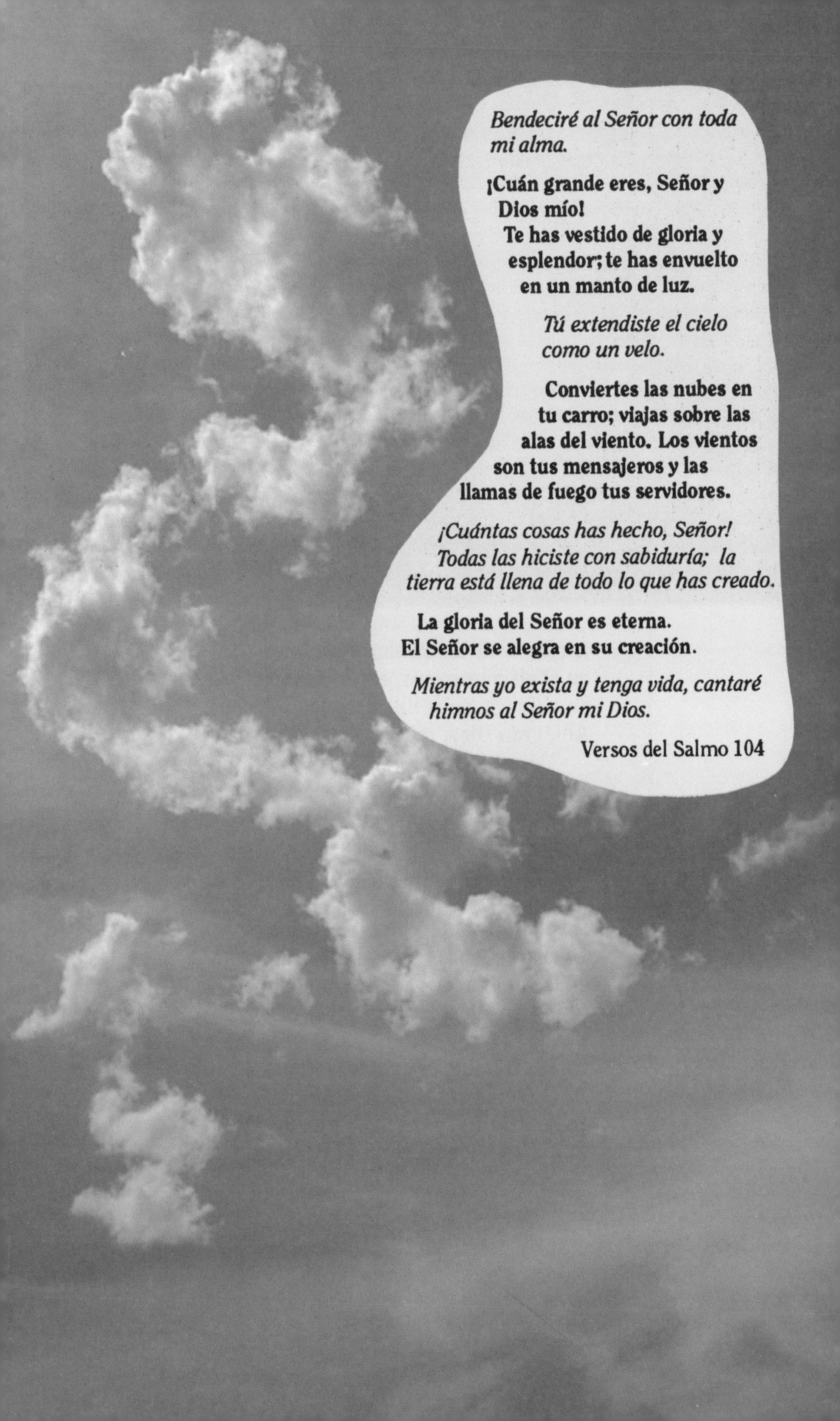

*Bendeciré al Señor con toda
mi alma.*

**¡Cuán grande eres, Señor y
Dios mío!
Te has vestido de gloria y
esplendor; te has envuelto
en un manto de luz.**

*Tú extendiste el cielo
como un velo.*

**Conviertes las nubes en
tu carro; viajas sobre las
alas del viento. Los vientos
son tus mensajeros y las
llamas de fuego tus servidores.**

*¡Cuántas cosas has hecho, Señor!
Todas las hiciste con sabiduría; la
tierra está llena de todo lo que has creado.*

**La gloria del Señor es eterna.
El Señor se alegra en su creación.**

*Mientras yo exista y tenga vida, cantaré
himnos al Señor mi Dios.*

Versos del Salmo 104

En la voz de los raudos huracanes,
en el plácido arroyo, en el torrente,
en el fuego, en la llama, en los volcanes:
Allí, gran Dios, mi corazón te siente.

En los vergeles del florido mayo,
en los dulces acordes en la lira,
en la lluvia, en el trueno y en el rayo:
Allí, gran Dios, mi corazón te admira.

En el aroma que a los cielos sube,
en el árbol que erguido se levanta,
en la sombra, en el astro y en la nube:
Allí, gran Dios, mi corazón te canta.

En los trémulos rayos de la lumbre,
en el ósculo suave de la aurora,
en la hondura, en el llano y en la cumbre:
Allí, gran Dios mi corazón te adora.

Faustino Martínez

Gn. 1:1-27
Sal. 8
Sal. 19
Con admiración

La Creación 31

En el principio creó Dios los cielos y la tierra Gn. 1:1

1. Dios ha he-cho to-do lo que el o-jo ve, ca-da co-sa de es-te mun-do te-rre-nal. To-do ár-bol y las plan-tas son de él, las es-tre-llas y el man-to ce-les-tial.
2. A su i-ma-gen Dios for-mó al hom-bre A-dán; lue-go hi-zo u-na mu-jer to-ma-da de él; Y los co-lo-có en el Jar-dín de E-dén, don-de ha-bí-an de se-guir-le siem-pre fiel.
3. El per-fec-to go-zo ha-bí-a en el E-dén; e-llos se go-za-ban al an-dar con Dios. Co-mu-nión com-ple-ta ha-bí-a a-llá tam-bién al o-ír de Je-ho-vá la tier-na voz.

CORO

"¡Se-a ya la luz!" or-de-nó Jeho-vá con su fuer-te voz, y la luz fue ya. Hoy el buen Je-sús, nues-tro Re-den-tor, brin-da al mun-do luz con ex-cel-so a-mor.

LETRA: José Juan Naula Yupanqui y Roberto C. Savage, 1968
MÚSICA: Melodía quechua, José Juan Naula Yupanqui, 1968, arreg. F.B.J.
© 1968 Singspiration Music. Usado con permiso.

ECU

LA CREACIÓN
11 11 11 11/Coro
Mi m

32 Cuán grande es él

Sal. 8
Sal. 145:1-13
Sal. 86:8-13

Cuán grande es tu nombre en toda la tierra! Sal. 8:9

Con júbilo

1. Se - ñor, mi Dios, al con - tem - plar los cie - los, el fir - ma - men-to y
2. Al re - co - rrer los mon - tes y los va - lles y ver las be - llas
3. Cuan-do re - cuer - do del a - mor di - vi - no que des - de el cie - lo al

las es - tre - llas mil, Al oír tu voz en los po - ten - tes true - nos
flo - res al pa - sar, Al es - cu - char el can - to de las a - ves
Sal - va - dor en - vió, A - quel Je - sús que por sal - var - me vi - no

y ver bri - llar el sol en su ce - nit, CORO
y el mur - mu - rar del cla - ro ma - nan - tial, Mi co - ra - zón en-
y en u - na cruz su - frió por mí y mu - rió,

to - na la can - ción, ¡Cuán gran - de es él! ¡Cuán gran - de es él! Mi co - ra-

zón en - to - na la can - ción, ¡Cuán gran - de es él! ¡Cuán gran - de es él!

LETRA: Stuart K. Hine, 1948, basada en poesía original de
   Carl Boberg, 1885, trad. A.W. Hotton Rives
MÚSICA: Melodía sueca, arreg. Stuart K. Hine, 1949
© 1953, ren. 1981 Manna Music. Usado con permiso.   (ver adjunta al # 62)

O STORE GUD
11 10 11 10/Coro
Si♭ (Capo 1 - La)/Do

33 Oh, criaturas del Señor

Alabad al Señor desde los cielos; alabadle en las alturas. Sal. 148:1

1 Cr. 16:23-36
Sal. 65
Sal. 104:1-9, 31-34

1. Oh, cri-a-tu-ras del Se-ñor, can-tad con me-lo-dio-sa voz:
2. Vien-to ve-loz, po-ten-te a-lud, nu-bes en cla-ro cie-lo a-zul:
3. Oh, fuen-tes de a-gua de cris-tal, a vues-tro Cre-a-dor can-tad:
4. Pró-di-ga tie-rra ma-ter-nal, que fru-tos brin-das sin ce-sar:
5. Con gra-ti-tud y con a-mor, can-te la en-te-ra cre-a-ción:

¡A-la-bad-le! ¡A-le-lu-ya!

Ar-dien-te sol con tu ful-gor; oh, lu-na de sua-ve es-plen-dor:
Sua-ve, do-ra-do a-ma-ne-cer; tu man-to, no-che, al ex-ten-der:
Oh, fue-go, e-le-va tu lo-or, que nos das luz y ca-lor:
Ri-ca co-se-cha, be-lla flor, mag-ni-fi-cad al Cre-a-dor:
Al Pa-dre, al Hi-jo Re-den-tor, y al E-ter-nal Con-so-la-dor:

¡A-la-bad-le! ¡A-la-bad-le! ¡A-le-lu-ya!

LASST UNS ERFREUEN
8 8 8 8/Aleluyas
Mi♭ (Capo 1 - Re)

LETRA: Basada en el Salmo 148, Francisco de Asís, 1225, trad. José Míguez Bonino
MÚSICA: En *Geistliche Kirchengesäng*, 1623, arreg. Ralph Vaughan Williams, 1906, alt.
© 1906 Oxford University Press. Trad. © 1962 Ediciones La Aurora. Usado con permiso.

Creo en ti, Señor **34**

Sal. 8
Sal. 148
Sal. 19:1-6

Digo: ¿Qué es el hombre...para que lo visites? Sal. 8:4

Con sencillez

1. Cuan - do mi - ro las es - tre - llas en el cie - lo por do - quier, cuan - do
   Cuan - do ve - o el sol ra - dian - te y la lu - na en su ful - gor, to - dos
2. Cuan - do mi - ro las mon - ta - ñas, los a - rro - yos y el mar, cuan - do
   Cuan - do ve - o un be - be - ci - to y el cui - da - do ma - ter - nal, con el

ve - o que des - te - llan y me mues - tran tu po - der,
a - u - na voz me di - cen que tú e - res el Cre - a - dor.
na - ce la ma - ña - na con el sol al des - pun - tar,
co - ra - zón re - pi - to que mi Dios es el Cre - a - dor.

CORO

Con energía

Y creo en ti, en ti, só - lo en ti, Se - ñor, y creo en ti, en
ti co - mo el Cre - a - dor; ti co - mo el Cre - a - dor.

LETRA y MÚSICA: Aracely C. de Álvarez, 1986, alt., arreg. F.B.J. MEX
© *1986 Casa Bautista de Publicaciones. Usado con permiso.*
Esta letra (estrofa) se puede cantar con la música de #108 (Jubilosos) y #172 (Gracias dad).

EL CREADOR
8 7 8 7 D/Coro
Mi♭ (Capo 1 - Re)

35 El firmamento de esplendor

Los cielos cuentan la gloria de Dios. Sal. 19:1

Job 9:1-10
Sal. 19:1-6
Job 38:1-7, 31-33

Con amplitud

1. El fir - ma - men - to de es - plen - dor, do es - tre - llas
lu - cen su ful - gor, El sol y lu - na con pla - cer,
de Dios pro - cla - man el po - der. El al - ba con su
cla - ri - dad de él a - nun - cia ma - jes - tad; Sus him - nos
to - da la crea - ción e - le - va a Dios con pro - fu - sión.

2. El sol cual no - vio ce - les - tial, que de - ja el
tá - la - mo nup - cial, Pro - si - gue su ce - les - te an - dar,
lo - an - do a Dios con su bri - llar. Y en la quie - tud re -
ve - ren - cial de la fa - mi - lia si - de - ral El u - ni -
ver - so en de - vo - ción a Dios tri - bu - ta ben - di - ción.

LETRA: Basada en el Salmo 19, Joseph Addison, 1712, trad. José Pesina G. y
  Maurilio López L.
MÚSICA: Franz Joseph Haydn, 1798

CREATION
8 8 8 8 D
Sol

Is. 44:23-25
Sal. 146
Sal. 47
Con solemnidad

Oh Dios, mi soberano Rey 36

Soberano Señor, tú eres el Dios que hiciste el cielo. Hch 4:24

1. Oh Dios, mi so - be - ra - no Rey, a ti da - ré lo - or;
2. Tus o - bras e - vi - den - cia son de in - fi - ni - to a - mor;
3. Tu ma - no ve - o por do - quier en cie - lo, tie - rra y mar;
4. E - le - vo a ti mi co - ra - zón en a - la - ban - zas hoy;

Tu nom - bre yo en - sal - za - ré, san - tí - si - mo Se - ñor.
Y can - tan con a - le - gre voz tu glo - ria y ho - nor.
La cre - a - ción in - clí - ne - se tu hon - ra a pro - cla - mar.
Por to - do lo que has he - cho, Dios, mi a - do - ra - ción te doy.

LETRA: Estr. #1-2 Autor descon., #3-4, Comité de *Celebremos*, 1991
MÚSICA: Thomas A. Arne, 1762
Estr. #3-4 © 1992 Celebremos/Libros Alianza. Se prohíbe la reproducción sin autorización.
Esta letra se puede cantar también con la música de #51 (Nuestra esperanza), #195
(Rasgóse el velo) y #262 (Divino Espíritu).

ARLINGTON
8 6 8 6
Fa (Capo 1 - Mi)

Is. 6:1-8
Sal. 77:13-20
Ap. 4
Con reverencia

Loor a ti 37

Alabad al Señor de los señores, porque para siempre es su misericordia. Sal. 136: 3

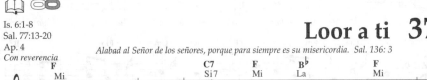

¡San - to, San - to, San - to, Se - ñor, Jeho - vá! Cie - lo y tie - rra, de tu a - mor

Lle - nos hoy es - tán, Se - ñor; ¡Lo - or a ti! A - mén.

LETRA: Basada en Isaías 6:3, Mary A. Lathbury, 1877, trad. Vicente Mendoza
MÚSICA: William F. Sherwin, 1877

CHAUTAUQUA (Coro)
Metro irreg.
Fa (Capo 1 - Mi)

38 Alabemos al Señor

Su eterno poder y deidad se hacen claramente visibles. Ro. 1:20

Sal. 65
Sal. 66:1-8
Ef. 2:1-10

LETRA y MÚSICA: Héctor Sambrano, 1971, arreg. Roberto Casino, alt.
© 1971 Asociación Bautista Argentina de Publicaciones. Usado con permiso.

ARG

SAMBRANO
Metro irreg.
Mi♭ (Capo 1 - Re)

Gen. 1:1-27
Sal. 33:1-12
Sal. 136:1-9
Con regocijo

Cantemos al Señor 39

Alabad al Señor desde la tierra. Sal. 148:7

1. Can - te - mos al Se - ñor un him - no de a - le - grí - a, un
   El hi - zo el cie - lo, el mar, el sol y las es - tre - llas; en
2. Can - te - mos al Se - ñor un him - no de a - la - ban - za que ex -
   Hoy to - da la crea - ción pre - go - na su gran - de - za, a -

cán - ti - co de a - mor al na - cer el nue - vo dí - a;
e - llos vio bon - dad, pues sus o - bras e - ran be - llas.
pre - se nues - tro a - mor, nues - tra fe y nues - tra es pe - ran - za;
sí nues - tro can - tar va a - nun - cian - do su be - lle - za.

CORO

¡A - le - lu - ya! ¡A - le - lu - ya! Can -
¡A - le - lu - ya, a - le - lu - ya, a - le - lu - ya, a - le - lu - ya!

te - mos al Se - ñor. ¡A - le - lu - ya!
lu - ya!

LETRA y MÚSICA: Carlos Rosas, 1976, arreg. William Newton
© 1976 y 1991 Resource Publications. Usado con permiso.

MEX

ROSAS
Metro irreg.
Re m

40 Aleluya, Aleluya

Con regocijo

Se postraron y adoraron a Dios...y exclamaban: ¡Amén, Aleluya! Ap.19:4 (NVI)

Sal. 98
Sal. 8
Job 9:1-10

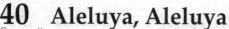

A - le - lu - ya, a - le - lu - ya, a - le - lu - ya, a - le - lu -

ya. A - le - lu - ya, a - le - lu - ya, a - le - lu - ya, a -

le - lu - ya. A - le - lu - ya, a - le - lu - ya.

LETRA y MÚSICA: Wolfgang A. Mozart, 1773, arreg. en *Corazón y voz* , #8,
1984, Argentina

EXULTATE, JUBILATE
Canon a tres voces
Fa (Capo 1 - Mi)

41 Anunciemos su poder

¿Quién midió las aguas con el hueco de su mano y los cielos con su
palmo, con tres dedos juntó el polvo de la tierra, y pesó los montes
con balanza y con pesas los collados?

**He aquí que las naciones le son como la gota de agua que cae
del cubo, y como menudo polvo en las balanzas le son
estimadas; he aquí que hace desaparecer las islas como polvo.**

Levantad en alto vuestros ojos, y mirad quién creó estas cosas; él
saca y cuenta su ejército;

**A todas llama por sus nombres; ninguna faltará; tal es la
grandeza de su fuerza, y el poder de su dominio.**

¿No has sabido, no has oído que el Dios eterno es Jehová, el cual creó
los confines de la tierra?

**No desfallece, ni se fatiga con cansancio, y su entendimiento
no hay quien lo alcance.**

Oh Jehová, Dios de los ejércitos, ¿quién como tú? Poderoso eres,
Jehová, y tu fidelidad te rodea.

**Tú tienes dominio sobre la braveza del mar; cuando se levan -
tan sus ondas, tú las sosiegas.**

Tuyos son los cielos, tuya también la tierra; el mundo y su plenitud,
tú lo fundaste.

**Tuyo es el brazo potente; fuerte es tu mano, exaltada tu dies -
tra.**

Justicia y juicio son el cimiento de tu trono; misericordia y verdad
van delante de tu rostro.

**Bienaventurado el pueblo que sabe aclamarte; andará, oh
Jehová, a la luz de tu rostro.**

Isaías 40:12, 15, 26, 28; Salmo 89:8, 9, 11, 13-15 (RVR)

Reina Dios 42

Sal. 93 Sal. 96
Ap. 11:15-17
Con admiración

Cuán hermosos son sobre los montes los pies...del que dice...¡Tu Dios reina! Is. 52:7

1. Cuán be-llos son los pies de a-quel que a-nun-cia hoy no-ti-cias del Se-ñor; Pre-di-ca paz, pro-cla-ma go-zo y sal-va-ción: ¡Rei-na Dios!

2. No vi-mos her-mo-su-ra ni a-trac-ti-vo en él cuan-do en la cruz mu-rió; Fue a-fli-gi-do, mas su bo-ca no a-brió; Re-den-ción él o-bró.

3. Ven-ció la tum-ba con po-der y glo-ria real, re-su-ci-tó Je-sús; Hoy a la dies-tra de su Pa-dre él es-tá; ¡Glo-ria a Dios, vi-ve hoy!

CORO

¡Rei-na Dios! ¡Rei-na Dios! ¡Rei-na Dios! ¡Rei-na Dios, nues-tro Dios!

LETRA: Basada en Isaías 52 y 53, Leonard E. Smith, Jr. 1974,
    trad. Comité de *Celebremos*
MÚSICA: Leonard E. Smith, Jr. 1974, arreg. Eugene Thomas
© 1974, 1978 L. E. Smith, Jr. /New Jerusalem Music. Usado con permiso.

OUR GOD REIGNS
Metro irreg.
Si♭ (Capo 1 - La)

43 Nuestra Fortaleza

Confiad en el Señor perpetuamente Is 26:4

2 S. 22:1-7
Sal. 46
Sal. 114

1. Nuestra fortaleza, nuestra protección, nuestro fiel socorro, nuestro paladión, Nuestro gran refugio, nuestra salvación es el Dios que adora nuestro corazón.

2. Que la tierra toda cambie de lugar, y los montes rueden por el ancho mar; Nuestra fortaleza firme habrá de estar, porque lo inmutable no podrá mudar.

3. A la voz tan sólo de su voluntad túrbanse los mares en su majestad; Tiembla la montaña, todo es vanidad, al vibrar su acento por la inmensidad.

4. Que otros en sus fuerzas quieran descansar, o en las que el mundo les promete dar; Nunca todas ellas se han de comparar con la que pudimos en el cielo hallar.

CORO

Nuestra fortaleza, nuestra protección
Es el Dios que adora nuestro corazón.

LETRA: Epigmenio Velasco, s. 20
MÚSICA: Luise Reichart, 1853, arreg. John Goss, 1872
Esta letra se puede cantar también con la música de #587 (Henos en).

MEX

ARMAGEDDON
11 11 11 11 / Coro
Si♭ (Capo 3 - Sol)

Señor ~~Jehová~~, *O Dios* omnipotente Dios **44**

1 Ti. 2:1-7
Sal. 144:5-11
Sal. 104:1-9, 31-34

Yo soy el Dios omnipotente. Gn. 35:11

Con brillo

*Trompetas, antes
de cada estrofa*

1. Se - ñor Jeho - vá, om - ni - po - ten - te
2. E - ter - no Pa - dre, nues - tro co - ra -
3. A nues - tra pa - tria da tu ben - di -
4. De - fién - de - nos del e - ne - mi - go

Dios, tú que los as - tros ri - ges con po - der,
zón a ti pro - fe - sa un i - ne - fa - ble a - mor;
ción; en - sé - ña - nos tus le - yes a guar - dar;
cruel; con - ce - de a nues - tras fal - tas co - rrec - ción;

O - ye cle - men - te nues - tra hu - mil - de voz, nues - tra can -
En - tre no - so - tros tu pre - sen - cia pon; tién - de - nos,
A - lum - bra la con - cien - cia y la ra - zón; do - mi - na
Nues - tro ser - vi - cio se - a siem - pre fiel; y sé - nos

Terminación optativa

ción hoy díg - na - te a - ten - der.
pues, tu bra - zo pro - tec - tor.
siem - pre tú en to - do ho - gar.
tú la gran - de pro - tec - ción. A - mén, a - mén.

LETRA: Daniel C. Roberts, 1876, es trad.
MÚSICA: George W. Warren, 1892, terminación opt., F.B.J.
Esta letra se puede cantar también con la música de #260 (Transfórmame)
   y #382 (Mi Corazón).

NATIONAL HYMN
10 10 10 10
Mi♭ (Capo 1 - Re)

45 Castillo Fuerte

Dios es nuestro amparo y fortaleza. Sal 46:1

Sal. 46
Sal. 18:1-6, 46-50
Lc. 21:12-18

Con amplitud

1. Cas - ti - llo fuer - te es nues - tro Dios, de - fen - sa y buen es - cu - do;
2. Nues - tro va - lor es na - da a - quí, con él to - do es per - di - do;
3. Aun - que es - tén de - mo - nios mil pron - tos a de - vo - rar - nos,
4. E - sa pa - la - bra del Se - ñor, que el mun - do no a - pe - te - ce,

Con su po - der nos li - bra - rá en es - te tran - ce a - gu - do.
Mas por no - so - tros pug - na - rá de Dios el Es - co - gi - do.
No te - me - re - mos, por - que Dios sa - brá co - mo am - pa - rar - nos.
Por el Es - pí - ri - tu de Dios muy fir - me per - ma - ne - ce.

Con fu - ria y con a - fán a - có - sa - nos Sa - tán; por ar - mas de - ja
Es nues - tro Rey Je - sús, el que ven - ció en la cruz, Se - ñor y Sal - va -
Que mues - tre su vi - gor Sa - tán, y su fu - ror; da - ñar - nos no po -
Nos pue - den des - po - jar de bie - nes y ho - gar, el cuer - po des - tru -

ver as - tu - cia y gran po - der; cual él no hay en la tie - rra.
dor, y sien - do él so - lo Dios, él triun - fa en la ba - ta - lla.
drá; pues con - de - na - do es ya por la Pa - la - bra San - ta.
ir, mas siem - pre ha de ex - is - tir de Dios el Rei - no e - ter - no.

LETRA y MÚSICA: Martín Lutero, 1529, trad. Juan B. Cabrera,1886

EIN' FESTE BURG
Metro irreg.
Do

Canten a Dios 46

La salvación es del Señor Jon. 2:9

Ex. 15:1-8
Sal. 98:1-6
Isa. 25:1-9
Con gozo

1. Can-ten a Dios con a-le-grí-a con to-do el co-ra-
2. Can-ten a Dios to-dos los pue-blos, to-quen ar-pa y tam-

zón, (1) Por-que nos ha li-bra-do y nos ha mos-
bor, (2) Con gui-ta-rra y *trom-pe-ta can-ten a-

* orig. = charango

CORO

tra-do su sal-va-ción; ¡Glo-ria a
le-gres al Cre-a-dor;

Dios, glo-ria a Dios! Por-que ha he-cho ma-ra-

vi-llas, can-ten a-le-gres al Cre-a-dor.
dor.

LETRA: Basada en el Salmo 98, Miguel Ángel Palomino, 1978
MÚSICA: Miguel Ángel Palomino, 1978, arreg. F.B.J.
© 1979 Miguel Ángel Palomino. Usado con permiso.

 PER

CANTEN A DIOS
Metro irreg.
Mi m

47 Grandes y maravillosas son

Ap. 15:2-4
Sal. 111
Sal. 92:1-8

Grandes y maravillosas son tus obras, Señor Dios Todopoderoso. Ap. 15:3

Con intensidad

1. Gran-des y ma-ra-vi-llo-sas son tus o-bras, Se-ñor Dios
To-do-po-de-ro-so; Jus-tos y ver-da-
de-ros son tus ca-mi-nos, Rey de los san-tos, Rey de los
san-tos, Rey de los san-tos.

2. ¿Quién no te te-me-
3. Te-med a

rá, oh Se-ñor,
Dios y dad-le glo-ria,

y glo-ri-fi-ca-rá tu
por-que su jui-cio ha lle-

L.A.

LETRA: Basada en Apocalipsis 15:3,4; 14:7
MÚSICA: Compositor descon., Latinoamérica, s. 20, arreg. F.B.J.
Arreg. © 1992 Celebremos/Libros Alianza. Se prohíbe la reproducción sin autorización.

GRANDES Y MARAVILLOSAS
Metro irreg.
Do m (Capo 1 - Si m)

nom-bre? Pues só-lo tú e - res san - to; por lo
ga - do; Y a - do - rad a a - quel que hi - zo el

cual to-das las na - cio - nes ven - drán y te a - do - ra -
cie - lo y la tie - rra, el mar y las

rán, y te a-do-ra-rán. ¡A - le-lu-ya, a - mén! ¡A - le-lu-ya, a-
fuen - tes de las a - guas.

mén! mén! ¡A - le-lu-ya, a - mén! ¡A - le - lu - ya, a - mén!

Al trono majestuoso 48

1. Al trono majestuoso del Dios de potestad,
Humilde vuestra frente, naciones inclinad.
El es el ser supremo, de todos el Señor,
Y nada al fin resiste a Dios el Hacedor.

2. Del polvo de la tierra su mano nos formó,
Y nos donó la vida su aliento creador;
Después, al vernos ciegos, caídos en error,
Cual padre al hijo amado salud nos proveyó.

3. La gratitud sincera nos dictará el cantar,
Y en tiernos dulces sones al cielo subirá;
Con los celestes himnos cantados a Jehová,
La armónica alabanza doquier resonará.

4. Señor, a tu Palabra sujeto el mundo está,
Y del mortal perecen la astucia y la maldad;
Después de haber cesado los siglos de correr,
Tu amor, verdad y gloria han de permanecer.

Basada en el Salmo 100, Isaac Watts, 1719, ⊚ alt. John Wesley, ⊚ trad. Juan B. Cabrera, ⊚ adapt.
Alfred Ostrom. Esta letra se puede cantar con la música de #187 (Cabalga), #203 (Cabeza
Ensangrentada) y #639 (Tu pueblo).

49 Oh, que tuviera lenguas mil

Sal. 66:1-4, 16-20
Sal. 35:9-10, 27-28
Ap. 7:9-17

Con júbilo   *Mi lengua hablará...de tu alabanza todo el día. Sal. 35:28*

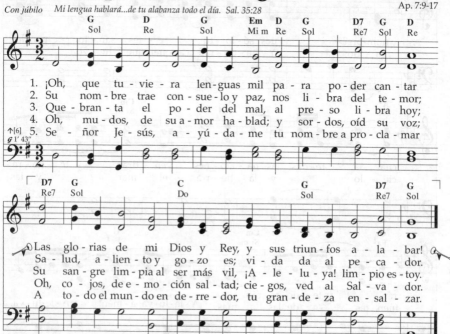

1. ¡Oh, que tu-vie-ra len-guas mil pa-ra po-der can-tar
2. Su nom-bre trae con-sue-lo y paz, nos li-bra del te-mor;
3. Que-bran-ta el po-der del mal, al pre-so li-bra hoy;
4. Oh, mu-dos, de su a-mor ha-blad; y sor-dos, oíd su voz;
5. Se-ñor Je-sús, a-yú-da-me tu nom-bre a pro-cla-mar

Las glo-rias de mi Dios y Rey, y sus triun-fos a-la-bar!
Sa-lud, a-lien-to y go-zo es; vi-da da al pe-ca-dor.
Su san-gre lim-pia al ser más vil, ¡A-le-lu-ya! lim-pio es-toy.
Oh, co-jos, de e-mo-ción sal-tad; cie-gos, ved al Sal-va-dor.
A to-do el mun-do en de-rre-dor, tu gran-de-za en-sal-zar.

LETRA: Charles Wesley, 1739, ◉ trad. Esteban Sywulka B.
MÚSICA: Carl G. Gläser, 1828, arreg. Lowell Mason, 1839
Trad. © 1992 Celebremos/Libros Alianza. Se prohibe la reproducción sin autorización.

AZMON
8 6 8 7
Sol

50 Te damos gracias, Señor

Ap. 11:15-17
Ap. 4
Sal. 93

Has tomado tu gran poder, y has reinado. Ap. 11:17

Con solemnidad

Te da-mos gra-cias, Se-ñor Dios To-do-po-de-ro - so,

Te da-mos gra-cias, Se-ñor Dios To-do-po-de-ro - so;

LETRA: Basada en Apocalipsis 11:17
MÚSICA: Felipe Blycker J., 1980
© 1980 Philip W. Blycker en Cánticos nuevos de la Biblia. *Usado con permiso.*

GUA

APOCALIPSIS
Metro irreg.
Do

Sal. 46
Sal. 62:1-8
Sal. 90:1-6, 12-17

Nuestra esperanza y protección **51**

Señor, tú nos has sido refugio de generación en generación. Sal. 90:1

Con amplitud

1. Nues - tra es - pe - ran - za y pro - tec - ción y nues - tro e - ter - no ho - gar
2. A - ún no ha - bí - as la crea - ción for - ma - do con bon - dad,
3. De - lan - te de tus o - jos son mil a - ños, al pa - sar,
4. El tiem - po co - rre a - rro - lla - dor co - mo im - pe - tuo - so mar;
5. Nues - tra es - pe - ran - za y pro - tec - ción y nues - tro e - ter - no ho - gar,

Has si - do, e - res y se - rás tan só - lo tú, Se - ñor.
Mas des - de la e - ter - ni - dad tú e - ras só - lo Dios.
Tan só - lo un dí - a que fu - gaz fe - ne - ce con el sol.
Y a - sí, cual sue - ño ves pa - sar ca - da ge - ne - ra - ción.
En la tor - men - ta o en la paz, sé siem - pre tú, Se - ñor.

LETRA: Basada en el Salmo 90, Isaac Watts, 1719, ♪ trad. Federico J. Pagura
MÚSICA: William Croft, 1708
Trad. © 1962 Ediciones La Aurora. Usado con permiso.
Esta letra se puede cantar también con la música de #36 (Oh, Dios), #195 (Rasgóse el velo)
y #262 (Divino Espíritu).

ST. ANNE
8 6 8 6
Do

52 Jehová es mi luz y salvación

Sal. 27
Sal. 56:1-4
Is. 60:1-3, 18-22

Jehová es mi luz y salvación; ¿de quién temeré? Sal. 27:1

LETRA: Basada en Salmo 27:1, 14
MÚSICA: Felipe Blycker J., 1977
© 1977 Philip W. Blycker en Cánticos nuevos de la Biblia. Usado con permiso.

GUA

MI LUZ Y SALVACIÓN
Metro irreg.
Sol

Jehová está en medio de ti 53

Sof. 3:14-17
Lv. 26:6-13
Ez. 37:25-28
Con entusiasmo

Habitaré... entre ellos, y seré su Dios. 2 Co. 6:16

LETRA: Basada en Sofonías 3:17
MÚSICA: Tapu Moala, 1972, arreg. F.B.J.
© 1972 Scripture in Song, admin. Integrity's Hosanna. Usado con permiso.

THE LORD THY GOD
Metro irreg.
Si♭ (Capo 1 - La)

54 Poderoso es él

Sal. 89:1-8
Ef. 3:14-21
Sof. 3:14-17

[Dios] es poderoso para guardaros sin caída. Jud. v. 24

Con vigor

A - quel que es po - de - ro - so, muy po - de - ro - so, pa - ra guar - da - ros
sin ca - í - da, ¡Po - de - ro - so es él! Y pre - sen - ta - ros sin man - cha de -
lan - te de su glo - ria con gran a - le - grí - a, ¡Po - de - ro - so es él!

Con reverencia

Al ú - ni - co y sa - bio Dios, nues - tro Sal - va - dor,
Se - a glo - ria y ma - jes - tad, im - pe - rio y po -

ten - cia, a - ho - ra y por to - dos los sig - los. A - mén.

LETRA: Basada en Judas vv. 24-25
MÚSICA: Felipe Blycker J., 1985
© 1985 Philip W. Blycker en Cánticos nuevos de la Biblia. Usado con permiso.

POBLANO
Metro irreg.
Si♭ (Capo 1 - La)

Te alabarán, oh Jehová 55

Sal. 138:1-8
Sal. 144:5-11
Sal. 10:12-18

Con alegría

Te alabarán, oh Señor, todos los reyes. Sal 138:4

Te a-la-ba-rán, oh Jeho-vá, to-dos los re-yes, to-dos los re-yes de la tie-rra; por-que han o-í-do los di-chos de tu bo-ca, y can-ta-rán de los ca-mi-nos de Jeho-vá. Por-que la glo-ria de Jeho-vá es gran-de, por-que Jeho-vá es ex-cel-so en sus ca-mi-nos; por-que Jeho-vá a-tien-de al hu-mil-de, mas mi-ra de le-jos al al-ti-vo.

L.A.

LETRA: Basada en Salmo 138:4-6
MÚSICA: Compositor descon., Latinoamérica, s. 20, arreg. F.B.J.
Arreg. © 1992 Celebremos/Libros Alianza. Se prohíbe la reproducción sin autorización.

QUISQUEYA
Metro irreg.
Fa (Capo 1 - Mi)

56 El que habita al abrigo de Dios

Sal. 91
Sal. 27
Sal. 17:1-8

El que habita al abrigo del Altísimo morará bajo la sombra del Omnipotente. Sal. 91:1

Con confianza

1. El que ha-bi-ta al a-bri-go de Dios mo-ra-
2. El que ha-bi-ta al a-bri-go de Dios muy fe-
3. El que ha-bi-ta al a-bri-go de Dios pa-ra

rá ba-jo som-bras de a-mor; So-bre él no ven-drá nin-gún
liz cier-ta-men-te se-rá; Án-ge-les guar-da-rán su sa-
siem-pre se-gu-ro es-ta-rá; Ca-e-rán a su dies-tra diez

mal y en sus a-las fe-liz vi-vi-rá.
lud y sus pies nun-ca res-ba-la-rán.
mil mas a él no ven-drá mor-tan-dad.

CORO

Oh, yo quie-ro ha-bi-tar al a-bri-go de Dios, só-lo a-llí en-con-tra-

ré paz y pro-fun-do a-mor. Mi de-li-cia es con él co-mu-

LETRA: Basada en el Salmo 91, Luz Ester Ríos de Cuna, 1943, alt.
MÚSICA: Rafael Cuna, 1943, arreg. Norman Johnson, 1966
© 1954, arreg. © 1966 Singspiration Music. Usado con permiso.

P.R.

ABRIGO DE DIOS
9999/Coro
Fa m (Capo 1 - Mi m)

Cantemos de su amor 57

Bueno es alabarte, oh Jehová, y cantar salmos a tu nom -
bre, oh Altísimo;
> **Anunciar por la mañana tu misericordia, y tu fideli -
> dad cada noche.**   #58
Alabad a Jehová, naciones todas; pueblos todos, alabadle.
> **Porque ha engrandecido sobre nosotros su miseri -
> cordia, y la fidelidad de Jehová es para siempre.
> Aleluya.**   #58
En esto se mostró el amor de Dios para con nosotros, en
que Dios envió a su Hijo unigénito al mundo, para que
vivamos por él.
> **Y nosotros hemos conocido y creído el amor que
> Dios tiene para con nosotros. Dios es amor; y el
> que permanece en amor, permanece en Dios, y
> Dios en él.**   #58
Nosotros le amamos a él, porque él nos amó primero.
> **Venid, aclamemos alegremente a Jehová; cante -
> mos con júbilo a la roca de nuestra salvación.**
>   #58

Salmo 92:1-2; 117:1-2; 1 Juan 4:9, 16, 19; Salmo 95:1 (RVR)

Sal. 33:1-12
Sal. 66:1-8
Ef. 5:8-20

Cantad, alabad (Respuesta musical) 58

Cantadle cántico nuevo; hacedlo bien, tañendo con júbilo. Sal. 33:3

¡Can - tad, can - tad, can - tad, a - la - bad a Dios!

Can - tad, can - tad

LETRA: Edward H. Plumptre, 1865, trad. Lynn Anderson
MÚSICA: Arthur H. Messiter, 1883
Trad. © 1992 Celebremos/Libros Alianza. Se prohibe la reproducción sin autorización.

MARION (Coro)
Metro irreg.
Fa (Capo 1 - Mi)

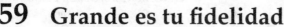

NUESTRO MARAVILLOSO DIOS

59 Grande es tu fidelidad

Nunca decayeron sus misericordias. Nuevas son cada mañana. Lm. 3:22-23

Lm. 3:19-26
Sal. 36:5-10
Sal. 19:1-6

Con admiración

1. Oh, Dios E - ter-no, tu mi - se - ri - cor-dia ni u - na som-bra de
2. La no-che os - cu - ra, el sol y la lu - na, las es - ta - cio - nes del
3. Tú me per - do-nas, me im-par-tes el go-zo, tier - no me guí - as por

du - da ten - drá; Tu com - pa - sión y bon - dad nun - ca fa - llan
a - ño tam - bién, U - nen su can - to cual fie - les cria - tu - ras,
sen - das de paz; E - res mi fuer - za, mi fe, mi re - po - so,

CORO

y por los si - glos el mis - mo se - rás.
por - que e - res bue - no, por siem - pre e - res fiel.   ¡Oh, tu fi - de - li - dad!
y por los si - glos mi Pa - dre se - rás.

¡Oh, tu fi - de - li - dad! ca - da mo - men - to la ve - o en mí, Na - da me

fal - ta, pues to - do pro - ve - es, ¡Gran - de, Se - ñor, es tu fi - de - li - dad!

LETRA: Thomas O. Chisholm, 1923, trad. Honorato Reza
MÚSICA: William M. Runyan, 1923
© 1923, ren. 1951 Hope Publishing. Usado con permiso.

FAITHFULNESS
11 10 11 10/Coro
Mi♭ (Capo 1 - Re)

Sal. 55:16-23
Ro. 8:28-39
Mt. 6:25-34

Nuestro Dios y Padre eterno 60

(Dios)... será restaurador de tu alma, y sustentará tu vejez. Rt. 4:15

Con ternura

1. Nues - tro Dios y Pa - dre e - ter - no a sus
2. En po - bre - za o a - bun - dan - cia su fiel
3. Sa - be de sus a - flic - cio - nes; sien - te
4. De su a - mor cons - tan - te y fuer - te, ni la
5. A sus hi - jos Dios sus - ten - ta, ben - di -

hi - jos cui - da tier - no; Con a - mor los guí - a
pro - vi - sión al - can - za; Aun - que prue - bas mil a -
sus tri - bu - la - cio - nes; Les con - sue - la en tris -
vi - da ni la muer - te Nun - ca pue - den se - pa -
cio - nes les au - men - ta; Ni a - ve - ci - llas en su

siem - pre, en su se - no los pro - te - ge.
sal - tan, sus cui - da - dos nun - ca fal - tan.
te - za, y les da su for - ta - le - za.
rar - les; pro - tec - ción se go - za en dar - les.
ni - do tal cui - da - do han re - ci - bi - do.

Puente optativo para pasar

LETRA: Carolina Sandell Berg, 1855, trad. Esteban Sywulka B.
MÚSICA: Melodía sueca
Trad. © 1992 Celebremos/Libros Alianza. Se prohibe la reproducción sin autorización.
Esta letra se puede cantar también con la música de #93 (Aleluya).

TRYGGARE KAN INGEN VARA
8 8 8 8
Mi♭ (Capo 1 - Re)

Carolina Sandell Berg (1832-1903)

A los doce años Carolina se quedó paralítica. Los médicos la desahuciaron, pero Dios la sanó milagrosamente. Agradecida con el Señor, escribió sus primeros himnos, entre ellos el # 60 (Nuestro Dios y Padre eterno).

La tragedia no la había abandonado. A la edad de 26 años navegaba con su padre, un fiel pastor, en un lago de Suecia. Las olas sacudieron violentamente la nave y su padre cayó en las profundas aguas, ahogándose ante los ojos atónitos de Carolina. Su consuelo vino de nuevo por la Palabra de Dios, y lo expresó en muchos hermosos himnos.

Además, ella redactaba una colección anual de poesías, devocionales e historias. Entre ellas se halla el cuento de un reloj cuyo péndulo se quejó de tener que oscilar 86,400 veces al día. Una de las manecillas le sugirió que pensara en hacer una sola oscilación en vez de miles. El péndulo se percató de la sabiduría del consejo y reinició su trabajo de marcapasos.

Carolina expresó esa verdad en el himno #368 (Día en día), que es el más popular de los 650 himnos que escribiera la poetisa sueca.

61 El Señor es mi pastor

Sal. 23
Is. 40:1-11
Heb. 13:20-25

En lugares de delicados pastos me hará descansar. Salmo 23:2

Con confianza

1. El Se-ñor es mi Pas-tor, y na-da, pues, me fal-ta-rá;
2. For-ta-le-ce-rá mi al-ma cuan-do dé-bil yo es-té;
3. Con tu va-ra y tu ca-ya-do siem-pre a-lien-to me da-rás;
4. Cier-ta-men-te sus bon-da-des ca-da dí-a go-za-ré,

En-tre pas-tos de-li-ca-dos me ha-rá él des-can-sar;
Gui-a-rá-me por las sen-das de jus-ti-cia por a-mor;
A-de-re-za-rás mi me-sa an-te to-do an-gus-tia-dor;
Y en la ca-sa de mi Pa-dre lar-gos dí-as mo-ra-ré;

Jun-to a a-guas de re-po-so siem-pre me pas-to-rea-rá.
Aun-que an-de en-tre som-bras, mal nin-gu-no te-me-ré,
Tú un-gis-te mi ca-be-za y mi co-pa lle-na es-tá,
Mien-tras tan-to por su gra-cia es-te sal-mo can-ta-ré:

CORO

El Se-ñor es mi Pas-tor, na-da, pues, me fal-ta-rá.

LETRA: Basada en el Salmo 23, Jorge Himitián, 1968
MÚSICA: Jorge Himitián, 1968
© 1968 Editorial Logos (Buenos Aires). Usado con permiso.

ARG

HIMITIAN
Metro irreg.
Fa (Capo 1 - Mi)

Sal. 32
1 S. 2:1-10
2 S. 22:1-7

Eres mi protector 62

Tú eres mi refugio; me guardarás de la angustia. Sal. 32:7

* Las secciones 1 y 2 se pueden cantar como canon.

LETRA: Basada en el Salmo 32, Michael Ledner, 1981, es trad.
MÚSICA: Michael Ledner, 1981
© 1981, arreg. 1986 Maranatha Music. Usado con permiso.

HIDING PLACE
Metro irreg.
Canon a dos voces
La m

Cuán grande es él (vea # 32)

Un soleado día en 1885 el pastor y sena-
dor sueco, Carl Boberg, regresaba de una
reunión. Se encontraba caminando por el campo
cuando súbitamente fue alcanzado por una tormenta
veraniega.

Al refugiarse entre unos árboles mientras es-
campara, Boberg reflexionó en la grandeza de Dios, y
así nació "Cuán grande es él". Fue traducido al
alemán en 1907 y luego llevado a Rusia en 1912, 5 años an-

tes de la Revolución. Un misionero inglés, Stuart K.
Hine, lo aprendió en ruso y lo tradujo, agregando la
cuarta estrofa en 1948, y luego fue traducido al español en 1958, por un argentino.

La primera y tercera estrofas se basan en
el himno original de Boberg, la segunda nació en Rusia, y la cuarta en Inglaterra. A través de 70 años y
cinco idiomas nos ha llegado este majestuoso himno
que une los corazones del pueblo de Dios, sin fronte-
ras, para alabar al Creador Omnipotente.

63 Oh amor de Dios

Con amor eterno te he amado. Jer. 31:3

Ef. 3:14-21
Ro. 8:28-39
Ef. 2:1-10

Con emoción

1. ¡Oh a-mor de Dios! Su in-men-si - dad, el hom-bre no po-dría con-
2. Si fue-ra tin-ta to-do el mar, y to-do el cie-lo un gran pa-
3. Y cuan-do el tiem-po pa-sa-rá con ca-da rei-no mun-da-

tar, ni com-pren-der la gran ver-dad que Dios al hom-bre pu-do a-
pel, y ca-da hom-bre un es-cri-tor, y ca-da ho-ja un pin-
nal, y ca-da rei-no ca-e-rá con ca-da tra-ma y plan car-

mar. Cuan-do el pe-car en-tró al ho-gar de A-dán y E-va en E-
cel, Nun-ca po-drí-an des-cri-bir el gran a-mor de
nal, El gran a-mor del Re-den-tor por siem-pre du - ra-

dén, Dios les sa-có, mas pro-me-tió un Sal-va-dor tam-bién.
Dios que al hom-bre pu-do re-di-mir de su pe-ca-do a-troz.
rá; la gran can-ción de sal-va-ción su pue-blo can-ta-rá.

LETRA: Frederick M. Lehman, 1917, bas. en Akdamut Millin del
  Meir ben Isaac Nehoraï, c.1050, trad. William R. Adell ☺
MÚSICA: Frederick M. Lehman, 1917, arreg. Claudia Lehman Mays

LOVE OF GOD
Metro irreg.
Do

CORO

¡Oh a-mor de Dios! bro-tan-do es-tá, in-men-su-ra-ble, e-ter-

nal; Por las e-da-des du-ra-rá, i-na-go-ta-ble rau-dal.

Jn. 3:11-21
Ro. 8:28-39
2 Co. 5:11-21

Dios es amor 64

En su amor y en su clemencia los redimió. Is. 63:9

Con alegría

¡Dios es a-mor! ¡Dios es a-mor! La Bi-blia nos

di-ce el men - sa-je su-bli-me que Dios es a-mor, ¡Oh sí!

Los án-ge-les can-tan, los hom-bres pro-cla-man que ¡Dios es a-mor!

LETRA y MÚSICA: Brus del Monte, 1970

ARG

DEL MONTE
Metro irreg.
Sol

65 Qué maravilla es

No hay Dios semejante a ti en el cielo ni en la tierra 2 Cr. 6:14

Con admiración

1. Cuán her-mo-sa es la luz del o-ca-so, y pre-cio-so es el
a-ma-ne-cer, Pe-ro más glo-rio-so es el gran a-mor
que el Se-ñor de-rra-mó en mi ser. ¡Qué ma-ra-vi-lla es, qué
ma-ra-vi-lla es que el Se-ñor me a-ma a mí! ¡Qué ma-ra-vi-lla
es, qué ma-ra-vi-lla es que el Se-ñor me a-ma a mí!

2. Ad-mi-ra-ble es la sie-ga a-bun-dan-te, las es-tre-llas, la
lu-na y el sol, Pe-ro más glo-rio-so es el gran a-mor
que me da nue-va vi-da y per-dón.

CORO

LETRA y MÚSICA: George Beverly Shea, 1956, trad. Comité de *Celebremos*
© 1957, ren. 1985, Rodeheaver, admin. Word Music. Usado con permiso.

WONDER OF IT ALL
Metro irreg.
Si♭, Capo 3 - Sol)

MI DIOS Y PADRE CELESTIAL

Dios mío, estoy maravillado ante tu grandeza. Eres el Creador que esparciste en el espacio vacío los miles de millones de estrellas y que llamas a cada una por nombre. Tú formaste nuestro bello mundo con sus majestuosas montañas y vastos mares. Diseñaste la fragante rosa y diste melodías al ruiseñor. Sostienes las galaxias inmensas, así como los átomos invisibles.

Tú encauzas la historia por tu soberano poder. Las grandes naciones te son como el polvo en la balanza y ni un sólo pajarillo cae sin ti. Eres el principio y el fin; desde la eternidad hasta la eternidad, tú eres Dios.

Eres perfecto en santidad y justicia, pero también grande en amor y misericordia. Enviaste a tu Hijo a morir por mí, un pecador condenado y me diste nueva vida por fe en él. Ahora soy tuyo para siempre.

¡Padre celestial, cuando contemplo la magnitud de tu persona y tus obras, un cántico de adoración y gratitud brota de mi corazón hacia ti!

Sea
alabado su
nombre
grande y terrible

Santo

Salmo 99:3

Jn. 14:15-26
Sal. 95:1-7
Hch. 17:22-28

Padre Eterno 67

Adoremos y postrémonos...delante del Señor. Sal. 95:6

Con intensidad

1. Pa - dre e - ter - no, me pos - tro an - te ti,   Pa - dre e -
2. Je - su - cris - to, te a - la - ba - ré,   Je - su -
3. San - to Es - pí - ri - tu Con - so - la - dor,   San - to Es -
4. Tres pe - so - nas en un so - lo Dios,   tres per -

ter - no, me pos - tro an - te ti;   Yo te
cris - to, te a - la - ba - ré;   Yo te
pí - ri - tu Con - so - la - dor;   Tú me
so - nas en un so - lo Dios;   ¡Ma - ra -

a - mo, te a - do - ro,   te rin - do lo - or;   Pa - dre e -
a - mo, te a - do - ro,   te rin - do lo - or;   Je - su -
guí - as, me a - yu - das, y vi - ves en mí,   San - to Es -
vi - lla su - bli - me, te ex - al - ta - ré!   tres per -

ter - no, me pos - tro an - te ti.
cris - to, te a - la - ba - ré.
pí - ri - tu Con - so - la - dor.
so - nas en un so - lo Dios.

HEAVENLY FATHER
9 9 12 9
Lab (Capo 1 - Sol)

68 A nuestro Padre Dios

Se postraron sobre sus rostros y adoraron al que vive por los siglos de los siglos. Ap. 5:14

Sal. 119:54-57
Ga. 1:1-5
1 P. 4:7-16

Con solemnidad

1. A nues - tro Pa - dre Dios al - ce - mos
2. A nues - tro Sal - va - dor de - mos con
3. Al fiel Con - so - la - dor ce - le - bre
4. Con go - zo y a - mor, can - te - mos

nues - tra voz, ¡Glo - ria a él! Tal fue su a -
fe lo - or; ¡Glo - ria a él! Su san - gre
nues - tra voz; ¡Glo - ria a él! Con ce - les -
con fer - vor al Tri - no Dios. En la e -

mor que dio al Hi - jo que mu - rió,
de - rra - mó; con e - lla nos la - vó,
tial ful - gor nos mues - tra el a - mor
ter - ni - dad mo - ra la Tri - ni - dad;

Y a - sí nos re - di - mió, ¡Glo - ria a él!
Y el cie - lo nos a - brió, ¡Glo - ria a él!
De Cris - to, el Se - ñor; ¡Glo - ria a él!
¡Por siem - pre a - la - bad al Tri - no Dios!

LETRA: En *Estrella de Belén*, 1867
MÚSICA: En *Thesaurus Musicus*, 1745
Esta letra se puede cantar también con la música de #72 (Oh, Padre, eterno Dios).

AMERICA
6646664
Fa (Capo 1 - Mi)

Now thank we all our god

Is. 40:1-11
Sal. 57
Sal. 111

Con amplitud

De boca y corazón 69

Cantad a Jehová con alabanza, cantad con arpa a nuestro Dios. Sal. 147:7

F C F B♭   F   Gm F C F C7   F
Mi Si Mi La   Mi   Fa♯m Mi Si Mi Si7   Mi

↑[8]
g 2' 17"

1. De bo-ca y co-ra - zón lo - ad al Dios del cie - lo;
2. Oh, Pa - dre ce - les - tial, ven, da - nos es - te dí - a
3. Dios Pa - dre, Cre - a - dor, con go - zo te a - do - ra - mos.

F Cm F7 B♭   F   B♭ F Gm A   Gm C7 F
Mi Si m Mi7 La   Mi   La Mi Fa♯m Sol♯   Fa♯m Si7 Mi

Pues dio-nos ben-di - ción, sa - lud, paz y con - sue - lo.
Un co - ra-zón fi - lial y lle - no de a-le - grí - a.
Dios Hi - jo, Re - den-tor, tu sal-va-ción can - ta - mos.

C G C F   C   F C Dm E Am
Si Fa♯ Si Mi   Si   Mi Si Do♯m Re♯ Sol♯m

Tan só-lo a su bon-dad de - be-mos nues-tro ser;
Con - sér - ve-nos la paz tu bra-zo pro-tec - tor;
Dios San-ti - fi - ca - dor, te hon-ra-mos en ver - dad.

Am D Gm D Gm F Gm Dm F C F
Sol♯m Do♯ Fa♯m Do♯ Fa♯m Mi Fa♯m Do♯m Mi Si Mi

Su san-ta vo-lun-tad nos guí-a por do - quier.
De - sea-mos ver tu faz en co-mu-nión, Se - ñor.
Te en - sal - za nues-tra voz, ben-di - ta Tri-ni-dad.

LETRA: Martin Rinkart, 1636, trad. Federico Fliedner
MÚSICA: Johann Crüger, 1647, arreg. Felix Mendelssohn en *Lobgesang*, 1840

NUN DANKET
67676666
Fa (Capo 1 - Mi)

70 Himno a la Trinidad

1. ¡Gloria al Todopoderoso, el Autor de salvación!
Padre Santo, te exaltamos con la voz y el corazón,
Por tu gracia sempiterna, por tu amor y tu bondad,
Por tu gran misericordia, tu justicia y santidad.

2. ¡Gloria al Verbo encarnado, Jesucristo el Mediador!
Guíanos, Pastor bendito, en la senda de tu amor;
Redentor y luz del mundo, muéstranos tu potestad;
Soberano Rey del cielo, haz aquí tu voluntad.

3. ¡Gloria al Santo Paracleto, nuestro fiel Consolador!
Llénanos de paz y gozo, danos fuerza y valor;
Ilumina nuestras mentes, guíanos en tu verdad,
Para que podamos siempre caminar en santidad.

4. ¡Gloria al Trino Dios cantamos, quien nos dio la redención!
Nuestros labios toca ahora para hablar con compasión,
Nuestro oído haz que escuche de las almas el clamor,
Nuestros ojos abre para ver al mundo con tu amor.

Felipe Blycker J., 1977

GUA

© 1977 Philip W. Blycker en *Cánticos nuevos de la Biblia*. Usado con permiso. Esta letra se
puede cantar con la música de #108 (Jubilosos) y #600 (Dios el Creador).

71 Padre, te adoro

Adorarán al Padre en espíritu y en verdad. Jn. 4:23

Neh. 9:1-6
Sal. 31:14-24
Jn. 4:15-29

Con solemnidad

1. Pa - dre, te a - do - ro; doy a ti mi vi - da; cuán - to te a - mo.
2. Cris - to, te a - do - ro; doy a ti mi vi - da; cuán - to te a - mo.
3. Es - pí - ri - tu San - to, doy a ti mi vi - da; cuán - to te a - mo.

♩ 1' 22"

LETRA y MÚSICA: Terrye Coelho, 1972, es trad.
© 1972 *Maranatha Music*. Usado con permiso.

MARANATHA
Canon a tres voces
Fa (Capo 1 - Mi)

Tit. 3:3-8
Sal. 66:1-8
2 Co. 13:3-14
Con amplitud

Oh Padre, eterno Dios **72**

En el nombre del Padre, y del Hijo y del Espíritu Santo. Mt. 28:19

1. ¡Oh Padre, e - ter - no Dios! Al - za - mos
2. ¡Ben - di - to Sal - va - dor! Te da - mos
3. ¡Es - pí - ri - tu de Dios! Es - cu - cha

nues - tra voz en gra - ti - tud Por lo que
con a - mor el co - ra - zón; Y a - quí nos
nues - tra voz, y tu bon - dad De - rra - me en

tú nos das con sin i - gual a - mor,
pue - des ver, que hu - mil - des a tu al - tar
nues - tro ser di - vi - na cla - ri - dad,

Ha - llan - do nues - tra paz en ti, Se - ñor.
Ve - ni - mos a o - fre - cer pre - cio - so don.
Pa - ra po - der vi - vir en san - ti - dad.

LETRA: Vicente Mendoza, s. 20
MÚSICA: Felice de Giardini, 1769
Esta letra se puede cantar también con la música de #68 (A nuestro Padre Dios).

ITALIAN HYMN
6 6 4 6 6 6 4
Fa (Capo 1 - Mi)

MEX

73 Te loamos, oh Dios

Yo me alegraré en Jehová, y me gozaré en el Dios de mi salvación. Hab. 3:18

Ap. 19:1-10
1 Cr. 16:23-36
Jud. vv.20-25

Con reverencia

1. Te loa - mos ¡Oh Dios! con u - ná - ni - me voz,
Por - que en Cris - to tu Hi - jo nos dis - te per - dón.

2. Te loa - mos, Je - sús, quien tu tro - no de luz
Has de - ja - do por dar - nos sa - lud en la cruz.

3. Te da - mos lo - or, San - to Con - so - la - dor,
Quien nos lle - nas de go - zo y san - to va - lor.

4. U - ni - dos lo - ad a la gran Tri - ni - dad,
Que es la fuen - te de gra - cia, vir - tud y ver - dad.

CORO
¡A - le - lu - ya! te a - la - ba - mos, ¡Cuán gran - de es tu a - mor!
¡A - le - lu - ya! te a - do - ra - mos, ben - di - to Se - ñor.

LETRA: William P. Mackay, 1863, trad. H.W. Cragin
MÚSICA: John J. Husband, c. 1815

REVIVE US AGAIN
Metro irreg.
Fa (Capo 1 - Mi)

74 Loor a tu nombre

Oh Dios, como es tu nombre, así es tu alabanza hasta los confines
de la tierra;
No a nosotros, SEÑOR, no a nosotros,
Sino a tu nombre da gloria,
Por tu misericordia, por tu verdad.

Salmo 48:10a; 115:1 (BLA)

Sal. 30
Sal. 146
Sal. 98:1-6

Con júbilo

Cantad al Señor 75

1. Can - tad al Se - ñor un cán - ti - co nue - vo,
2. Él es Cre - a - dor y due - ño de to - do,
3. Can - tad a Je - sús, por - que él es dig - no,
4. Es él quien nos dio su Es - pí - ri - tu San - to,
5. Can - tad al Se - ñor, "¡A - mén, a - le - lu - ya!"

Can - tad al Se - ñor un cán - ti - co nue - vo,
Él es Cre - a - dor y due - ño de to - do,
Can - tad a Je - sús, por - que él es dig - no,
Es él quien nos dio su Es - pí - ri - tu San - to.
Can - tad al Se - ñor, "¡A - mén, a - le - lu - ya!"

Can - tad al Se - ñor un cán - ti - co nue - vo;
Él es Cre - a - dor y due - ño de to - do;
Can - tad a Je - sús, por - que él es dig - no;
Es él quien nos dio su Es - pí - ri - tu San - to;
Can - tad al Se - ñor, "¡A - mén, a - le - lu - ya!"

Can - tad al Se - ñor, can - tad al Se - ñor.

LETRA: Autor descon., Brasil, s. 20, es trad.
MÚSICA: Melodía brasileña, arreg. F.B.J.
Arreg. © 1992 Celebremos/Libros Alianza. Se prohíbe la reproducción sin autorización.

[BRA]

CANTAI AO SENHOR
11 11 11 10
Mi m

76 Santo, Santo

Ap. 15:2-4
Is. 6:1-8
1 Jn. 5:1-7

Y no cesaban día y noche de decir: Santo, santo, santo es el Señor. Ap. 4:8

1. San - to, san - to; san - to, san - to; san - to, san - to e - res tú, Se - ñor a - ma - do; E - le - va-mos nues-tra voz en a - la-ban - za an - te ti; san - to, san - to; san - to, san - to.
2. Pa - dre e - ter - no, Pa - dre e - ter - no; so - mos hi - jos ben - de-ci - dos, Pa - dre e-ter - no; Y con cán - ti - cos de go - zo te ren-di - mos gra - ti - tud; Pa - dre e - ter - no, Pa - dre e - ter - no.
3. Je - su - cris - to, Je - su - cris - to; so - mos sal - vos por tu san - gre, Je - su - cris - to; Y con no - tas de a-le - grí - a hoy can-ta - mos tu lo - or; Je - su - cris - to, Je - su - cris - to.
4. San - to Es - pí - ri - tu, San - to Es - pí - ri - tu; nos en - se - ñas y nos guí - as, San - to Es - pí - ri - tu; Y con gra-cias te a-la - ba-mos por tu o - bra en nues-tro ser; San - to Es - pí - ri - tu, San - to Es - pí - ri - tu.
5. A - le - lu - ya, a - le - lu - ya; con a - mor te a-do-ra - mos, Dios ben-di - to; Yo - fre - ce-mos nues-tra vi - da en se-ñal de gra - ti - tud; a - le - lu - ya, a - le - lu - ya.

LETRA y MÚSICA: Jimmy Owens, 1972, trad. Pablo Sywulka B.
© 1972 BudJohn Songs Inc., admin. C.M.I./Sparrow Corp. Usado con permiso.

HOLY, HOLY
Metro irreg.
Do

77 Honremos a la Trinidad

Bendito sea el Dios y Padre de nuestro Señor Jesucristo, Padre de misericordias y Dios de toda consolación,

Es también quien nos ha sellado y ha puesto como garantía al Espíritu en nuestros corazones.

Ahora bien, hay diversidad de dones; pero el Espíritu es el mismo.

Hay también diversidad de ministerios, pero el Señor es el mismo.

También hay diversidad de actividades, pero el mismo Dios es el que realiza todas las cosas en todos.

Hay un solo cuerpo y un solo Espíritu, así como habéis sido llamados a una sola esperanza de vuestro llamamiento.

Hay un solo Señor, una sola fe, un solo bautismo,

Un solo Dios y Padre de todos, quien es sobre todos, a través de todos y en todos.

2 Corintios 1:3, 22; 1 Corintios 12:4-6; Efesios 4:4-6 (RVA)

1 P. 4:7-16
Mt. 17:1-5
Ef. 5:8-20
Con reverencia

Gloria a tu nombre por doquier 78

El nombre de nuestro Señor... sea glorificado. 2 Ts. 1:12

•1. Pa - dre, te a - mo, te a - la - bo y te a - do - ro;
•2. Cris - to, te a - mo, te a - la - bo y te a - do - ro;
•3. Es - pí - ri - tu, te a - la - bo y te a - do - ro;

Glo - ria a tu nom - bre por do - quier.

Glo - ria a ti, Se - ñor, Glo - ria a ti, Se - ñor;

Glo - ria a tu nom - bre por do - quier.

LETRA y MÚSICA: Donna Adkins, 1976, es trad.
© 1976, arreg. 1981 Maranatha Music. Usado con permiso.

GLORIFY THY NAME
Metro irreg.
Do

79 Eterno Padre celestial

Con majestuosidad

Dios es luz, y no hay ningunas tinieblas en él. 1 Jn. 1:5

Gn. 2:4-7
Heb. 1:1-9
Jud. vv. 20-25

1. E - ter - no Pa - dre ce - les - tial, au - tor de to - da la crea - ción, Que en el es - pa - cio si - de - ral pu - sis - te as - tros, lu - na y sol; Oh, guár - da - nos de to - do mal, con - cé - de - nos tu pro - tec - ción.

2. Oh, Luz que bro - ta de su luz, bri - llan - do siem - pre en som - bra y sol, Con i - ne - fa - ble mag - ni - tud, de Dios e - ter - no res - plan - dor; Ra - dian - te Sol de ple - ni - tud, oh llé - na - nos de tu a - mor.

3. Tu San - to Es - pí - ri - tu a - quí di - ri - ja siem - pre nues - tra ac - ción; Go - zo - so el dí - a pa - se a - sí, por tu cons - tan - te di - rec - ción; Al des - can - sar re - po - se en ti, se - gu - ro, nues - tro co - ra - zón.

LETRA: Estr. #1 Pablo Sywulka B., 1991, estr. #2-3 Ambrosio de Milán, c. 400, trad. F. J. Pagura
MÚSICA: John B. Dykes, 1861
Estr. 1 © 1992 Celebremos/Libros Alianza. Trad. estr. #2-3 "Oh, Luz que brota de su luz"
© 1962 Ediciones La Aurora. Usado con permiso.

MELITA
888888
Do

H. C. (Enrique) Ball (1896-1989)
Enrique Ball nació de nuevo en Texas y a los 18 años empezó a trabajar en la obra con hispanos. Al mismo tiempo traducía sus himnos predilectos al español. En 1916 publicó *Himnos de Gloria*.

Este fue el primero de varios himnarios que compiló. Ball solía decir que las traducciones de los himnos le vinieron por la iluminación del Espíritu del Señor. El siguiente himno fue traducido por él.

Sal. 95:1-7
Sal. 66:1-8
Lc. 1:68-75

Adoradle 80

Alabaré tu nombre por tu misericordia y tu fidelidad. Sal. 138:2

Con reverencia

1. Dad al Pa - dre to - da glo - ria, dad al Hi - jo to - do ho - nor,
2. En - to - nad-le un can-to nue - vo, hues - tes li - bres del Se - ñor;
3. ¡A - do-rad - le, oh I - gle - sia! por Je - sús tu Re - den - tor,

Y al Es - pí - ri - tu Di - vi - no, a - la - ban-zas de lo - or.
Tie - rra, cie - lo, mar y lu - na, glo - ria dan al Tri - no Dios.
Res - ca - ta - da por su gra - cia, li - bre por su gran-de a - mor.

CORO

A - do - rad - le, a - do - rad - le, a - do - rad al Sal - va - dor.

ULTIMO CORO

Yo te a-do-ro, yo te a-do-ro, yo te a-do-ro, buen Je - sús.

al Sal - va - dor.

mi buen Je - sús.

Tri - bu - tad - le to - da glo - ria, pue - blo su - yo por su gran-de a - mor.

Yo te a-do-ro re - ve - ren - te, ¡Oh, Cor - de - ro san - to de mi Dios!

LETRA y MÚSICA: Margaret J. Harris, 1898, trad. H.C. Ball

I WILL PRAISE HIM
8787/Coro
Mi♭ (Capo 1 - Re)

81 Lo que respira

Sal. 150
Sal. 92:1-8
Sal. 33:1-12

Con júbilo *Todo lo que respira alabe al SEÑOR. ¡Aleluya! Sal. 150:6 (BLA)*

LETRA: Basada en el Salmo 150
MÚSICA: Osdy Soriano, 1976, arreg. F.B.J.
Arreg. © 1992 Celebremos/Libros Alianza. Se prohíbe la reproducción sin autorización.

MEX

ACAPULCO
Metro irreg.
Do

nan - tes. En su len - gua - je to-do lo que res - pi - ra a -

la - be al Se - ñor. ñor. ¡A - mén!

Te alabaremos, Señor 82

Cantad alegres a Dios, habitantes de toda la tierra.
**Servid a Jehová con alegría; venid ante su presencia
con regocijo.**
Reconoced que Jehová es Dios; él nos hizo, y no nosotros
a nosotros mismos; pueblo suyo somos, y ovejas de su
prado.
**Entrad por sus puertas con acción de gracias, por
sus atrios con alabanza; alabadle, bendecid su
nombre.** Salmo 100:1-4 (RVR)

2 Co. 13:11, 14
Salmo. 66:1-8
Ap. 19:1-10

A Dios cantad 83

Cantad a Dios, cantad al Señor. Sal. 68:32

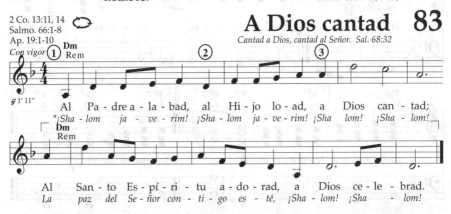

Con vigor (1) Rem (2) (3)

♩ 1' 11"

Al Pa - dre a - la - bad, al Hi - jo lo - ad, a Dios can - tad;
Sha - lom ja - ve - rim! ¡Sha - lom ja - ve - rim! ¡Sha lom! ¡Sha - lom!

Dm
Rem

Al San - to Es - pí - ri - tu a - do - rad, a Dios ce - le - brad.
La paz del Se - ñor con - ti - go es - té, ¡Sha - lom! ¡Sha - lom!

LETRA: Gerald S. Henderson, 1986, trad. F.B.J. * *Letra original del hebreo*
MÚSICA: Melodía hebrea
Letra © 1986 Word Music. Usado con permiso.

SHALOM CHAVERIM
Canon a tres voces
Re m

84 Entraré por sus puertas

Sal. 100
Sal. 95:1-7
Sal. 118:1, 19-24

Entrad por sus puertas con acción de gracias. Sal. 100:4

Con alegría

•En - tra - ré por sus puer - tas con can - tos de lo - or, por sus

a - trios con a - la - ban - za; Y di - ré, "Es - te es el

dí - a que hi - zo el Se - ñor; me go - za - ré y a - le - gra - ré en

él". Yo le a - la - ba - ré, yo le a - la - ba - ré, Me

go - za - ré y a - le - gra - ré en él. le - gra - ré en él.

LETRA: Basada en Salmo 100:4 y 118:24
MÚSICA: Leona Von Brethorst, 1976, arreg. F.B.J.
© 1976 Maranatha Music. Usado con permiso.

I WILL ENTER
Metro irreg.
Mi♭ (Capo 1 - Re)

Sal. 139:1-12
Mt. 1:18-23
Jn. 14:12-24

Dios está aquí 85

¿No lleno yo, dice el Señor, el cielo y la tierra? Jer. 23:24

Con emoción

Dios es - tá a - quí, tan cier - to co - mo el

ai - re que res - pi - ro, tan cier - to co - mo

la ma - ña - na se le - van - ta, tan

cier - to co - mo que le can - to y me pue - de o - ír.

LETRA: Raúl Galeano, 1976, alt.
MÚSICA: Raúl Galeano, 1976, arreg. Pedro Gemín, adapt. F.B.J.
© 1979 Raúl Galeano. Usado con permiso

L.A.

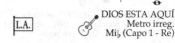

DIOS ESTA AQUÍ
Metro irreg.
Mi♭ (Capo 1 - Re)

Martín Lutero (1483 - 1546)

El caballero de Erback, en cierta madrugada primaveral, preparaba una emboscada para capturar al reformador Martín Lutero.

De pronto su habitación en el mesón fue invadida por una resonante voz que desde el siguiente cuarto entonaba un salmo. El caballero concluyó que el cantante debía ser un capellán, así que decidió pedir su bendición para la campaña contra los "herejes". Tocó a la puerta y explicó su misión.

El hombre le contestó: —Si a Lutero buscas, no

tienes que ir muy lejos. ¡Yo soy Lutero!

El caballero no podía creer que un hombre con tal devoción fuera "hereje". Le demandó la razón de sus convicciones y habiendo sido persuadido por las pruebas bíblicas, se convirtió en un seguidor de Cristo y defensor del reformador.

Lutero impulsó la música cristiana y promovió el canto congregacional. Se le ha llamado "el padre de la himnodia evangélica". Escribió varios himnos, de los cuales el más conocido es "Castillo fuerte es nuestro Dios" (Vea # 45).

86 Yo te exalto

Exaltado seas sobre los cielos, oh Dios, y sobre toda la tierra. Sal. 108:5

Otras posibilidades: Yo te sirvo . . . , Yo te alabo . . .

LETRA: Pete Sánchez, Jr., 1977, es trad.
MÚSICA: Pete Sánchez, Jr., 1977, arreg. F.B.J.
© 1977 Pete Sánchez. Usado con permiso.

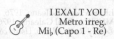

I EXALT YOU
Metro irreg.
Mi♭ (Capo 1 - Re)

87 Adoremos a Dios

Dios es espíritu; y es necesario que los que le adoran, le adoren en
espíritu y en verdad.

**Y amarás al Señor tu Dios con todo tu corazón, con toda tu
alma y con todas tus fuerzas.**

¡Aleluya! Ciertamente es bueno cantar salmos a nuestro Dios;

Ciertamente es agradable y bella la alabanza.

Juan 4:24; Deuteronomio 6:5; Salmo 147:1 (RVA)

Fil. 2:1-11
Ap. 5
Sal. 138:1-5
Con solemnidad

Venid, nuestras voces unamos 88

Oí una gran voz de gran multitud en el cielo, que decía: ¡Aleluya! Ap. 19:1

1. Ve - nid, nues - tras vo - ces con go - zo u - na - mos
2. Los án - ge - les can - tan "Es dig - no el Cor - de - ro";
3. Ven - ció a la muer - te y re - su - ci - ta - do
4. Un dí - a la en - te - ra crea - ción, de ro - di - llas,

Can - tan - do a - la - ban - zas a Cris - to el Se - ñor;
Pues él por no - so - tros mu - rió en la cruz;
Su - bió ex - al - ta - do a la dies - tra de Dios;
Re - co - no - ce - rá que Je - sús es Se - ñor;

Las hues - tes del cie - lo le es - tán glo - ri - fi - can - do;
Con su sa - cri - fi - cio pa - gó nues - tro pe - ca - do;
Es dig - no de hon - ra, po - der y a - la - ban - za;
Por to - dos los si - glos él rei - na - rá triun - fan - te;

Lo - é - mos - le tam - bién con sin - ce - ro a - mor.
Con gra - ti - tud can - te - mos a Cris - to Je - sús.
Su nom - bre ben - de - ci - mos, con al - ma y voz.
Los sal - vos can - ta - re - mos al gran Re - den - tor.

LETRA: Isaac Watts, 1707, trad. Comité de *Celebremos*
MÚSICA: Melodía holandesa, s. 17, arreg. Edward Kremser, 1877
Trad. © 1992 Celebremos/Libros Alianza. Se prohíbe la reproducción sin autorización.

KREMSER
Metro irreg.
Do

89 Vine a alabar a Dios

Cantaré salmos a mi Dios mientras viva. Salmo 146:2

Sal. 146
Sal. 104:1-9, 31-34
Sal. 147:1-11

Con vigor

Vi - ne a a - la - bar a Dios, vi - ne a a - la - bar a Dios,

Vi - ne a a - la - bar su nom - bre, vi - ne a a - la - bar a Dios.

El vi - no a mi vi - da un día muy es - pe - cial, cam - bió mi co - ra -

zón, me en - se - ñó un ca - mi - no me - jor, Y e - sa es la ra -

zón por la que di - go que vi - ne a a - la - bar a Dios.

LETRA : Wayne Romero, 1975, es trad.
MÚSICA: Wayne Romero, 1975, arreg. F.B.J.
© 1975 Paragon, admin. Benson. Usado con permiso.

ROMERO
Metro irreg.
Do

Sal. 145:1-13
Sal. 69:30-34
Sal. 34:1-10
Con energía

Te exaltaré, mi Dios, mi Rey 90

Generación a generación celebrará tus obras. Sal. 145:4

LETRA: Basada en Salmo 145:1-3
MÚSICA: Casiodoro Cárdenas, 1973, arreg. F.B.J.
© 1989 Casiodoro Cárdenas. Usado con permiso.

ECU

TE EXALTARÉ
Metro irreg.
Re m

91 Señor, ¿quién entrará?

Sal. 15
Sal. 24
Mt. 5:2-12

Señor, ¿quién habitará en tu tabernáculo? Sal. 15:1

LETRA: Basada en Salmo 24:3-4
MÚSICA: Compositor descon., Latinomérica, s. 20, arreg. F.B.J.
Arreg. © 1992 Celebremos/Libros Alianza. Se prohíbe la reproducción sin autorización.

L.A.

ADORACIÓN
Metro irreg.
Sol

92 El cielo canta alegría

Sal. 8
Sal. 19:1-6
Ef. 2:1-10

Aléngrese los cielos, y gócese la tierra. 1 Cr. 16:31

LETRA y MÚSICA: Pablo Sosa, 1978, arreg. Alvin Schutmaat
© 1978 Pablo D. Sosa. Usado con permiso.

ARG

ALEGRÍA
Metro irreg.
Do m (Capo 1 - Si m)

Aleluya **93**

Ap. 19:1-10
Ap. 11:15-17
Ap. 7:9-17

Y oí...la voz de una gran multitud...que decía: ¡Aleluya! Ap. 19:6

Con serenidad

1. A - le - lu - ya, a - le - lu - ya, a - le - lu - ya, a - le - lu - ya,
2. Dios mi Pa - dre, yo te a - mo, Dios mi Pa - dre, yo te a - mo,
3. Je - su - cris - to, te a - la - bo, Je - su - cris - to, te a - la - bo,
4. San-to Es - pí - ri - tu, te a - do - ro, San - to Es - pí - ri - tu, te a - do - ro,

Otras: Cristo viene, pronto viene,...   Te exalto en mi vida,...
Eres digno, Rey eterno,...   Contaré tus maravillas,...

A - le - lu - ya, a - le - lu - ya, a - le - lu - ya, a - le - lu - ya.
Dios mi Pa - dre, yo te a - mo, a - le - lu - ya, a - le - lu - ya.
Je - su - cris - to, te a - la - bo, a - le - lu - ya, a - le - lu - ya.
San-to Es - pí - ri - tu, te a - do - ro, a - le - lu - ya, a - le - lu - ya.

LETRA: Basada en Apocalipsis 19:6
MÚSICA: Jerry Sinclair, 1972
© 1972 Manna Music. Usado con permiso.
Esta letra se puede cantar también con la música de #60 (Nuestro Dios y Padre).

ALLELUIA
8888
Sol

94 Por la mañana

Dios mío eres tú; de madrugada te buscaré. Sal. 63:1

Sal. 63:1-8
Sal. 42
Zac. 12:10

1. Por la ma - ña - na yo di - ri - jo mi a - la - ban - za a Dios que ha si - do y es mi ú - ni - ca es - pe - ran - za. Por la ma - ña - na yo le in - vo - co con el al - ma y le su - pli - co que me dé su dul - ce cal - ma. El nos es - cu - cha, pues nos a - ma tan - to, y nos a -

2. Cuan - do la no - che se a - prox - i - ma, te - ne - bro - sa, en e - le - var - le mi o - ra - ción mi al - ma go - za; Sien - to su paz i - na - go - ta - ble, dul - ce y gra - ta por - que te - mo - res y an - sie - dad, Cris - to los ma - ta. Tam - bién e - le - vo mi can - tar al cie - lo cuan - do a la

3. Bri - lla su lum - bre bien - he - cho - ra mien - tras duer - mo; po - ne su ma - no so - bre mí si es - toy en - fer - mo. Me for - ta - le - ce, me a - lien - ta con el sue - ño, pues es mi Dios, mi Re - den - tor y él es mi due - ño. Y al des - per - tar por la ma - ña - na sien - to que Dios in -

4. Ve - o la san - gre de sus ma - nos que ha bro - ta - do; ve - o la san - gre bor - bo - tan - do en un cos - ta - do; U - na co - ro - na con es - pi - nas en su fren - te, la mul - ti - tud es - car - ne - cién - do - le in - so - len - te. Pe - ro, ¡qué di - cha cuan - do al cie - lo su - be, lle - no de

↑[8]
𝄞 2' 55"

LETRA y MÚSICA: Alfredo Colom M., 1954, ◑ es arreg.
© 1954, ren. 1982 Singspiration Music. Usado con permiso.

GUA

AVENIDA BOLÍVAR
Metro irreg.
Do

li - via de cual - quier que - bran - to. Nos da su ma - no po - de -
tie - rra ba - ja ne - gro ve - lo. El sol se o - cul - ta, pe - ro
va - de mi al - ma y pen - sa - mien - to; Veo a Je - sús, mi Re - den -
glo - ria en ma - jes - tuo - sa nu - be! Pe - ro, ¡qué di - cha cuan - do al

ro - sa y fuer - te, pa - ra li - brar - nos de la mis - ma muer - te.
que - da Cris - to, a quien mis o - jos en el sue - ño han vis - to.
tor a - ma - do, por mi pe - ca - do en u - na cruz cla - va - do.
cie - lo su - be, lle - no de glo - ria en ma - jes - tuo - sa nu - be!

Alfredo Colom M. (1904 - 1971)
Prolífero autor de himnos y poemas, Alfredo Colom nació en Quezaltenango, Guatemala, en 1904. Llegó a ocupar un cargo de servicio público; pero el vicio del licor arruinó su vida. Iba camino a suicidarse cuando un creyente indígena le regaló un Nuevo Testamento y se convirtió a Cristo en 1922. Veinte años más tarde se entregó al servicio del Señor y empezó el ministerio de música y evangelización que le llevó a todo el continente. Trabajó varios años con la Radio HCJB y compuso algunos de los himnos latinoamericanos más amados.

Por la mañana
"Una mañana al despertar, mirando el maravilloso espectáculo de la salida del sol por la Avenida Bolívar en la ciudad capital de Guatemala, no pude menos que prorrumpir en alabanzas a Dios por todos sus beneficios. Así me fue inspirada la primera parte del himno. En otra ocasión, mientras me deleitaba en la caída de la tarde, noté que mientras el sol se iba perdiendo en el ocaso, las tinieblas estaban llenando el firmamento. Y dije: —Sí, el sol se está ocultando, pero mi amado Redentor continúa llenando mi corazón con su grata presencia.— Y en el acto mismo me vino la inspiración de la segunda estrofa del himno".

Sal. 100
Sal. 106:47-48
Sal. 117
Con gozo

Ante su presencia 95

Venid ante su presencia con regocijo. Sal. 100:2

An - te su pre - sen - cia can - ta, "A - le - lu - ya, a - le - lu - ya, a - le - lu - ya".

Otras posibilidades en vez de "Aleluya":
2. "Cristo es Señor".
3. "Dios es mi Rey".
4. "Gloria al Señor".

LETRA: Basada en Salmo 100:2
MÚSICA: Compositor descon., s. 20

HIS PRESENCE
Canon a cuatro voces
Do

96 Las primicias del día

Sal. 5:1-8, 11-12
Dn. 6:10-23
Sal. 55:16-23

Oh Señor, de mañana me presentaré delante de ti, y esperaré. Sal. 5:3

1. Me des-pier-to con ga-nas de ver-lo; las pri-mi-cias del
2. Un mo-men-to con-ti-go es o-ro; con-ver-sar con el

dí-a le doy. Co-men-zar con el Rey me a-ni-ma,
Rey es mi ho-nor. Me im-par-tes tu sa-bi-du-rí-a;

con-fe-sar-le, "Se-ñor, tu-yo soy".
me ins-pi-ra tu car-ta de a-mor.

CORO

Yo te doy es-te

dí-a, Se-ñor; yo te doy es-ta vi-da, Se-ñor. De tu

ma-no yo quie-ro se-guir, con-tro-la-do por ti al vi-vir.

LETRA y MÚSICA: Brus del Monte, 1980, arreg. F.B.J.
© 1980 Singspiration Music. Usado con permiso.

ARG

PRIMICIAS
Metro irreg.
Mi m

Señor, Señor 97

Señor, Señor, tú antes, tú después, tú en la inmensa
hondura del vacío y en la hondura interior:
Tú en la aurora que canta y en la noche que piensa;
Tú en la flor de los cardos y en los cardos sin flor.

Amado Nervo, s. 19

Jn. 20:26-31
Sal. 45:1-6
Sal. 24

Te amo, Rey 98

Te amo, oh Señor. Sal.18:1

Te a - mo, Rey, y le - van - to mi voz
Te a - mo, Rey, y le - van - to mi voz

Pa - ra a - do - rar - te, mi Sal - va - dor.
Pa - ra a - do - rar y go - zar - me en ti.

Me go - zo en ti y te a - la - bo, mi Dios;
Re - go - cí - ja - te y es - cu - cha, mi Rey:

Dul - ce sea mi can - to a ti, oh Se - ñor.
Que se - a un dul - ce so - nar pa - ra ti.

LETRA: Laurie Klein, 1978, es trad.
MÚSICA: Laurie Klein, 1978, arreg. Eugene Thomas
© 1978, arreg. 1980 House of Music, admin. Maranatha Music. Usado con permiso.

I LOVE YOU LORD
Metro irreg.
Fa (Capo 1 - Mi)

99 Quiero Alabarte

Alabad al Señor, invocad su nombre. 1 Cr. 16:8

1 Cr. 16:23-36
Sal. 105:1-5
Sal. 145:1-13

I WANT TO PRAISE YOU
Metro irreg.
Fa (Capo 1 - Mi)

En mi vida gloria te doy — 100

1 P. 4:7-16
Fil. 1:15-21
Ro. 15:5-13

Con devoción

Para que en todo sea Dios glorificado por Jesucristo. 1 P. 4:11

1. En mi vida glo-ria te doy, glo-ria te doy,
2. En mi can-to glo-ria te doy, glo-ria te doy,
3. En tu i-gle-sia glo-ria te doy, glo-ria te doy,

En mi vi-da glo-ria te doy, Se-ñor.
En mi can-to glo-ria te doy, Se-ñor.
En tu i-gle-sia glo-ria te doy, Se-ñor.

LETRA y MÚSICA: Bob Kilpatrick, 1978, es trad.
© 1978 Bob Kilpatrick Music, admin. Lorenz Publications. Usado con permiso.

BE GLORIFIED
Metro irreg.
Fa (Capo 1 - Mi)

Bendice, alma mía — 101

Sal. 103:1-13
Sal. 62:1-8
Sal. 146

Con amplitud

Bendice, alma mía, a Jehová. Sal. 103:22

1. Ben - di - ce, al - ma mí - a, ben - di - ce al Se - ñor,
2. Ben - di - ce, al - ma mí - a, ben - di - ce al Se - ñor,

Ben - di - ga mi ser su san - to nom - bre.
No ol - vi - des ja - más sus be - ne - fi - cios.

LETRA: Basada en Salmo 103:1-2
MÚSICA: Compositor descon., s. 20

HOLY NAME
Metro irreg.
Sol

102 Canta, canta alma mía

Bendice, alma mía, a Jehová, y bendiga todo mi ser su santo nombre. Sal. 103:1

Sal. 103:1-13
Sal. 148
Sal. 150

1. Can - ta, can - ta, al - ma mí - a, a tu Rey y tu Se - ñor;
2. Can - ta su mi - se - ri - cor - dia, que a tus pa - dres pro - te - gió;
3. Co - mo pa - dre te co - no - ce, sa - be tu de - bi - li - dad,
4. Án - ge - les y que - ru - bi - nes, que su ma - jes - tad can - táis,

Re - co - no - ce sus bon - da - des; te ben - di - ce con fa - vor.
En su a - mor te dio la vi - da, te cui - dó y per - do - nó.
Con su bra - zo te con - du - ce, te pro - te - ge de mal - dad.
Oh, es - tre - llas, sol y lu - na, que los cie - los do - mi - náis,

Can - ta, can - ta, al - ma mí - a, can - ta de su gran a - mor.
Can - ta, can - ta, al - ma mí - a, can - ta al Dios que te sal - vó.
Can - ta, can - ta, al - ma mí - a, can - ta su fi - de - li - dad.
To - dos jun - tos, a - la - be - mos, a - do - ran - do a nues - tro Dios.

LETRA: Basada en el Salmo 103, Henry F. Lyte, 1834, trad. R.E. Ríos, alt.
MÚSICA: Henry T. Smart, 1867
Para una tonalidad más baja (La♭) ver #122 (Angeles, alzad).

REGENT SQUARE
878787
Si♭ (Capo 1 - La)

103 Cantaré a tu nombre

A Jehová cantaré en mi vida; a mi Dios cantaré salmos mientras viva.

Mi corazón está dispuesto, oh Dios; cantaré y entonaré salmos; esta es mi gloria.

Te alabaré, oh Jehová, entre los pueblos; a ti cantaré salmos entre las naciones.

Porque más grande que los cielos es tu misericordia, y hasta los cielos tu verdad.

Exaltado seas sobre los cielos, oh Dios, y sobre toda la tierra sea
enaltecida tu gloria.
Te amo, oh Jehová, fortaleza mía.
Jehová, roca mía y castillo mío, y mi libertador;
Dios mío, fortaleza mía, en él confiaré;
Mi escudo, y la fuerza de mi salvación, mi alto refugio.
Invocaré a Jehová, quien es digno de ser alabado.
Viva Jehová, y bendita sea mi roca, y enaltecido sea el Dios de mi
salvación;
**Por tanto yo te confesaré entre las naciones, oh Jehová, y
cantaré a tu nombre.**

Salmo 104:33; 108:1, 3-5; 18:1-3a, 46, 49 (RVR)

Sal. 51:10-17
Sal. 63:1-8
Sal. 40:1-5, 16

#/♭

Nunca, Dios mío 104

Sin cesar damos gracias a Dios. 1 Ts. 2:13

Con serenidad

1. Nun - ca, Dios mí - o, ce - sa - rá mi la - bio
2. Cuan - do per - di - do en mun - da - nal sen - de - ro,
3. Cuan - do in - cli - na - ba mi a - ba - ti - da fren - te

de ben - de - cir - te, de can - tar tu glo - ria, Por - que con -
no me cer - ca - ba si - no nie - bla os - cu - ra, Tú me mi -
del mal o - brar el o - ne - ro - so yu - go, Dul - ce re -

ser - vo de tu a - mor in - men - so gra - ta me - mo - ria.
ras - te, y a - lum - bró - me un ra - yo de tu luz pu - ra.
po - so y e - fi - caz a - li - vio dar - me te plu - go.

LETRA: Juan Bautista Cabrera, 1876, ⓢ bas. en Charlotte Elliot, 1834
MÚSICA: Frederick F. Flemming, 1811
Para una tonalidad más baja (Sol) ver #617 (Supremo Dios).

ESP

FLEMMING
11 11 11 5
La ♭ (Capo 1 - Sol)

105 Alabad al Rey del cielo

Sal. 10:12-18
Sal. 92:1-8
Sal. 147:1-11

Jehová es Rey eternamente y para siempre. Sal. 10:16

Con firmeza

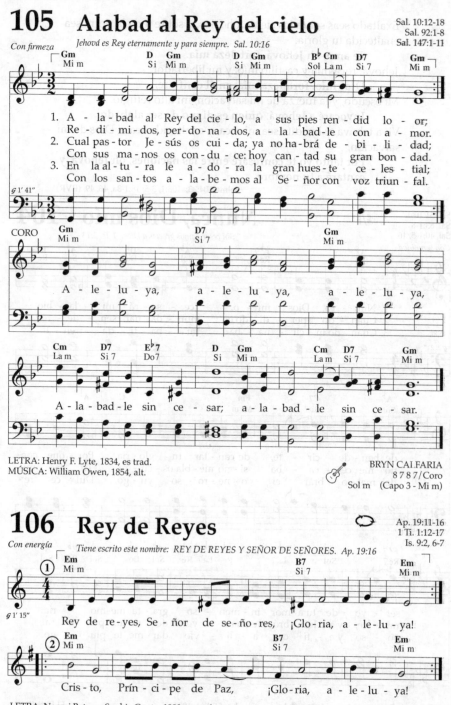

1. A - la - bad al Rey del cie - lo, a sus pies ren - did lo - or;
   Re - di - mi - dos, per - do - na - dos, a - la - bad - le con a - mor.

2. Cual pas - tor Je - sús os cui - da; ya no ha - brá de - bi - li - dad;
   Con sus ma - nos os con - du - ce: hoy can - tad su gran bon - dad.

3. En la al - tu - ra le a - do - ra la gran hues - te ce - les - tial;
   Con los san - tos a - la - be - mos al Se - ñor con voz triun - fal.

CORO

A - le - lu - ya, a - le - lu - ya, a - le - lu - ya,
A - la - bad - le sin ce - sar; a - la - bad - le sin ce - sar.

LETRA: Henry F. Lyte, 1834, es trad.
MÚSICA: William Owen, 1854, alt.

BRYN CALFARIA
8 7 8 7 / Coro
Sol m   (Capo 3 - Mi m)

106 Rey de Reyes

Ap. 19:11-16
1 Ti. 1:12-17
Is. 9:2, 6-7

Con energía

Tiene escrito este nombre: REY DE REYES Y SEÑOR DE SEÑORES. Ap. 19:16

Rey de re - yes, Se - ñor de se - ño - res, ¡Glo - ria, a - le - lu - ya!

Cris - to, Prín - ci - pe de Paz, ¡Glo - ria, a - le - lu - ya!

LETRA: Naomi Batya y Sophie Conty, 1980, es trad.
MÚSICA: Melodía hebrea
Letra © 1980 Maranatha Music. Usado con permiso.

KING OF KINGS
Canon a dos voces
Mi m

📖 #/♭

Sal. 104:1-9; 31-34
Sal. 77:13-20
Sal. 89:5-18

Al Rey adorad 107

Jehová Dios mío, mucho te has engrandecido. Sal. 104:1

Con majestuosidad

1. Al Rey a - do - rad, gran - dio - so Se - ñor, y con gra - ti -
2. De - cid de su a - mor, su gra - cia can - tad; ves - ti - do de
3. ¿Quién pue - de tu pro - vi - den - cia con - tar? pues tu ai - re me
4. Muy frá - gi - les son los hom - bres a - quí, mas por tu bon -

tud can - tad de su a - mor. An - cia - no de dí - as, el
luz y de ma - jes - tad. Su ca - rro de fue - go en las
das pa - ra res - pi - rar. En va - lles y en mon - tes a -
dad con - fia - mos en ti. Tu mi - se - ri - cor - dia ¡cuán

gran De - fen - sor, de glo - ria ves - ti - do, le da - mos lo - or.
nu - bes mi - rad; son ne - gras sus hue - llas en la tem - pes - tad.
lum - bra tu luz, y con gran dul - zu - ra me cui - da Je - sús.
fir - me! ¡cuán fiel! Crea - dor, Sal - va - dor y A - mi - go es él.

LETRA: Basada en el Salmo 104, Robert Grant, 1833, trad. S.L. Hernández
MÚSICA: Atrib. a Franz Joseph Haydn, s. 18, en *Sacred Melodies*, de William Gardiner, c.1804.
Para una tonalidad más alta (La ♭) ver #451 (Iglesia de Cristo).

LYONS
10 10 11 11
Sol

Isaac Watts (1674 - 1748)
Isaac Watts bien merece el título"Prócer de la himnodia". Comenzó a escribir poesías a temprana edad, y a los cuatro años aprendió el latín, y siguió con el griego, el francés y el hebreo.

Un día el inquieto niño de cinco años no podía contener la risa, aunque se estaba celebrando un culto solemne. Al demandarle su papá la razón, le explicó que había visto un ratoncito subir por un lazo y al instante se le ocurrió una poesía alusiva. No sospechaba ni el padre ni el niño que esta gran facilidad para escribir versos se convertiría en un ministerio grandemente usado por Dios.

En Inglaterra se acostumbraba cantar sólo salmos con música muy lenta. A los 18 años, Watts se quejó de esta situación. —Bueno—, le contestó su padre, anciano de la iglesia, —Danos algo mejor—. Fue así que escribió el primero de más de 600 himnos y abrió la puerta al canto congregacional. A pesar de su mala salud, Watts editó tres himnarios y escribió 60 libros sobre diversos temas teológicos y científicos. Vea los himnos #118 (Al mundo paz), #210 (En la cruz) y #516 (La cruz excelsa).

108 Jubilosos, te adoramos

Con amplitud *Aclamad a Dios con voz de júbilo. Sal. 47:1*

Sal. 47
Is. 25:1-9
1 Cr. 16:23-36

1. Ju - bi - lo - sos, te a - do - ra - mos, Dios de glo - ria y Sal - va - dor;
2. Tie - rra y cie - lo es - tán go - zo - sos, re - fle - jan - do tu a - mor.
3. Dios, que li - bre pro - por - cio - nas bie - nes - tar y ben - di - ción,
4. Oh, mor - ta - les, hoy can - te - mos con el co - ro ce - les - tial;

Nues - tras vi - das te en - tre - ga - mos co - mo se a - bre al sol la flor.
An - ge - les y es - tre - llas to - dos can - tan siem - pre tu lo - or.
Y en tu gra - cia nos per - do - nas, go - zo da al co - ra - zón.
Co - mo her - ma - nos ha - bi - te - mos en a - mor san - to y re - al.

A - hu - yen - ta nues - tros ma - les y tris - te - zas, oh Je - sús;
Mon - te, va - lle, rí - o y fuen - te, cam - po, sel - va y an - cho mar
Tú, de to - do a - mor la fuen - te, haz que a - me - mos en ver - dad;
A - la - ban - do siem - pre va - mos en la lu - cha a con - quis - tar;

Da - nos bie - nes ce - les - tia - les, llé - na - nos de go - zo y luz.
Nos re - cuer - dan que cons - tan - te te de - be - mos a - la - bar.
I - lu - mi - na nues - tra men - te con di - vi - na cla - ri - dad.
Si con - fian - do en ti an - da - mos nos a - yu - das a triun - far.

LETRA: Henry van Dyke,1907, trad. estr. #1, 2, 4 G.P. Simmonds, #3 Esteban Sywulka B.
MÚSICA: Ludwig van Beethoven, 1824, arreg. Edward Hodges, 1864
Trad. Estr.1,2,4 © 1959 Rodeheaver, admin. Word Music. Estr. #3 © 1992 Celebremos/Libros Alianza.
Esta letra se puede cantar también con la música de #172 (Gracias dad) y #450 (De la Iglesia).
Para una tonalidad más baja (Fa) ver #606 (Tú honraste).

HYMN TO JOY
8787D
Sol

Un niño nos es nacido, hijo nos es dado, y el principado sobre su hombro: y se llamará su nombre Admirable, Consejero, Dios Fuerte, Padre Eterno, Príncipe de Paz.

Isaías 9:6

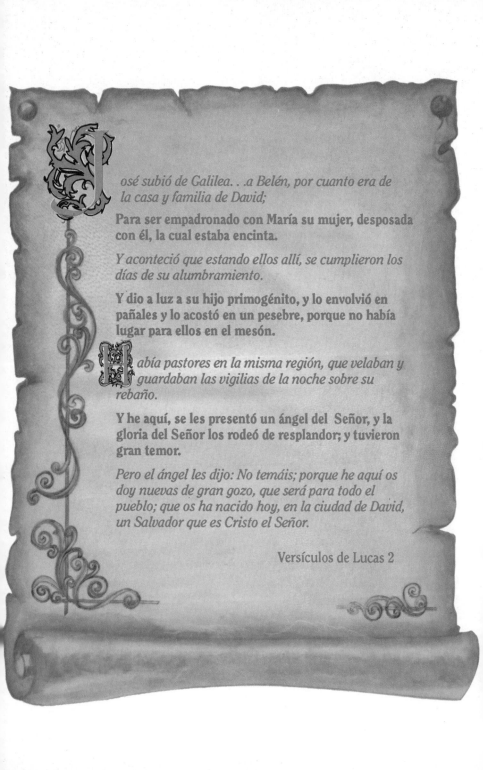

José subió de Galilea. . .a Belén, por cuanto era de la casa y familia de David;

Para ser empadronado con María su mujer, desposada con él, la cual estaba encinta.

Y aconteció que estando ellos allí, se cumplieron los días de su alumbramiento.

Y dio a luz a su hijo primogénito, y lo envolvió en pañales y lo acostó en un pesebre, porque no había lugar para ellos en el mesón.

Había pastores en la misma región, que velaban y guardaban las vigilias de la noche sobre su rebaño.

Y he aquí, se les presentó un ángel del Señor, y la gloria del Señor los rodeó de resplandor; y tuvieron gran temor.

Pero el ángel les dijo: No temáis; porque he aquí os doy nuevas de gran gozo, que será para todo el pueblo; que os ha nacido hoy, en la ciudad de David, un Salvador que es Cristo el Señor.

Versículos de Lucas 2

NUESTRO
Señor
Jesucristo

109 El nacimiento de Jesucristo Lucas 2:4-11 (RVR)

Sugerencias para el uso de la sección navideña.

Los siguientes himnos navideños y villancicos se prestan para una variedad de usos. Se pueden declamar o leer como meditación personal, además pueden cantarse, ya sea por la congregación o como números especiales.

Algunas iglesias acostumbran distribuir los cantos en seis grupos que corresponden a los cuatro domingos antes de la Navidad (tradicionalmente conocidos como el Adviento), además de la Navidad (Nochebuena) y el Día de los Reyes (Epifanía). Esta sección del himnario se puede usar así:

Primer domingo	109-113	Cuarto domingo	122-126
Segundo domingo	114-117	Nochebuena	127-136
Tercer domingo	118-121	Epifanía	137-140

De esta manera se disfruta de los bellos himnos durante un mes, celebrando la encarnación del Salvador, recordando así el verdadero significado de la Navidad. Desde luego, todos son apropiados para cualquier día en la temporada y algunos se cantarán durante todo el año.

110 Y tú Belén

Mt. 2:1-11
Mi. 5:1-5a
Jn. 15:7-11

Pero tú, Belén...de ti me saldrá el que será Señor. Mi. 5:2

LETRA: Basada en Miqueas 5:2, David Pérez Cisneros, 1972
MÚSICA: David Pérez Cisneros, 1972, arreg. F.B.J.
© 1991 Celebremos/Libros Alianza. Se prohíbe la reproducción sin autorización.

PEREZ
Metro irreg.
Mi m

Is. 9:1-7
Is. 40:1-5
Mt. 1:18-23
Con solemnidad

Oh ven, bendito Emanuel   111

La virgen...dará a luz un hijo, y llamará su nombre Emanuel. Is. 7:14

1. Oh ven, oh ven, ben-di-to E-ma-nuel, de la mal-dad res-
2. Oh ven, Sa-bi-du-rí-a Ce-les-tial, y lí-bra-nos del
3. Oh ven, oh ven, glo-rio-so Rey de Sion, y ten tu tro-no en
4. Oh ven, Me-sí-as vic-to-rio-so, ven de nue-vo a es-te

ca-ta a Is-ra-el, Que llo-ra en tris-te de-so-la-ción, y es-
mal a ca-da cual; Co-rrí-ge-nos y haz-nos sa-ber que
ca-da co-ra-zón; Di-si-pa to-da la os-cu-ri-dad, y en-
mun-do a rei-nar; Des-tru-ye pa-ra siem-pre el mal, y

CORO

pe-ra an-sio-so su li-be-ra-ción.
con tu a-yu-da he-mos de ven-cer.   ¡Can-tad! ¡Can-tad!
sé-ña-nos tu san-ta vo-lun-tad.
rei-na a-quí en glo-ria ce-les-tial.

Pues vues-tro E-ma-nuel ven-drá a ti muy pron-to, Is-ra-el.

LETRA: Estr. #1-3 Himno latino, s. 9, trad. Roberto C. Savage, ✠
#4 Esteban Sywulka B. 1990.
MÚSICA: Canto llano francés, s. 15, arreg. Thomas Helmore, 1854, alt.
Trad. estr. #1-3 © 1966 Singspiration Music. Estr. #4 © 1992 Celebremos/Libros Alianza.

VENI EMMANUEL
8 8 8 8/Coro
Mi m

112 Emanuel

Mt. 1:18-23
Is. 7:13-14
Jn. 1:1-14

Con seguridad *Y llamarás su nombre Emanuel.* Mt. 1:23

1. Dios nos a - mó, a su Hi - jo dio,
2. Dios des - cen - dió, y se en - car - nó;

y lo nom - bró nues - tro E - ma - nuel.
Je - sús na - ció, nues - tro E - ma - nuel.

La pro - fe - cí - a fue en él cum - pli - da;
Vi - no a sal - var - nos, vi - no a re - di - mir - nos;

Dios con no - so - tros, nues - tro E - ma - nuel.

LETRA y MÚSICA: Bob McGee, 1976, trad. Comité de *Celebremos*
© 1976 C. A. Music. Usado con permiso.

EMMANUEL
Metro irreg.
Do

113 Despunta el alba

1. Despunta el alba del nuevo día; cantan las aves a su Creador.
   Dan alabanza con alegría a Jesucristo, nuestro Señor.

2. Ya nuestro Salvador ha venido; a este mundo trajo la luz.
   Es nuestro Redentor prometido. ¡Gloria al Mesías, Cristo Jesús!

Sonia Andrea Linares M., 1991

L.A.

© 1992 Celebremos/Libros Alianza. Esta letra se puede cantar con la música de #123 (Ved al niñito)

Sal. 96:10-13
Jl. 3:16-18
Gá. 4:3-7

Suenen dulces himnos 114

Los montes y los collados levantarán canción. Is. 55:12

Con ánimo

1. ¡Sue-nen dul-ces him-nos gra-tos al Se-ñor, y ói-gan-se en con-cier-to u-ni-ver-sal! Des-de el al-to cie-lo ba-ja el Sal-va-dor pa-ra be-ne-fi-cio del mor-tal.

2. Sal-te, de a-le-grí-a lle-no el co-ra-zón, la a-ba-ti-da y po-bre hu-ma-ni-dad; Dios se com-pa-de-ce vien-do su a-flic-ción, y le mues-tra bue-na vo-lun-tad.

3. Sien-tan nues-tras al-mas no-ble gra-ti-tud ha-cia el que nos brin-da re-den-ción; Y a Je-sús el Cris-to, que nos da sa-lud, tri-bu-te-mos nues-tra a-do-ra-ción.

(D.S.) Y el can-tar de glo-ria que se o-yó en Be-lén, se-a nues-tro cán-ti-co tam-bién.

CORO

¡Glo-ria! ¡Glo-ria se-a a nues-tro Dios! ¡Glo-ria! Sí, can-te-mos a u-na voz,

LETRA: Juan Bautista Cabrera, 1887, bas. en W.O. Cushing, 1866

MÚSICA: George F. Root, 1875

ESP

RING THE BELLS
Metro irreg.
Sol

115 Venid Pastores

Lc. 2:4-20
Mt. 2:9-11
Sal. 86:8-13

Con emoción   *Vinieron, pues, apresuradamente, y hallaron...al niño...en el pesebre. Lc. 2:16*

1. Ve-nid pas-to-res, ve-nid, oh ve-nid a Be - lén, oh ve-nid al por-tal;
2. Ve-nid pas-to-res, ve-nid, con gran go-zo, de - jan-do en el cam-po la grey;

Yo no me voy de Be - lén sin al Ni - ño Je - sús un mo - men-to a-do-rar.
Oíd a los án-ge-les quie-nes a - nun-cian que hoy ha na - ci - do el Rey.

CORO

Y la es-tre-lla de Be - lén   os guia - rá   con su luz,
(Opt.) Con la es-tre-lla mar - chad;

Has-ta el hu-mil - de por-tal   don-de   na - ció Je - sús.

LETRA: Villancico portorriqueño
MÚSICA: Melodía portorriqueña, arreg. Roberto C. Savage
Arreg. © 1961 Singspiration Music. Usado con permiso.   P.R.

VENID PASTORES
Metro irreg.
Mi m

Oh, pueblecito de Belén
En la Navidad de 1865, un joven ministro se encontraba en los cerros de Israel donde se cree que los ángeles dieron la grata noticia a los pastores. La experiencia conmovedora de esa noche inspiró a Phillips Brooks a escribir "Oh, pueblecito de Belén" para los niños de su congregación. El organista de su iglesia compuso la música para este himno, el cual ha llegado a ser uno de los predilectos para la época navideña.

O little Town of Bethlehem

Lc. 2:4-20
Is. 62:10-12
Sal. 72:17-19

Oh, pueblecito de Belén **116**

La ciudad de David, que se llama Belén. Lc. 2:4

Con calma

1. ¡Oh, pue-ble-ci-to de Be-lén, dur-mien-do en dul-ce paz!
2. Al ni-ño que ha na-ci-do hoy el co-ro ce-les-tial
3. Con ce-les-tial se-re-ni-dad, des-cien-de nues-tro don;
4. El San-to Ni-ño de Be-lén es nues-tro Sal-va-dor,

Los as-tros bri-llan so-bre ti con sua-ve cla-ri-dad;
En-to-na con so-no-ra voz un cán-ti-co triun-fal.
A-sí con-ce-de Dios su a-mor a ca-da co-ra-zón;
Quien por su san-gre per-do-nó el mal con tan-to a-mor;

Mas en tus quie-tas ca-lles hoy sur-ge e-ter-na luz,
¡El san-to na-ci-mien-to, es-tre-llas, pro-cla-mad!
No se o-ye su ve-ni-da, mas el Se-ñor ven-drá
U-ni-mos nues-tras vo-ces al co-ro an-ge-li-cal

Y la pro-me-sa de E-ma-nuel se cum-ple en Je-sús.
A Dios el Rey can-tad lo-or; ho-nor y glo-ria dad!
Al que le quie-ra re-ci-bir; con él ha-bi-ta-rá.
Y pro-cla-ma-mos por do-quier su glo-ria ce-les-tial.

LETRA: Phillips Brooks, 1868, trad. E.C. de Naylor, adapt. S.A. Linares M., 1986
MÚSICA: Lewis H. Redner, 1868

ST. LOUIS
Metro irreg.
Fa (Capo 1 - Mi)

117 Porque un niño

Is. 9:2, 6-7
Ap. 19:11-16
Lc. 2:8-15

Porque un niño nos es nacido, hijo nos es dado. Is. 9:6

Con serenidad

Por-que un ni-ño nos es na-ci-do, por-que un ni-ño nos es na-ci-do; Por-que un hi-jo ya nos es da-do, y el prin-ci-pa-do so-bre su hom-bro; Y se lla-ma-rá su nom-bre Ad-mi-ra-ble, Con-se-je-ro, Dios fuer-te; Y se lla-ma-rá su nom-bre Pa-dre e-ter-no, el Prín-ci-pe de paz.

LETRA: Basada en Isaías 9:6
MÚSICA: Felipe Blycker J., 1977
© 1977 Philip W. Blycker en *Cánticos nuevos de la Biblia.* Usado con permiso.

GUA

PORQUE UN NIÑO
Metro irreg.
Fa (Capo 1 - Mi)

Is. 49:6-11, 13
Is. 11:1-9
Sal. 96:10-13
Con regocijo

Al mundo paz 118

Cantad alegres a Jehová, toda la tierra. Sal. 98:4

1. ¡Al mun-do paz, na-ció Je-sús! na-ció ya nues-tro
2. ¡Al mun-do paz, el Sal-va-dor en tie-rra rei-na-
3. Al mun-do él go-ber-na-rá con gra-cia y con po-

Rey; El co-ra-zón ya tie-ne luz,
rá! Ya es fe-liz el pe-ca-dor,
der; A las na-cio-nes mos-tra-rá

Y paz su san-ta grey, y paz su san-ta grey,
Je-sús per-dón le da, Je-sús per-dón le da,
Su a-mor y su po-der, Su a-mor y su po-der,

1. Y paz su san-ta grey, y paz su san-

Y paz, y paz su san-ta grey.
Je-sús, Je-sús per-dón le da.
Su a-mor, su a-mor y su po-der.

ta grey.

LETRA: Basada en Salmo 98:4-9, Isaac Watts, 1719, ℗ es trad.
MÚSICA: Georg F. Händel, 1742, arreg. Lowell Mason, 1839

ANTIOCH
8 6 8 6 /Rep.
Do

119 Gloria a Dios en las alturas

Hab. 3:3-4
Is. 40:1-5
Sal. 96:1-9

La gloria del Señor los rodeó de resplandor. Lc. 2:9

Con júbilo

1. ¡Glo-ria a Dios en las al-tu-ras! que mos-tró su gran a-mor,
2. ¡Glo-ria a Dios! la tie-rra can-te al go-zar de su bon-dad,
3. ¡Glo-ria a Dios! la I-gle-sia en-to-na, ro-ta al ver su es-cla-vi-tud

Dán-do-les a sus cria-tu-ras un po-ten-te Sal-va-dor.
Pues le brin-da paz cons-tan-te en su bue-na vo-lun-tad.
Por Je-sús, que es su co-ro-na, su ca-be-za y ple-ni-tud.

Con los him-nos de los san-tos ha-gan co-ro nues-tros can-tos
To-da tri-bu y len-guas to-das al Ex-cel-so e-le-ven o-das,
Vi-gi-lan-te siem-pre vi-ve y a la lu-cha se a-per-ci-be,

De a-la-ban-za y gra-ti-tud, por la di-vi-nal sa-lud,
Por Je-sús, Rey E-ma-nuel, que les vi-no de Is-ra-el,
Mien-tras lle-ga su so-laz en la glo-ria y ple-na paz,

LETRA: Juan Bautista Cabrera, 1914
MÚSICA: George J. Elvey, 1858

ESP

ST. GEORGE'S WINDSOR
Metro irreg.
Fa (Capo 1 - Mi)

Y di - ga - mos a u - na voz: ¡En los cie - los glo - ria a Dios!
Y pro - rrum - pan a u - na voz: ¡En los cie - los glo - ria a Dios!
Don - de ex - cla - me a u - na voz: ¡En los cie - los glo - ria a Dios!

Ro. 5:1-11
Lc. 1:46-55
Sal. 68:3-6

Oh santísimo, felicísimo 120

Nos gloriamos en Dios por el Señor nuestro Jesucristo. Ro. 5:11

Con alegría

1.- 3. ¡Oh, san - tí - si - mo, fe - li - cí - si - mo, gra - to
tiem - po de Na - vi - dad! Co - ros ce - les - tia - les
Prín - ci - pe del cie - lo,

Al mun - do per - di - do
Cris - to le ha na - ci - do;
o - yen los mor - ta - les; ¡A - le - grí - a, a - le - grí - a, cris - tian - dad!
da - nos tu con - sue - lo;

LETRA: Johannes D. Falk, 1816, trad. Federico Fliedner
MÚSICA: Melodía siciliana, arreg. en *Tattersall's Psalmody,* 1794

SICILIAN MARINERS
Metro irreg.
Mi♭ (Capo 1 - Re)

121 Venid, Pastorcillos

Lc. 2:4-20
Sal. 51:10-17
Sal. 105:1-5

Con sencillez

Vieron al niño con su madre...y postrándose, lo adoraron. Mt. 2:11

1. Ve - nid,   pas - tor - ci - llos,   ve - nid   a a - do - rar
2. Un   rús - ti - co   te - cho   a - bri - go   le   da;
3. Her - mo - so   lu - ce - ro   le   vi - no a a - nun - ciar,

↑[4]
♩ 2' 11"

Al   Rey   de   los   cie - los   que   na - ce en   Ju - dá.
Por   cu - na un   pe - se - bre,   por   tem - plo un   por - tal;
Y   ma - gos   de o - rien - te   bus - cán - do - le   van;

Sin   ri - cas   o - fren - das   po - de - mos   lle - gar,
En   le - cho   de   pa - jas   in - cóg - ni - to es - tá
De - lan - te   se   pos - tran   del   Rey   de   Ju - dá,

Que el   Ni - ño   pre - fie - re   la   fe   y la   bon - dad.
Quien   qui - so a   los   as - tros   su   glo - ria   pres - tar.
De in - cien - so, o - ro y   mi - rra   tri - bu - to   le   dan.

LETRA: Francisco Martínez de la Rosa, s. 19   ESP
MÚSICA: Ira D. Sankey, 1877
Esta letra se puede cantar también con la música de #132 (Oh niños) y #451 (Iglesia).

HIDING IN THEE
11 11 11 11
Mi♭ (Capo 1 - Re)

#/♭

Hag. 2:6-9
Sal. 148
Sal. 22:23-28

Con majestuosidad

Ángeles, alzad el canto 122

Las huestes celestiales...alababan a Dios. Lc. 2:13

1. Án - ge - les, al - zad el can - to, la no - ti - cia
2. Oh, pas - to - res que o - ís - teis el gran co - ro
3. Sa - bios, con - tem - plad con go - zo de la es - tre - lla
4. Fie - les, to - dos a - do - rad - le con hu - mil - de

ce - le - brad; Pro - cla - mad al mun - do en - te - ro
ce - les - tial, El men - sa - je tan su - bli - me
el ful - gor, E - se as - tro por - ten - to - so
gra - ti - tud; To - do ho - nor y ho - me - na - je

nue - vas de con - sue - lo y paz.
por do - quie - ra a - nun - ciad.
que os guí - a al Sal - va - dor.
tri - bu - tad al Rey Je - sús.

CORO

A - do - re - mos,

a - do - re - mos al re - cién na - ci - do Rey.

LETRA: James Montgomery, 1816, es trad.
MÚSICA: Henry T. Smart, 1867
Para una tonalidad más alta (Si♭) ver #102 (Canta, canta).

REGENT SQUARE
878787
La♭ (Capo 1 - Sol)

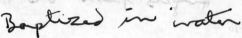

123 Ved al niñito

Lc. 1:68-75
Lc. 2:25-32
Is. 9:2, 6-7

Con ternura   *Hallaréis al niño...acostado en un pesebre. Lc. 2:12*

1. Ved al ni - ñi - to   en un pe - se - bre,
2. Des - de los   cie - los   a es - te mun - do
3. Ya se cum - plie - ron   las pro - fe - cí - as,

G 2' 01"

Es Je - su - cris - to,   Hi - jo de Dios;
Vi - no a na - cer   en   po - bre me - són;
Pues ha na - ci - do   el Re - den - tor;

To - do el mun - do   can - ta a le - gre,
Án - ge - les can - tan   sus a - la - ban - zas;
Dé - mos - le glo - ria   y a - la - ban - za,

Pues él nos tra - e   la sal - va - ción.
Re - yes le rin - den   a - do - ra - ción.
Por - que me - re - ce   to - do ho - nor.

LETRA: Mary MacDonald, s. 19, trad. y adapt. Pablo Sywulka B.
MÚSICA: Melodía galesa, s. 19, arreg. F.B.J.
Trad. y arreg. © 1991 Celebremos/Libros Alianza. Se prohibe la reproducción sin autorización

BUNESSAN
10 9 10 9
Do

Heb. 2:14-18
Jn. 9:35-38
Lc. 2:1-7

Al rústico pesebre 124

Con dulzura

Jesucristo...por amor a vosotros se hizo pobre. 2 Co. 8:9

1. Al rús-ti-co pe-se-bre del ni-ñi-to Je-sús
   Las es-tre-llas del cie-lo le des-te-llan su luz;
   Fue po-bre el es-ta-blo don-de Cris-to na-ció,
   Y hu-mil-de la cu-na en que él des-can-só.

2. El ni-ño del pe-se-bre es Je-sús mi Se-ñor,
   A-do-rar-le yo quie-ro con sin-ce-ro a-mor;
   Mi co-ra-zón pe-que-ño hoy su cu-na se-rá,
   Y a-llí Je-su-cris-to bien-ve-ni-da ten-drá.

LETRA: A.M.P. en Cantemos al Señor, 1917, alt.
MÚSICA: W. Kirkpatrick ☻ y J. Sweney, 1895, arreg. F.B.J.
Arreg. © 1991 Celebremos/Libros Alianza. Se prohíbe la reproducción sin autorización.

L.A.

CRADLE SONG
7 6 7 6 D
Fa (Capo 1 - Mi)

good christian men rejoice

125 Cristianos, hoy cantad a Dios

Sal. 47
Col. 1:9-14
Sal. 148

Os doy nuevas de gran gozo. Lc. 2:10

Con ánimo

1. Cris - tia - nos, hoy can - tad a Dios con al - ma, co - ra - zón y voz;
2. Cris - tia - nos, hoy can - tad a Dios con al - ma, co - ra - zón y voz;
3. Cris - tia - nos, hoy can - tad a Dios con al - ma, co - ra - zón y voz;

Gra - ta nue - va pro - cla - mad: ¡Can - tad! Je - su - cris - to
A la muer - te no te - máis; ¡Can - tad! Je - su - cris - to
Las ti - nie - blas con - quis - tó; ¡Can - tad! Je - su - cris - to

vi - no ya. Ved al Ni - ño sin te - mor, él es del mun - do el
nos da paz. El o - fre - ce sal - va - ción a los que bus - can
luz nos dio. Ho - me - na - je tri - bu - tad y glo - ria al Cor -

Re - den - tor; Cris - to ya na - ció, Cris - to ya na - ció.
su per - dón; Cris - to nos sal - vó, Cris - to nos sal - vó.
de - ro dad; Cris - to rei - na - rá, Cris - to rei - na - rá.

LETRA: Villancico alemán, s. 14, es trad.
MÚSICA: Melodía alemana, s. 14, arreg. John Stainer, alt.

IN DULCI JUBILO
Metro irreg.
Fa (Capo 1 - Mi)

Hark the herald angels sing

SU ENCARNACIÓN Y NACIMIENTO

Sal. 89:15-18
Jn. 1:14-18
Is. 40:21-26
Con vigor

Oíd un son en alta esfera 126

¡Gloria a Dios en las alturas, y en la tierra paz! Lc. 2:14

1. Oíd un son en al-ta es-fe-ra: "¡En los cie-los glo-ria a Dios!
2. El Se-ñor de los se-ño-res, el Un-gi-do ce-les-tial,
3. Prín-ci-pe de paz e-ter-na, glo-ria a ti, Se-ñor Je-sús;

¡Al mor-tal paz en la tie-rra!" can-ta la ce-les-te voz.
Por sal-var a pe-ca-do-res to-ma for-ma cor-po-ral.
Con tu vi-da y con tu muer-te nos o-fre-ces vi-da y luz.

Con los cie-los a-la-be-mos al e-ter-no Rey; can-te-mos
¡Glo-ria al Ver-bo en-car-na-do, en hu-ma-ni-dad ve-la-do!
Has tu ma-jes-tad de-ja-do, a bus-car-nos te has dig-na-do;

A Je-sús que es nues-tro bien, con el co-ro de Be-lén;
¡Glo-ria a nues-tro Re-den-tor, a Je-sús, Rey y Se-ñor!
Pa-ra dar-nos el vi-vir, en la cruz fuis-te a mo-rir.

Can-ta la ce-les-te voz: "¡En los cie-los glo-ria a Dios!"

LETRA: Charles Wesley, 1739, adapt. George Whitefield, 1753, trad. Federico Fliedner
MÚSICA: Felix Mendelssohn, 1840, arreg. William H. Cummings, 1856

MENDELSSOHN
Metro irreg.
Fa (Capo 1 - Mi)

127 En la noche los pastores

Lc. 2:15-20
Sal. 96:1-9
1 Cr. 16:23-36

Con brillo

Había pastores...que velaban...su rebaño. Lc. 2:8

1. En la no-che los pas-to-res a sus o-ve-ji-tas ve-lan;
2. Del o-rien-te, Re-yes Ma-gos si-guen la bri-llan-te es-tre-lla;
3. Con a-le-gre re-ve-ren-cia en la be-lla No-che bue-na,

An-ge-les del cie-lo a-la-ban, án-ge-les del cie-lo can-tan:
Quie-ren o-fre-cer re-ga-los, tra-en ri-cos a-gui-nal-dos,
Los cris-tia-nos hoy a-la-ban, los cris-tia-nos to-dos can-tan:

CORO

Pas-tor-ci-tos, id, pas-tor-ci-tos, ya
Ma-gos, oh ve-nid, ma-gos, oh lle-gad; A-do-rad al Ni-ño,
Pue-blos, oh ve-nid, pue-blos, oh lle-gad;

a-do-rad al Ni-ño, que en Be-lén es-tá, que en Be-lén es-tá; tá.

LETRA: Villancico mexicano
MÚSICA: Melodía mexicana, arreg. F.B.J.
Arreg. © 1992 Celebremos/Libros Alianza. Se prohibe la reproducción sin autorización.

MEX

PASTORES VELAN
Metro irreg.
Mi m

Is. 9:1-7
Lc. 1:26-35
Mt. 1:18-23

Jesús es el Mesías   128

Dieron a conocer lo que se les había dicho acerca del niño. Lc. 2:17

1. ¿Qué niño es el que tierno duerme en brazos de María?
2. Con buey y asno en rudo establo duerme el Rey divino;
3. Le traen oro, incienso y mirra magos del oriente;

El ángel a pastores da las nuevas de alegría.
Dios encarnado ha bajado; a salvarnos vino.
Mas quiere el don de un corazón humilde y penitente.

CORO

Es Cristo el Señor a quien los cielos dan loor;

¡Nació el Salvador! Jesús es el Mesías.

LETRA: William Dix, 1865, trad. Esteban Sywulka B.
MÚSICA: Melodía inglesa, s. 16
Trad. © 1992 Celebremos/Libros Alianza. Se prohíbe la reproducción sin autorización.

GREENSLEEVES
Metro irreg.
Mi m

Tú dejaste tu trono   (Vea #139)

Se aproximaba la Nochebuena y el pastor buscaba algo especial para las festividades en la iglesia. ¿Cuál no sería su gozo al saber que su hija, Emily, había escrito una poesía para la ocasión? Basada en Lucas 2:7... "no había lugar para ellos en el mesón", la poesía llegó a ser el himno, "Tú dejaste tu trono". Al tomar la pluma y el papel, Emily no se imaginaba que algún día sus versos serían "especiales" también en la celebración navideña en docenas de países. Así como ella, hoy día nosotros podemos escribir versos a Jesús.

129 Allá en el pesebre

Lc. 2:1-7
Jn. 12:44-46
Sal. 42:8-11

Dio a luz a su hijo primogénito...y lo acostó en un pesebre. Lc. 2:7

Con dulzura

1. A — lláen el pe - se - bre, do na - ce Je - sús,
2. Pas - to - res del cam - po, te - nien - do te - mor,
3. Oh Cris - to, pe - di - mos hoy tu ben - di - ción,

La cu - na de pa - ja nos vier - te gran luz;
Cer - ca - dos de luz y de gran res - plan - dor,
Ro - ga - mos que a - tien - das a nues - tra o - ra - ción;

Es - tre - llas le - ja - nas del cie - lo al mi - rar
A - cu - den a - pri - sa bus - can - do a Je - sús,
A to - dos, oh Cris - to, nos mues - tras a - mor,

Se in - cli - nan go - zo - sas su lum - bre a pres - tar.
Na - ci - do en pe - se - bre, del mun - do la luz.
No - so - tros te a - ma - mos tam - bién, Sal - va - dor.

LETRA: Autor descon., 1885, es trad.
MÚSICA: James R. Murray, 1887
Esta letra se puede cantar también con la música de #121 (Venid, pastorcillos)
y #132 (Oh niños).

AWAY IN A MANGER
11 11 11 11
Fa (Capo 1 - Mi)

Ángeles cantando están 130

Lc. 2:8-15
Heb. 1:1-9
Sal. 29

Con gozo

Con el ángel una multitud de las huestes celestiales. Lc. 2:13

1. Án - ge - les can - tan - do es - tán tan dul - cí - si - ma can - ción;
2. Los pas - to - res sin ce - sar sus lo - o - res dan a Dios;
3. Oh, ve - nid pron - to a Be - lén pa - ra con - tem - plar con fe

Las mon - ta - ñas su e - co dan co - mo fiel con - tes - ta - ción.
Cuán glo - rio - so es el can - tar de su me - lo - dio - sa voz.
A Je - sús, au - tor del bien, al re - cién na - ci - do Rey.

CORO

Glo - - - - - - - ria, en lo al - to glo - ria,
Glo - - - - - - - ri - a in ex - cel - sis De - o,

Glo - - - - - - - ria, en lo al - to glo - ria a Dios.
Glo - - - - - - - ri - a in ex - cel - sis De - o.

LETRA: Villancico francés, s. 18, trad. G. P. Simmonds
MÚSICA: Melodía francesa, s. 18, arreg. F.B.J.

GLORIA
7777/Coro
Fa (Capo 1 - Mi)

NUESTRO SEÑOR JESUCRISTO

O Holy Night

131 Santa la noche

Is. 7:13-14
Lc. 4:17-21
Is. 49:6-11, 13

Con emoción *El Santo Ser que nacerá, será llamado Hijo de Dios. Lc. 1:35*

[El acompañamiento puede seguir en este estilo.]

1. San-ta la no-che, her - mo-sas las es - tre - llas, la no-che cuan-do na-ció el Se-ñor. El mun-do en-vuel-to es-tu-vo en sus que - re-llas has-ta que Dios nos man-dó al Sal-va - dor. U - na es-pe-ran-za to-do el mun-do sien-te, la

2. Hoy por la fe lle - ga-mos al pe - se - bre a con-tem-plar al ben-di-to Je-sús, Co-mo tam-bién los ma - gos del o - rien-te lle-ga-ron guia-dos por cé - li-ca luz. Fue por na-cer a - sí hu - mil-de-men-te que

3. Nos en-se-ñó a a - mar-nos tier-na - men-te, nos dio su ley de a-mor y su paz. Li-bra al es-cla-vo que en ca - de-nas gi-me, y a su nom-bre hui-rá Sa-ta - nás. Con cán - ti-cos de go-zo a-la-be-mos al

LETRA: Mary Cappeau de Roquemaure, 1847, es trad.
MÚSICA: Adolphe Charles Adam, 1841, arreg. F. B. J.

CANTIQUE DE NOEL
Metro irreg.
Do

luz de un nue - vo dí - a sin i - gual; Con gra - ti-
nues - tras prue - bas sa - be com - pren - der; Hoy E - ma-
Rey de re - yes, nues - tro Sal - va - dor; Hoy con a-

tud pos - tra - dos a - do - rad - le; o - íd de lo
nuel es "Dios ya con no - so - tros"; can - te - mos al
mor can - te - mos re - ve - ren - tes, al - ce - mos la

al - to la voz an - ge - li - cal; ¡O-
Rey, a Je - sús el Sal - va - dor; ¡Re-
voz pro - cla - man - do su po - der, ¡Dad

íd, can - tad! na - ció el Sal - va - dor.
go - ci - jad! na - ció el Re - den - tor.
glo - ria a Dios! a - mén, por siem - pre a - mén.

O come little children (handwritten)

132 Oh niños, venid

Lc. 2:15-20
Sal. 117
Sal. 8

El Padre ha enviado al Hijo, el Salvador del mundo. 1 Jn. 4:14

Con gozo

1. Oh, ni - ños de to - dos los pue - blos ve - nid; los can - tos de
2. Mi - rad so - bre el he - no al ni - ño Je - sús; le a - do - ran pas -
3. Los ma - gos de o - rien - te le o - fre - cen lo - or; pro - cla - man los
4. Oh, ni - ños de to - dos los pue - blos ve - nid; con hues - tes ce -

án - ge - les mi - les o - íd. En un pue - ble - ci - to, lla -
to - res que han vis - to gran luz; Bri - llan - do en el cie - lo con
án - ge - les glo - ria al Se - ñor. Jo - sé y Ma - rí - a le a -
les - tes la nue - va es - par - cid. Fe - li - ces, u - nid vues - tras

ma - do Be - lén, el Hi - jo de Dios ha na - ci - do re - cién.
gran cla - ri - dad, se - ñal fue que Dios a - ma al mun - do en ver - dad.
do - ran tam - bién; oh ni - ños can - tad a Je - sús de Be - lén.
vo - ces de a - mor; a - le - gre a - nun - ciad que na - ció el Sal - va - dor.

LETRA: Christoph von Schmid, 1811, es trad.
MÚSICA: Johann A. P. Schulz, 1794, arreg. F.B.J.
Esta letra se puede cantar también con la música de #121 (Venid, pastorcillos),
#124 (Al rústico pesebre) y #271 (Los cielos).

IHR KINDERLEIN KOMMET
11 11 11 11
Mi♭ (Capo 1 - Re)

Noche de paz

Todo comenzó una tarde de Nochebuena en Austria. José Mohr había pasado horas escribiendo en el pequeño despacho de su iglesia desde que el organista le había avisado que el órgano no se encontraba fuera de servicio.

Por fin llevó el papel al músico, Franz Grüber, quien exclamó, — ¡Pastor Mohr, son las palabras perfectas!—

En poco tiempo Grüber les agregó una sencilla melodía y juntos pudieron entregar su "regalo de Navidad" a la pequeña congregación; cantaron el nuevo villancico acompañados con la guitarra de Grüber.

Los años pasaron con la partitura guardada en el asiento del órgano, hasta que un día lo descubrió un técnico que afinaba el órgano de Oberndorf. El quedó encantado con el villancico y lo llevó a otros pueblos.

Por fin el Emperador Federico Wilhelm IV lo escuchó, y tanto se entusiasmó que ordenó que se cantara en todas las iglesias del Imperio ese año. Desde entonces, no ha sido necesario ningún edicto para que "Noche de Paz" sea cantado por el mundo entero.

Is. 26:1-9, 12
Lv. 26:4-6
Lc. 2:4-20

Silent Night

Noche de paz **133**

Pastores...guardaban las vigilias de la noche. Lc. 2:8

Con ternura

1. ¡No - che de paz, no - che de a - mor! To - do duer - me en
2. ¡No - che de paz, no - che de a - mor! O - ye hu - mil - de el
3. ¡No - che de paz, no - che de a - mor! Ved qué be - llo

de - rre - dor. En - tre los as - tros que es - par - cen su luz,
fiel pas - tor Co - ros ce - les - tes que a - nun - cian sa - lud,
res - plan - dor Lu - ce en el ros - tro del ni - ño Je - sús,

be - lla a - nun - cian - do al ni - ñi - to Je - sús, bri - lla la es -
gra - cias y glo - rias en gran ple - ni - tud, por nues - tro
en el pe - se - bre, del mun - do la luz, as - tro de e -

tre - lla de paz, bri - lla la es - tre - lla de paz.
buen Re - den - tor, por nues - tro buen Re - den - tor.
ter - no ful - gor, as - tro de e - ter - no ful - gor.

LETRA: Joseph Mohr, 1818, trad. Federico Fliedner
MÚSICA: Franz Grüber, 1818

STILLE NACHT
Metro irreg.
Si ♭ (Capo 1 - La)

134 Navidad Latina

Sal. 98:1-6
Is. 12
1 P. 1:3-12

Con regocijo

Y dará a luz un hijo, y llamarás su nombre JESUS. Mt. 1:21

1. Nues-tra pa-tria can-ta a-le-gre en el tiem-po de la Na-vi-dad; Pues ya sa-be que en pe-se-bre Je-sús tra-jo la li-ber-tad.
2. Hay co-lo-res y a-ro-mas que a-nun-cian la gran Na-vi-dad; En los va-lles y las lo-mas Je-sús nos da fe-li-ci-dad.

Hoy go-zo-sos ce-le-bre-mos la ve-ni-da del Se-ñor; E-le-ve-mos nues-tro can-to al Ni-ñi-to de Be-lén.

LETRA y MÚSICA: Oscar López M., 1968
© 1991 Oscar López Marroquín. Usado con permiso.

GUA

NAVIDAD CHAPINA
Metro irreg.
Mi♭ (Capo 1 - Re)

A to - car nues - tros ins - tru - men - tos, ce - le - bre - mos la fies - ta de a - mor;

Qué glo - rio - sos son es - tos mo - men - tos: ¡Cris - to Je - sús na - ció!

1 Co. 15:1-10
Jn. 12:44-46
Mt. 2:1-6
Con gozo

En Belén nació Jesús 135

Jesús nació en Belén de Judea. Mt. 2:1

1. En Be - lén na - ció Je - sús, A - le - lu - ya;
2. Por no - so - tros él mu - rió, A - le - lu - ya;
3. Cris - to sal - va al pe - ca - dor, A - le - lu - ya;
4. A vi - vir con él i - ré, A - le - lu - ya;
CORO: En lo al - to glo - ria a Dios, A - le - lu - ya;

A los hom - bres tra - jo luz, A - le - lu - ya.
Con po - der re - su - ci - tó, A - le - lu - ya.
Si con - fí - a en su a - mor, A - le - lu - ya.
En su a - mor me go - za - ré, A - le - lu - ya.
En lo al - to glo - ria a Dios, A - le - lu - ya.

LETRA: Autor descon., trad. Homero Villarreal R.
MÚSICA: Melodía Afro-americana, publ. en *Conference Hymns*, 1835, arreg. F.B.J.
Letra © 1978 Casa Bautista de Publicaciones, arreg. ©1991 Celebremos/Libros Alianza.
Se prohíbe la reproducción sin autorización.

MICHAEL'S BOAT
Metro irreg.
Mi♭ (Capo 1 - Re)

Dashing thro' the snow

136 Hoy es Navidad

Lc. 1:18-23
Sal. 8
Sal. 148

Os ha nacido hoy...un Salvador, que es Cristo el Señor. Lc. 2:11

Con alegría

F (Mi)   B♭ (La)   Gm (Fa♯m)

1. Cam - pa - nas por do - quier re - sue - nan sin ce - sar; pro - cla - man
2. El Ni - ño de Be - lén nos trae la sal - va - ción; con jú - bi -

G 1' 27"

C7 (Si 7)   F (Mi)   F (Mi)

con pla - cer que hoy es Na - vi - dad. Los ni - ños con can - ción la
lo sin par se en - to - na la can - ción. Yo te a - mo, mi Je - sús; tus

F (Mi)   B♭ (La)   Gm (Fa♯m)   C (Si)   C7 (Si)   F (Mi)

gra - ta nue - va dan de es - te dí - a de a - mor y bue - na vo - lun - tad.
glo - rias can - ta - ré; en es - te dí - a tan fe - liz me re - go - ci - ja - ré.

CORO

F (Mi)   B♭ (La)   F (Mi)   B♭ (La)

¡Na - vi - dad! ¡Na - vi - dad! ¡Hoy es Na - vi - dad! Es un dí - a

F (Mi)   1. G7 (Fa♯7)   C7 (Si 7)   2. C7 (Si 7)   F (Mi)

de a - le - grí - a y fe - li - ci - dad. y fe - li - ci - dad.

ECU

LETRA: Estr. #1 Effie Chastain de Naylor, 1927, estr. #2 Roberto C. Savage, 1966
MÚSICA: James Pierpont, 1857, arreg. F.B.J.

JINGLE BELLS
Metro irreg.
Fa (Capo 1 - Mi)

Mt. 2:1-11
Sal. 138:1-5
Is. 60:1-6
Con gozo

De tierra lejana venimos 137

Vinieron del oriente...unos magos. Mt. 2:1

1. De tie - rra le - ja - na ve - ni - mos a ver - le;
2. Al re - cién na - ci - do, quien es Rey de re - yes,
3. Co - mo es Dios el Ni - ño, le re - ga - lo in - cien - so
4. Al Ni - ño del cie - lo que ba - jó a la tie - rra

nos sir - ve de guí - a la es - tre - lla de o - rien - te.
o - ro le re - ga - lo pa - ra or - nar sus sie - nes.
con a - ro - ma dul - ce que su - be has - ta el cie - lo.
le re - ga - lo mi - rra que ins - pi - ra tris - te - za.

CORO

Oh bri - llan - te es - tre - lla que a - nun - cias la au - ro - ra, no nos fal - te
¡Glo - ria en las al - tu - ras al Hi - jo de Dios! ¡Glo - ria en las al -

nun - ca tu luz bien - he - cho - ra.
tu - ras y en la tie - rra paz!

LETRA: Villancico portorriqueño
MÚSICA: Melodía portorriqueña, arreg. F.B.J.   P.R.

ISLA DEL ENCANTO
Metro irreg.
Do m   (Capo 1 - Si m)

138 Tras hermoso lucero

Su estrella hemos visto en el oriente, y venimos a adorarle. Mt. 2:2

Mt. 2:1 - 11
Ro. 11:33-12:1
Mr. 12:29-33

Con sentimiento

1. Tras her-mo-so lu-ce-ro, los ma-gos via-ja-ban pen-san-do a pa-la-cio lle-gar. Y lle-va-ban re-ga-los pre-cio-sos al Rey que de-sea-ban ve-nir a a-do-rar". Al lle-gar a Be-lén ¡ved qué be-lla! al lle-gar a Be-lén ¡ved la es-tre-lla! Con su luz a-lum-bra-ba un es-

2. En el cam-po pas-to-res cui-da-ban o-ve-jas y vie-ron un gran res-plan-dor. Lue-go el án-gel del cie-lo les di-jo: "Os doy nue-vas que hoy na-ció el Sal-va-dor". Mu-chos án-ge-les be-llos can-ta-ron al Se-ñor, al E-ter-no a-la-ba-ron. Los pas-to-res bus-ca-ron al

3. O-fre-cie-ron los ma-gos al Ni-ño Je-sús ri-cos do-nes con gran de-vo-ción. Los pas-to-res hu-mil-des le die-ron ca-ri-ño de tier-no y de fiel co-ra-zón. Yo tam-bién, oh Je-sús, hoy me a-cer-co; yo tam-bién, oh Je-sús, hoy te a-do-ro, Y te o-frez-co mi vi-da, re-

LETRA: Catalina Bardwell de Noble, 1950
MÚSICA: Melodía mexicana, en *Himnos y cantos para los niños* , 1950

MEX

HERMOSO LUCERO
Metro irreg.
Si♭ (Capo 1 - La)

ta - blo y a - llí, en el he - no dor - mí - a el gran Rey.
Ni - ño y a - llí, en el he - no dor - mí - a el gran Rey.
ga - lo de a - mor; ¡Haz en e - lla tu tro - no, mi Rey!

Fil. 2:1-11
Mt. 8:16-20
Mr. 10:35-45
Con admiración

Tú dejaste tu trono 139

No había lugar...en el mesón. Lc. 2:7

1. Tú de - jas - te tu tro - no y co - ro - na por mí, al ve -
2. A - la - ban - zas ce - les - tes los án - ge - les dan en que
3. Siem - pre pue - den las zo - rras sus cue - vas te - ner, y las
4. Tú vi - nis - te, Se - ñor, con tu gran ben - di - ción pa - ra
5. A - la - ban - zas su - bli - mes los cie - los da - rán, cuan - do

nir a Be - lén a na - cer; Mas a ti no fue da - do el en -
rin - den al Ver - bo lo - or; Mas hu - mil - de vi - nis - te a la
a - ves sus ni - dos tam - bién; Mas el Hi - jo del Hom - bre no
dar li - ber - tad y sa - lud; Mas con o - dio y des - pre - cio te hi -
ven - gas glo - rio - so de a - llí, Y tu voz en las nu - bes di -

trar al me - són, y en pe - se - bre te hi - cie - ron na - cer.
tie - rra, Se - ñor, a dar vi - da al más vil pe - ca - dor.
cie - ron mo - rir, aun - que vie - ron tu a - mor y vir - tud.
 rá: "Ven a mí, que hay lu - gar jun - to a mí pa - ra ti".

LETRA: Emily Steele Elliot, 1864, es trad. 🕭   (vea ✎ adjunta al #128)

MÚSICA: Ira D. Sankey, 1876, alt.

ROOM FOR THEE
12 9 12 9
Fa (Capo 1 - Mi)

140 Venid, fieles todos

#♭

Jn. 1:1-14
Sal. 69:30-34
Heb. 1:1-9

Con vigor *Pasemos, pues, hasta Bélen. Lc. 2:15*

1. Ve - nid, fie - les to - dos, a Be - lén mar - che - mos:
2. El que es Hi - jo e - ter - no del e - ter - no Pa - dre,
3. En po - bre pe - se - bre ya - ce re - cli - na - do,
4. Can - tad ju - bi - lo - sas, cé - li - cas cria - tu - ras;
5. Je - sús, ce - le - bra - mos tu ben - di - to nom - bre

De go - zo triun - fan - tes, hen - chi - dos de a - mor;
Y Dios ver - da - de - ro que al mun - do cre - ó,
Al hom - bre o - fre - cien - do e - ter - nal sal - va - ción,
Re - sue - nen los cie - los con vues - tra can - ción:
Con him - nos so - lem - nes de gra - to lo - or;

Y al Rey de los cie - los hu - mil - de le ve - re - mos:
Del se - no vir - gí - neo na - ció de u - na ma - dre;
El san - to Me - sí - as, el Ver - bo hu - ma - na - do:
¡Al Dios bon - da - do - so dad glo - ria en las al - tu - ras!
Por si - glos e - ter - nos a - dó - re - te el hom - bre:

CORO
Ve - nid, a - do - re - mos, ve - nid, a - do - re - mos.

Ve - nid, a - do - re - mos a Cris - to el Se - ñor.

LETRA: John F. Wade, en *Cantus Diversi*, c. 1743, trad. Juan B. Cabrera. 🎵   ADESTE FIDELES
MÚSICA: John F. Wade, en *Cantus Diversi*, c. 1743, arreg. en *Collections of Motetts*, 1779   Metro irreg.
Para una tonalidad más alta (La♭) ver #227 (Victoria, Victoria).   Sol

Su Nombre es Jesús

Mesías

Rey de reyes

Luz

la vid verdadera

UNGIDO

León de Judá

buen pastor

Hijo de Dios

Señor

yo soy

Salvador

Alfa Omega

el verbo

pan de vida

Rosa de Sarón

el cordero

él que por mí entrare, será salvo y saldrá y hallará pastos — *Juan 10:9*

Yo soy la puerta de las ovejas

Oveja perdida, ven
sobre mis hombros; que hoy,
no sólo tu pastor soy,
sino tu pasto también.

Por descubrirte mejor
cuando balabas perdida,
dejé en un árbol la vida,
donde me subió tu amor;
si prenda quieres mayor,
mis obras hoy te la den.

Pasto al fin tuyo hecho,
¿Cuál dará mayor asombro,
el traerte yo en el hombro,
o traerme tú en el pecho?
Prendas son de amor estrecho,
que aún los más ciegos las ven.

Oveja perdida, ven
sobre mis hombros; que hoy,
no sólo tu pastor soy,
sino tu pasto también.

Luis de Góngora

Fil. 2:1-11
Hch. 2:29-36
Heb. 2:1-9

Maravilloso es 142

Dios...le exaltó...y le dio un nombre que es sobre todo nombre. Fil. 2:9

Con intensidad

Ma - ra - vi - llo - so es,   ma - ra - vi - llo - so es,
Rey so - be - ra - no es,   Au - tor de to - do bien;

ma - ra - vi - llo - so es Cris - to el Se - ñor.
ma - ra - vi - llo - so es   Cris - to el Se - ñor.

El buen Pas - tor es, el Rey de los si - glos, om - ni - po -

ten - te Dios.   Glo - ria le da - mos, y le a - do -

ra - mos;   ma - ra - vi - llo - so es   Cris - to el Se - ñor.

LETRA y MÚSICA: Audrey Mieir, 1959, es trad.
© 1959 Manna Music. Usado con permiso.

MIEIR
Metro irreg.
Fa (Capo 1 - Mi)

143 Jesús el buen Pastor

Sal. 23
Ez. 34:11-16
Heb. 13:20-25

Con energía   *El buen Pastor su vida da por las ovejas. Jn. 10:11*

1. Je - sús, el buen Pas - tor, mos-tran-do su tier-no a-mor, del vil a -
2. An - dan-do con Je - sús, por sen-das de go-zo y luz, el mun-do
3. Con Cris-to mo - ra - ré y siem-pre le can-ta - ré por to-da

bis - mo me sa - có; Su ma - no me ex-ten-dió, del lo-do me
pier - de su a-trac - ción; Ya per - te - nez-co a él, y an-he-lo ser-
la e-ter - ni - dad; De re - yes es el Rey, tri-bu-to le

le - van-tó, mis pa - sos él en-de - re - zó.
vir - le fiel; el mun-do es va - na i - lu - sión.
brin - da-ré, pues tie - ne to - da po-tes - tad.

CORO

Que - ri-do Sal - va - dor, can-to hoy de tu in-men-so a - mor; Ar - de mi
So - lo, no pue-do an - dar, a tu la-do yo quie-ro es - tar; Llé-va-me, oh

co - ra - zón de gra-ti - tud.
Sal - va-dor, a la ce-les - tial man - sión.

LETRA: Autor descon., Brasil, s. 20, trad. Roberto C. Savage
MÚSICA: Melodía brasileña, arreg. Roberto C. Savage
Trad. y arreg. © 1953, ren. 1981 Singspiration Music. Usado con permiso.

BRA

JESUS O BOM PASTOR
Metro irreg.
Fa (Capo 1 - Mi)

Cordero de gloria 144

Jn. 1:29-37
1 P. 1:13-23
Ap. 5
Con amplitud

He aquí el Cordero de Dios, que quita el pecado del mundo. Jn. 1:29

1. Cris - to tan - to me a - mó que en la cruz por mí mu - rió; Por su san - gre me lim - pió de mi pe - ca - do y trans - gre - sión.
2. Dios al mun - do des - cen - dió; mi cas - ti - go en sí to - mó; Pe - na y muer - te él su - frió, mas con po - der re - su - ci - tó.

rit. *CORO a tempo*

Al Cor - de - ro glo - ria, oh, qué ex - cel - sa his - to - ria; Él nos sal - va por su a - mor, ¡dad al Cor - de - ro glo - ria!

LETRA: Greg Nelson y Phil McHugh, 1982, trad. Esteban Sywulka B.
MÚSICA: Greg Nelson y Phil McHugh, 1982, arreg. F. B. J.
© 1982 y 1989 River Oaks/Tree, admin. Meadowgreen y Shepherd's Fold Music,
    admin. The Sparrow Corp. Usado con permiso.

LAMB OF GLORY
Metro irreg.
Sol

145 Gloria por siempre

Con regocijo

Fil. 2:1-11
Ap. 17:7-14
Ro. 14:7-12

[Para que] toda lengua confiese que Jesucristo es el Señor. Fil. 2:11

Glo-ria por siem-pre al Cor-de-ro de Dios, a Je-sús el Se-ñor, al Le-ón de Ju-dá; la Ra-íz de Da-vid que ha ven-ci-do y el Li-bro a-bri-rá. A-mén. Los cie-los, la tie-rra y el mar, y to-do lo que en e-llos hay, le a-do-ra-rán y pro-cla-ma-rán: "Je-su-cris-to es el Se-ñor".

Cambio de cifras de compás para seguir con #146

GLORIA POR SIEMPRE
Metro irreg.
Sol

ARG

Fil. 2:1-11
Ap. 12:7-12
Hch. 2:29-36

Él es Señor 146

Y era magnificado el nombre del Señor Jesús. Hch. 19:17

• Él es Se - ñor, él es Se - ñor; Re - su - ci -
Je - su - cris - to es Se - ñor Je - su - cris - to es Se - ñor

ta - do de en - tre los muer - tos, él es Se - ñor.
Je - su - cris - to es Se -

ñor To - da ro - di - lla se do - bla - rá, to - da

len - gua con - fe - sa - rá: Je - su - cris - to es el Se -

ñor, Je - su - cris - to es el Se - ñor.

LETRA: Basada en Filipenses 2:5-9
MÚSICA: Compositor descon., s. 20, arreg. F. B. J.
Arreg. © 1992 Celebremos/Libros Alianza. Se prohíbe la reproducción sin autorización.

HE IS LORD
Metro irreg.
Sol

147 Gloria a tu nombre

Grande eres tú, y grande tu nombre en poderío. Jer. 10:6

Ef. 1:15-23
Ro. 5:1-11
1 P. 1:13-23

Con entusiasmo

1. Yo sé que Cris-to sal-vó mi al-ma, yo sé que Cris-to
2. Y cuan-do al cie-lo lle-gue al-gún dí-a, con tus a-ma-dos
3. Me dis-te vi-da por mis do-lo-res, me dis-te go-zo

me re-di-mió. Me dio la vi-da, me dio la cal-ma,
te a-la-ba-ré. Por-que sal-vas-te el al-ma mí-a,
por mi pe-sar. Cam-bias-te en glo-ria mis sin-sa-bo-res;

(D.S.) lo-res fuis-te car-ga-do

y del in-fier-no me res-ca-tó. CORO
sé que en la glo-ria te can-ta-ré. ¡Glo-ria a tu nom-bre,
por e-so a-ho-ra pue-do can-tar.

cuan-do mo-ris-te por mí en la cruz.

Cris-to ben-di-to! ¡Glo-ria a tu nom-bre, mi buen Je-sús! Con mis do-

LETRA y MÚSICA Alfredo Colom M., 1954, ☺ arreg. Roberto C. Savage, alt. ☺
© 1954, ren. 1982 Singspiration Music. Usado con permiso.   GUA

GLORIA A TU NOMBRE
10 9 10 9/Coro
Do

148 Algunos nombres de Cristo

Dios Todopoderoso	Gn.17:1	Varón de Dolores	Is. 53:3	Hijo del Hombre	Mt. 13:37
Redentor	Job 19:25	Santo de Israel	Is. 60:9	Cordero de Dios	Jn. 1:29
Admirable Consejero	Is. 9:6	Sol de Justicia	Mal. 4:2	Hijo de Dios	Jn. 1:34
Príncipe de Paz	Is. 9:6	Jesús	Mt. 1:21	Mesías	Jn. 1:41
Dios Fuerte	Is. 9:6	Emanuel	Mt. 1:23	Rabí	Jn. 3:2

Hijo Unigénito	Jn. 3:16	La Vid	Jn. 15:1	Príncipe de los pastores	1 P. 5:4
Pan de Vida	Jn. 6:35	Señor de todos	Hch. 10:36	Verbo de Vida	1 Jn. 1:1
La Luz del Mundo	Jn. 8:12	Cristo	Hch. 17:3	Abogado	1 Jn. 2:1
Yo Soy	Jn. 8:58	Roca	1 Co. 10:4	El Salvador	Jud. v. 25
La Resurrección y la Vida	Jn. 11:25	La Cabeza de la Iglesia	Ef. 1:22	Alfa y Omega	Ap. 1:8
Maestro	Jn. 13:13	Principal Piedra del ángulo	Ef. 2:20	León de Judá	Ap. 5:5
El Camino	Jn. 14:6	Juez Justo	2 Ti. 4:8	Rey de reyes	Ap. 19:16
La Verdad	Jn. 14:6	Autor y Consumador		Señor de señores	Ap.19:16
La Vida	Jn. 14:6	de la Fe	Heb. 12:2	La Estrella de la Mañana	Ap. 22:16

Fil. 2:1-11
Sal. 8
Sal. 34:1-10

En el nombre de Jesús 149

Para que en el nombre de Jesús se doble toda rodilla. Fil. 2:10

Con vigor

En el nom-bre de Je-sús se do-ble, do-ble to-da ro-di-lla de los que es-tán en los cie-los, y en la tie-rra, y de-ba-jo de la tie-rra; Y to-da len-gua con-fie-se que Je-su-cris-to es el Se-ñor, pa-ra glo-ria del Pa-dre. Y tú, a-mi-go, con-fie-sa que Je-su-cris-to es el Se-ñor, pa-ra glo-ria del Pa-dre.

LETRA: Basada en Filipenses 2:10
MÚSICA: Felipe Blycker J., 1969
© 1972 Philip W. Blycker en Cánticos nuevos de la Biblia. Usado con permiso.

GUA

MALACATÁN
Metro irreg.
Fa m (Capo 1 - Mi m)

150 Cristo es la peña de Horeb

Dt. 32:1-4
2 S. 22:31-34, 47-50
Cnt. 1: 1, 3-4

Bebían de la roca espiritual que los seguía, y la roca era Cristo. 1 Co. 10:4

1. Cris-to es la pe-ña de Ho-reb que es-tá bro-tan-do a-gua de vi-da sa-lu-da-ble pa-ra ti. Cris-to es la pe-ña de Ho-reb que es-tá bro-tan-do a-gua de vi-da sa-lu-da-ble pa-ra ti. Ven a to-mar-la que es más dul-ce que la miel; Re-fres-ca el al-ma, re-fres-ca to-do tu ser. Cris-to es la pe-ña de Ho-reb que es-tá bro-

2. Cris-to es el li-rio del va-lle de las flo-res; él es la ro-sa blan-ca y pu-ra de Sa-rón. Cris-to es la vi-da y a-mor de los a-mo-res; él es la e-ter-na fuen-te de la sal-va-ción. Ven a bus-car-la en tu tris-te con-di-ción; Re-fres-ca el al-ma, re-fres-ca to-do tu ser. Cris-to es el li-rio del va-lle de las

P.R.

LETRA: Autor descon., Latinoamérica, s. 20
MÚSICA: Melodía portorriqueña, arreg. F.B.J.
Arreg. © 1992 Celebremos/Libros Alianza. Se prohibe la reproducción sin autorización.

PEÑA DE HOREB
Metro irreg.
Mi m

tan - do   a - gua de   vi - da sa - lu - da - ble pa - ra   ti.
flo - res;   él es la   ro - sa blan - ca y   pu - ra de Sa - rón.

Ap. 11:15-17
Jer. 23:3-6
Ap. 22:1-7
Con reverencia

Cristo, nombre glorioso 151

¡Cuán glorioso es tu nombre! Sal. 8:1

1. Cris - to,   nom - bre glo-rio - so,   Sal - va - dor be - llo,
2. Cris - to,   nom - bre glo-rio - so,   Al - fa y O - me - ga,

pre - cio - so Se - ñor; *(glo - rio - so)*   E - ma - nuel,   Dios con no -
e - ter - no Yo Soy; *(glo - rio - so)*   Cre - a - dor   om - ni - po -

so - tros,   Pan de la vi - da,   Cor - de - ro de Dios.
ten - te,   Rey de los si - glos,   el gran Ven - ce - dor.

LETRA: Estr. #1, Naida Hearn, 1974, es trad., estr. #2, Comité de *Celebremos*, 1990
MÚSICA: Naida Hearn, 1974
© 1974 Scripture in Song, admin. Integrity's Hosanna. Usado con permiso.

HEARN
Metro irreg.
Mi♭ (Capo 1 - Re)

152 Jesús es la Roca

Con energía

Dt. 32:1-4
Sal. 62:1-8
Mt. 7:21-29

Él es la Roca, cuya obra es perfecta. Dt. 32:4

1. Je - sús es la ro - ca de mi sal - va - ción; él es quien me
2. Je - sús me de - fien - de de ne - gra trai - ción; él la - va las
3. Por e - so en mis ho - ras de ne - gro do - lor, yo bus - co el con -
4. Su paz os o - fre - ce, su paz él os da; a - quel que le
5. Je - sús es la fuen - te de la re - den - ción; él sa - na las

li - bra de con - de - na - ción. Je - sús es mi fuer - te, mi
man - chas de mi co - ra - zón. Je - sús me res - ca - ta del
sue - lo de mi Re - den - tor. Ve - nid, si por Cris - to ser
bus - ca, ser sal - vo po - drá. Yo fui mu - cho tiem - po es -
lla - gas de mi co - ra - zón. Él sa - na al le - pro - so, al

gran pro - tec - tor; yo sé que soy hi - jo de to - do su a - mor.
mun - do fa - laz; me lle - va a su se - no, su se - no de paz.
sal - vos que - réis, al la - do de Cris - to lu - gar ha - lla - réis.
cla - vo del mal, mas hoy Je - su - cris - to me dio li - ber - tad.
cie - go da luz; por e - so con - fí - o tan só - lo en Je - sús.

Yo sé que soy hi - jo de to - do su a - mor.
Me lle - va a su se - no, su se - no de paz.
Al la - do de Cris - to lu - gar ha - lla - réis.
Mas hoy Je - su - cris - to me dio li - ber - tad.
Por e - so con - fí - o tan só - lo en Je - sús.

LETRA y MÚSICA: Alfredo Colom M., 1953, arreg. John W. Peterson y Eugenio Jordán

ROCA
11 11 11 11 11
La m

Oh Cristo, nuestra Roca aquí 153

2 S. 22:1-7
Sal. 61
Is. 32:1-4

Será...como sombra de gran peñasco en tierra calurosa. Is. 32:2

Con fervor

1. ¡Oh Cris-to! nues-tra Ro-ca a-quí y a-bri-go de la tem-pes-tad;
2. Som-bra e-res tú y es-cu-do fiel, y a-bri-go de la tem-pes-tad;
3. Re-fu-gio tú e-res, Sal-va-dor, y a-bri-go de la tem-pes-tad;

Di-cho-so quien se es-con-da en ti, a-bri-go de la tem-pes-tad.
¿Por qué te-mer con tal bro-quel y a-bri-go de la tem-pes-tad?
Sé nues-tro gran aux-i-lia-dor y a-bri-go de la tem-pes-tad.

CORO

En tie-rra de can-san-cio Je-sús ro-ca es, Je-sús ro-ca es, Je-sús ro-ca es; En tie-rra de can-san-cio Je-sús ro-ca es, y a-bri-go de la tem-pes-tad.

LETRA: Vernon Charlesworth, c. 1880, trad. G. P. Simmonds
MÚSICA: Ira D. Sankey, 1885
Trad. © 1939, ren. 1967 Cánticos Escogidos. Usado con permiso.

SHELTER
8 8 8 8/Coro
Fa (Capo 1 - Mi)

Nice! - Blessed Jesus

154 Cristo cual pastor

Jn. 10:1-15
Sal. 23
Ez. 34:23-31

Con ternura

A sus ovejas llama por nombre. Jn. 10:3

C Do   **G7** Sol 7   **C** Do

1. Cris - to, cual pas - tor, oh guí - a   nues - tros pa - sos en tu a - mor;
2. Tu - yos so - mos, fiel A - mi - go,   sé tú nues - tro De - fen - sor;
3. Aun - que so - mos tan in - dig - nos   nos pro - me - tes re - ci - bir;
4. ¡Oh Pas - tor! hoy te bus - ca - mos,   te pe - di - mos tu fa - vor;

C Do   **G7** Sol 7   **C** Do

Nues - tras al - mas siem - pre cui - da,   guár - da - las, oh Sal - va - dor.
Da al re - ba - ño tu - yo a - bri - go   de es - te mun - do pe - ca - dor.
Tú o - fre - ces ben - de - cir - nos,   del pe - ca - do re - di - mir.
Llé - na - nos de a - mor, ro - ga - mos;   ó - ye - nos, buen Sal - va - dor.

C7 Do7   **F** Fa   **C** Do   **G7** Sol 7   **C** Do

Oh, ben - di - to Je - su - cris - to, nos com - pras - te por tu a - mor;
Oh, ben - di - to Je - su - cris - to, o - ye nues - tra pe - ti - ción;
Oh, ben - di - to Je - su - cris - to, te bus - ca - mos hoy, Se - ñor;
Oh, ben - di - to Je - su - cris - to, sin ce - sar tu a - mor nos das;

C7 Do7   **F** Fa   **C** Do   **G7** Sol 7   **C** Do

Oh, ben - di - to Je - su - cris - to, so - mos tu - yos ya, Se - ñor.
Oh, ben - di - to Je - su - cris - to, o - ye nues - tra pe - ti - ción.
Oh, ben - di - to Je - su - cris - to, te bus - ca - mos hoy, Se - ñor.
Oh, ben - di - to Je - su - cris - to, has - ta el fin nos a - ma - rás.

LETRA: Dorothy A. Thrupp, 1836, trad. G.P. Simmonds, alt. ◐
MÚSICA: William B. Bradbury, 1859 ◐
Trad. © 1939, ren. 1967 Lillenas Publishing Co. Usado con permiso.
Esta letra se puede cantar también con la música de #329 (Fuente de) y #424 (Dejo el mundo).

BRADBURY
8 7 8 7 D
Do

Jn. 1:1-14
Col. 1:15-23
2 Co. 3:4-18

Con amplitud

Él es la imagen   **155**

Él es la imagen del Dios invisible. Col. 1:15

1. Él es la i - ma - gen del Dios in - vi - si - ble,
2. Él hi - zo las co - sas que hay en el cie - lo,
3. Él es la ca - be - za del cuer - po, la I - gle - sia,
↑[16] 4. Él hi - zo la paz por su san - gre pre - cio - sa,

El Hi - jo a - ma - do y nues - tro Re - den - tor;
Tam - bién de la tie - rra él es el Cre - a - dor,
De en - tre los muer - tos, su - pre - mo Ven - ce - dor;
Y el Pa - dre lo ha pues - to por Re - con - ci - lia - dor;

Él es el pri - mo - gé - ni - to de la crea - ción:
Y to - do lo que hay sub - sis - te só - lo en él:
En el Se - ñor ha - bi - ta to - da ple - ni - tud:
Sin man - cha an - te Dios él nos pre - sen - ta - rá:

Te a - do - ro, Je - su - cris - to, mi Dios y Sal - va - dor.

LETRA: Basada en Colosenses 1:15-22, Felipe Blycker J., 1980
MÚSICA: Felipe Blycker J., 1980
© 1980 *Philip W. Blycker en* Cánticos nuevos de la Biblia. *Usado con permiso.*

GUA

CALCEDONIA
Metro irreg.
Fa (Capo 1 - Mi)

156 Hay un canto nuevo en mi ser

Is. 12
Ef. 5:8-20
Hch. 16:23-34

Con regocijo   *Cantadle salmos; hablad de todas sus maravillas. 1 Cr. 16:9*

1. Hay un can - to nue - vo en mi ser, es la voz de mi Je - sús:
2. Ten - go de su gra - cia ce - les - tial, go - zo en su san - to a - mor;
3. Por las a - guas hon - das me lle - vó; prue - bas en mi sen - da ha - llé;
4. Cris - to en las nu - bes vol - ve - rá, ba - jo el be - llo cie - lo a - zul;

Que me di - ce: "Ven a des - can - sar; tu paz con - quis - té en la cruz".
Y ri - que - zas flu - yen a rau - dal, des - de el tro - no del Se - ñor.
Do ás - pe - ro sen - de - ro él me guio, mas sus hue - llas se - gui - ré.
A su la - do él me lle - va - rá a vi - vir en glo - ria y luz.

CORO

Cris - to, Cris - to, Cris - to, nom - bre sin i - gual,

Lle - na siem - pre mi al - ma de e - sa no - ta ce - les - tial.

LETRA y MÚSICA: Luther B. Bridgers, 1910, trad. H. Cotto Reyes

SWEETEST NAME
9 7 9 7/Coro
Lab (Capo 1 - Sol)

Hay un canto nuevo en mi ser

Sin sospechar que estaban en vísperas de una tragedia, el joven predicador llegó con su familia a la casa de sus suegros, pues iba a predicar en una campaña evangelística en ese pueblo. La reunión familiar fue gozosa, y sus hijos jugaron felices con los abuelos. En la noche todos se acostaron cansados. Más tarde un vecino se despertó y vió la casa envuelta en llamas. Corrió al rescate, pero sólo salieron con vida el padre y los abuelos. Pese a los esfuerzos, la madre con sus tres hijos murieron asfixiados.

El viudo, Luther Bridgers, no pudo comprender tan terrible pena, pero se afianzó en las promesas de Dios en la Biblia. El Señor le dió un cántico en la noche oscura de su duelo, y la verdad del Salmo 42 se refleja en el himno #156 (Hay un canto nuevo en mi ser). Además de escribir varios himnos, Bridgers también le sirvió al Señor como misionero en Bélgica, Checoslovaquia y Rusia.

Jesús es la luz del mundo 157

Jn. 1:1-14
Jn. 9:1-7
Is. 60:1-3, 18-22

Despiértate, tú que duermes...y te alumbrará Cristo. Ef. 5:14

Con admiración

1. El mun-do per - di-do en pe - ca - do se vio, ¡Je-sús es la luz del mun - do! Mas en las ti - nie - blas la glo-ria bri - lló,
2. Si cie - go te en-cuen-tras en la os-cu - ri - dad, ¡Je-sús es la luz del mun - do! Te man-da la-var-te y ve - rás su ver - dad,
3. En dí - a la no-che se cam-bia con él, ¡Je-sús es la luz del mun - do! I - rás en la luz si a su ley e - res fiel,
4. Ni so-les ni lu-nas el cie - lo ten-drá, ¡Je-sús es la luz del mun - do! La luz de su ros-tro lo i - lu - mi - na - rá,

CORO

¡Je - sús es la luz del mun - do! ¡Ven a la luz; no quie - res per - der go - zo per - fec - to al a - ma - ne - cer!

Yo cie - go fui, mas ya pue-do ver, ¡Je-sús es la luz del mun - do!

LETRA y MÚSICA: Philip P. Bliss, 1875, trad. H. C. Thompson, alt.

LIGHT OF THE WORLD
11 8 11 8/Coro
Fa (Capo 1 - Mi)

158 Yo soy la luz del mundo

Jn. 8:3-12
Mi. 7:7-9
Is. 42:1-7

Yo soy la luz del mundo; el que me sigue, no andará en tinieblas. Jn. 8:12

Con energía (Ritmo de calipso)

1. Yo soy la luz del mun-do, el que me si-ga ten-drá La luz que le da la vi-da, y nun-ca an-da-rá en la os-cu-ri-dad. (En la os-cu-ri-dad) Yo dad.

2. Dios es luz, paz y a-mor. Dios es luz, paz y a-mor. (Soy la luz del mun-do). mor.

3. Dios es la luz, Dios es la paz, Dios es a-mor; oh, sí. Dios es la luz, Dios es la paz, Dios es a-mor. (Soy la luz del mun-do). mor.

4. Dios es luz, paz y a-mor. Dios es luz, paz y a-mor. (Soy la luz del mun-do). mor.

Cada vez, menos la última — *Última vez*

LETRA: Basada en Juan 8:12 - Puede ejecutarse con instrumentos también.
MÚSICA: Rodolfo Ascencio, 1975, arreg. F.B.J.
En Canciones de Fe y Compromiso, 1978. Permiso solicitado.

ASCENCIO
Canon a cuatro voces
Do

Fruto del amor divino 159

1 P. 1:3-12
Ap. 1:1-8
Ap. 11:15-17

Yo soy el Alfa y la Omega, el principio y el fin. Ap. 22:13

Con amplitud

1. Fru - to del a - mor di - vi - no, gé - ne - sis de la crea-
2. Es el mis - mo que el pro - fe - ta vis - lum - bra - ra en su vi-
3. Las le - gio - nes ce - les - tia - les aho - ra can - ten su lo-

ción; Él es Al - fa y O - me - ga, es prin - ci - pio y con - clu-
sión, Y en - cen - die - ra en el sal - mis - ta la más al - ta ins - pi - ra-
or; Los do - mi - nios hoy le a - do - ren co - mo Rey y Re - den-

sión De lo que es, de lo que ha - si - do,
ción; Aho - ra bri - lla y es co - ro - na
tor; Y los pue - blos de la tie - rra

de lo nue - vo en - for - ma - ción; Y a - sí se - rá por siem - pre.
de la an - ti - gua ex - pec - ta - ción.
le pro - cla - men su Se - ñor.

LETRA: Aurelio Clemente Prudencio, c. 400, trad. Federico J. Pagura
MÚSICA: Canto llano, s. 11, arreg. F.B.J., bas. en C. Winfred Douglas, 1916.
Trad. © 1962 Ediciones La Aurora. Usado con permiso.

DIVINUM MISTERIUM
Metro irreg.
Mi♭ (Capo 1 - Re)

Aurelio Clemente Prudencio (348-413)
En España y Roma durante el Imperio Romano, vivió uno de los primeros poetas cristianos, Aurelio Prudencio. Fue un próspero magistrado y luchó contra la idolatría y los sanguinarios juegos de los gladiadores. A los 57 años se dedicó a escribir libros teológicos e himnos, como el #159 (Fruto del amor divino), que exalta a Jesucristo. Originalmente en latín, los cristianos han cantado este hermoso canto llano en diversos idiomas por más de un milenio y medio.

160 Grande amor, sublime, eterno

Tit. 3:3-8
1 Jn. 4:6-12
Ap. 21:21-27

Con sencillez

Las doce puertas eran doce perlas. Ap. 21:21

1. Gran-de a-mor, su-bli-me,e-ter-no, más pro-fun-do es que la mar,
2. Gran-de a-mor, su-bli-me,e-ter-no; en la cruen-ta cruz mu-rió
3. Gran-de a-mor, su-bli-me,e-ter-no; soy in-dig-no pe-ca-dor,

Y más al-to que los cie-los; in-son-da-ble es y sin par.
Mi ben-di-to Je-su-cris-to; mi cas-ti-go a-sí lle-vó.
Mas el Hi-jo in-com-pa-ra-ble dio su vi-da en mi fa-vor.

CORO

El me a-bri-rá la puer-ta y a-sí en-trar po-dré;

Re-den-ción me ha com-pra-do, y per-dón me da por fe.

LETRA: Frederick A. Blom, 1917, trad. Jorge Sánchez y Roberto C. Savage ⊙ alt.
MÚSICA: Alfred D. Olsen, c. 1916, arreg. Elsie Ahlwén, 1930
Trad. y arreg. © 1958 Singspiration Music. Usado con permiso.
Esta letra se puede cantar también con la música de #556 (En presencia).

PÄRLEPORTEN
8 7 8 7/Coro
Sol

Cuán grande amor 161

Ef. 2:1-10
Jn. 3:11-21
Ro. 5:1-11

Pero Dios...por su gran amor...nos dio vida. Ef. 2:4-5

Con ánimo

1. Que Cris-to me ha-ya sal-va-do, tan ma-lo co-mo yo fui,
2. O-ró por mí en el huer-to: "No se ha-ga mi vo-lun-tad".
3. Por mí se hi-zo pe-ca-do; mis cul-pas su a-mor lle-vó.
4. Cuan-do al fi-nal con los san-tos su glo-ria con-tem-pla-ré,

Me de-ja ma-ra-vi-lla-do, pues él se en-tre-gó por mí.
Y to-do a-quel su-fri-mien-to cau-sa-do fue por mi mal.
En cruen-ta cruz fue cla-va-do, mas mi al-ma él res-ca-tó.
Con gra-ti-tud y con can-tos por siem-pre le a-la-ba-ré.

CORO

¡Cuán gran-de a-mor! ¡Tan gran-de a-mor! el de Cris-to pa-ra mí;
¡Oh cuán gran-de a-mor! ¡Oh cuán gran-de a-mor!

¡Cuán gran-de a-mor! ¡Tan gran-de a-mor! pues por él sal-va-do fui.
¡Oh cuán gran-de a-mor! ¡Oh cuán gran-de a-mor!

LETRA y MÚSICA: Charles H. Gabriel, 1905, trad. Honorato T. Reza

MY SAVIOR'S LOVE
8 7 8 7 / Coro
La ♭ (Capo 1 - Sol)

Yo cantaré de mi Jesucristo (Vea # 163)
El famoso músico Philip Bliss viajaba en ferrocarril hacia Chicago con su esposa en el frío invierno de 1876. De repente, al pasar sobre un puente, éste se desplomó y arrojó a los pasajeros al abismo. Bliss logró escaparse por una ventana, pero retornó al carro que ya se consumía por el fuego, para rescatar a su señora. Ambos perecieron, junto con otras 100 personas.

En el viaje él había escrito el himno #163 que fue hallado entre los escombros. A los 38 años escribió este último himno, muy usado en las campañas evangelísticas de ese entonces; pero su mensaje ha tocado miles de corazones durante más de un siglo.

162 El amor de Cristo

¿Quién nos separará del amor de Cristo?

**¿Tribulación, o angustia, o persecución, o hambre, o desnu-
dez, o peligro, o espada?**

Antes, en todas estas cosas somos más que vencedores por medio
de aquel que nos amó.

**Por lo cual estoy seguro de que ni la muerte, ni la vida, ni
ángeles, ni principados, ni potestades, ni lo presente, ni lo
por venir,**

Ni lo alto, ni lo profundo, ni ninguna otra cosa creada nos podrá
separar del amor de Dios, que es en Cristo Jesús Señor nuestro.

**Para que habite Cristo por la fe en vuestros corazones, a fin
de que, arraigados y cimentados en amor,**

Seáis plenamente capaces de comprender con todos los santos cuál
sea la anchura, la longitud, la profundidad y la altura,

**Y de conocer el amor de Cristo, que excede a todo conoci-
miento, para que seáis llenos de toda la plenitud de Dios.**

Romanos 8:35, 37-39; Efesios 3:17-19 (RVR)

163 Yo cantaré de mi Jesucristo

Ef. 5:8-20
Sal. 89:1-8
Sal. 100

Se postran...y adoran al que vive por los siglos de los siglos. Ap. 4:10

Con alegría

1. Yo can - ta - ré de mi Je - su - cris - to, y de su
2. Yo can - ta - ré la ex - cel - sa his - to - ria de su glo -
3. Yo can - ta - ré lo - or a mi Cris - to, por - que triun -
4. Yo can - ta - ré de mi Je - su - cris - to, de su e -

gran - de y tier - no a - mor, Del que su - frió en la cruz del Cal -
rio - sa y gran re - den - ción; Al que de - ci - de hoy re - ci -
fó con su gran po - der; Y al pe - ca - do, in - fier - no y
ter - no y tier - no a - mor; Hi - jo de Dios yo soy por su

LETRA: Philip P. Bliss, 1876, ● trad. Timoteo Anderson C. (Vea ✎ adjunta al #161)
MÚSICA: James McGranahan, 1877
Trad. © 1992 Celebremos/Libros Alianza. Se prohíbe la reproducción sin autorización.

MY REDEEMER
10 9 10 9/Coro
La♭ (Capo 1 - Sol)

vd.
va - rio   pa - ra   li - brar   al   vil pe - ca - dor.
bir - le   él   le   da   vi - da y   sal - va - ción.
muer - te, él   me a - yu - da - rá a ven - cer.
gra - cia, gra - cia de Cris - to mi Sal - va - dor.

CORO
Yo can - ta - ré   de mi Je - su - cris - to,   pues con su
Yo can - ta - ré de mi Je - sús, yo can - ta - ré de mi Je - sús, pues con su

san - - - gre me re - di - mió;
san - gre me com - pró, me re - di - mió, me re - di - mió;

Y en la cruz   me dio el in - dul - to;
Y en la cruz me dio el in - dul - to, y en la cruz me dio el in - dul - to

de mi pe - ca - - do me li - bró.
de mi pe - ca - do, del pe - ca - do me li - bró, él me li - bró.

164 Oh qué inmenso amor

Ro. 5:1-11
Tit. 3:3-8
Ro. 8:28-39

Con emoción   *En esto se mostró el amor de Dios…en que…envió a su Hijo. 1 Jn. 4:9*

¡Oh qué a - mor! ¡Qué in - men - so a - mor! el de mi Sal - va - dor.

¡Oh qué a - mor! ¡Qué in - men - so a - mor! el de mi Sal - va - dor.

Dios des - de el cie - lo al Sal - va - dor man - dó a mo - rir por mí. Por

ti mu - rió, por mí mu - rió; dio san - gre car - me - sí.

¡Oh qué a - mor! ¡Qué in - men - so a - mor! el de mi Sal - va - dor.

LETRA y MÚSICA: Jaime Redín, 1960, arreg. Eugenio Jordán ●
© 1960 Eugene Jordan. Usado con permiso.   ECU

INMENSO AMOR
Metro irreg.
Re m

Ro. 5:1-11
1 Jn. 3:1-3
Jn. 3:11-21

Gracia admirable 165

Siendo justificados gratuitamente por su gracia. Ro. 3:24

Con ánimo

1. ¡Gra - cia ad - mi - ra - ble del Dios de a - mor que ex - ce - de a to - do
2. Ne - gras las o - las de la mal - dad me a - me - na - za - ron
3. Nun - ca tu man - cha po - drás lim - piar si - no en la san - gre
4. Gra - cia in - fi - ni - ta re - ci - bi - rá to - do el que cre - e en

nues - tro pe - car! Cris - to en la cruz por el pe - ca - dor
con per - di - ción; Pu - do en la gra - cia de Dios ha - llar
del buen Je - sús; En e - lla, sí, la po - drás la - var,
Cris - to el Se - ñor; Si del pe - ca - do can - sa - do es - tás,

su vi - da ha da - do. ¡Qué a - mor sin par!
dul - ce re - fu - gio mi co - ra - zón. ¡Gra - cia!
hoy sin ce - sar flu - ye de la cruz. ¡Gra - cia de Dios!
ven, gra - cia o - fre - ce tu Sal - va - dor.

CORO

¡Gra - cia! ¡Gra - cia de Dios que nos da per - dón! ¡Gra -
¡Gra - cia sin par! *¡Gra - cia de*

cia! ¡Gra - cia! ¡Gra - cia que lim - pia el co - ra - zón!
Dios! *¡Gra - cia sin par!*

LETRA: Julia H. Johnston, 1911, trad. G.P. Simmonds
MÚSICA: Daniel B. Towner, 1910, alt.

MOODY
9 9 9 9 / Coro
Sol

166 Maravilloso es el gran amor

Ef. 3:14-21
Ro. 8:28-39
Ef. 1:3-14

Con amplitud

Para mostrar en los siglos venideros...su gracia en su bondad. Ef. 2:7

1. Ma-ra-vi-llo-so es el gran a-mor que Cris-to el Sal-va-
2. Él su ce-les-te ho-gar a-ban-do-nó, de-jan-do po-si-
3. ¡Gran-de mis-te-rio! Dios el in-mor-tal mu-rien-do en la
4. En vil pri-sión mi al-ma pa-de-ció, a-ta-da en pe-
5. Hoy ya no te-mo la con-de-na-ción; Je-sús es mi Se-

dor de-rra-mó en mí; Sien-do re-bel-de y pe-ca-dor, yo
ción, glo-ria y ho-nor; De to-do e-llo se des-po-jó por
cruz en-tre-gó su ser; Ni men-te hu-ma-na ni an-ge-li-cal ja-
ca-do y os-cu-ri-dad; Pron-to en mi cel-da res-plan-de-ció la
ñor, y yo su-yo soy. Vi-vo en él que es mi sal-va-ción, ves-

de su muer-te cau-sa fui. ¡Gran-de, su-bli-me, in-men-su-ra-ble a-
res-ca-tar al pe-ca-dor. Mi-se-ri-cor-dia in-men-sa él mos-
más lo pue-de com-pren-der. In-ex-pli-ca-ble es el in-fi-ni-to a-
cla-ra luz de su ver-dad. Cris-to las fé-rreas ca-de-nas des-tru-
ti-do en su jus-ti-cia voy. Li-bre ac-ce-so al Pa-dre go-zo

mor! por mí mu-rió el Sal-va-dor. ¡Oh, ma-ra-
tró; su gran a-mor me al-can-zó.
mor yó; que de-dé ya li-bre, ¡Glo-ria a Dios! *¡Oh,*
ya; y en-tra-da al tro-no ce-les-tial.

CORO

LETRA: Charles Wesley, 1738, ● trad. Esteban Sywulka B.
MÚSICA: Atrib. a Thomas Campbell, 1825, alt.
Trad. © 1992 Celebremos/Libros Alianza. Se prohíbe la reproducción sin autorización.

SAGINA
Metro irreg.
Sol

villa de su a - mor, por mí mu - rió el Sal - va - dor!
ma - ra - vi - lla de su a - mor; por mí mu - rió el Sal - va - dor!

Sal. 71:14-21
Is. 12
Sal 86:1-10, 14-17

En tu presencia 167

Mi presencia irá contigo, y te daré descanso. Ex. 33:14

Con ternura

En tu pre - sen - cia hay con - sue - lo;

en tu pre - sen - cia hay a - mor;

Al bus - car tu co - ra - zón en - con - tra - mos paz y

go - zo en tu pre - sen - cia, oh Se - ñor.

LETRA y MÚSICA: Dick y Melodie Tunney, 1988, trad. Oscar López M.
© 1988 B.M.G. Songs. Usado con permiso.

PRESENCE
Metro irreg.
Mi♭ (Capo 1 - Re)

NUESTRO SEÑOR JESUCRISTO

168 De su trono a un pesebre

Is. 53:1-6
Ef. 2:4-10
Jn. 3:11-21

Se humilló...haciéndose obediente hasta la muerte. Fil. 2:8

Con sentimiento

1. De su tro-no a un pe-se-bre, de ri-que-za y ho-nor, a bus-
2. De la dies-tra de su Pa-dre a su cre-a-ción ba-jó, mas re-
3. Él su-frió nues-tros do-lo-res, el que-bran-to, la a-flic-ción, nues-tra an-

car-nos Cris-to des-cen-dió; De las ca-lles ce-les-tia-les a la
cha-zo y o-dio él su-frió; Yo fui pe-ca-dor per-di-do mas su a-
gus-tia y pe-na co-no-ció; A-zo-ta-do y he-ri-do fue por

cruz de cruel do-lor, vi-no y por la hu-ma-ni-dad su vi-da dió.
mor me en-con-tró; por su san-gre paz y vi-da me com-pró.
nues-tra re-be-lión, y el pe-ca-do nues-tro, Dios en él car-gó.

CORO

¡Cuán gran-de a-mor! ¡Je-sús me ha re-di-mi-do! ¡Cuán gran-de a-mor, su-

bli-me y e-ter-nal! O Yo can-ta-ré por siem-pre su a-la-

LETRA: Gloria Gaither, 1963, trad. Comité de *Celebremos*
MÚSICA: William J. Gaither, 1963, arreg. Ronn Huff, alt.
© 1963 William J. Gaither. Usado con permiso.

REDEEMING LOVE
Metro irreg.
Si♭ (Capo 1 - La)

ban - za, con go - zo u - ni - do al co - ro ce - les - tial.

1 Ts. 5:14-24
Fil. 4:1-7
Ef. 5:15-20
Con ánimo

Demos gracias al Señor 169

Dando siempre gracias por todo al...Padre, en el nombre de nuestro Señor. Ef. 5:20

De - mos gra - cias al Se - ñor, de - mos gra - cias,

De - mos gra - cias por su a - mor. mor. Por la ma - ña - na
Y tú, her - ma - no,

las a - ves can - tan las a - la - ban - zas a
¿por qué no can - tas las a - la - ban - zas de

Cris - to el Sal - va - dor; Cris - to el Sal - va - dor?

LETRA y MÚSICA: Cesáreo Gabaráin, s.20
© 1978 Cesáreo Gabaráin y Ediciones Paulinas, admin. OCP Publications.
Usado con permiso

ESP

DEMOS GRACIAS
Metro irreg.
Do

170 Yo quisiera hablarte

Ef. 2:1-10
Ef. 3:14-21
Ro. 5:1-11

Dios...es rico en misericordia, por su gran amor con que nos amó. Ef. 2:4

Con sinceridad

1. Yo quisiera hablarte del amor de Cristo, pues en él hallé un amigo fuerte y fiel. Por su gracia transformó mi vida entera; lo que en esta vida soy lo debo a él.
2. Mi alma estaba llena de ayes y tristezas, llena estaba de miserias y dolor; Con ternura Cristo me tendió la mano, y me guió por el sendero del amor.
3. Cada día viene a darme nuevo aliento, a mi corazón infunde dulce paz; No comprenderé por qué vino a salvarme, hasta que en el cielo pueda ver su faz.

CORO

Nadie pudo amarme como Cristo, es incomparable su amistad; Sólo él pudo redi-

LETRA y MÚSICA: Charles F. Weigle, 1932, trad. S. D. Athans ℗
© 1932, ren. 1960 Singspiration Music. Usado con permiso.

WEIGLE
12 11 12 11/Coro
Do

¿Con qué pagaremos? **171**

1 Jn. 3:1-3
Sal. 6
Is. 57:15-19

Nice!

¿Qué pagaré a Jehová por todos sus beneficios? Sal. 116:12

Con devoción

1. ¿Con qué pa - ga - re - mos a - mor tan in - men - so?
2. Y cuan - do la no - che ex - tien - de su man - to,
3. No pue - do pa - gar - te con o - ro ni pla - ta

que dis - te tu vi - da por el pe - ca - dor;
mis o - jos en llan - to en ti fi - ja - ré;
el gran sa - cri - fi - cio que hi - cis - te por mí;

En cam - bio re - ci - bes la o - fren - da hu - mil - de,
Al - zan - do mis o - jos ve - ré las es - tre - llas;
No ten - go qué dar - te por tan - to a - mar - me;

La o - fren - da hu - mil - de, Se - ñor Je - su - cris - to, de mi co - ra - zón.
Yo sé que tras e - llas cual Pa - dre a - mo - ro - so tú ve - las por mí.
Re - ci - be es - te can - to mez - cla - do con llan - to, y mi co - ra - zón.

LETRA y MÚSICA: Autor y compositor descon., Latinoamérica, s. 20, arreg. F.B.J.
Arreg. © 1992 Celebremos/Libros Alianza. Se prohibe la reproducción sin autorización.

L.A.

PAGAREMOS
Metro irreg.
Fa (Capo 1 - Mi)

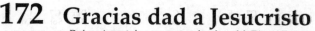

172 Gracias dad a Jesucristo

Dad gracias en todo, porque esta es la voluntad de Dios. 1 Ts. 5:18

Col. 1:3-14
Sal. 22:23-28
Sal. 107:1-10, 13-15

Con ánimo

1. Gra - cias dad a Je - su - cris - to por su sem - pi - ter - no a - mor;
2. De ca - de - nas de a - mar - gu - ra le pe - dí li - be - ra - ción;
3. Quien con - fí - a en Je - su - cris - to la vic - to - ria lle - va - rá,

A - la - bad - le, san - tos to - dos, él es nues - tro Sal - va - dor.
Es - cu - chó mi voz, y mi al - ma la sal - vó de la pri - sión.
Mas si es - pe - ra en el hom - bre siem - pre és - te fa - lla - rá.

Que sus sier - vos por do - quie - ra can - ten su be - nig - ni - dad;
Si me a - sal - ta el e - ne - mi - go na - da ten - go que te - mer;
Oh Se - ñor, tu san - to nom - bre a - la - ba - mos sin ce - sar;

Los que te - men a su nom - bre ha - blen de su li - ber - tad.
En la lu - cha te - ne - bro - sa con Je - sús po - dré ven - cer.
Por tu a - mor in - com - pa - ra - ble gra - cias te que - re - mos dar.

LETRA: Juan N. de los Santos, 1925, ℗ alt.
MÚSICA: John A. Hultman, 1891

MEX

Esta letra se puede cantar también con la música de #408 (Cristo es guía),
#424 (Dejo el mundo) y #450 (De la Iglesia).

TAK O GUD
8 7 8 7 D
Si ♭, (Capo - 1 - La)

Dime la historia de Cristo 173

Felipe, abriendo su boca...anunció el evangelio de Jesús. Hch. 8:35

1. Di-me la his-to-ria de Cris-to; grá-ba-la en mi co-ra-zón;
2. Di-me del tiem-po en que a so-las en el de-sier-to se ha-lló;
3. Di cuan-do cru-ci-fi-ca-do él por no-so-tros mu-rió;

CORO: Di-me la his-to-ria de Cris-to; grá-ba-la en mi co-ra-zón;

Di-me la his-to-ria pre-cio-sa, ¡cuán me-lo-dio-so es su son!
De Sa-ta-nás fue ten-ta-do, mas con po-der le ven-ció.
Di del se-pul-cro se-lla-do; di có-mo re-su-ci-tó.

Di-me la his-to-ria pre-cio-sa, ¡cuán me-lo-dio-so es su son!

Di có-mo cuan-do na-cí-a, án-ge-les con dul-ce voz
Di-me de to-das sus o-bras, de su tris-te-za y do-lor,
En e-sa his-to-ria tan tier-na mi-ro las prue-bas de a-mor;

D. C. al Fin

"Paz en la tie-rra", can-ta-ron, "y en las al-tu-ras glo-ria a Dios".
Pues sin ho-gar, des-pre-cia-do an-du-vo nues-tro Sal-va-dor.
Mi re-den-ción ha com-pra-do el bon-da-do-so Sal-va-dor.

LETRA: Fanny J. Crosby, 1880, 🎵 trad. G.P. Simmonds 🎵
MÚSICA: John R. Sweney, 1880
Trad. © 1939 Cánticos Escogidos. Usado con permiso

STORY OF JESUS
Metro irreg.
Mi♭ (Capo 1 - Re)

NUESTRO SEÑOR JESUCRISTO

174 ¡Qué bella historia!

Con emoción   *Pero nosotros predicamos a Cristo. 1 Co. 1:23*

Fil. 2:1-11
Jn. 1:14-18
Hch. 26:12-20

1. ¡Qué be - lla his - to - ria! de su ex - cel - sa glo - ria Ba - jó el Sal - va - dor, Je - sús, mi Re - den - tor. Na - ció en pe - se - bre, des - pre - cia - do y po - bre, Va - rón de lá - gri - mas y de do - lor.
2. ¡Qué gran mis - te - rio, tan in - com - pren - si - ble! El Ver - bo se en - car - nó y al mun - do des - cen - dió. El plan o - cul - to re - ve - ló - se al hom - bre, y por su tier - no a - mor me le - van - tó.
3. ¡Don ad - mi - ra - ble, tan in - com - pa - ra - ble! De ple - na sal - va - ción, y e - ter - na re - den - ción. El sol di - vi - no bri - lla en mi ca - mi - no; su luz a - lum - bra - rá mi co - ra - zón.

CORO

¡Oh cuán - to le a - mo! y fiel le a - do - ro; Él es mi vi - da, mi Re - den - tor; El Rey de glo - ria vi - no a sal -

LETRA: William E. Booth-Clibborn, 1921, trad. S.D. Athans
MÚSICA Eduardo Di Capua, 1898, arreg. Wm. E. Booth-Clibborn
Trad. y arreg. © 1921, ren. 1949 Singspiration Music. Usado con permiso.

O SOLE MIO
Metro irreg.
Fa (Capo 1 - Mi)

Ef. 2:4-10
1 Co. 15:1-10
Hch. 10:34-43

Oh profundo, inmenso amor 175

Se manifestó la bondad de Dios nuestro Salvador, y su amor. Tit. 3:4

Con intensidad

1. ¡Oh a - mor, pro - fun - do, in - men - so a - mor! de go - zo
2. Fue por no - so - tros su o - ra - ción, su en - se -
3. Él por no - so - tros pa - de - ció blas - fe - mias,
4. Mas en su triun - fo el nues - tro es - tá, y jun - to al

lle - na el co - ra - zón Que el Dios e - ter - no, en
ñan - za y su la - bor: Ja - más bus - có su
bur - las y do - lor; Y pa - ra dar - nos
Pa - dre, nues - tro ho - gar; Nos da su Es - pí - ri -

su bon - dad, to - ma - ra for - ma cor - po - ral.
pro - pio bien; se hi - zo sier - vo, sien - do rey.
vi - da y luz ha - lló la muer - te en u - na cruz.
tu, y en él ha - lla - mos go - zo, paz, po - der.

LETRA: Atrib. a Tomás de Kempis, s.15, trad. Nicolás Martínez, alt.
MÚSICA: Thomas M. Hastings, 1840
Esta letra se puede cantar también con la música de #5 (Cantad alegres),
#308 (Tal como soy) y #516 (La cruz).

RETREAT
8 8 8 8
Si♭ (Capo 1 - La)

176 Vida Abundante

Jn. 10: 1-15
Ro. 8: 1-11
Ef. 2: 1-10

Con entusiasmo

Yo he venido para que tengan vida...en abundancia. Jn. 10: 10

LETRA y MÚSICA: Rafael Enrique Urdaneta M., 1978
© 1978 Casa Bautista de Publicaciones. Usado con permiso.

VEN

VIDA ABUNDANTE
Metro irreg.
Sol

Hch. 10:34-43
Mr. 5:22-34
Lc. 24:1-12

Es Jesús ¡Qué bella historia! 177

Jesús de Nazaret...anduvo haciendo bien...porque Dios estaba con él. Hch. 10:38

Con reflexión

1. ¿Quién es el que en Be - lén re - yes y pas - to - res ven?
2. ¿Quién tres a - ños en - se - ñó y al en - fer - mo le - van - tó?
3. ¿Quién al Pa - dre siem - pre o - ró y su vo - lun - tad bus - có?
4. ¿Quién la tum - ba con - quis - tó, con po - der re - su - ci - tó?

¿Quién a so - las a - yu - nó, y la ten - ta - ción ven - ció?
¿Quién a ni - ños re - ci - bió, con a - mor los a - bra - zó?
¿Quién por mí en la cruz mu - rió, y mi pe - na a - llí pa - gó?
¿Quién al cie - lo as - cen - dió, jun - to al Pa - dre se sen - tó?

CORO
Con vigor

Es Je - sús, ¡Qué be - lla his - to - ria! mi Se - ñor el Rey de

glo - ria; a sus pies le a - do - ra - ré, ¡A - le - lu - ya! can - ta - ré.

LETRA: Benjamin R. Hanby, 1866, trad. Comité de *Celebremos*
MÚSICA: Benjamin R. Hanby, 1866, arreg. Donald P. Hustad
Trad. © 1992 Celebremos/Libros Alianza. Se prohibe la reproducción sin autorización.

WHO IS HE
7 7 7 7 / Coro
La♭ (Capo 1 - Sol)

178 Sea la paz

Levantándose, reprendió al viento y dijo al mar: Calla, enmudece. Mr. 4:39

Mr. 6:45-51
Mr. 4:35-41
2 Co. 4:5-16

Con emoción

1. ¡Ma - es - tro, se en - cres - pan las a - guas y ru - ge la tem - pes - tad!
2. Ma - es - tro, mi ser an - gus - tia - do te bus - ca con an - sie - dad;
3. Ma - es - tro, pa - só la tor - men - ta, los vien - tos no ru - gen ya,

Los gran - des a - bis - mos del cie - lo se lle - nan de os - cu - ri - dad.
De mi al - ma en los an - tros pro - fun - dos se li - bra cruel tem - pes - tad.
Y so - bre el cris - tal de las a - guas el sol res - plan - de - ce - rá.

¿No ves que a - quí pe - re - ce - mos? ¿Pue - des dor - mir a - sí, Cuan - do el
A - sal - ta el pe - ca - do a to - rren - tes so - bre mi frá - gil ser. ¡Y pe -
Ma - es - tro, pro - lon - ga es - ta cal - ma, no me a - ban - do - nes más; Cru - za -

mar a - gi - ta - do nos a - bre pro - fun - do se - pul - cro a - quí?
rez - co, pe - rez - co, Ma - es - tro! ¡Oh, quié - re - me so - co - rrer!
ré los a - bis - mos con - ti - go, go - zan - do ben - di - ta paz.

LETRA: Mary A. Baker, 1874, trad. Vicente Mendoza, ℗ alt.
MÚSICA: Horatio R. Palmer, 1874, alt.

PEACE BE STILL
Metro irreg.
Si♭(Capo 1 - La)

179 A la casa de Jairo

Lc. 8:41-48
Mr. 5:22-34
Mt. 9:18-26

No temas; cree solamente, y será salva. Lc. 8:50

1. A la ca-sa de Jai-ro i-ba Je-sús; u-na gran mul-ti-tud i-ba tras él. Y u-na po-bre mu-jer lle-na de fe, no mi-ró la mul-ti-tud, mas le to-có.

2. A-quel pue-blo in-men-so le es-cu-chó; u-na par-te cre-í-a al Se-ñor, Pe-ro el res-to fu-rio-so re-cha-zó a es-te Men-sa-je-ro del ex-cel-so a-mor.

3. Je-su-cris-to, fui yo quien te to-có; mi mal nin-gún doc-tor pu-do qui-tar, Mas tu ma-no po-ten-te me sa-nó; ya mi al-ma y cuer-po trai-go a tu al-tar.

CORO

Haz tú cual la mu-jer que le to-có el bor-de del ves-ti-do del Se-ñor. Vir-tud sa-lió de él, y e-lla sa-

LETRA y MÚSICA: Santiago J. Stevenson O., 1964
© 1964 Santiago J. Stevenson. Usado con permiso.

PAN

JAIRO
10 10 10 11 / Coro
La m / La

nó; si cre - es tú en él, sal - vo se - rás.

Jn. 4:4-15
Jn. 7:37-46
Is. 12
Con emoción

La mujer samaritana 180

Vino una mujer de Samaria...y Jesús le dijo: Dame de beber. Jn. 4:7

1. "De tu cán - ta - ro da - me, da - me tú de be - ber", A la
2. "¡Oh! si tú co - no - cie - ses es - te don que es de Dios Y quién
3. "Quien be - bie - re de es - ta a-gua vol - ve - rá a te - ner sed, Mas a -

Sa - ma - ri - ta - na, di - jo un dí - a Je - sús. "¿Por qué, sien -
vie - ne a ro - gar - te que le des de be - ber, Qui - zá tú
quel que be - bie - re de la que le da - ré, Pa - ra siem -

do ju - dí - o me di - ri - ges la voz?" Res - pon - dió con vehe -
pe - di - rí - as y él po - drí - a te dar A - gua más de - lei -
pre, de - cla - ro que más sed no ten - drá; En su al - ma u - na

men - cia la mu - jer que ig - no - ra - ba la gran - de - za de Dios.
to - sa, que en los po - zos te - rre - nos no po - drás en - con - trar.
fuen - te pa - ra vi - da e - ter - na con po - der sal - ta - rá".

GUA

SAMARITANA
Metro irreg.
Fa (Capo 1 - Mi)

LETRA y MÚSICA: Alfredo Colom M., 1953, arreg. Roberto C. Savage

181 El ciego Bartimeo

Bartimeo el ciego...estaba sentado junto al camino. Mr. 10:46

Lc. 18:35-43
Mr. 10:46-52
Lc. 4:17-21

1. Cuan-do el cie-go es-cu-chó que Je-sús i-ba a ir,
   Ca-mi-nó a Je-ri-có, lo sa-lió a re-ci-bir;
   Le gri-ta-ba, "¡Se-ñor, ten pie-dad tú de mí!
   Por-que cie-go soy yo y no pue-do vi-vir".

2. Al sa-lir de a-llí da-ba gra-cias a Dios
   Por-que ya pu-do ver, pues Je-sús lo sa-nó;
   El Se-ñor le mos-tró su a-mor y po-der
   Cuan-do al cie-go sa-nó, per-mi-tién-do-le ver.

3. Es-te mis-mo Je-sús po-de-ro-so de a-yer
   Es el mis-mo que hoy te da-rá su po-der;
   Co-mo es-cri-to es-tá, to-do pue-de el Se-ñor,
   Co-mo a-yer, tam-bién hoy y por la e-ter-ni-dad.

LETRA y MÚSICA: Israel Aguilera, s. 20
© 1966 Singspiration Music. Usado con permiso.

L.A.

BARTIMEO
Metro irreg.
Sol m (Capo 3 - Mi m)

Cris - to le pre - gun - tó: "¿Qué po - dré por ti ha - cer?"
El tam - bién lo sa - có de o - tra no - che sin luz,
Si tú vie - nes a él, sal - va - ción tú ten - drás;

Y con fe res - pon - dió: "Haz que yo pue - da ver".
Pues su pe - na pa - gó Cris - to a - llí en la cruz.
da - le tu co - ra - zón; li - bre y sal - vo se - rás.

El ministerio terrenal de Jesús 182

Al comenzar su ministerio, Jesús tenía como treinta años. Fue a Nazaret, donde se había criado, y conforme a su costumbre, el día sábado entró en la sinagoga, y se levantó para leer.

Se le entregó el rollo del profeta Isaías; y cuando abrió el rollo, encontró el lugar donde estaba escrito:

El Espíritu del Señor está sobre mí, porque me ha ungido para anunciar buenas nuevas a los pobres;

Me ha enviado para proclamar libertad a los cautivos y vista a los ciegos, para poner en libertad a los oprimidos y para proclamar el año agradable del Señor.

Después de enrollar el libro y devolverlo al ayudante, se sentó. Y los ojos de todos en la sinagoga estaban fijos en él.

Entonces comenzó a decirles: "Hoy se ha cumplido esta Escritura en vuestros oídos".

Y se asombraban de su enseñanza, porque su palabra era con autoridad.

Pero él les dijo: "Me es necesario anunciar el evangelio del reino de Dios a otras ciudades también, porque para esto he sido enviado".

Su fama se extendía cada vez más, y se juntaban a él muchas multitudes para oírle y para ser sanadas de sus enfermedades.

Pero él se apartaba a los lugares desiertos y oraba.

Lucas 3:23a; 4:16-21, 32, 43; 5:15-16 (RVA)

183 Tierra de la Palestina

De ti saldrá un guiador, que apacentará a mi pueblo Israel. Mt. 2:6

Is. 9:1-7
Mt. 4:17-25
Gn. 12:1-4

1. Tie - rra ben - di - ta y di - vi - na es la de Pa - les - ti - na,
2. Cuen - ta la his - to - ria del pa - sa - do que en tu se - no sa - gra - do
3. Que - dan en ti tes - ti - gos mu - dos, que son los vie - jos mu - ros

don - de na - ció Je - sús; E - res, de las na - cio - nes, cum - bre ba -
vi - vió el Sal - va - dor, Y en tus her - mo - sos o - li - va - res, ha -
de la Je - ru - sa - lén; Vie - jas pa - re - des des - tru - i - das, que

ña - da por la lum - bre que de - rra - mó su luz.
bló a los mi - lla - res la pa - la - bra de a - mor. E - res la his - to - ria
si tu - vie - ran vi - da, nos ha - bla - rían tam - bién.

in - ol - vi - da - ble, por - que en tu se - no se de - rra - mó la san - gre,

pre - cio - sa san - gre, del u - ni - gé - ni - to Hi - jo de Dios; Dios.

LETRA: Autor descon., Cuba, s. 20
MÚSICA: Melodía cubana, arreg. Roberto C. Savage ●
© 1954, arreg. 1966, ren. 1982 Singspiration Music. Usado con permiso.

CUB

PALESTINA
Metro irreg.
Mi m

Las Palmas 184

Mt. 21:1-11
Zac. 9:8-12
Lc. 19:28-40
Con amplitud

Decid a la hija de Sión: He aquí, tu Rey viene. Mt. 21:5

1. Pal - mas y flo - res que se ven bro - tar, hoy dí - a sus per - fu - mes
2. Los pue - blos, al o - ír su re - gia voz, del mal que o - pri - me al - can - zan
3. Hoy dí - a a - lé - gra - te, Je - ru - sa - lén; vie - ne a li - brar - te tu di -

ri - cos dan, Pues vie - ne Cris - to el llan - to a en - ju - gar y re - ve -
li - ber - tad. Con - tem - plan o - tra vez la luz de Dios, re - go - ci -
vi - no Rey, Pues el a - mor del Cris - to de Be - lén tra - e es - pe -

lar - nos el di - vi - no plan. ¡Glo - - ria! ¡Ho - san - na!
ja - da es - tá la hu - ma - ni - dad. A Cris - to dad ho - san - nas, him - nos can -
ran - za, paz y e - ter - na, fe.

¡Ho - san - na!
tad a Cris - to con triun - fo y gran - de a - cla - ma - ción; ¡Glo - ria al Se - ñor! ¡Ho -

¡Glo - ria al Se - ñor!
san - na! ¡Glo - ria al que vie - ne tra - yén - do - nos sal - va - ción!

LETRA y MÚSICA: Jean-Baptiste Faure, 1864, trad. G. P. Simmonds

LES RAMEAUX
10 10 10 10/Coro
La♭, (Capo 1 - Sol)

185 En el nombre de Dios

Sobre todo nombre...no sólo en este siglo, sino también en el venidero. Ef. 1: 21

Dn. 2: 16-23
Jl. 2: 21-32
Ef. 1: 15-23

Con regocijo

Hay po-der, es-pe-ran-za y a-mor en el nom-bre de
nues-tro Se-ñor; A-cla-me-mos a Cris-to el Rey,
¡Ben-di-to el que vie-ne en el nom-bre de Dios!

LETRA y MÚSICA: Phill McHugh, Gloria Gaither, Sandi Patti H., 1986,
  trad. Lynn Anderson
© 1986 Gaither Music, Sandi's Songs Music y River Oaks Music., admin. Sparrow Corp.
  Usado con permiso.

NAME OF THE LORD
Metro irreg.
La♭ (Capo 1 - Sol)

186 ¡Hosanna! (Mantos y palmas)

¡Hosanna! ¡Bendito el que viene en el nombre del Señor! Jn. 12: 13

Mt. 21: 1-11
Mr. 11: 1-11
Lc. 19: 28-40

Con regocijo

•1. Man - tos   y pal-mas es-par-cien-do va   el pue-blo a-le-gre de Je -
 2. Co - mo en la en-tra-da de Je - ru - sa-lén,   un dí - a a to-dos va-mos

LETRA: Rubén Ruíz A., 1972, alt.
MÚSICA: Rubén Ruíz A., 1972, arreg. Alvin Schutmaat, 1983
Letra © 1972 asignado a The United Methodist Publishing House.
Arreg. © 1989 The United Meth. Publ. House, admin. C.A. Music. Usado con permiso.

MEX

¡HOSANNA!
10 10 10 10/Coro
Do

ru - sa - lén,   Y   a   lo   le - jos   ya   se   pue - de   ver
a   can - tar,   Cuan - do   re - gre - se   Cris - to   o - tra   vez

en un po - lli - no a Je - sús   el   Rey;   Mien - tras mil vo - ces re -
pa - ra lle - var - nos al e - ter - no ho - gar;

CORO

sue - nan por do - quier, "Ho - san - na al que vie - ne en el   nom - bre del Se - ñor";

Con un es - truen - do de gran ex - cla - ma - ción pro - rrum - pen con voz triun -

fal: "¡Ho -   san - na,   ho -

san - na al Rey!"   ¡Ho -   san - na!   ¡Ho - san - na al Rey!"

187 Cabalga Majestuoso

He aquí, tu Rey viene...sentado sobre una asna. Mt. 21:5

Ap. 19:1-10
Jn. 12:12-16
Lc. 19:28-40

Con solemnidad

1. Ca - bal - ga ma - jes - tuo - so tan al - to em - ba - ja - dor,
2. Con pal - mas y con ra - mos el pue - blo mar - cha en pos;
3. Cu - brid de mir - to y flo - res la sen - da del Se - ñor,

Se - gui - do de sus fie - les del O - li - var a Sion.
A - clá - man - le los ni - ños, rin - dien - do glo - ria a Dios.
Con co - ra - zón y la - bios ren - did - le a - do - ra - ción.

Las mul - ti - tu - des can - tan con go - zo y con fer - vor:
Las mul - ti - tu - des can - tan con go - zo y con fer - vor:
Can - tad - le, mul - ti - tu - des, con go - zo y con fer - vor:

¡Ho - san - na al rey que vie - ne en nom - bre del Se - ñor!

LETRA: Jeanette Threlfall, 1873, trad. Severa Euresti, alt.
MÚSICA: Henry T. Smart, 1835
Esta letra se puede cantar también con la música de #460 (Amémonos), #533 (Estad) y
#639 (Tu pueblo).

LANCASHIRE
7 6 7 6 D
Do

188 La entrada triunfal

Al día siguiente, cuando oyeron que Jesús venía a Jerusalén,
**La gran multitud que había venido a la fiesta tomó ramas de
palmera y salió a recibirle, y le aclamaban a gritos: "¡Hosanna!"**

Ellos decían: "¡Bendito el rey que viene en el nombre del Señor! ¡Paz en el cielo, y gloria en las alturas!"
Cuando llegó cerca, al ver la ciudad, lloró por ella.

Juan 12:12-13a; Lucas 19:38, 41 (RVA)

Mt. 21:1-11
Mr. 11:1-11
Lc. 19:28-40

Hosanna en el cielo 189

¡Bendito el que viene...Hosanna en las alturas! Mr. 11:9-10

Con amplitud

Santo, santo, santo es el Señor; Dios del universo, santo es el Señor. Santo, santo, santo, santo es el Señor; Dios del universo, santo es el Señor.

¡Hosanna en el cielo! ¡Hosanna en la tierra! ¡Bendito el que viene en el nombre del Señor! del Señor!

L.A.

LETRA: Basada en Apocalipsis 4:8 y Juan 12:13
MÚSICA: Compositor descon., Latinoamérica, s. 20, arreg. F.B.J.
Arreg. © 1992 Celebremos/Libros Alianza. Se prohíbe la reproducción sin autorización.

HOSANNA
Metro irreg.
Do m (Capo 1 - Si m)

190 Jerusalén la hermosa

Lc. 19:41-44
Mt. 23:29-39
Sal. 122

Con emoción

Jerusalén, que matas a los profetas, y apedreas a los...enviados. Lc. 13:34

1. U - na no - che con la lu - na, Cris - to llo - ra - ba,
2. Y cuan - do Je - sús mo - rí - a en cruz cla - va - do,

Y con - tem - pla - ba la ciu - dad san - ta. ¡Oh, Je - ru - sa -
Al vil mal - va - do él ben - de - cí - a. Si tú a - cep - tas

(D. S.) ¡Oh, Je - ru - sa -

lén la her - mo - sa! tú que has ma - ta - do Cuan - tos te ha en -
hoy la san - gre que ha de - rra - ma - do, Se - rás lle -

lén la her - mo - sa! tú que has ma - ta - do Cuan - tos te ha en -

CORO

via - do mi Pa - dre Dios. ¡Oh Je - ru - sa - lén, Je - ru - sa -
va - do a Je - ru - sa - lén. Co - mo el a - ve al hi - jo le da

Fin

via - do mi Pa - dre Dios.

lén, ciu - dad de Sion! llo - ra por ti hoy mi co - ra - zón:
siem - pre pro - tec - ción, vi - ne yo a - tra - er - te sal - va - ción.

D.S. al Fin

ción.

LETRA: Efraín Sánchez, s. 19
MÚSICA: Carlos López, s. 20, arreg. Felipe Gutiérrez
En Himnos de Fe y Alabanza, 1966. Permiso solicitado.

L.A.

JERUSALÉN
Metro irreg.
Si ♭ (Capo 1 - La)

¿Qué quiero, mi Jesús ? . . . Quiero quererte,
quiero cuanto hay en mí, del todo darte
sin tener más placer que el agradarte,
sin tener más temor que el ofenderte.

Quiero olvidarlo todo y conocerte,
quiero dejarlo todo por buscarte,
quiero perderlo todo por hallarte,
quiero ignorarlo todo por saberte.

Quiero, amable Jesús, abismarme
en ese dulce hueco de tu herida,
y en tus divinas llamas abrasarme.

Quiero, por fin, en Ti transfigurarme,
morir a mí, para vivir tu vida,
perderme en Ti, Jesús, y no encontrarme.

Calderón de la Barca

Jerusalén

Porque de tal manera
amó Dios al mundo
que ha dado a su
Hijo unigénito
para que todo aquel
que en él cree
no se pierda
mas tenga
Vida eterna

juan 3:16

Heb. 10:11-25
Is. 53
1 P. 2:21-25
Con amplitud

Cristo nuestra ofrenda es 192

Con una sola ofrenda hizo perfectos para siempre a los santificados. Heb. 10:14

Em	C	D	G	B	Am	D7	G	C		G	D
Mi m	Do	Re	Sol	Si	La m	Re7	Sol	Do		Sol	Re

1. Cris-to nues - tra o-fren - da es: ho - lo - caus-to ex - cel - so;
2. Cris-to nues - tra o-fren - da es: o - bla - ción tan fra - gan - te;
3. Cris-to nues - tra o-fren - da es, quien lo - gró pa - ra el hom - bre
4. Cris-to nues - tra o-fren - da es el que qui - ta el pe - ca - do;
5. Cris-to nues - tra o-fren - da es: ex - pia - ción con - su - ma - da;

Am	D		Em	Bm	C	G	Am	D7		C	G
La m	Re		Mi m	Si m	Do	Sol	La m	Re7		Do	Sol

Al Cor - de - ro a - la - bad; con - quis - tó el Cal - va - rio.
Es o - lor sua - ve ha - cia Dios; load al Hi - jo a - man - te.
Paz y co - mu - nión con Dios, ¡glo - ria dad a su nom - bre!
Por su muer - te e - fi - caz vi - da o - fre - ce al mun - do.
Que - da sa - tis - fe - cho Dios, y el al - ma lim - pia - da.

CORO
Em	Am		D7	G	C		Am		B sus	B7
Mi m	La m		Re7	Sol	Do		La m		Si sus	Si 7

"San - tos se - réis, por - que san - to soy yo Je - ho - vá vues - tro Dios".

Em	Am		D7	G	C	Am	B7		Em
Mi m	La m		Re7	Sol	Do	La m	Si 7		Mi m

"San - tos se - réis, por - que san - to soy yo Je - ho - vá vues - tro Dios".

LETRA: Basada en Lev. 1-5, Felipe Blycker J., 1980   GUA
MÚSICA: Felipe Blycker J., 1980
© *1980 Philip W. Blycker en* Cánticos nuevos de la Biblia. *Usado con permiso*

LEVÍTICO
Metro irreg.
Mi m

193 Fue de Dios la santa voluntad

Se despojó a sí mismo, tomando forma de siervo. Fil. 2:7

Is. 53
Lc. 22:39-46
Mt. 27:35-51

1. A solas en Getsemaní el Salvador sufrió; la copa amarga de dolor mi buen Jesús bebió. A solas en el tribunal las burlas aguantó, pues fue de Dios la santa voluntad.

2. A solas al Calvario, Cristo el Redentor subió; sin murmurar, mis negras penas en la cruz sufrió. "Dios mío, ¿por qué me has dejado?" con dolor clamó, mas fue de Dios la santa voluntad.

CORO

Se despojó del trono y todo su esplendor; fue despreciado y desechado el Salvador, Mas como oveja no abrió su boca mi Señor, pues fue de Dios la santa voluntad.

LETRA y MÚSICA: Helen Griggs, 1948, bas. en himno original de Samuel Wesley, publ. 1737, trad. Roberto C. Savage ⓢ
© 1948 , trad. © 1966, ren. 1976 Singspiration Music. Usado con permiso.

GRIGGS
Metro irreg.
Do

Los amó hasta el fin 194

Antes de la fiesta de la Pascua, sabiendo Jesús que había llegado
su hora para pasar de este mundo al Padre,
Como había amado a los suyos que estaban en el mundo,
los amó hasta el fin.
Así que, después de haberles lavado los pies, tomó su manto, se
volvió a sentar a la mesa y les dijo: —¿Entendéis lo que os he
hecho?
—Un mandamiento nuevo os doy: que os améis los unos a
los otros. Como os he amado, amaos también vosotros los unos
a los otros.
Entonces llegó Jesús con ellos a un lugar que se llama Getsemaní, y
dijo a los discípulos: —Sentaos aquí, hasta que yo vaya allá y ore.
Tomó consigo a Pedro y a los dos hijos de Zebedeo, y
comenzó a entristecerse y a angustiarse.
Pasando un poco más adelante, se postró sobre su rostro, orando y
diciendo:
—Padre mío, de ser posible, pase de mí esta copa. Pero, no
sea como yo quiero, sino como tú.

Juan 13:1, 12, 34; Mateo 26:36-37, 39 (RVA)

Mt. 27:51-54
Heb. 10:11-25
Heb. 9:24-28

Rasgóse el velo 195

El camino nuevo y vivo que él nos abrió a través del velo. Heb. 10:20

1. ¡Ras-gó-se el ve-lo! ya no más dis-tan-cia me-dia-rá;
2. ¡Ras-gó-se el ve-lo, som-bras id! la luz res-plan-de-ció;
3. ¡Ras-gó-se el ve-lo! he-cha es-tá e-ter-na re-den-ción;
4. ¡Ras-gó-se el ve-lo! Dios a-brió los bra-zos de su a-mor;

Al tro-no mis-mo de su Dios el al-ma lle-ga-rá.
La ca-ra mis-ma de su Dios Je-sús ya re-ve-ló.
El al-ma pu-ra y lim-pia ya no te-me per-di-ción.
En-trar po-de-mos don-de en-tró Je-sús, el Sal-va-dor.

LETRA: James G. Deck, 1842, trad. C. H. Bright
MÚSICA: William H. Havergal, 1847, arreg. Lowell Mason, 1850
Esta letra se puede cantar también con la música de #51 (Nuestra esperanza),
    #262 (Divino Espíritu) y #300 (Sublime gracia).
Para una tonalidad más alta (La ♭) ver #405 (Cuán dulce el nombre).

EVAN
8 6 8 6
Sol

196 El Varón de gran dolor

Is. 53
Sal. 22:1-2, 19-28
Mt. 27:35-51

Dios mío, Dios mío, ¿por qué me has desamparado? Sal. 22:1

1. El Varón de gran dolor es el Hijo del Señor;
2. El llevó la cruenta cruz para darnos vida y luz;
3. Quiso él por mí morir; puedo hoy por él vivir.
4. Cuando venga nuestro Rey, luego yo su faz veré,

Vino al mundo por amor, ¡Aleluya! ¡Es mi Cristo!
Ya mi cuenta él pagó, ¡Aleluya! ¡Es mi Cristo!
Quiero sólo a él servir, ¡Aleluya! ¡Es mi Cristo!
Y sus glorias cantaré, ¡Aleluya! ¡Es mi Cristo!

LETRA y MÚSICA: Philip P. Bliss, 1875, trad. H.C. Ball

HALLELUJAH! WHAT A SAVIOR
Metro irreg.
Si ♭ (Capo 1 - La)

197 Mirad al Salvador Jesús

Mt. 27:35-51
Is. 53
Heb. 9:24-28

El herido fue por nuestras rebeliones. Is. 53:5

1. Mirad al Salvador Jesús, el Príncipe benigno,
2. El sol su rostro encubrió al ver su agonía;
3. Y yo también al ver la cruz, por ella soy vencido;

Por mí muriendo en la cruz, por mí, tan vil, indigno.
La dura peña se partió; ¿Lo oyes, alma mía?
Mi corazón te doy, Jesús, a tu amor rendido.

LETRA: Lydia Baxter, 1870, trad. y adapt. H.G. Jackson
MÚSICA: Silas Jones Vail, 1870

GATE AJAR
8 7 8 7 / Coro
Si ♭ (Capo 1 - La)

CORO

De a - mor la prue - ba he - la a - quí: el Sal - va - dor mu -
rió por mí. Por mí, *Por mí,* por mí, *por mí,* Je - sús mu - rió por mí.

Mi vida di por ti 198

2 Co. 5:11-21
Fil. 2:1-11
Jn. 10:1-15

Por todos murió, para que los que viven, ya no vivan para sí. 2 Co. 5:15

Con intensidad

1. Mi vi - da di por ti, mi san - gre de - rra - mé;
2. Mi ce - les - tial man - sión, mi tro - no de es - plen - dor,
3. Re - pro - ches, a - flic - ción y an - gus - tias yo su - frí;
4. De mi ce - les - te ho - gar, te trai - go el ri - co don

Por ti in - mo - la - do fui, por gra - cia te sal - vé;
De - jé por res - ca - tar al mun - do pe - ca - dor;
La co - pa a - mar - ga fue que yo por ti be - bí;
Del Pa - dre Dios de a - mor, la ple - na sal - va - ción;

Por ti, por ti in - mo - la - do fui, ¿Qué has da - do tú por mí?
Sí, to - do yo de - jé por ti, ¿Qué de - jas tú por mí?
Re - pro - ches yo por ti su - frí, ¿Qué su - fres tú por mí?
Mi don de a - mor te trai - go a ti, ¿Qué o - fre - ces tú por mí?

LETRA: Frances R. Havergal, 1858, ☺ trad. S. D. Athans ☺
MÚSICA: Philip P. Bliss, 1873 ☺

KENOSIS
Metro irreg.
Si ♭ (Capo 1 - La)

199 En la vergonzosa cruz

1 P. 2:21-25
1 Co. 15:1-10
1 Co. 1:17-24

Con solemnidad

Cristo murió por nuestros pecados, conforme a las Escrituras. 1 Co. 15:3

1. En la ver-gon-zo-sa cruz pa-de-ció por mí, Je-sús;
2. ¡Oh, qué a-mor, qué in-men-so a-mor re-ve-ló mi Sal-va-dor!
3. Yo de Cris-to só-lo soy, a se-guir-le pres-to es-toy;

Por la san-gre que ver-tió, mis pe-ca-dos él ex-pió;
La mal-dad que hi-ce yo, al su-pli-cio le lle-vó.
Al ben-di-to Re-den-tor ser-vi-ré con fir-me a-mor;

La-va-rá de to-do mal e-se ro-jo ma-nan-tial,
Aho-ra a ti mi to-do doy, cuer-po y al-ma tu-yo soy;
Se-a mi al-ma ya su ho-gar, y mi co-ra-zón su al-tar;

El que a-brió por mí, Je-sús, en la ver-gon-zo-sa cruz.
Mien-tras per-ma-nez-ca a-quí, haz-me siem-pre fiel a ti.
Vi-da e-ma-na, paz y luz, del Cal-va-rio, de la cruz.

CORO

Sí, fue por mí, sí, fue por mí, Fue por
Sí, fue por mí, sí, fue por mí,

LETRA: Sarah Jean Graham, 1886, es trad.
MÚSICA: Atrib. William J. Kirkpatrick, s.19

CROSS OF CALVARY
Metro irreg.
Si♭ (Capo 1 - La)

mí, mu-rió Je-sús en la ver-gon-zo-sa cruz.

Crucificado por nosotros 200

Los principales sacerdotes y los ancianos persuadieron a la multitud que pidiese a Barrabás, y que Jesús fuese muerto.

Pilato les dijo: —¿Qué, pues, haré de Jesús, llamado el Cristo?

Todos le dijeron: —¡Sea crucificado!

Y Pilato, queriendo satisfacer al pueblo, les soltó a Barrabás, y entregó a Jesús, después de azotarle, para que fuese crucificado.

Y le llevaron a un lugar llamado Gólgota, que traducido es: Lugar de la Calavera.

Era la hora tercera cuando le crucificaron.

Crucificaron también con él a dos ladrones, uno a su derecha, y el otro a su izquierda.

Y se cumplió la Escritura que dice: Y fue contado con los inicuos.

Cuando vino la hora sexta, hubo tinieblas sobre toda la tierra hasta la hora novena.

Mas Jesús, dando una gran voz, expiró.

Entonces el velo del templo se rasgó en dos, de arriba abajo.

Y el centurión que estaba frente a él, viendo que des - pués de clamar había expirado así, dijo: —Verdaderamente este hombre era hijo de Dios.

Cristo padeció por nosotros,

Quien llevó él mismo nuestros pecados en su cuerpo sobre el madero, para que nosotros, estando muertos a los pecados, vivamos a la justicia.

Mateo 27:20, 22; Marcos 15:15, 22, 25, 27,
28, 33, 37-39; 1 Pedro 2:21b, 24 (RVR)

William Cowper (1731-1800)

Hace más de 250 años William Cowper nació en Inglaterra. Su padre fue el capellán del Rey Jorge II y su madre era de la familia real. A pesar de esto, la vida del joven Cowper no fue feliz. A la edad de seis años su delicada salud empeoró con la muerte de su madre. Su padre le obligó a estudiar leyes, pero al enfrentar los exámenes finales sufrió una crisis nerviosa.

Intentó suicidarse varias veces: tomó una sobredosis de droga, quiso tirarse de un puente y se abalanzó sobre un cuchillo. Por fin trató de ahorcarse, pero lo rescataron a tiempo y fue internado en un sanato -

rio.

Allí, William descubrió el capítulo 3 de Romanos, y las palabras, "siendo justificados gratuitamente por su gracia mediante la redención... que es en Cristo Jesús... por medio de la fe en su sangre". Entendió que Cristo fue crucificado por él, y recibió el perdón de su pecado.

Llegó a ser amigo y colaborador del ilustre John Newton (vea #251), y se destacó como uno de los mejores poetas de su época. Hoy se le recuerda por sus grandes himnos como el #524 (Hay un precioso manantial).

201 Pies Divinos

Lc. 7:36-50
Mt. 4:17-25
Lc. 24:36-48

¡Cuán hermosos...son los pies del que trae alegres nuevas! Is. 52:7

1. Pies di - vi - nos, pies di - vi - nos, pies di - vi - nos;
2. Ved - los frí - os y des - nu - dos por los cam - pos,
3. Van lle - van - do por Ju - de - a la se - mi - lla
4. ¡Cuán her - mo - sos y cuán san - tos, cuán ben - di - tos,
5. Pies di - vi - nos, pies di - vi - nos, pies san - gran - tes,

Pies di - vi - nos, pies di - vi - nos de Je - sús, Que en la
Ca - mi - nan - do, ca - mi - nan - do sin ce - sar, Por las
Del ben - di - to E - van - ge - lio del a - mor, Y cal -
De Je - sús el Na - za - re - no son los pies! ¡Oh yo
Ho - ra - dos por mi cul - pa sin i - gual, Nos li -

cum - bre del Cal - va - rio los cla - va - ron en la cruz,
cum - bres, por los va - lles, por la o - ri - lla de la mar,
man - do del en - fer - mo las tris - te - zas y el do - lor,
quie - ro que a la tie - rra ven - gan pron - to o - tra vez!
bras - teis del pe - ca - do y del jui - cio e - ter - nal,

Que en la cum - bre del Cal - va - rio los cla - va - ron en la cruz.
Por las cum - bres, por los va - lles, por la o - ri - lla de la mar.
Y cal - man - do del en - fer - mo las tris - te - zas y el do - lor.
¡Oh yo quie - ro que a la tie - rra ven - gan pron - to o - tra vez!
Nos li - bras - teis del pe - ca - do y del jui - cio e - ter - nal.

LETRA y MÚSICA: Alfredo Colom M., 1954, ● es arreg.

GUA

PIES DIVINOS
Metro irreg.
Mi m

Mt. 17:5-12
1 P. 3:14b-18
Heb. 9:24-28
Con intensidad

Cristo Padeció 202

Cristo padeció una sola vez por los pecados. 1 P. 3:18

Padeció una sola vez mi Cristo, padeció una sola vez por mí; Por los pecados padeció, por los pecados padeció, el justo por los injustos; Para llevarnos a Dios, para llevarnos a Dios padeció por nosotros Jesús.

GUA

LETRA: Basada en 1 Pedro 3:18
MÚSICA: Felipe Blycker J., 1972
© 1972 Philip W. Blycker en *Cánticos nuevos de la Biblia. Usado con permiso.*

PADECIÓ
Metro irreg.
Do m (Capo 1 - Si m)

203 Cabeza Ensangrentada

Mt. 27:24-31
Mr. 15:12-20
Is. 53

Con amplitud *Y pusieron sobre su cabeza una corona tejida de espinas. Mt. 27:29*

1. Ca - be - za en - san - gren - ta - da, he - ri - da por mi bien,
2. Pues o - pri - mi - da tu al - ma fue por el pe - ca - dor;
3. Te doy lo - or e - ter - no, ben - di - to Sal - va - dor,

De es - pi - nas co - ro - na - da, por fe mis o - jos ven;
La trans - gre - sión fue mí - a, mas tu - yo fue el do - lor;
Por tu do - lor y muer - te, por tu di - vi - no a - mor;

De to - dos des - pre - cia - da, mi e - ter - no bien se - rá;
Hoy ven - go con - tris - ta - do, me - rez - co tu do - lor,
Oh Sal - va - dor, de - se - o tu gra - cia co - no - cer;

Por to - das las e - da - des mi ser te a - do - ra - rá.
Con - cé - de - me tu gra - cia; ¡Oh! da - me tu fa - vor.
Jun - to a tu cruz es - pe - ro, te en - tre - go a ti mi ser.

LETRA: Bernardo de Claraval, s. 12, trad. G. P. Simmonds ⦿
MÚSICA: Hans L. Hassler, 1601, arreg. Johann Sebastian Bach, 1729
Trad. © 1939, ren. 1967 Cánticos Escogidos. Usado con permiso
Esta letra se puede cantar también con la música de #187 (Cabalga) y #639 (Tu Pueblo).

PASSION CHORALE
7676D
Do

Lift High The Cross

Jn. 12:20-32
1 Co. 1:17-24
Col. 1:15-23

Alzad la cruz 204

Y yo, si fuere levantado...a todos atraeré a mí mismo. Jn. 12:32

Con majestuosidad - Coro al unísono

¡Al - zad la cruz de Cris - to el Sal - va - dor y pro - cla - mad

su nom - bre en de - rre - dor!

1. Ve - nid, u - ni - dos el
2. Es el ma - de - ro sím -
3. To - do cre - yen - te en
4. Por Je - su - cris - to con

pen - dón lle - vad, el Hi - jo de Dios es nues - tro Ca - pi - tán.
bo - lo de paz, a - mor, fe, jus - ti - cia y de li - ber - tad.
el Re - den - tor os - ten - ta en la fren - te el se - llo del per - dón.
fer - vor lu - chad, y él la vic - to - ria os con - ce - de - rá.

LETRA: George W. Kitchin, 1887, alt. en *Hymns Ancient and Modern*, 1916,
    trad. Skinner Chávez-Melo
MÚSICA: Sydney H. Nicholson, 1916
© 1974 Hymns Ancient and Modern, admin. Hope Publishing. Usado con permiso.

CRUCIFER
10 10 10 11
Do

Las siete palabras 205

1. "Padre, perdónalos, porque no saben lo que hacen". Lucas 23:34
2. "Hoy estarás conmigo en el paraíso". Lucas 23:43
3. "Mujer, he allí tu hijo...He allí tu madre". Juan 19:26-27
4. "Dios mío, Dios mío, ¿por qué me has desamparado?" Marcos 15:34
5. "Tengo sed". Juan 19:28
6. "Consumado es". Juan 19:30
7. "Padre, en tus manos encomiendo mi espíritu". Lucas 23:46

206 La visión de la cruz

Lc. 23:32-46
Mt. 27:35-51
Jn. 19:16-19, 25-30

Sufrió la cruz, menospreciando el oprobio. Heb. 12:2

Con devoción

1. E - se tris - te dí - a, mi Je - sús su - frí - a
2. Cuan - do le cla - va - ban y le de - nos - ta - ban,
3. En su an - gus - tia, lla - ma; "¡Sed yo ten - go!" ex - cla - ma.
4. Con so - lem - ne cal - ma en - con - mien - da su al - ma,
5. ¡Cuán fe - li - ces fui - mos des - de que cre - í - mos

en la cruz cla - va - do por nues - tro pe - ca - do;
im - plo - ró cle - men - cia, per - dón y pa - cien - cia
¿Y sa - béis qué hi - cie - ron? vi - na - gre le die - ron.
a su Pa - dre a - ma - do que ya le ha de - ja - do
en el Cris - to a - ma - do que fue - ra in - mo - la - do!

Tier - na - men - te di - jo a Juan y a la ma - dre:
En fa - vor de a - que - llos que en ti - nie - blas ya - cen,
A a - quel pe - ni - ten - te que bus - car - le qui - so,
Por el vil pe - ca - do de un mun - do e - rra - do,
Fue a la tum - ba frí - a, y re - su - ci - ta - do,

"He a - quí tu hi - jo, he a - quí tu ma - dre".
"Pues ig - no - ran e - llos", di - jo, "lo que ha - cen".
le o - fre - ció la fuen - te de su pa - ra - í - so.
y cla - ma an - gus - tia - do: "¡Ya es con - su - ma - do!"
un her - mo - so dí - a fue glo - ri - fi - ca - do.

LETRA y MÚSICA: Alfredo Colom M., 1954, ⊚ alt., es arreg.
© 1954, ren. 1982 Singspiration Music. Usado con permiso.

GUA

LAS SIETE PALABRAS
12 12 12 12
Sol

Ro. 6:3-14
Jn. 19:16-19, 25-30
Gá. 2:16-21

Junto a la cruz de Cristo 207

Mediante la cruz reconciliar con Dios. Ef. 2:16

Con tranquilidad

1. Jun-to a la cruz de Cris-to yo quie-ro siem-pre es-tar,
2. Ben-di-ta cruz de Cris-to, a ve-ces ve-o en ti
3. Oh, Cris-to, en ti he ha-lla-do com-ple-ta y dul-ce paz;

Pues mi al-ma al-ber-gue fuer-te y fiel a-llí pue-de en-con-trar.
La mis-ma for-ma en fiel vi-sión del que su-frió por mí;
No bus-co ben-di-ción ma-yor que la de ver tu faz;

En me-dio del de-sier-to a-quí, a-llí en-cuen-tro ho-gar
Hoy mi con-tri-to co-ra-zón con-fie-sa la ver-dad
Sin a-trac-ti-vo el mun-do es-tá, ya quean-do por tu luz;

Do del ca-lor y del tra-jín yo pue-da des-can-sar.
De tu a-som-bro-sa re-den-ción y de mi in-dig-ni-dad.
A ver-gon-za-do de mi mal, mi glo-ria es ya la cruz.

LETRA: Elizabeth C. Clephane, 1872, trad. G. P. Simmonds
MÚSICA: Frederick C. Maker, 1881
Trad. © 1950, ren. 1978 Cánticos Escogidos. Usado con permiso.

ST. CHRISTOPHER
Metro irreg.
Do

Speros D. Athans (1883-1969)
A los quince años de edad, Speros abandonó su hogar en Grecia, ya que su padre había muerto. El joven viajó por varios países y en una sala de inmigraciones le obsequiaron un Nuevo Testamento en griego. Fue el principio de una vida de estudio de la Biblia. Athans llegó a ser muy apreciado en el mundo hispano como profesor, pastor y escritor. Editó el himnario *Melodías Evangélicas* y tradujo más de 150 cánticos cristianos, entre ellos el himno #198 (Mi vida di por ti).

208 Un Día

Cuando vino el cumplimiento del tiempo, Dios envió a su Hijo. Gá. 4: 4

Lc. 2: 4-20
Hch. 10: 34-43
Gá. 4: 3-7

Con vigor

1. Un dí - a que el cie - lo sus glo - rias can - ta - ba, un dí - a que el
2. Un dí - a lle - vá - ron - le al mon - te Cal - va - rio, un dí - a cla -
3. Un dí - a de - ja - ron su cuer - po en el huer - to, un dí - a Je -
4. Un dí - a la tum - ba o - cul - tar - le no pu - do, un dí - a el
5. Un dí - a él vie - ne con voz de ar - cán - gel, un dí - a en su

mal im - pe - ra - ba más cruel, Je - sús des - cen - dió, y al na -
vá - ron - le so - bre u - na cruz; Su - frien - do do - lo - res y
sús de do - lor re - po - só. Ve - la - ban los án - ge - les
án - gel la pie - dra qui - tó; Ha - bien - do Je - sús a la
glo - ria el Se - ñor bri - lla - rá; ¡Oh día ad - mi - ra - ble, en que u -

cer de u - na vir - gen, nos dio por su vi - da e - jem - plo tan fiel.
pe - na de muer - te, ex - pian - do el pe - ca - do, sal - vó - me Je - sús.
so - bre el se - pul - cro de quien por no - so - tros su vi - da en - tre - gó.
muer - te ven - ci - do, a es - tar con su Pa - dre en glo - ria as - cen - dió.
ni - do, su pue - blo lo - o - res a Cris - to por siem - pre al - za - rá!

CORO

Vi - vo, me a - ma - ba; muer - to, sal - vó - me;

y en el se - pul - cro mi mal en - te - rró; Re - su - ci - ta - do, él

LETRA: Wilbur Chapman, 1909, trad. G.P. Simmonds, alt.
MÚSICA: Charles H. Marsh, 1909, alt.
Trad. © 1938, ren. 1967 Rodeheaver, admin. Word Music. Usado con permiso.

CHAPMAN
12 11 12 11 / Coro
Do

es mi jus - ti - cia; un dí - a él vie - ne, pues lo pro - me - tió.

Lc. 4:38-44
Jn. 20:19-29
Lc. 5:12-15

Manos Cariñosas 209

Y cuando les hubo dicho esto, les mostró las manos. Jn. 20:20

Con reverencia

1. Ma - nos ca - ri - ño - sas, ma - nos de Je - sús; ma - nos que lle -
2. Blan - cas a - zu - ce - nas, li - rios de a - mor, fue - ron e - sas
3. Ma - nos que su - pie - ron cal - mar el do - lor, ¡oh, ma - nos di -
4. Ma - nos que su - frie - ron el cla - vo y la cruz; ma - nos re - den -
5. ¡Oh, Je - sús! tus ma - nos yo las vi en vi - sión y ver - tí mi

va - ron la pe - sa - da cruz, Ma - nos que su - pie - ron
ma - nos de mi Re - den - tor; Ma - nos que a los cie - gos
vi - nas de mi Re - den - tor! Que mul - ti - pli - ca - ron
to - ras de mi buen Je - sús; De e - sas ma - nos be - llas
llan - to con el co - ra - zón; Vi sus dos he - ri - das

só - lo ha - cer el bien, ¡Glo - ria a e - sas ma - nos! ¡A - le - lu - ya, a - mén!
die - ron la vi - sión con el real con - sue - lo de su gran per - dón.
los pe - ces y el pan, ma - nos mi - la - gro - sas que la vi - da dan.
yo con - fia - do es - toy; e - llas van gui - an - do, pues al cie - lo voy.
y la san - gre vi que tú de - rra - mas - te por sal - var - me a mí.

GUA   MANOS CARIÑOSAS
11 11 11 11
Re m

At the cross

210 En la cruz

Llevó él nuestras enfermedades, y sufrió nuestros dolores. Is. 53:4

1 Co. 1:17-24
1 Co. 15:1-10
Jn. 14:15-26

1. Con pe - na a - mar - ga fui a Je - sús; mos - tré - le mi do - lor;
2. So - bre u - na cruz, mi buen Se - ñor su san - gre de - rra - mó
3. Ven - ció la muer - te con po - der, y al cie - lo se ex - al - tó;
4. Aun - que él se fue, so - lo no es - toy; man - dó al Con - so - la - dor,

Per - di - do, e - rran - te, vi su luz; ben - dí - jo - me en su a - mor.
Por es - te po - bre pe - ca - dor, a quien a - sí sal - vó.
Con - fiar en él es mi pla - cer, mo - rir no te - mo yo.
Di - vi - no Es - pí - ri - tu que hoy me da per - fec - to a - mor.

CORO

En la cruz, en la cruz, do pri - me - ro vi la luz, y las
man - chas de mi al - ma yo la vé, *(opt.) él la - vó,* Fue a - llí por fe do

vi a Je - sús, y siem - pre fe - liz con él se - ré.
(opt.) vi - vo fe - liz pues me sal - vó.

LETRA: Estr. 1-4 Isaac Watts, 1707, ☙ coro, R. E. Hudson, 1885, trad. Pedro Grado Valdés ☙
MÚSICA: Ralph E. Hudson, 1885, coro, John H. Hewitt, 1864

HUDSON
8 6 8 6/Coro
Mi ♭ (Capo 1 - Re)

MI SEÑOR JESUCRISTO

¡Jesucristo, mi Señor! Me asombra el hecho de que tú, el Dios eterno, te hiciste hombre por mí. Dejaste el esplendor celestial por el establo de Belén. Anduviste por las polvorientas veredas de Palestina, enseñando y haciendo el bien. Calmaste el mar furioso; sanaste al enfermo y diste esperanza al desalentado.

Tú, el perfecto Hijo de Dios, tomaste mi pecado y llevaste mi castigo. Sufriste el dolor, el rechazo, la soledad...y la muerte. Eres Jesús, mi Salvador.

Resucitaste triunfante del sepulcro. Desde que te recibí por la fe, vives en mí y estás transformando mi pensar y mis anhelos. Has quebrantado el poder del pecado en mi vida. Eres Cristo, mi Libertador.

Hoy ocupas el lugar de honor a la diestra de tu Padre, donde intercedes por mí. Y cuando regreses a este mundo en gloria, toda rodilla se doblará y toda lengua confesará que eres el Señor, Dios todopoderoso.

¡Jesucristo, tú eres mi Señor! Te amo, te adoro y te alabo con el canto que surge de mi ser.

me mostrarás la senda de la vida
en tu presencia hay plentitud de gozo
delicias a tu diestra para siempre
Salmo 16:11

Vida Nueva

yo soy la resurrección y la vida
el que cree en mi aunque esté muerto
vivirá
y todo aquel que vive y cree en
mi nombre, no morirá jamás.
Juan 11:25

Mt. 28:1-10
1 Co. 15:20-26
Jn. 20:1-10

La tumba le encerró **212**

Hallaron removida la piedra...y entrando, no hallaron el cuerpo. Lc. 24:2-3

Con solemnidad

1. La tum - ba le en - ce - rró, Cris - to, mi Cris - to; el al - ba a -
2. De guar - das es - ca - pó Cris - to, mi Cris - to; el se - llo
3. La muer - te do - mi - nó Cris - to, mi Cris - to; y su po -

CORO *Con ánimo*

llí es - pe - ró Cris - to el Se - ñor.
des - tru - yó Cris - to el Se - ñor. Cris - to la tum - ba ven -
der ven - ció Cris - to el Se - ñor.

ció, *la ven - ció,* y con gran po - der re - su - ci - tó; De se - pul - cro y

muer - te Cris - to es ven - ce - dor, vi - ve pa - ra siem - pre nues - tro Sal - va - dor;

¡Glo - ria a Dios! ¡Glo - ria a Dios! El Se - ñor re - su - ci - tó.
¡Glo - ria a Dios! *¡Glo - ria a Dios!*

LETRA y MÚSICA: Robert Lowry, 1874, trad. G. P. Simmonds
Trad. © 1939, ren. 1967 Cánticos Escogidos. Usado con permiso.

CHRIST AROSE
6 5 6 4 / Coro
Si ♭ (Capo 1 - La)

213 Resucitó Jesús

Lc. 24:1-12
Jn. 20:1-10
Hch. 2:29-36

Pero cuando miraron, vieron removida la piedra. Mr. 16:4

Con brillo

1. Re - su - ci - tó Je - sús, la tum - ba a - bier - ta es - tá;
Con gran po - der se le - van - tó y vi - ve ya.
Me - re - ce to - do ho - nor, a - la - ban - za, gra - ti - tud y a - mor;
Can - te - mos al Se - ñor Je - sús, el Sal - va - dor. A - mén.

2. En glo - ria ce - les - tial él rei - na ven - ce - dor;
La muer - te y tum - ba de - rro - tó Cris - to el Se - ñor.
Rin - da - mos hoy lo - or con los án - ge - les al Re - den - tor;

LETRA: Roberto C. Savage, 1966, Ⓢ alt.
MÚSICA: Melodía hebrea, arreg. Meyer Lyon, 1770
Letra © 1966 Singspiration Music. Usado con permiso.
Para una tonalidad más alta (Fa m) ver #15 (Al Dios de Abraham).

ECU

LEONI
Metro irreg.
Mi m

214 El sepulcro vacío

Y el primer día de la semana, muy de mañana, fueron al sepulcro...
Y hallaron removida la piedra del sepulcro; pero al entrar, no hallaron el cuerpo de Jesús,
Que fue sepultado y que resucitó al tercer día, conforme a las Escrituras;
Que el Cristo había de padecer, y ser el primero de la resurrección de los muertos.

Lucas 24:1-3; 1 Corintios 15:4 (RVA); Hechos 26:23a (RVR)

SU RESURRECCIÓN Y ASCENSIÓN

1 Co. 15:20-26
Mr. 16:1-7
Hch. 2:29-36

El Señor resucitó 215

Mas ahora Cristo ha resucitado de los muertos. 1 Co. 15:20

Con gozo

1. El Señor resucitó,
   Muerte y tumba él venció;
   Con su fuerza y su virtud
   Cautivó la esclavitud.

2. El que al polvo se humilló,
   Vencedor se levantó; ¡Aleluya!
   Cante hoy la cristiandad
   Su gloriosa majestad. ¡Aleluya!

3. Cristo que la cruz sufrió, ¡Aleluya, aleluya!
   Y en desolación se vio, ¡Aleluya, aleluya!
   Hoy en gloria celestial ¡Aleluya, aleluya!
   Reina vivo e inmortal, ¡Aleluya, aleluya, gloria a Dios!

4. Cristo nuestro Salvador,
   De la muerte vencedor,
   Pronto vamos sin cesar
   Tus loores a cantar.

Puente optativo para pasar de Do (0) a Fa (1♭)

LETRA: Charles Wesley, 1739, 🎵 trad. Juan B. Cabrera, 1869 🎵
MÚSICA: En *Lyra Davidica*, 1708, arreg. en *The Compleat Psalmodist*, 1749
Esta letra se puede cantar también con la música de #217 (Gloria...Vencedor).

EASTER HYMN
7 7 7 7/Aleluyas
Do

216 Aleluya, gloria a Cristo

Ap. 1:1-8
Heb. 10:11-25
Ap. 19:1-10

Con regocijo   *Jesucristo el testigo fiel, el primogénito de los muertos. Ap. 1:5*

1. ¡A-le-lu-ya! Glo-ria a Cris-to, po-de-ro-so Sal-va-dor;
2. ¡A-le-lu-ya! No te-ma-mos, con no-so-tros Cris-to es-tá;
3. ¡A-le-lu-ya! Por su muer-te él la muer-te con-quis-tó;
4. ¡A-le-lu-ya! Rey su-pre-mo, Dios e-ter-no, Gran Se-ñor;

¡A-le lu-ya! La vic-to-ria por sí so-lo con-quis-tó.
¡A-le-lu-ya! Su pre-sen-cia go-zo y con-fian-za da.
¡A-le-lu-ya! Vi-ve a-ho-ra, con po-der re-su-ci-tó.
¡A-le-lu-ya! El es dig-no; dad-le glo-ria y ho-nor.

Es-cu-chad las a-la-ban-zas del gran co-ro ce-les-tial;
Re-cor-de-mos la pro-me-sa que Je-sús, al as-cen-der,
Nues-tro Su-mo Sa-cer-do-te a los cie-los as-cen-dió;
Can-tan se-res ce-les-tia-les; hom-bres, le-van-tad la voz;

Je-su-cris-to, con su san-gre, re-den-ción al hom-bre da.
Hi-zo a sus se-gui-do-res: "Con vo-so-tros es-ta-ré".
In-ter-ce-de por no-so-tros an-te el san-to Pa-dre Dios.
To-do lo cre-a-do can-te a-la-ban-za a nues-tro Dios.

LETRA: William C. Dix, 1866, trad. Esteban Sywulka B.
MÚSICA: Rowland Prichard, c. 1830, arreg. Robert Harkness, alt.
Esta letra se puede cantar también con la música de #450 (De la Iglesia), #514 (Yo vivía)
y #606 (Tú honraste).

HYFRYDOL
8787D
Fa (Capo 1 - Mi)

Ap 19:11-16
1 Co. 15:20-26
Ap. 7:9-17
Con júbilo

Gloria, gloria al Vencedor 217

El Cordero los vencerá, porque él es Señor de señores y Rey de reyes. Ap. 17:14

1. ¡Glo - ria, glo - ria al Ven - ce - dor!
2. Ro - ca, se - llos, guar - dias son ¡A - le - lú, a - le - lu - ya!
3. El a - ver - no se hun - de ya: ¡A - le - lu - ya!
4. ¡A - la - ban - zas cán - ten - le!

¡Mil ho - san - nas re - pe - tid!
Va - no in - ten - to, pues triun - fal ¡A - le - lú, a - le - lu - ya!
Caen la muer - te y la mal - dad; ¡A - le - lu - ya!
Cris - to en su re - su - rrec - ción

Cris - to lle - no de es - plen - dor
De la fo - sa el gran Cam - peón ¡A - le - lú, a - le - lu - ya!
El se - pul - cro se a - bre y da ¡A - le - lu - ya!
A - se - gu - ra nues - tra fe

Triun - fa en por - ten - to - sa lid.
Sur - ge in - vic - to e in - mor - tal. ¡A - le - lú, a - le - lu - ya!
Pa - so a la in - mor - ta - li - dad. ¡A - le - lu - ya!
Y e - ter - na sal - va - ción.

LETRA: D. Rex Bateman, 1987, basada en himno latín del s. 14, alt.
MÚSICA: Robert Williams, 1817, arreg. David Evans, 1927
Letra © 1987 Hispanic Episcopal Church Center, N.Y. Usado con permiso.
Esta letra se puede cantar también con la música de #215 (El Señor resucitó).

L.A.

LLANFAIR
7 7 7 7 / Aleluyas
Fa (Capo 1 - Mi)

NUESTRO SEÑOR JESUCRISTO

218 ¡Resucitó, Resucitó!

1 Co. 15:51-58
1 Ts. 4:13-18
Mt. 28:1-10

CORO   *¿Dónde está, oh muerte, tu aguijón? 1 Co. 15:55*

LETRA: Kiko Argüello, 1973, adapt. Pablo Sywulka B., 1989   ESP
MÚSICA: Kiko Argüello, 1973, arreg. F. B. J.
© 1973 Ediciones Musical PAX, admin. OCP Publications. Usado con permiso.

RESUCITÓ
Metro irreg.
La m

Resucitó Jesús el Señor 219

1 Co. 15:20-26
Jn. 20:1-10
Hch. 2:29-36
Con júbilo

¿Dónde, oh sepulcro, tu victoria? 1 Co. 15:55

•¡A-le-lu — ya! ¡A-le-lu — ya! ¡A-le-lu — ya!

G 2' 28"

•1. Re - su - ci - tó Je - sús el Se - ñor, de in - fier - no y
•2. Hu - yen las som - bras y el do - lor; de - ja la
•3. Por sus he - ri - das el Re - den - tor nos li - bra
•4. Nues - tro res - ca - te Cris - to pa - gó; al cie - lo en
•5. Sue - nen pues him - nos en su lo - or, y ce - le -

muer - te es ven - ce - dor; sue - nen pues him - nos
tum - ba el Sal - va - dor; dé - mos - le glo - ria y
hoy de pe - na y te - mor; él del se - pul - cro es
tra - da él nos a - brió; su gra - cia li - bre
bre - mos su gran a - mor: ¡Cris - to ha triun - fa - do!

en su lo - or. ¡A - le - lu — ya!
to - do ho - nor. ¡A - le - lu — ya!
con - quis - ta - dor. ¡A - le - lu — ya!
nos con - ce - dió. ¡A - le - lu — ya!
¡Glo - ria al Se - ñor! ¡A - le - lu — ya! A - mén.

LETRA: En *Symphonia Sirenum*, 1695, trad. estr. #1 y 5, Juan B. Cabrera, ☺
estr. #2-4 es trad.
MÚSICA: Giovanni P. da Palestrina, 1591, arreg. William H. Monk, 1861

PALESTRINA (VICTORY)
9 9 9/Aleluyas
Mi ♭ (Capo 1 - Re)

220 A ti la gloria

1 Co. 15:20-26
Ap. 7:9-17
Ap. 19:1-10

Porque tuyo es el reino, y el poder, y la gloria, por todos los siglos. Mt. 6:13

1. A ti la glo-ria ¡oh nues-tro Se-ñor! a ti
la vic-to-ria, gran Li-ber-ta-dor. Te al-zas-te pu-jan-te, lle-no de po-der, Más que el sol ra-dian-te al a-ma-ne-cer.

2. Go-zo, a-le-grí-a, rei-nen por do-quier, por-que
Cris-to hoy dí-a mues-tra su po-der; Án-ge-les can-tan-do him-nos al Se-ñor Van-le a-cla-man-do co-mo ven-ce-dor.

3. Li-bre de pe-nas, nues-tro rey Je-sús rom-pe
las ca-de-nas de la es-cla-vi-tud. ¡Ha re-su-ci-ta-do, ya no mo-ri-rá! Quien mue-ra al pe-ca-do en Dios vi-vi-rá.

CORO

A ti la glo-ria ¡oh nues-tro Se-ñor! A ti la vic-to-ria, gran Li-ber-ta-dor.

LETRA: Edmond L. Budry, 1884, es trad. en *Himnario Valdense*, 1923
MÚSICA: Georg F. Händel, 1747, arreg. en *Harmonia Sacra*, c. 1753

JUDAS MACABEO
10 11 11 11 / Coro
Mi♭ (Capo 1 - Re)

Lc. 24:36-48
Mt. 28:1-10
Lc. 24:1-12

Jesús venció la muerte

221

Mediante la fe en el poder de Dios que le levantó de los muertos. Col. 2:12

1. A Jesús cru-ci-fi-ca-do lo lle-va-ron al jar-dín;
2. Vi-no un án-gel al se-pul-cro y la pie-dra le qui-tó;
4. Oh Je-sús re-su-ci-ta-do, te a-do-ra-mos con a-mor;

A Je-sús lo han se-pul-ta-do en-tre flo-res de jaz-mín.
Y Je-sús ven-ció la muer-te, el Se-ñor re-su-ci-tó.
Prín-ci-pe de nues-tras al-mas sé tú, oh buen Sal-va-dor.

A Je-sús lo han se-pul-ta-do en-tre flo-res de jaz-mín. *(D.C. a #2)*
Y Je-sús ven-ció la muer-te, el Se-ñor re-su-ci-tó.
Prín-ci-pe de nues-tras al-mas sé tú, oh buen Sal-va-dor.

Con regocijo

3. A-le-gres las a-ves can-tan, per-fu-man las flo-res ya;
5. A-le-gres hoy te can-ta-mos, te a-ma-mos, oh buen Se-ñor.

(D.C. a #4)

(3) Por-que vi-ve el bien a-ma-do, Je-sús re-su-ci-ta-do ha.
(5) Glo-ria a Dios por la vic-to-ria del po-de-ro-so Sal-va-dor.

LETRA y MÚSICA: Jaime Redín, 1958, arreg. Eugenio Jordán ● ECU
© 1958 *Singspiration Music. Usado con permiso.*

REDIN
Metro irreg.
Re m/Re

222 Porque él vive

Jn. 14:12-24
Sal. 18:1-6, 46-50
2 Co. 13:3-11

Porque yo vivo, vosotros también viviréis. Jn. 14:19

1. Dios nos en-vió a su Hi-jo Cris-to; él es a-mor,
2. Gra-to es te-ner a un tier-no ni-ño, pre-cio-so don
3. Se a-ca-ba-rá mi vi-da un dí-a; en-fren-ta-ré

paz y per-dón. Por mí mu-rió en el Cal-va-rio,
que Dios nos da. Cuán-to me-jor cuan-do él re-ci-be
muer-te y do-lor. Mas a Je-sús ve-ré en la glo-ria,

mas de la tum-ba con po-der re-su-ci-tó.
al Sal-va-dor, y vi-da e-ter-na go-za-rá.
y rei-na-ré con mi triun-fan-te Sal-va-dor.

CORO

Por-que él vi-ve, no te-mo el ma-ña-na;

LETRA y MÚSICA: William y Gloria Gaither, 1971, trad. Comité de *Celebremos*.
© 1971 William J. Gaither. Usado con permiso.

RESURRECTION
Metro irreg.
La ♭ (Capo 1 - Sol)

por- que él vi- ve, se- gu- ro es- toy,
¡por- que yo sé, yo sé que el fu- tu- ro es su- yo,
y que la vi- da va- le, por- que él vi- ve hoy.

Ap. 5
Hch. 1:6-11
Ap. 15:2-4

Glorificaremos al Señor 223

Al que está sentado en el trono, y al Cordero, sea...la gloria y el poder. Ap. 5:13

1. Glo- ri- fi- ca- re- mos al Se- ñor, por su muer- te en la cruz;
2. Por cua- ren- ta dí- as re- gre- só; a los su- yos se mos- tró.
3. Vi- ve vic- to- rio- so nues- tro Rey, ex- al- ta- do Re- den- tor.
4. A- le- lu- ya a Cris- to el Se- ñor, al Cor- de- ro, nues- tra Luz.

De la tum- ba él se le- van- tó, ¡Glo- ria al Sal- va- dor Je- sús!
A sus se- gui- do- res dio la paz y en las nu- bes as- cen- dió.
En el cie- lo rei- na en ma- jes- tad, el glo- rio- so Sal- va- dor.
El Me- sí- as vi- ve, el "Yo soy"; Rey de re- yes es Je- sús.

LETRA y MÚSICA: Twila Paris, 1982, trad. Lynn Anderson
© 1982 Singspiration Music. Usado con permiso.

WE WILL GLORIFY
Metro irreg.
Mi♭(Capo 1 - Re)

He lives

224 Al Cristo vivo sirvo

Ap. 1:12-19
Fil. 3:7-14
Gá. 2:16-21

Yo sé que mi Redentor vive. Job 19:25

Con regocijo

1. Al Cris-to vi-vo sir-vo y él en el mun-do es-tá;
2. En to-do el mun-do en-te-ro con tem-plo yo su a-mor,
3. Re-go-ci-jad, cris-tia-nos, hoy him-nos en-to-nad;

Aun que o-tros lo ne-ga-ren, yo sé que él vi-ve ya.
Y al sen-tir-me tris-te, con-sué-la-me el Se-ñor;
E-ter-nas a-le-lu-yas a Cris-to el Rey can-tad.

Su ma-no tier-na ve-o, su voz con-sue-lo da,
Se-gu-ro es-toy que Cris-to mi vi-da guian-do es-tá,
A-yu-da y es-pe-ran-za es del mun-do pe-ca-dor;

Y cuan-do yo le lla-mo, muy cer-ca es-tá.
Y que o-tra vez al mun-do re-gre-sa-rá.
No hay o-tro tan a-man-te co-mo el Se-ñor.

CORO

Él vi-ve, Él vi-ve, hoy vi-ve el Sal-va-dor; Con-
Él vi-ve, *Él vi-ve,*

LETRA y MÚSICA: Alfred H. Ackley, 1933, trad. G.P. Simmonds.
© 1933, ren. 1961, trad. © 1950 Rodeheaver, admin. Word Music. Usado con permiso.

ACKLEY
13 13 13 11/Coro
La♭ (Capo 1 - Sol)

Cristo Resucitado   225

En la misma hora se levantaron y se volvieron a Jerusalén. Halla-ron reunidos a los once y a los que estaban con ellos, quienes decían:

> — **¡Verdaderamente el Señor ha resucitado y ha aparecido a Simón!**

Mientras hablaban estas cosas, Jesús se puso en medio de ellos y les dijo:

> — **Paz a vosotros.... Mirad mis manos y mis pies, que yo mismo soy. Palpad y ved, pues un espíritu no tiene carne ni huesos como veis que yo tengo.**

Entonces les abrió el entendimiento para que comprendiesen las Escrituras, y les dijo:

> — **Así está escrito, y así fue necesario que el Cristo padecie-se y resucitase de los muertos al tercer día.**

Entonces él los llevó fuera hasta Betania, y alzando sus manos les bendijo.

> **Aconteció que al bendecirlos, se fue de ellos, y era llevado arriba al cielo.**   Lucas 24:33-34, 36, 39, 45-46, 50-51 (RVA)

226 Rey Exaltado

Heb. 1:1-13
Fil. 2:1-11
Ap. 19:11-16

Con vigor   *Viéndolo ellos, fue alzado. Hch. 1:9*

Rey ex-al-ta-do en glo-ria es Cris-to Je-sús y le a-
Rey ex-al-ta-do por siem-pre es Cris-to y

la-bo. yo le a-la-ba-ré *(a-la-ba-ré).*

Él es Se-ñor, por siem-pre él rei-na-rá;

La cre-a-ción su nom-bre pro-cla-ma-rá.

Rey ex-al-ta-do en glo-ria es Cris-to Je-sús.

LETRA y MÚSICA: Twila Paris, 1985, trad. Comité de *Celebremos*
© 1985 Straight Way Music, admin. The Sparrow Corp. Usado con permiso.

HE IS EXALTED
Metro irreg.
Fa (Capo 1 - Mi)

O come all ye faithful
Adeste Fideles

1 Co. 15:51-58
Ap. 19:11-16
Ap. 5
Con regocijo

¡Victoria, Victoria! 227

Mas he aquí que vivo por los siglos de los siglos, amén. Ap. 1:18

1. ¡Vic - to - ria! ¡Vic - to - ria! Can - te - mos la glo - ria del
   Rey po - de - ro - so que re - su - ci - tó. Que - dó a - bo -
   li - do el po - der de la muer - te: el fuer - te ven - ci - do por
   u - no más fuer - te; Sa - tán de - rro - ta - do y Je - sús ven - ce - dor.

2. El Cru - ci - fi - ca - do, por Dios co - ro - na - do, es
   Rey so - be - ra - no, glo - rio - so Se - ñor; Da - rán - le ho -
   no - res, do - mi - nio y gran - de - za; re - co - no - ce - rán su e -
   ter - na rea - le - za, pues dig - no es Cris - to de to - do lo - or.

3. Co - ro - na ce - les - te a - dor - na su fren - te, los
   án - ge - les to - dos le rin - den ho - nor. Ya pron - to el
   ce - tro te - rres - tre em - pu - ñan - do, cual rey le ve - re - mos en
   paz do - mi - nan - do, en cie - los y tie - rra triun - fan - te Se - ñor.

LETRA: Autor descon., en *Himnos de Fe y Alabanza* , 1966
MÚSICA: John F. Wade, en *Cantus Diversi* , c. 1743, arreg. en *Collections of Motetts* , 1779
Para una tonalidad más baja (Sol) ver #140 (Venid fieles todos).

ADESTE FIDELES
Metro irreg.
La ♭ (Capo 1 - Sol)

Venid, Adoremos 228

1. /// Venid, adoremos /// a Cristo el Señor.
2. /// Jesús, tú eres digno /// de todo honor.
3. /// A ti daremos gloria /// por siempre, Señor.

Esta letra se puede cantar con la música de # 227 (la porción indicada como introducción).

#/♭

229 Hoy en gloria celestial

Lc. 24:1-12
Heb. 10:11-25
Ef. 1:15-23

Subiendo a lo alto, llevó cautiva la cautividad. Ef. 4:8

Con ánimo

1. Hoy en glo - ria ce - les - tial, rei - na vi - vo e in - mor - tal
2. Muer - te y tum - ba ya ven - ció el que al pol - vo se hu - mi - lló;
3. A los cie - los as - cen - dió; por su a - mor nos re - di - mió;

↑[16]

Cris - to que la cruz su - frió; con po - der se le - van - tó.
Su po - der y gran vir - tud cau - ti - vó la es - cla - vi - tud.
Cris - to el vic - to - rio - so Rey in - ter - ce - de por su grey.

Su glo - rio - sa ma - jes - tad, can - te, pues, la Cris - tian - dad.

LETRA: Autor descon., en *Himnos de Fe y Alabanza* , 1966
MÚSICA: Melodía española, atrib. a Henry R. Bishop, arreg. Benjamin Carr, 1825
Para una tonalidad más baja (Sol) ver #270 (Santa Biblia).

ESP

MADRID
777777

La ♭(Capo 1 - Sol)

230 Yo vivo, Señor

Fil. 1:21-26
Gá. 2:16-21
Tit. 2:11-15

Con Cristo estoy...crucificado, y ya no vivo yo, mas vive Cristo en mí. Gá. 2:20

Con vigor

1. Yo vi - vo, Se - ñor, por - que tú vi - ves; por - que tú vi - ves,
2. Soy sal - vo, Se - ñor, pues me sal - vas - te, pues me sal - vas - te,

LETRA y MÚSICA: Adán A. Calderón, 1954, arreg. Roberto C. Savage
© 1954, ren. 1982 Singspiration Music. Usado con permiso.

L.A.

YO VIVO
Metro irreg.
Do

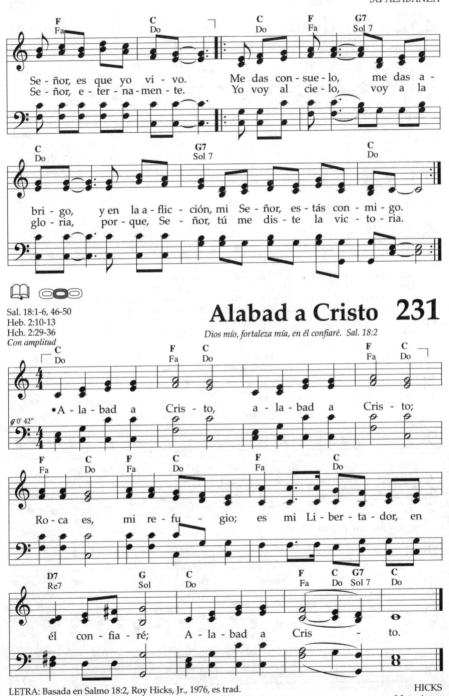

Sal. 18:1-6, 46-50
Heb. 2:10-13
Hch. 2:29-36
Con amplitud

Alabad a Cristo 231

Dios mío, fortaleza mía, en él confiaré. Sal. 18:2

[Verse 1 (top music):]
Se - ñor, es que yo vi - vo. Me das con - sue - lo, me das a -
Se - ñor, e - ter - na - men - te. Yo voy al cie - lo, voy a la

bri - go, y en la a - flic - ción, mi Se - ñor, es - tás con - mi - go.
glo - ria, por - que, Se - ñor, tú me dis - te la vic - to - ria.

[Hymn 231:]
• A - la - bad a Cris - to, a - la - bad a Cris - to;

Ro - ca es, mi re - fu - gio; es mi Li - ber - ta - dor, en

él con - fia - ré; A - la - bad a Cris - to.

LETRA: Basada en Salmo 18:2, Roy Hicks, Jr., 1976, es trad.
MÚSICA: Roy Hicks, Jr., 1976
© 1976 Latter Rain Music, admin. Sparrow Corp. Usado con permiso.

HICKS
Metro irreg.
Do

232 Cordero

Con la sangre preciosa de Cristo, como de un cordero. 1 P. 1:19

1 P. 1:13-23
Is. 53
Jn. 1:29-37

Con ternura

1. Cor - de - ro, que ba - jas - te del cie - lo a mo - rir en la
Ver - tis - te san - gre in - ma - cu - la - da con la cual mi mal-
2. Tú e - res el que dis - te a mi vi - da e - sa paz sin i-
Por e - so mi al - ma a - le - gre te can - ta, dis - fru - tan - do el a-

cruz pa - ra dar - me la luz y tu gran sal - va - ción,
dad, al mo - rir en la cruz, la bo - rras - te, Je-
gual, que en el mun - do fa - laz, no la pu - de en - con - trar.
mor que en la cruz de do - lor me ex - ten - dis - te, Je _

sús. Hoy yo te a - la - bo, Se - ñor, con
sús.

CORO

to - do mi co - ra - zón, Cor - de - ro, por - que

e - res mi Dios y mi buen Sal - va - dor que mo - ris - te por mí.

LETRA y MÚSICA: Autor y compositor descon., Latinoamérica, s. 20, arreg. F.B.J.
Arreg. © 1992 Celebremos/Libros Alianza. Se prohibe la reproducción sin autorización. L.A.

TE QUIERO
Metro irreg.
Do

Heb. 3:1-6
Ap. 5
1 Ti. 6:11-16
Con majestuosidad

Digno Eres 233

Señor, digno eres de recibir la gloria y la honra y el poder. Ap. 4:11

1.–2. Dig - no e - res, dig - no e - res, dig - no e - res, Se - ñor,

1. Dig - no de glo - ria, glo - ria y hon - ra, glo - ria y
2. De la ri - que - za, la for - ta - le - za, de a - la -

hon - ra y po - der. Pues to - das las co - sas por ti fue - ron
ban - za y ho - nor. Pues fuis - te in - mo - la - do por nues - tro pe -

he - chas, ex - is - ten por tu vo - lun - tad; To - do lo
ca - do, mo - ris - te en nues - tro lu - gar; Y con tu

creas - te pa - ra tu glo - ria, ¡Dig - no e - res, Se - ñor!
san - gre nos re - di - mis - te, ¡Dig - no e - res, Se - ñor!

LETRA y MÚSICA: Pauline M. Mills, 1963, trad. Comité de *Celebremos*
© 1973 Fred Bock. Usado con permiso.

WORTHY
Metro irreg.
Si♭ (Capo 1 - La)

NUESTRO SEÑOR JESUCRISTO

234 Digno es el Cordero

Con certidumbre *El Cordero que fue inmolado es digno de tomar...la alabanza. Ap. 5:12*

Ap. 5
Fil. 2:1-11
Ef. 3:14-21

1. Dig-no es el Cor-de-ro que in-mo-la-do fue de to-mar el rei-no,
2. Dig-no es el Cor-de-ro que en la cruz mu-rió por lle-var el mun-do
3. Dig-no es el Cor-de-ro, can-ten vo-ces mil, que la hu-ma-na ra-za

hon-ra, glo-ria y prez; Pa-ra a-brir el li-bro na-die se en-con-tró;
cer-ca de su Dios; Y don-de rei-na-ba den-sa os-cu-ri-dad,
vi-no a re-di-mir; Dig-no es el Cor-de-ro: ¡Sal-va-ción a él!

él fue so-lo dig-no: ¡Can-te nues-tra voz!
él la luz del cie-lo vi-no a de-rra-mar. A Je-sús lo-or,
y al que es-tá en el tro-no, hoy y siem-pre ¡A-mén!

a Je-sús lo-or, a Je-sús lo-or, por-que él es dig-no; A Je-

sús lo-or, a Je-sús lo-or, a Je-sús lo-or, por-que él es dig-no.

LETRA: Johnson Oatman, Jr., 1898, es trad.
MÚSICA: George C. Hugg, 1898
Esta letra (estrofa) se puede cantar con la música de #209 (Manos cariñosas) y #597 (Un feliz hogar).

HUGG
11 11 11 11 / Coro
Mi♭(Capo 1 - Re)

Heb. 2:1-9
Fil. 2:1-11
Ap. 5
Con amplitud

A Cristo coronad 235

Adoran al que vive por los siglos de los siglos. Ap. 4:10

1. A Cris-to co-ro-nad, di-vi-no Sal-va-dor;
2. A Cris-to co-ro-nad, Se-ñor de nues-tro a-mor;
3. A Cris-to co-ro-nad, Se-ñor de vi-da y luz;

Sen-ta-do en al-ta ma-jes-tad es dig-no de lo-or;
Al Rey triun-fan-te ce-le-brad, glo-rio-so ven-ce-dor;
Con a-la-ban-zas pro-cla-mad los triun-fos de la cruz;

Al Rey de glo-ria y paz lo-o-res tri-bu-tad,
Po-ten-te Rey de paz, el triun-fo con-su-mó,
A él so-lo a-do-rad, Se-ñor de sal-va-ción;

Y ben-de-cid al In-mor-tal por to-da e-ter-ni-dad.
Y por su muer-te de do-lor su gran-de a-mor mos-tró.
Lo-or e-ter-no tri-bu-tad de to-do co-ra-zón.

LETRA: Estr. #1-2 Matthew Bridges, 1851, estr. #3 Godfrey Thring, 1874,
   trad. E. A. Strange
MÚSICA: George J. Elvey, 1868

DIADEMATA
6 6 8 6 D
Mi ♭(Capo 1 - Re)

236 Cristo, Jesucristo

Sal. 45:1-6
Ap. 1:12-19
Ap. 19:11-16

Con sentimiento *Y conocerá todo hombre que...soy Salvador tuyo y Redentor tuyo. Is. 49:26*

LETRA y MÚSICA: Paul Goodwin, 1962, trad. R. E. Miller
© 1962 Gospel Publishing House, admin. Lorenz Publications. Usado con permiso.

SWEET JESUS
Metro irreg.
Mi ♭ (Capo 1 - Re)

Sal. 27
Sal. 62:1-8
Sal. 91

Cariñoso Salvador 237

Fuiste fortaleza al pobre...refugio contra el turbión. Is. 25:4

Con amplitud

1. Ca-ri-ño-so Sal-va-dor, hu-yo de la tem-pes-tad;
A tu se-no pro-tec-tor, fián-do-me de tu bon-dad.
Sál-va-me, Se-ñor Je-sús, de las o-las del tur-bión:
Has-ta el puer-to de sa-lud, guí-a tú mi em-bar-ca-ción.

2. O-tro a-si-lo ¿dón-de ha-llar? in-de-fen-so a-cu-do a ti;
Só-lo pu-de des-ma-yar, por-que mi pe-li-gro vi.
So-la-men-te tú, Se-ñor, pue-des dar con-sue-lo y luz;
Ven-go lle-no de te-mor a los pies de mi Je-sús.

3. Cris-to, en-cuen-tro to-do en ti, y no ne-ce-si-to más;
Dé-bil, me pu-sis-te en pie; tris-te, á-ni-mo me das.
Al en-fer-mo das sa-lud; guí-as tier-no al que no ve;
Con a-mor y gra-ti-tud tu bon-dad en-sal-za-ré. A-mén.

LETRA: Charles Wesley, 1738, ⊕ trad. T.M. Westrup, 1880, ⊕ alt.
MÚSICA: Joseph Parry, 1879
Esta letra se puede cantar también con la música de #119 (Gloria a Dios) y
#215 (El Señor resucitó).

ABERYSTWYTH
7777D
Re m

238 Al Señor Jesús loemos

Sal. 27
Jn. 20:19-29
Ap. 5

Con resolución   *Cantaré y entonaré alabanzas al Señor. Sal. 27:6*

1. Al Se - ñor Je - sús lo - e - mos, por - que tan - to le de -
2. Es Je - sús su nom - bre a - ma - do; a su pue - blo él ha sal -
3. ¡Oh, con - fiad en es - te a - mi - go! nos li - ber - ta del pe -
4. Cum - pli - rá - se nues - tro an - he - lo, en el dí - a en que sin

be - mos; Lo que so - mos y te - ne - mos, só - lo es nues - tro en él.
va - do; Es el triun - fo a - se - gu - ra - do por su gran po - der.
li - gro, Nos es hoy un fuer - te a - bri - go y has - ta el fin se - rá.
ve - lo Le ve - re - mos en el cie - lo al Se - ñor Je - sús.

LETRA: Thomas Kelly, 1806, trad. G.M.J. Lear
MÚSICA: Melodía alemana

ACCLAIM
8 8 8 5
Sol

239 Por los siglos de los siglos

Yo Juan,... estaba en la isla llamada Patmos por causa de la Palabra de Dios y del testimonio de Jesús.

Y..., vi siete candeleros de oro, y en medio de los candeleros vi a uno semejante al Hijo del Hombre,

Vestido con una vestidura que le llegaba hasta los pies y tenía el pecho ceñido con un cinto de oro.

Su cabeza y sus cabellos eran blancos como la lana blanca, como la nieve, y sus ojos eran como llama de fuego.

Sus pies eran semejantes al bronce bruñido, ardiente como en un horno. Su voz era como el estruendo de muchas aguas.

Tenía en su mano derecha siete estrellas, y de su boca salía una espada aguda de dos filos.

Su rostro era como el sol cuando resplandece en su fuerza.

Cuando le vi, caí como muerto a sus pies. Y puso sobre mí su mano derecha, y me dijo:

— No temas. Yo soy el primero y el último, el que vive.

Estuve muerto, y he aquí que vivo por los siglos de los siglos.

Apocalipsis 1:9, 12b-18a (RVA)

Hch. 2:29-36
Ap. 5
Heb. 2:1-9

Con majestuosidad

Coronadle 240

Vemos...a Jesús, coronado de gloria y de honra. Heb. 2:9

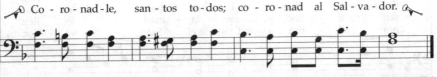

• 1. Ved al Cris-to, Rey de glo-ria, es del mun-do el ven-ce-dor;
• 2. Ex-al-tad-le, ex-al-tad-le, ri-cos triun-fos trae Je-sús;
3. Pe-ca-do-res se bur-la-ron, co-ro-nan-do al Sal-va-dor;
↑[4] 4. Es-cu-chad las a-la-ban-zas que se e-le-van ha-cia él;

De la gue-rra vuel-ve in-vic-to, to-dos de-ben dar lo-or.
En-tro-nad-le en los cie-los, en la re-ful-gen-te luz.
Án-ge-les y san-tos dan-le su ri-quí-si-mo a-mor.
Vic-to-rio-so rei-na el Cris-to; a-do-rad a E-ma-nuel.

CORO

Co-ro-nad-le, san-tos to-dos; co-ro-nad-le Rey de re-yes;

Co-ro-nad-le, san-tos to-dos; co-ro-nad al Sal-va-dor.

LETRA: Thomas Kelly, 1809, es trad.
MÚSICA: Melodía americana, s. 19, arreg. George C. Stebbins, 1878, alt.

CROWN HIM
8 7 8 7 / Coro
Fa (Capo 1 - Mi)

241 Loores dad a Cristo el Rey

Ap. 19:11-16
Ap. 21:10, 22-26
Ap. 11:15-17

Adorad a aquel que hizo el cielo y la tierra . Ap. 14:7

Con amplitud

1. Lo - o - res dad a Cris - to el Rey, su - pre - ma po - tes -
2. Vo - so - tros, hi - jos de Is - ra - el, o - ve - jas de la
3. Gen - ti - les que por su per - dón go - záis de li - ber -
4. Na - cio - nes to - das, es - cu - chad y o - be - de - ced su
5. Con la ce - les - te mul - ti - tud del tro - no en de - rre -

tad; De su di - vi - no a - mor la ley pos -
grey; Lo - o - res dad a E - ma - nuel y
tad, Al que de la con - de - na - ción os
ley De gra - cia y de san - ti - dad, y
dor. Al - zad can - ción de gra - ti - tud a

tra - dos a - cep - tad; De su di - vi - no a -
pro - cla - mad - le Rey; Lo - o - res dad a
li - bra, hoy lo - ad; Al que de la con -
pro - cla - mad - le Rey; De gra - cia y de
Cris - to el Sal - va - dor; Al - zad can - ción de

mor la ley pos - tra - dos a - cep - tad.
E - ma - nuel y pro - cla - mad - le Rey.
de - na - ción os li - bra, hoy lo - ad.
san - ti - dad, y pro - cla - mad - le Rey.
gra - ti - tud a Cris - to el Sal - va - dor.

LETRA: Edward Perronet, 1779, adapt. John Rippon, 1787, trad. T. M. Westrup, alt.
MÚSICA: Oliver Holden, 1792

CORONATION
868686
Fa (Capo 1 - Mi)

Ap. 1:1-8
Ro. 11:33-12:1
Ap. 5
Con majestuosidad

Gloria a Cristo 242

Este es mi Hijo amado, en quien tengo complacencia. Mt. 3:17

Gloria a Cristo,
gloria a Emanuel;
Rey de reyes y Señor de los señores;
y por siempre cantaré tus alabanzas;
te adoraré por la eternidad.

LETRA y MÚSICA: Dave Moody, 1979, trad. Oscar López M.
© 1981 Tempo Music. Usado con permiso.

ALL HAIL KING JESUS
Metro irreg.
Fa (Capo 1 - Mi)

Loores dad a Cristo el Rey

En la India un pastor viajaba en cierta ocasión para predicar por primera vez a una tribu indígena. ¡Cuál no sería su asombro al encontrarse de repente rodeado por guerreros que le apuntaban sus flechas y lanzas! No sabiendo más qué hacer, abrió el estuche de su violín y comenzó a tocar y cantar "Loores dad a Cristo el Rey". Al cantar la cuarta estrofa, Robert Scott se dió cuenta que los guerreros habían bajado sus peligrosas armas y se acercaban amistosamente. Le recibieron en la tribu donde pronto aceptaron también el mensaje de salvación. Tienen así derecho de estar un día con los que estarán "del trono en derredor", de todas naciones, tribus, pueblos, y lenguas, cantando por la eternidad a Cristo el Salvador.

243 Jesús es mi Rey soberano

1 Ti. 1:12-17
Ap. 19:11-16
Fil. 2:1-11

Con emoción *El bienaventurado y solo Soberano, Rey de reyes. 1 Ti. 6:15*

1. Je - sús es mi Rey so - be - ra - no, mi go - zo es can - tar su lo -
2. Je - sús es mi a - mi - go an - he - la - do, y en som - bras o en luz siem - pre
3. Se - ñor, ¿qué pu - die - ra yo dar - te por tan - ta bon - dad pa - ra

or; Es Rey, y me ve cual her - ma - no, es Rey y me im - par - te su a -
va Pa - cien - te y hu - mil - de a mi la - do; a - yu - da y so - co - rro me
mí? ¿Me bas - ta ser - vir - te y a - mar - te? ¿Es to - do en - tre - gar - me yo a

mor. De - jan - do su tro - no de glo - ria, me vi - no a sa - car de la es -
da. Por e - so cons - tan - te lo si - go, por - que él es mi Rey y mi a -
ti? En - ton - ces, a - cep - ta mi vi - da, que a ti so - lo que - da ren -

co - ria, y yo soy fe - liz, y yo soy fe - liz por él.
mi - go, y yo soy fe - liz, y yo soy fe - liz por él.
di - da, pues yo soy fe - liz, pues yo soy fe - liz por ti.

LETRA y MÚSICA: Vicente Mendoza, 1920

MEX

MI REY Y MI AMIGO
Metro irreg.
Do

Glorioso Cristo 244

Jn. 1: 1-14
1 Jn. 1
Ap. 1: 12-19
Con majestuosidad

Vimos su gloria, gloria como del unigénito del Padre. Jn. 1: 14

1. Glo-rio-so Cris-to, Rey de lo cre-a-do, Hom-bre y Dios, te doy lo-or; Quie-ro a-mar-te, mi dul-ce a-mi-go, co-ro-na mí-a y Sal-va-dor.

2. Be-llo es el cam-po, más a-ún los bos-ques en la es-ta-ción pri-ma-ve-ral; Cris-to es más be-llo, Cris-to es más pu-ro, que al al-ma tris-te go-zo da.

3. Be-lla es la lu-na, es el sol más be-llo, y las es-tre-llas, sin i-gual; Pe-ro el Cris-to es quien más bri-lla en to-do el Rei-no ce-les-tial.

4. Be-llas las flo-res, be-llo es el hom-bre en su lo-za-na ju-ven-tud; Mas su be-lle-za pron-to pe-re-ce, só-lo es e-ter-na en Je-sús.

5. De tie-rra y cie-lo, to-da la her-mo-su-ra se mues-tra en Cris-to, mi Se-ñor; Na-die me-re-ce cual Je-su-cris-to nues-tra a-la-ban-za y nues-tro a-mor. A-mén.

LETRA: En *Gesangbuch, Münster* 1677, trad. Federico J. Pagura
MÚSICA: En *Schlesische Volkslieder*, 1842, arreg. Richard S. Willis, 1850
Trad. © 1962 Ediciones La Aurora. Usado con permiso.

CRUSADER'S HYMN
Metro irreg.
Mi ♭ (Capo 1 - Re)

Vicente Mendoza P. (1875-1955)

Hijo de un tipógrafo evangélico, Vicente em-pezó a trabajar en las imprentas desde los on-ce años. Más tarde decidió asistir a un instituto bíbli-co, y después sirvió al Señor como pastor itinerante en el Estado de Puebla, México.

Desde sus días de estudiante había comenzado a traducir himnos al español y a escribir la música y le-tra para otros, hasta tener una colección de más de 300. Publicó el himnario, *Himnos Selectos*, en 10 edi-ciones.

El contó que su himno, "Jesús es mi Rey soberano" (Vea #243), fue inspirado durante un fuerte aguacero. Como no pudo salir a la calle, empezó a to-car el piano. Pensando en la maravillosa verdad que Jesucristo es a la vez Rey soberano y amigo anhela-do, trazó las líneas del precioso himno, y lo terminó ese mismo día.

Llegó a ser profesor de un seminario evangélico y ayudó en la obra del Señor con verdadero gozo hasta la edad de 80 años.

245 ¡Oh, cuánto le amo!

1 Jn. 4:10-19
Jn. 14:12-24
Ro. 5:1-11

Con gozo

Nosotros le amamos a él, porque él nos amó primero. 1 Jn. 4:19

1. Es Cris-to quien por mí mu-rió, mis cul-pas por bo-rrar;
2. Je-sús el nom-bre sin i-gual, pre-cio-so es pa-ra mí;
3. Con Cris-to yo se-gu-ro es-toy, me da per-fec-ta paz;
4. En ho-ras tris-tes de do-lor con-sue-lo da Je-sús;

Do-lor y pe-nas él su-frió, mi al-ma por sal-var.
Cual gra-ta no-ta mu-si-cal re-sue-na en mi o-ír.
Con-mi-go va, pues su-yo soy; no te-me-ré ja-más.
Me o-fre-ce fuer-zas y va-lor, me guí-a en su luz.

CORO

¡Oh, cuán-to le a-mo! ¡Oh, cuán-to le a-mo!

(letra optativa)

¡Oh, cuán-to le a-la-bo! ¡Oh, cuán-to le a-do-ro!

¡Oh, cuán-to le a-mo! por-que él mu-rió por mí.

Y siem-pre le si-go de to-do co-ra-zón.

LETRA: Frederick Whitfield, 1855, trad. Esteban Sywulka B.
MÚSICA: Melodía americana, s. 19
Esta letra (estrofa) se puede cantar con la música de #210 (En la cruz),
#262 (Divino Espíritu) y #345 (Mi fe).

O HOW I LOVE JESUS
8 6 8 6/Coro
Sol

Ap. 7:9-17
Ap. 19:1-10
Ro. 14:7-12

Con sencillez

Cristo, maravilloso eres tú 246

El cual, siendo el resplandor de su gloria. Heb. 1:3

BOLTON
Metro irreg.
Mi♭(Capo 1 - Re)

247 En momentos así

A ti, oh Señor, levantaré mi alma. Sal. 25:1

Sal. 25:1-10
Sal. 86:1-10, 14-17
Sal. 143

Con serenidad

En momentos así levanto mi voz, levanto mi canto a Cristo; en momentos así levanto mi ser, levanto mi alma a él. Cuánto te amo, Dios, cuánto te amo, Dios; Cuánto te amo, Dios, te amo.

(letra optativa)
Cuánto te amo, Señor; cuánto te amo, Señor; Cuánto te amo, Cristo, mi Señor.

LETRA y MÚSICA: David Graham, 1980, es trad.
© 1980 C.A. Music. Usado con permiso.

248 REFLEXIÓN: El Espíritu Santo, mi consolador

IN MOMENTS LIKE THESE
Metro irreg.
Mi♭ (Capo 1 - Re)

EL ESPIRITU SANTO, MI CONSOLADOR

Espíritu de Dios, ¡cuán maravilloso eres! Desde la eternidad existes con el Padre y el Hijo, con quienes creaste el mundo.

Es por obra tuya también que yo soy una nueva creación. Tú me convenciste de mi pecado y me llevaste a la fe en Cristo. Me diste nueva vida e hiciste tu morada en mí. Eres el sello que garantiza mi redención final.

Hoy eres mi Guía y Consolador. Me ayudas a entender la Biblia, la que tú mismo inspiraste. Te entristeces por mi desobediencia; señalas mis errores y me impulsas a confesarlos. Me das poder para vencer la tentación y el pecado.

Cultivas en el huerto de mi vida el fruto que te agrada. Utilizas para beneficio de tu iglesia las habilidades con las cuales me has capacitado.

¡Qué privilegio es tenerte como mi Ayudador! Cuando me someto a tu control, mi corazón rebosa con melodías de alabanza y gratitud a Dios.

el Espíritu Santo

Tomad
también
el casco de
la salvación
y la espada
del Espíritu
que es la
Palabra
de Dios

Efesios 6:17

NUESTRO
Divino Consolador

249 Himno al Espíritu Santo

Y vio al Espíritu de Dios que descendía como paloma. Mt. 3:16

Mt. 3:13-17
Ef. 4:1-13
Jn. 14:15-26

1. San - to Es - pí - ri - tu, ex - cel - sa pa - lo - ma, in - mu - ta - ble ser
2. San - to Es - pí - ri - tu, fue - go ce - les - te, en el dí - a de
3. San - to Es - pí - ri - tu, a - cei - te ben - di - to, cual pro - duc - to del
4. San - to Es - pí - ri - tu, vien - to po - ten - te, fuen - te y fuer - za de

del tri - no Dios, Men - sa - je - ro de paz que pro - ce - des del
Pen - te - cos - tés Cual la nu - be de glo - ria, ba - jas - te a la I-
ver - de o - li - var; Lu - mi - na - ria y ca - lor en la tien - da sa-
paz y a - mor; Pa - ra - cle - to ve - raz que con - sue - lo nos

Pa - dre, hoy con - sué - la - nos con sua - ve voz. Tu fra-
gle - sia co - mo al tem - plo de Sion o - tra vez. Pa - ra el
gra - da don - de Aa - rón se a - cer - ca - ba a a - do - rar; A - gua
brin - das y a - bo - gas a nues - tro fa - vor; Sé - nos

gan - cia y lle - nu - ra an - he - la - mos; em - bal - sa - ma tu
nue - vo cris - tia - no e - res se - llo; ca - da u - no de
vi - va y re - ge - ne - ra - do - ra, san - ti fí - ca - nos
luz que i - lu - mi - ne la Bi - blia, nues - tros pies di - ri-

LETRA: Basada en los símbolos bíblicos del Espíritu Santo, Felipe Blycker J., 1977
MÚSICA: Felipe Blycker J., 1977
© 1977 Philip W. Blycker en *Cánticos nuevos de la Biblia. Usado con permiso.* GUA

EXCELSA PALOMA
Metro irreg.
Fa m (Capo 1 - Mi m)

| C7 | | Fm | A♭7 | | D♭ | | C7 | | Fm |
| Si 7 | | Mi m | Sol 7 | | Do | | Si 7 | | Mi m |

tem - plo, tu al - tar; Y la som - bra fe - liz de tus a - las de
ti tie - ne un don; To - do hi - jo de Dios e - le - gi - do es y
con - tra el mal; So - mos u - no en Je - sús los cre - yen - tes del
gien - do al an - dar; Hoy ren - di - mos a ti nues - tras al - mas an-

| B♭7 | | A♭ | | F7 | B♭m | E♭7 | | D♭ | A♭ |
| La7 | | Sol | | Mi 7 | La m | Re7 | | Do | Sol |

gra - cia nos co - bi - je, ¡oh A - mi - go sin par!
go - za ya las a - rras de tu sal - va - ción.
mun - do por tu san - ta la - bor bau - tis - mal.
sio - sas; só - lo un - gi - dos po - dre - mos triun - far. A - mén.

El divino Consolador 250

Yo rogaré al Padre, y os dará otro Consolador, para que esté con vosotros para siempre:

El Espíritu de verdad, al cual el mundo no puede recibir, porque no le ve, ni le conoce;

Pero vosotros le conocéis, porque mora con vosotros, y estará en vosotros.

Mas el Consolador, el Espíritu Santo, a quien el Padre enviará en mi nombre, él os enseñará todas las cosas.

Cuando venga el Consolador, a quien yo os enviaré del Padre, el Espíritu de verdad, el cual procede del Padre, él dará testimonio acerca de mí.

Y si el Espíritu de aquel que levantó de los muertos a Jesús mora en vosotros,

El que levantó de los muertos a Cristo Jesús vivificará también vuestros cuerpos mortales por su Espíritu que mora en vosotros.

Porque el Señor es el Espíritu; y donde está el Espíritu del Señor, allí hay libertad.

Por tanto, nosotros todos, mirando a cara descubierta como en un espejo la gloria del Señor,

Somos transformados de gloria en gloria en la misma imagen, como por el Espíritu del Señor.

Juan 14:16-17,26a; 15:26; Romanos 8:11; 2 Corintios 3:17-18 (RVR)

251 Lluvias de gracia

Haré descender la lluvia en su tiempo; lluvias de bendición. Ez. 34:26

Hch. 1:1-8
Ef. 4:1-13
Gá. 5:16-25

1. Dios nos ha da-do pro-me-sa: Llu-vias de gra-cia en-via-ré,
2. Cris-to nos dio la pro-me-sa del san-to Con-so-la-dor,
3. ¡Oh Dios, a to-do cre-yen-te mues-tra tu a-mor y po-der!
4. O-bra en tus sier-vos pia-do-sos ce-lo, vir-tud y va-lor,

Do-nes que os den for-ta-le-za; gran ben-di-ción os da-ré.
Dán-do-nos paz y pu-re-za, pa-ra su glo-ria y ho-nor.
Tú e-res de gra-cia la fuen-te; lle-na de paz nues-tro ser.
Dán-do-nos do-nes pre-cio-sos, do-nes del Con-so-la-dor.

CORO

Llu-vias de gra-cia, llu-vias pe-di-mos, Se-ñor;
Llu-vias, llu-vias

Mán-da-nos llu-vias co-pio-sas, llu-vias del Con-so-la-dor.

LETRA: Daniel W. Whittle, 1883, trad. W. S. Scott
MÚSICA: James McGranahan, 1883, alt.

SHOWERS OF BLESSING
8 7 8 7/Coro
Si♭ (Capo 1 - La)

Sublime Gracia (Vea #300)

El autor de "Sublime Gracia" sabía de qué escribía. Sólo la gracia divina lo pudo cambiar de un hombre duro y degenerado a un siervo útil de Dios. John Newton perdió a su madre piadosa cuando era niño y no siguió su ejemplo de fe. Comenzó una vida de marinero a los once años, y con el tiempo, se dedicó a transportar esclavos del Afri-

ca. Cayó en una situación desesperante debido a los vicios, y en varias ocasiones Dios le libró milagrosamente de peligros. A pesar de ello, Newton seguía resistiendo el llamado del Señor. Por fin, después de casi naufragar en una tempestad, se convirtió y su vida cambió radicalmente. Llegó a ser pastor, y escribió este himno como testimonio de la asombrosa gracia de Dios demostrada en su vida.

Fuisteis Sellados 252

Ef. 1:3-14
Ef. 4:22-32
2 Co. 1:18-22

Habiendo creído en él, fuisteis sellados con el Espíritu. Ef. 1:13

Ha-bien-do o-í-do la pa-la-bra de ver-dad, el e-van-
ge-lio que nos da la sal-va-ción; Tam-bién ha-bien-do cre-
í-do en Cris-to, en Je-su-cris-to que da la re-den-ción;
Fuis-teis se-lla-dos, se-lla-dos con el Es-pí-ri-tu, con el Es-
pí-ri-tu de la pro-me-sa; pí-ri-tu San-to de Dios.

LETRA: Basada en Efesios 1:13
MÚSICA: Felipe Blycker J., 1972
© 1972 Philip W. Blycker en Cánticos nuevos de la Biblia. *Usado con permiso.*

GUA

FUISTEIS SELLADOS
Metro irreg.
La m/La

253 El fiel Consolador

Jn. 14:12-24
Ef. 5:8-20
Jn. 15:26-16:14

Os dará otro Consolador, para que esté con vosotros para siempre. Jn. 14:16

Con ánimo

1. Do - quier el hom - bre es - té, la nue - va pro - cla - mad; do -
2. La no - che ya pa - só, y al fin bri - lló la luz que
3. Él es quien da sa - lud y ple - na li - ber - tad, a
4. ¡Oh, gran - de, e - ter - no a - mor! mi len - gua dé - bil es pa -

quier ha - ya a - flic - ción, mi - se - rias y do - lor, Cris - tia - nos, a - nun -
vi - no a di - si - par las som - bras del te - rror; A - sí del al - ma
los que en - ca - de - nó el fie - ro ten - ta - dor; Los ro - tos hie - rros,
ra po - der ha - blar del don que re - ci - bí, Al re - no - var en

ciad que el Pa - dre nos en - vió al fiel Con - so - la - dor.
fue au - ro - ra ce - les - tial, el fiel Con - so - la - dor.
hoy di - rán que vi - no ya el fiel Con - so - la - dor.
mí la i - ma - gen ce - les - tial, el fiel Con - so - la - dor.

CORO

El fiel Con - so - la - dor, el fiel Con - so - la - dor que

LETRA: Frank Bottome, 1890, trad. Vicente Mendoza
MÚSICA: William J. Kirkpatrick, 1890

COMFORTER
Metro irreg.
Si♭ (Capo 1 - La)

Dios nos pro - me - tió, al mun - do des - cen - dió. Do - quier el hom - bre es -

té, de - cid que vi - no ya el fiel Con - so - la - dor.

Ef. 5:8-20
Gá. 5:16-25
Ro. 8:1-11

Con alegría

Sed llenos, hermanos   254

Antes bien sed llenos del Espíritu. Ef. 5:18

Sed lle - nos, her - ma - nos, del San - to Es - pí - ri - tu, ha -

blan - do en - tre vo - so - tros, man - dó el Sal - va - dor, con sal - mos e

him - nos y cán - ti - cos, can - tan - do y a - la - ban - do al Se - ñor.

LETRA: Basada en Efesios 5:18-19
MÚSICA: Felipe Blycker J., 1980
© 1980 Philip W. Blycker en Cánticos nuevos de la Biblia. Usado con permiso.

GUA

SED LLENOS
Metro irreg.
Do

255 En un aposento alto

Hch. 2:1-6, 41-47
Hch. 10:34-48
Ef. 5:8-20

Con fervor   *Y fueron todos llenos del Espíritu Santo. Hch. 2:4*

1. En un a-po-sen-to al-to, con u-ná-ni-me fer-vor,
2. Con es-truen-do de los cie-los des-cen-dió en ple-ni-tud;
3. Des-de a-quel fe-liz mo-men-to mo-ra el Con-so-la-dor
4. El Es-pí-ri-tu de Cris-to hoy nos lle-na de po-der

Cien-to vein-te es-pe-ra-ban la pro-me-sa del Se-ñor.
To-dos fue-ron bau-ti-za-dos con el San-to Es-pí-ri-tu.
En el co-ra-zón cre-yen-te, dan-do do-nes, paz y a-mor.
Pa-ra ser tes-ti-gos fie-les, pre-di-can-do por do-quier.

CORO

Dios, man-da tu gran po-der, Dios, man-da tu gran po-der,
Última vez Oh, San-to Es-pí-ri-tu, ben-di-to ce-les-te don,

Dios, man-da tu gran po-der a ca-da co-ra-zón.
Di-vi-no Con-so-la-dor, rei-na en mi co-ra-zón.

LETRA : Estr. #1-2 Charlie D. Tillman, 1895, trad. H.W. Cragin,
   estr. #3-4, Lynn Anderson, coro #2 F. Blycker J.,1990
MÚSICA: Charlie D. Tillman, 1895
Letra, estr. #3-4, coro #2 © 1992 Celebremos/Libros Alianza.
  Se prohíbe la reproducción sin autorización.
Esta letra (estrofa) se puede cantar con la música de #520 (Hoy venimos).

TILLMAN
8 7 8 7/Coro
Fa (Capo 1 - Mi)

256 Andad en el Espíritu

Mirad, pues, con cuidado, cómo os comportéis; no como impruden-
tes sino como prudentes.

Andad en el Espíritu, y así jamás satisfaréis los malos deseos de la carne.

¿O no sabéis que vuestro cuerpo es templo del Espíritu Santo, que mora en vosotros, el cual tenéis de Dios, y que no sois vuestros?

Pues habéis sido comprados por precio. Por tanto, glorificad a Dios en vuestro cuerpo.

Efesios 5:15; Gálatas 5:16; 1 Corintios 6:19-20 (RVA)

Hch. 4: 29-31
Ro. 8: 1-11
Ef. 6: 10-18

Espíritu de Cristo 257

Orando...con toda oración y súplica en el Espíritu. Ef. 6:18

1. Es - pí - ri - tu de Cris - to, llé - na - me de tu a - mor,
2. Es - pí - ri - tu de Cris - to, llé - na - me de tu po - der,
3. Es - pí - ri - tu de Cris - to, llé - na - me de san - to ar - dor,

Pa - ra que en mí se re - fle - je la i - ma - gen del Sal - va - dor.
Pa - ra que a - nun - cie va - lien - te la sal - va - ción por do - quier.
Pa - ra que ha - ga fiel - men - te la o - bra de mi Se - ñor.

CORO

Lle - na, lle - na, llé - na - me de tu a - mor;

En - tre - go a ti mi vi - da pa - ra ser - vir - te, Se - ñor.

LETRA y MÚSICA: Isaac H. Meredith, 1900, alt., trad. Pablo Sywulka B.
Trad. © 1992 Celebremos/Libros Alianza. Se prohíbe la reproducción sin autorización.

CARSON
7 7 8 7/Coro
Mi♭ (Capo 1 - Re)

258 Santo Consolador

Con reflexión
El ocuparse del Espíritu es vida y paz. Ro. 8:6

Jn. 15:26-16:14
Hch. 4:29-31
1 P. 1:3-12

1. San - to Con - so - la - dor,   a - vi - va tú mi ser;
2. San - to Con - so - la - dor,   pu - ro qui - sie - ra ser;
3. San - to Con - so - la - dor,   da - me tu san - ta un - ción;
4. San - to Con - so - la - dor,   llé - na - me de vir - tud;

Que lo que a - mas pue - da a - mar,   y tu vo - lun - tad ha - cer.
Ser - vir - te siem - pre con fer - vor,   y la ten - ta - ción ven - cer.
Man - tén el fue - go   de tu a - mor ar - dien - do en mi co - ra - zón.
Vi - da del cie - lo   go - za - ré an - dan - do en tu ple - ni - tud.

LETRA: Edwin Hatch, 1878, trad. Pablo Sywulka B.
MÚSICA: Robert Jackson, 1888
Trad. © 1992 Celebremos/Libros Alianza. Se prohíbe la reproducción sin autorización.

TRENTHAM
6 6 8 7
Fa (Capo 1 - Mi)

259 Espíritu del Trino Dios

Con solemnidad
Esto tocó tus labios...es quitada tu culpa, y limpio tu pecado. Is. 6:7

Is. 6:1-8
Ro. 8:11-23
2 Co. 3:4-18

•Es - pí - ri - tu del Tri - no Dios, lle - na mi ser; Es - pí - ri - tu del

Tri - no Dios, lle - na mi ser. Que - brán - ta - me, con - sú - me - me, trans - fór - ma-

LETRA y MÚSICA: Daniel Iverson, 1926, es trad.
© 1935, ren. 1963 Moody Bible Institute, admin. Sparrow Corp. Usado con permiso.

IVERSON
Metro irreg.
Fa   (Capo 1 - Mi)

Transfórmame, Espíritu **260**

Is. 6:1-8
1 Co. 6:12-20
2 Co. 3:4-18
Con reverencia

Somos transformados...por el Espíritu del Señor. 2 Co. 3:18

1. Trans - fór - ma - me, Es - pí - ri - tu de Dios; lí - bra - me de la
2. No pi - do sue - ños, ce - les - tial vi - sión, ni ro - to el ve - lo
3. Haz - me sen - si - ble a tu di - rec - ción; quie - ro ven - cer el
4. Quie - ro a - mar - te, oh Se - ñor, mi Dios; mi men - te, al - ma y

am - bi - ción car - nal; Re - nue - va tú mi dé - bil co - ra -
del mis - te - rio ver, Ni que - ru - bi - nes, ni e - ter - nal man -
mal con de - ci - sión; Ca - lla la du - da, la mur - mu - ra -
co - ra - zón te doy; ve - o la cruz do Cris - to pa - de -

zón, y haz que te a - me co - mo de - bo a - mar.
sión; só - lo que lim - pies, oh Se - ñor, mi ser.
ción; da - me cons - tan - cia en la o - ra - ción.
ció, y me con - sa - gro a tu ser - vi - cio hoy.

LETRA: George Croly, 1854, trad. estr #1-2 Efraín Martínez, alt., #3-4 Pablo Sywulka B.
MÚSICA: Frederick Atkinson, 1870
Esta letra se puede cantar también con la música de #382 (Mi corazón) y
#519 (Aquí del pan).

MORECAMBE
10 10 10 10
Si ♭(Capo 1 - La)

261 Guiados por el Espíritu

Pero cuando venga el Espíritu de verdad, él os guiará a toda la verdad;

El me glorificará; porque tomará de lo mío, y os lo hará saber.

Porque todos los que son guiados por el Espíritu de Dios, éstos son hijos de Dios.

Pues no habéis recibido el espíritu de esclavitud para estar otra vez en temor,

Sino que habéis recibido el espíritu de adopción, por el cual clamamos: ¡Abba, Padre!

El Espíritu mismo da testimonio a nuestro espíritu, de que somos hijos de Dios.

Pero si sois guiados por el Espíritu, no estáis bajo la ley.

Mas el fruto del Espíritu es amor, gozo, paz, paciencia, benignidad, bondad, fe,

Mansedumbre, templanza; contra tales cosas no hay ley.

Si vivimos por el Espíritu, andemos también por el Espíritu.

Juan 16:13a, 14; Romanos 8:14-16; Gálatas 5:18, 22, 23, 25 (RVR)

262 Divino Espíritu de Dios

Gá. 5:16-25
Ef. 5:8-20
Ef. 1:15-23

Con amplitud

Si vivimos por el Espíritu, andemos también por el Espíritu. Gá. 5:25

1. Di - vi - no Es - pí - ri - tu de Dios, en - via - do por Je - sús,
2. Haz com - pren - der al co - ra - zón cuán gra - ve es su mal - dad.
3. Ven - za la fuer - za de tu luz al fie - ro ten - ta - dor
4. Sé nues - tro guí - a al tran - si - tar la sen - da que él tra - zó;

Del bien con - dú - ce - nos en pos y a - lúm - bre - nos tu luz.
Y da - nos el pre - cio - so don de an - dar en san - ti - dad.
Por Cris - to, quien mu - rien - do en cruz nues - tro do - lor su - frió.
Da - nos po - der pa - ra triun - far, si - guien - do de él en pos.

LETRA: William L. Hendricks, 1974, trad. Agustín Ruiz V.
MÚSICA: John B. Dykes, 1866
Letra © 1975 Broadman Press. Usado con permiso.
Esta letra se puede cantar también con la música de #36 (Oh, Dios), #51(Nuestra esperanza) y #195 (Rasgóse el velo).

ST. AGNES
8 6 8 6
Fa (Capo 1 - Mi)

Ef. 5:8-20
Jn. 16:7-15
1 P. 1:3-12

Santo Espíritu, controla **263**

Mirad...cómo andéis, no como necios sino como sabios. Ef. 5:15

Con emoción

1. San-to Es-pí-ri-tu, con-tro-la   mi e-rran-te co-ra-zón;
•2. Dé-bil soy, oh sí, muy dé-bil;   a tus pies pos-tra-do es-toy,
3. San-to Es-pí-ri-tu, tú e-res   e-se pro-me-ti-do don;
↑ •4. Oh, a-yú-da-me, te pi-do,   a vi-vir en san-ti-dad;

Lle-na hoy de tu pre-sen-cia es-ta hu-mil-de ha-bi-ta-ción.
Es-pe-ran-do que tu gra-cia con po-der me lle-ne hoy.
Quie-ro siem-pre o-be-de-cer-te y go-zar tu ben-di-ción.
Guí-a-me en tus ca-mi-nos, haz en mí tu vo-lun-tad.

CORO

Lle-na hoy, lle-na hoy, llé-na-me con tu po-der;

Tu a-mor y tu pre-sen-cia lle-nen hoy mi hu-mil-de ser.

LETRA: Elwood H. Stokes, 1879, trad. Vicente Mendoza, ☉ adapt. Comité de *Celebremos*
MÚSICA: John R. Sweney, 1879
Esta letra (estrofa) se puede cantar con la música de #520 (Hoy venimos).

FILL ME NOW
8 7 8 7/Coro
Fa (Capo 1 - Mi)

264 Oh, divino Espíritu

Jn. 16:7-15
1 Co. 6:12-20
Tit. 3:3-8

Mi Espíritu estará en medio de vosotros, no temáis. Hag. 2:5

Con sinceridad

1. Oh, di-vi-no Es-pí-ri-tu, tem-plo pu-ro quie-ro ser;
2. Oh, di-vi-no Es-pí-ri-tu, com-pren-sión tú me da-rás;
3. Oh, di-vi-no Es-pí-ri-tu, don-de ti yo re-ci-bí;

Guí-a to-do mi an-dar, pa-ra no ca-er
Los man-da-tos de mi Dios cla-ri-fi-ca-rás.
Ú-sa-me con tu po-der, ¡glo-ria se-a a ti!

LETRA: Bill Flanders, 1981, trad. Oscar López M.
MÚSICA: Bill Flanders, arreg. John E. Coates, 1981
© 1981 Covenant Music, admin. Tempo Music. Usado con permiso.

FLANDERS
Metro irreg.
Mi♭ (Capo 1 - Re)

265 El fruto del Espíritu

Gá. 5:16-25
Ef. 5:1-10
Col. 3:12-17

El fruto...es amor, gozo, paz...contra tales cosas no hay ley. Gá. 5:22-23

Con certidumbre

• El fru-to del Es-pí-ri-tu es a-mor, go-zo y paz;

El fru-to es pa-cien-cia, be-nig-ni-dad, bon-dad y fe;

LETRA: Basada en Gálatas 5:22-23
MÚSICA: Felipe Blycker J., 1977
© 1977 Philip W. Blycker en Cánticos nuevos de la Biblia. Usado con permiso.

GUA

EL FRUTO DEL ESPIRITU
Metro irreg.
Sol

Satúrame, Señor 266

Andad en el Espíritu. Gá. 5:16

Jn. 15:26-16:14
Ef. 5:8-20
1 P. 4:7-16
Con intensidad

1. Satúrame, Señor, con tu Espíritu; satúrame, Señor, con tu Espíritu, Y déjame sentir el fuego de tu amor aquí en mi corazón, oh Dios; oh Dios.

2. Bendíceme, Señor, con tu Espíritu; bendíceme, Señor, con tu Espíritu, Y déjame sentir el gozo de tu amor momento tras momento, oh Dios; to, oh Dios.

3. Envíame, Señor, con tu Espíritu; envíame, Señor, con tu Espíritu, Y déjame sentir tu corazón de amor y al mundo proclamarlo, oh Dios; lo, oh Dios.

LETRA: Estr. #1 Autor descon, #2-3 Comité de *Celebremos*, 1991
MÚSICA: Compositor descon., Latinoamérica, s. 20, arreg. F.B.J.
Estr. # 2-3 y arreg. © 1992 Celebremos/Libros Alianza. Se prohíbe la reproducción sin autorización

ECU

SATÚRAME
Metro irreg.
Mi m

267 Abre mis ojos

Sal. 119:9-18
Jn. 15:26-16:14
Jn. 4:31-38

Con entrega   *El Espíritu de verdad, él os guiará a toda la verdad. Jn. 16:13*

1. A-bre mis o-jos a la luz; tu ros-tro quie-ro ver, Je-sús;
2. A-bre mi o-í-do a tu ver-dad; yo quie-ro o-ir con cla-ri-dad
3. A-bre mis la-bios pa-ra ha-blar, y a to-do el mun-do pro-cla-mar
4. A-bre mi men-te pa-ra ver más de tu a-mor y gran po-der;

Pon en mi co-ra-zón tu bon-dad y da-me paz y san-ti-dad.
Be-llas pa-la-bras de dul-ce a-mor, ¡oh mi ben-di-to Sal-va-dor!
Que tú vi-nis-te a res-ca-tar al más per-di-do pe-ca-dor.
Da-me tu gra-cia pa-ra triun-far, y haz-me en la lu-cha ven-ce-dor.

Hu-mil-de-men-te a-cu-do a ti, por-que tu tier-na voz o-í;
Con-sa-gro a ti mi frá-gil ser; tu vo-lun-tad yo quie-ro ha-cer.
La mies es mu-cha, ¡Oh, Se-ñor! O-bre-ros fal-tan de va-lor;
Sé tú mi es-con-de-de-ro fiel, y au-men-ta mi va-lor y fe;

Mi guí-a sé, Es-pí-ri-tu Con-so-la-dor.
Lle-na mi ser, Es-pí-ri-tu Con-so-la-dor.
He-me a-quí, Es-pí-ri-tu Con-so-la-dor.
Mi ma-no ten, Es-pí-ri-tu Con-so-la-dor.

LETRA y MÚSICA: Clara H. Scott, 1895, trad. S. D. Athans

SCOTT
Metro irreg.
Sol

NUESTRA
Santa Biblia

268 Lámpara es tu Palabra

Sal. 119:97-105
Pr. 6:16-23
Sal. 19

Con sencillez

Lámpara es a mis pies tu palabra y lumbrera a mi camino. Sal. 119:105

1. Lám - pa - ra es a mis pies tu pa - la - bra, lám - pa - ra
2. La ex - po - si - ción de tus di - chos a - lum - bra, la ex - po - si -
3. Y pa - ra siem - pre, oh *Se - ñor, per - ma - ne - ce, y pa - ra

es a mis pies tu pa - la - bra, Lám - pa - ra es a mis
ción de tus di - chos a - lum - bra, La ex - po - si - ción de tus
siem - pre, oh *Se - ñor, per - ma - ne - ce, Y pa - ra siem - pre, oh *Se -

pies tu pa - la - bra, y lum - bre - ra a mi ca - mi - no.
di - chos a - lum - bra, y ha - ce en - ten - der a los sim - ples.
ñor, per - ma - ne - ce tu pa - la - bra en los cie - los.

LETRA: Basada en el Salmo 119:105, 130, 89
MÚSICA: Felipe Blycker J., 1972
© 1977 *Philip W. Blycker en* Cánticos nuevos de la Biblia. *Usado con permiso.*

NIC *Jehová

MANAGUA
11 11 11 9
Do

269 Tu palabra me habla

Bendito tú, oh SEÑOR; enséñame tus estatutos.
Me he gozado en el camino de tus testimonios, más que en todas las riquezas.
Me deleitaré en tus estatutos, y no olvidaré tu palabra.
Abre mis ojos, para que vea las maravillas de tu ley.
Hazme entender el camino de tus preceptos, y meditaré en tus maravillas.
¡Cuánto amo tu ley! Todo el día es ella mi meditación.
Escrito está: "No sólo de pan vivirá el hombre,
Sino de toda palabra que sale de la boca de Dios".

Toda escritura es inspirada por Dios y útil para enseñar, para repren-
der, para corregir, para instruir en justicia,
**a fin de que el hombre de Dios sea perfecto, equipado para
toda buena obra.**

Salmo 119:12, 14, 16, 18, 27, 97; Mateo 4:4; 2 Timoteo 3:16, 17 (BLA)

2 P. 1:16-21
Sal. 119:9-18
Sal. 119:17-24

Santa Biblia 270

En mi corazón he guardado tus dichos para no pecar. Sal. 119:11

1. San-ta Bi-blia, pa-ra mí e-res un te-so-ro a-quí;
2. Tú re-pren-des mi du-dar; tú me ex-hor-tas sin ce-sar;
3. E-res in-fa-li-ble voz del Es-pí-ri-tu de Dios,
4. Por tu san-ta le-tra sé que con Cris-to rei-na-ré;

Tú con-tie-nes con ver-dad la di-vi-na vo-lun-tad;
E-res fa-ro que a mi pie va gui-an-do por la fe
Que vi-gor al al-ma da cuan-do en a-flic-ción es-tá;
Yo que tan in-dig-no soy, por tu luz al cie-lo voy;

Tú me di-ces lo que soy, de quién vi-ne y a quién voy.
A las fuen-tes del a-mor del ben-di-to Sal-va-dor.
Tú me en-se-ñas a triun-far de la muer-te y el pe-car.
¡San-ta Bi-blia! pa-ra mí e-res un te-so-ro a-quí.

LETRA: John Burton, 1803, trad. Pedro Castro Iriarte
MÚSICA: Melodía española, atrib. a Henry R. Bishop, arreg. Benjamin Carr, 1825.
Para una tonalidad más alta (La♭) ver #229 (Hoy en gloria).

MADRID
777777
Sol

Grato es decir la historia (Vea # 468)
La autora de este conocido himno es Catheri-ne Hankey, hija de un acaudalado ban-quero inglés. Desde temprana edad ella demostró un celo por compartir las Buenas Nuevas. Llegó a orga-nizar clases de escuela dominical en varios barrios de Londres, tanto para gente obrera como para per-sonas de alta posición social. Un viaje al continente africano despertó en ella un gran amor por la obra misionera. A los 30 años de edad se enfermó grave-mente, y durante su recuperación escribió un largo poema sobre la vida de Cristo. Su profundo amor por el mensaje de la Biblia se refleja en el himno que surgió de dicho poema: "Grato es decir la historia".

271 Los cielos anuncian tus obras

Sal. 19
Ro. 1:16-22
Sal. 8

Su eterno poder y deidad se hacen claramente visibles. Ro. 1:20

Con júbilo

1. Los cie-los a-nun-cian tus o-bras, Se-ñor,
2. Oh Dios, tu pa-la-bra es fiel y ve-raz;
3. Tus jui-cios ex-cel-sos son mu-cho me-jor
4. Que ca-da pa-la-bra que ex-pre-sa mi voz,

La glo-ria y po-ten-cia de su Cre-a-dor;
A los que la guar-dan da go-zo y paz.
Que o-ro o jo-yas de gran-de va-lor;
Las me-di-ta-cio-nes de mi co-ra-zón,

El dí-a y la no-che le-van-tan su voz,
Tus le-yes per-fec-tas y lím-pi-das son;
Aun miel que des-ti-la del ri-co pa-nal
A ti se-an gra-tas, te im-plo-ro, Se-ñor,

Y en to-da la tie-rra a-la-ban a Dios.
Tu sa-bi-du-rí-a dan al co-ra-zón.
No tie-ne dul-zu-ra que se-a i-gual.
Mi Ro-ca e-ter-na y mi Re-den-tor. A-mén.

LETRA: Basada en el Salmo 19, en *Salmos de David*, 1881, adapt. Esteban Sywulka B.
MÚSICA: Melodía galesa, arreg. en *Canaidau y Cyssegr*, 1839
Esta letra se puede cantar también con la música de #152 (Jesús...Roca),
#272 (Cuán firme) y #451 (Iglesia).

JOANNA
11 11 11 11
Sol

¡Cuán firme cimiento! 272

Sal. 119: 97-105
Is. 41:8-13
Is. 43:1-5

El fundamento de Dios está firme. 2 Ti. 2:19

Con firmeza

1. ¡Cuán firme cimiento se ha dado a la fe,
   De Dios en su eterna palabra de amor!
   ¿Qué más él pudiera en su libro añadir,
   Si todo a sus hijos lo ha dicho el Señor?

2. "No temas por nada, contigo yo soy;
   Tu Dios yo soy sólo, tu ayuda seré;
   Tu fuerza y firmeza en mi diestra estarán,
   Y en ella sostén y poder te daré.

3. "La llama no puede dañarte jamás,
   Si en medio del fuego te ordeno pasar;
   El oro de tu alma más puro será,
   Pues sólo la escoria se habrá de quemar.

4. "No habrán de anegarte las ondas del mar,
   Si en aguas profundas te ordeno salir;
   Pues siempre contigo en angustia estaré,
   Y todas tus penas podré reducir.

5. "Al alma que anhele la paz que hay en mí,
   Jamás en sus luchas la habré de dejar;
   Si todo el infierno la quiere perder,
   ¡Yo nunca, no, nunca, la puedo olvidar!"

LETRA: Atrib. a Robert Keene en *Selection of Hymns*, 1787, de Rippon,
trad. Vicente Mendoza
MÚSICA: Melodía americana, arreg. en *Genuine Church Music*, 1832, de Funk, alt.
Esta letra se puede cantar también con la música de #227 (Victoria), #395 (Oh Cristo) y
#451 (Iglesia).

FOUNDATION
11 11 11 11
Sol

273 Todas las promesas

2 P. 1:2-11
2 P. 3:8-14
2 Co. 1:18-22

Con vigor *Nos ha dado preciosas promesas. 2 P. 1:4*

1. To - das las pro - me - sas del Se - ñor Je - sús son a - po - yo po - de - ro - so de mi fe; Mien - tras lu - che a - quí bus - can - do yo su luz, siem - pre en sus pro - me - sas con - fia - ré.

2. To - das las pro - me - sas pa - ra el hom - bre fiel, el Se - ñor en sus bon - da - des cum - pli - rá, Y con - fia - do sé que pa - ra siem - pre en él, paz e - ter - na mi al - ma go - za - rá.

3. To - das las pro - me - sas del Se - ñor se - rán go - zo y fuer - za en nues - tra vi - da te - rre - nal; E - llas en la du - ra lid nos sos - ten - drán, y triun - far po - dre - mos so - bre el mal.

CORO

Gran - des, fie - les, las pro - me - sas
Gran - des, gran - des, fie - les son, Gran - des, gran - des, fie - les son,

que el Se - ñor Je - sús ha da - do; Gran - des,
Gran - des, gran - des, fie - les son,

LETRA y MÚSICA: R. Kelso Carter, 1886, trad. Vicente Mendoza

PROMISES
11 11 11 9 / Coro
Si ♭ (Capo 1 - La)

Dame de vida el pan **274**

Jn. 6:45-51
Jn. 6:5-14
Jn. 6:22-35

La palabra de Dios...vive y permanece para siempre. 1 P. 1:23

Con reflexión

1. Da - me, mi buen Se - ñor, de vi - da el pan, co - mo lo hi -
2. "El pan de vi - da soy", di - ce el Se - ñor; ven, al - ma ham -
3. Ben - di - ce, oh Sal - va - dor, hoy tu ver - dad, cual ben - di -
4. Con tu Es - pí - ri - tu to - ca mi ser, y a - bre mis

cis - te un dí - a jun - to al mar; Mi al - ma te bus - ca a ti,
brien - ta hoy al Sal - va - dor. "Ham - bre ja - más ten - drá
jis - te a - yer el fres - co pan; En e - lla nos da - rás
o - jos tu ver - dad a ver. Mues - tra tu vo - lun - tad;

Ver - bo de Dios, y en tu Pa - la - bra es - pe - ro o - ír tu voz.
quien vie - ne a mí; sed nun - ca más ten - drá quien cree en mí".
la li - ber - tad, en e - lla en cuen - tro go - zo y so - laz.
da - me tu luz; quie - ro en tu Li - bro ver - te a ti, Je - sús.

LETRA: Estr. #1 y 3 Mary A. Lathbury, 1877, trad. Federico J. Pagura, #2 y 4
   A. Groves, 1913, es trad.
MÚSICA: William F. Sherwin, 1877
Trad. estr. #1 y 3 © 1962 Ediciones La Aurora. Usado con permiso.
Esta letra se puede cantar también con la música de #260 (Transfórmame),
   #519 (Aquí del pan) y #646 (Después).

BREAD OF LIFE
10 10 10 10
Mi ♭ (Capo 1 - Re)

275 Nunca se apartará

Jos. 1:1-9
Sal. 1
2 P. 1:16-21

Nunca se apartará de tu boca este libro de la ley. Jos. 1:8

Nun-ca se a-par-ta-rá de tu bo-ca es-te li-bro de la ley,
Si-no que de dí-a y de no-che tú me-di-ta-rás en él;

Pa-ra que guar-des y ha-gas con-for-me a to-do lo que en él es-tá es-cri-to; por-que en-ton-ces ha-rás pros-pe-rar tu ca-mi-no, y to-do te sal-drá bien.

LETRA: Basada en Josué 1:8
MÚSICA: Felipe Blycker J., 1980
© 1980 Philip W. Blycker en *Cánticos nuevos de la Biblia. Usado con permiso.*

JOSUÉ
Metro irreg.
Sol

GUA

Que mi vida entera esté (Vea #410)

Hija de una distinguida familia inglesa, Frances Havergal usó sus talentos como lingüista, poetisa y compositora para la gloria del Señor. Se deleitaba en la oración, la adoración a Dios y la lectura de la Biblia. A temprana edad sabía de memoria los salmos, los libros de los profetas menores, Isaías y casi todo el Nuevo Testamento.

Compuso varios bellos himnos como el #198 (Mi vida di) y el #410 (Que mi vida). Este último fue escrito durante una velada de oración y alabanza cuando se regocijaba por la conversión de unos amigos.

Más tarde añadió otra estrofa, expresando el amor que sentía por el Señor al ofrendar 50 de sus 52 atesoradas joyas para llenar una necesidad en la obra misionera. La estrofa dice: "Toma tú mi amor que hoy a tus pies vengo a poner; toma todo lo que soy". Para Frances, el dar su corazón a Dios incluía la entrega gozosa de sus pies, manos, voz, tiempo y voluntad — de su vida entera.

Sal. 119:43-56
Sal. 119:97-105
Sal. 119:129-135

Con certidumbre

Padre, tu Palabra 276

Ordena mis pasos con tu palabra. Sal. 119:133

1. Pa - dre, tu Pa - la - bra es mi de - li - cia y mi so - laz;
2. Sí, o - be - dien - te o - í tu voz, en tu gra - cia fuer - za ha - llé,
3. Tu ver - dad es mi sos - tén con - tra du - da y ten - ta - ción,
4. Son tus di - chos, pa - ra mí, pren - das fie - les de sa - lud;

Guí - e siem - pre a - quí mis pies, y a mi al - ma trai - ga paz.
Y con - fir - me pie y ve - loz por tus sen - das ca - mi - né.
Y des - ti - la cal - ma y bien cuan - do a - sal - ta la a - flic - ción.
Da - me, pues, que te oi - ga a ti, con fi - lial so - li - ci - tud.

CORO

Es tu ley, Se - ñor, fa - ro ce - les - tial,

Que en pe - ren - ne res - plan - dor, nor - te y guí - a da al mor - tal.

LETRA: Juan Bautista Cabrera, 1914
MÚSICA: John T. Grape, 1868

ESP

ALL TO CHRIST
7 7 7 7 / Coro
Do

277 Tu Palabra es mi cántico

Cánticos fueron para mí tus estatutos. Sal. 119:54

Sal. 119:43-56
Sal. 119:97-105
Sal. 119:129-135

Con energía

1. Tu Pa - la - bra es mi cán - ti - co; es - pe - ran - za y
2. Tu Pa - la - bra es mi lám - pa - ra, luz di - vi - na y
3. Tu Pa - la - bra es mi gran men - tor; es se - mi - lla, e -
4. Tu Pa - la - bra tra - e li - ber - tad, me con - sue - la en
5. Tu Pa - la - bra es mi a - gua y pan; lim - pia el ser y

go - zo da; Es es - pa - da, ar - ma di - vi - nal y es -
guí - a fiel; Más de - sea - ble que o - ro y pla - ta es, y más
ter - no don; Quie - ro siem - pre en e - lla me - di - tar, ha - llo a -
a - flic - ción; Cual mar - ti - llo, y es - pe - jo es; fue - go
fuer - za da; Le - che y car - ne en - cuen - tro yo a - llí que mi

cu - do con - tra el mal.
dul - ce que la miel.
llí la sal - va - ción.
en el co - ra - zón.
al - ma sos - ten - drá.

CORO

Por la San - ta Bi - blia te a -
Te a - do - ro Cris - to, Rey e -

la - bo, Pa - dre a - man - te, mi Se - ñor;
ter - no; Gra - cias, oh Con - so - la - dor.

LETRA: Basada en los símbolos bíblicos de la Palabra de Dios, Felipe Blycker J., 1980
MÚSICA: Felipe Blycker J., 1980
© 1980 Philip W. Blycker en *Cánticos nuevos de la Biblia. Usado con permiso.*

GUA

UTATLÁN
9797/Coro
Sol

Gracias damos por la Biblia 278

1. Gracias damos por la Biblia, tu Palabra es, Señor;
   Inspiraste al salmista, y al santo historiador.
   El profeta y el apóstol, desde la antigüedad,
   Por tu Espíritu guiados, nos legaron tu verdad.

2. Gracias damos por la Biblia, y por esa multitud
   De escribas abnegados, que con gran exactitud
   A través de muchos siglos, aun en gran persecución,
   Cada letra preservaron, para nuestra bendición.

3. Gracias damos por la Biblia, y por cada traductor
   Que la ha hecho entendible al oyente y lector.
   Y por los que la publican, y el ejército mundial
   Que trabaja esparciendo tu Palabra eternal.

4. Gracias damos por la Biblia, tu Palabra es, Señor;
   La tenemos al alcance, tu mensaje de amor.
   Oh ayúdanos, pedimos, a leerla con afán,
   Y a cumplirla diariamente; sus preceptos vida dan.

Esteban Sywulka B., 1991.

© 1992 Esteban Sywulka B. Usado con permiso. Esta letra se puede
cantar con la música de #108 (Jubilosos) y #482 (Oh qué amigo).

Proclamemos la Palabra 279

Si alguien habla, hable conforme a las palabras de Dios.
Predica la palabra; mantente dispuesto a tiempo y
fuera de tiempo; convence, reprende y exhorta con
toda paciencia y enseñanza.
Porque la Palabra de Dios es viva y eficaz, y más penetrante
que toda espada de dos filos.
Penetra hasta partir el alma y el espíritu, las coyun-
turas y los tuétanos, y discierne los pensamientos y
las intenciones del corazón.
Por esto, la fe es por el oír, y el oír por la palabra de Cristo.
Pues lo que fue escrito anteriormente fue escrito para nuestra enseñanza, a fin de que por la perseverancia y la
exhortación de las Escrituras tengamos esperanza.
¡Cuán hermosos son los pies de los que anuncian
el evangelio de las cosas buenas!

1 Pedro 4:11a; 2 Timoteo 4:2 ; Hebreos 4:12;
Romanos 10:17; 15:4; 10:15b (RVA)

280 Bellas palabras de vida

Con gozo

Las palabras que yo os he hablado son espíritu y son vida. Jn. 6:63

Jn. 6:63-69
Sal. 119:161-168
Sal. 119: 129-135

1. ¡Oh! can-tád-me-las o-tra vez, be-llas pa-la-bras de vi-da;
2. Je-su-cris-to a to-dos da be-llas pa-la-bras de vi-da;
3. Gra-to el cán-ti-co so-na-rá, be-llas pa-la-bras de vi-da;

Ha-llo en e-llas mi go-zo y luz, be-llas pa-la-bras de vi-da.
O-ye su dul-ce voz, mor-tal, be-llas pa-la-bras de vi-da.
Tus pe-ca-dos per-do-na-rá, be-llas pa-la-bras de vi-da.

CORO

Sí, de luz y vi-da son sos-tén y guí-a;
Bon-da-do-so te sal-va, y al cie-lo te lla-ma.
Só-lo Cris-to re-di-me, vi-da nue-va te o-fre-ce.

¡Qué be-llas son,

qué be-llas son! Be-llas pa-la-bras de vi-da; vi-da.

LETRA y MÚSICA: Philip P. Bliss, 1874, ⓟ trad. Julia A. Butler, alt.

WORDS OF LIFE
Metro irreg.
Fa (Capo 1 - Mi)

2 Ti. 4:1-5
1 Ti. 4:11-16
1 Co. 2:1-7

Con vigor

La Palabra del Señor 281

Que prediques la palabra;...redarguye, reprende, exhorta. 2 Ti. 4:2

1. La pa - la - bra del Se - ñor pre - di - cad, pre - di - cad;
2. El e - jem - plo del Se - ñor i - mi - tad, i - mi - tad;
3. La ve - ni - da del Se - ñor es - pe - rad, es - pe - rad;

Con an - he - lo y o - ra - ción, pre - di - cad, pre - di - cad.
Su hu - mil - dad y tier - no a - mor i - mi - tad, i - mi - tad.
El ven - drá, no tar - da - rá, es - pe - rad, es - pe - rad.

An - te el mun - do bur - la - dor sed tes - ti - gos de su a - mor;
Su cons - tan - cia en la o - ra - ción, su pa - cien - cia en la a - flic - ción,
Co - mo sier - vos del gran Rey, tra - ba - jad con ce - lo y fe;

El po - der del Sal - va - dor pre - di - cad, pre - di - cad.
Su bon - dad y com - pa - sión i - mi - tad, i - mi - tad.
Si sem - bráis, re - co - ge - réis; es - pe - rad, es - pe - rad.

LETRA: Enrique S. Turrall, c. 1902
MÚSICA: William J. Kirkpatrick, 1882

ESP

JESUS SAVES
76767776
Fa (Capo 1 - Mi)

282 Sembraré la simiente preciosa

La semilla es la palabra de Dios. Lc. 8:11

Lc. 8:4-15
Mr. 4:1-9
Jn. 4:31-38

1. Sembraré la simiente preciosa del glorioso evangelio de amor.
2. Sembraré en corazones sensibles la doctrina del Dios de perdón.
3. Sembraré en corazones de mármol la bendita palabra de Dios.

Sembraré, sembraré, mientras viva; Dejaré el resultado al Señor. Sembraré, sembraré, mientras viva, simiente de amor. Segaré, segaré, al hallarme en la casa de Dios.

LETRA: Autor descon., trad. Abraham Fernández
MÚSICA: George C. Stebbins, 1878
Para una tonalidad más baja (La♭) ver #590 (Las mujeres).

WHAT MUST IT BE
10 9 10 9 / Coro
Si♭ (Capo 1 - La)

Sal. 119:43-56
Neh. 8:1-10
Esd. 7:1-10

Esdras preparó su corazón   283

Esdras había preparado su corazón para inquirir...la ley. Esd. 7:10

Con ánimo

G
Sol

C
Do

G
Sol

1. Es - dras pre - pa - ró   su co - ra - zón   pa - ra in - qui - rir la
2. Es - dras pre - pa - ró   su co - ra - zón   pa - ra a - sí cum - plir la
3. Es - dras pre - pa - ró   su co - ra - zón   pa - ra en - se - ñar la

♩ 1' 54"

A7
La7

D7
Re7

% G
Sol

ley de Je - ho - vá;   Es - dras pre - pa - ró   su
ley de Je - ho - vá;   Es - dras pre - pa - ró   su
ley de Je - ho - vá;   Es - dras pre - pa - ró   su

C
Do

G
Sol

A7
La7

D7
Re7

G   C   G *Fin*
Sol Do Sol

co - ra - zón   pa - ra in - qui - rir las Es - cri - tu - ras.
co - ra - zón   pa - ra a - sí cum - plir las Es - cri - tu - ras.
co - ra - zón   pa - ra en - se - ñar las Es - cri - tu - ras.

CORO

B7
Si7

Em
Mi m

La bue - na ma - no de Dios es - ta - ba con Es - dras; la

A7
La7

D7
Re7

D. S. al fin

bue - na ma - no de Dios es - ta - ba con Es - dras.

LETRA: Basada en Esdras 7:10, Felipe Blycker J., 1985
MÚSICA: Felipe Blycker J., 1985
© 1985 Philip W. Blycker en *Cánticos nuevos de la Biblia. Usado con permiso.*

MEX

ESDRAS
Metro irreg.
Sol

284 Oh, Verbo encarnado

Sal. 119:88-96
Sal. 119:105-112
2 P. 1:16-21

Santos hombres de Dios hablaron siendo inspirados por el Espíritu Santo. 2 P. 1:21

Con majestuosidad

1. Oh, Ver-bo en-car-na-do, oh, ce-les-tial Ver-dad,
2. Oh Cris-to, a tu I-gle-sia le-gas-te es-te don,
3. De-lan-te de tu pue-blo cual es-tan-dar-te va;
4. Haz que tu I-gle-sia se-a lum-bre-ra, oh Se-ñor,

Sa-bi-du-rí-a e-ter-na, luz en la os-cu-ri-dad,
Que cual bri-llan-te fa-ro pro-ve-e di-rec-ción.
Al mun-do en-vuel-to en nie-blas sus ra-yos pu-ros da;
Que bri-lla en las na-cio-nes con san-to res-plan-dor;

Te lo-a-mos por tu Li-bro que luz e-ter-na da;
Es tu Pa-la-bra ca-ja de jo-yas sin i-gual;
Es brú-ju-la, y car-ta que en tor-men-to-sa mar,
En se-ña al pe-re-gri-no a guiar-se por tu luz,

Cual lám-pa-ra di-vi-na su luz siem-pre da-rá.
Pin-tu-ra que re-tra-ta tu i-ma-gen ce-les-tial.
Por to-dos los pe-li-gros a Cris-to sa-ben guiar.
Se-gu-ro, has-ta ver-te en glo-ria, oh Je-sús.

LETRA: William W. How, 1867, estr. # 1,3 trad. G.P. Simmonds, ● # 2,4 E. Sywulka B.
MÚSICA: De *Meiningisches Gesangbuch*, 1693, arreg. Felix Mendelssohn, 1847
Trad. estr. # 1,3 © 1964 Cánticos Escogidos. Trad. estr. # 2,4 © 1992 Celebremos/Libros Alianza.
Esta letra se puede cantar también con la música de #187 (Cabalga), #203 (Cabeza) y #639 (Tu pueblo).
Para una tonalidad más alta (Mi♭) ver #460 (Amémonos, Hermanos).

MUNICH
7676 D
Re

MI BIBLIA,
LA PALABRA DE DIOS

Te doy gracias, Señor, por tu Palabra, la Santa Biblia. Me deleita leerla, porque por medio de ella te has dado a conocer y me has mostrado el camino de la salvación.

Tu Palabra me es más preciosa que el oro. Es lámpara que ilumina mi senda y pan que alimenta mi alma; es agua que refresca y purifica mi espíritu. Es espejo que me muestra cómo soy y espada en mis luchas contra Satanás.

La Biblia proviene de ti y por lo tanto refleja lo que tú eres. Ella es absolutamente confiable, porque eres fiel y no puedes mentir. Permanece para siempre, porque tú existes eternamente.

Las Escrituras me instruyen en tu voluntad y me capacitan para servirte. En ellas escucho tu voz y al meditar en su mensaje encuentro consuelo y paz.

Con el salmista exclamo, "¡Oh, cuánto amo yo tu ley!" Tus enseñanzas son el tema de mi cántico. Impulsado por tu Palabra, elevo mi voz con notas de loor a ti.

YO HE VENIDO
PARA QUE TENGAN
VIDA.
Y PARA QUE LA
TENGAN EN
ABUNDANCIA.

JUAN 10:10

NUESTRA
Grandiosa Salvación

◁◁◁ 285 REFLEXIÓN: Mi Biblia, la Palabra de Dios

286 Oh, Señor, procuro en vano

Ro. 7: 15-8:2
Gá. 5: 16-25
Ef. 2: 1-10

No hago el bien que quiero, sino el mal que no quiero, eso hago. Ro. 7: 19

1. Oh, Se-ñor, pro-cu-ro en va - no mi con-duc-ta re-for-mar,
2. En tu rei-no es-tá el con-ten - to; na-da im-pu-ro a-llí en-tra-rá;
3. Ven, Es-pí-ri-tu di-vi - no; ven y es-cu-cha mi o-ra-ción;

Pues nin-gún po-der hu-ma - no san-ti-dad me pue-de dar.
Sin el nue-vo na-ci-mien - to nin-gu-na al-ma lo ve-rá.
An - te ti mi fren-te in-cli - no por mi re-ge-ne-ra-ción.

Es mi vi-da de pe-ca - do dia-ria o-fen-sa pa-ra ti;
Mi-ra, pues, mi in-su-fi-cien - cia, mues-tra en mí tu gran po-der;
No va-ci-lo en la es-pe-ran - za; he lle-ga-do a cre-er

Pe - ro mi al-ma ha con-fia - do en tu san-gre car-me-sí.
Ma-ni-fies-ta tu cle-men-cia y de nue-vo haz-me na-cer.
Que la bien-a-ven-tu-ran - za en el cie-lo he de te-ner.

LETRA: Isabel P. Balderas, s. 20
MÚSICA: Melodía latinoamericana
Esta letra se puede cantar también con la música de #172 (Gracias dad),
#329 (Fuente de) y #512 (En las aguas).

BALDERAS
8 7 8 7 D
Re m

Ro. 3: 21-28
Is. 35
2 P. 3: 8-14

Por fe en Jesús, el Salvador 287

Cree en el Señor Jesucristo, y serás salvo. Hch. 16: 31

Con gozo

1. Por fe en Jesús, el Salvador, se ha - ce sal - vo el pe - ca - dor;
2. La vi - da an - ti - gua ya pa - só, y to - do nue - vo se tor - nó;

Sin me - re - cer tan ri - co don, re - ci - be ple - na sal - va - ción.
A - quí cual pe - re - gri - no es, ho - gar con Dios ten - drá des - pués.

CORO

¡Oh, ex - cel - sa gra - cia del a - mor, que Dios per - do - na al pe - ca - dor!

Si pres - to es - tá a con - fe - sar sus cul - pas y en Je - sús con - fiar;

No hay o - tro au - tor de sal - va - ción, pues Cris - to o - bró la re - den - ción.

LETRA: Autor descon., Latinoamérica, s. 20
MÚSICA: John R. Sweney, 1876

L.A.

BEULAH LAND
8 8 8 8 / Coro
Fa (Capo 1 - Mi)

288 El camino romano

La dádiva de Dios es vida eterna en Cristo. Ro. 6:23

Por cuan-to to-dos pe-ca-ron, to-dos pe-ca-ron, y es-tán des-ti-tui-dos de la glo-ria de Dios; Por cuan-to to-dos pe-ca-ron, to-dos pe-ca-ron y es-tán des-ti-tui-dos de la glo-ria de Dios. Por-que la pa-ga del pe-ca-do es muer-te, Mas la dá-di-va de Dios es vi-da, vi-da e-ter-na en Cris-to, Cris-to Je-sús Se-ñor

LETRA: Basada en Romanos 3:23; 6:23; 10:10

MÚSICA: Felipe Blycker J., 1985

© 1985 Philip W. Blycker *en* Cánticos nuevos de la Biblia. *Usado con permiso.*

GRAJALES

Metro irreg.

Fa m (Capo 1 - Mi m)

nues - tro. Por - que con el co - ra - zón, con el co - ra -

zón, se cre - e pa - ra jus - ti - cia, Mas con la bo - ca se con - fie - sa, la

bo - ca se con - fie - sa, Pa - ra sal - va - ción. ción.

Is. 1:16-19
1 Jn. 1
Ap. 7:9-17

Oh, la sangre de Cristo   289

Con emoción

Lávame, y seré más blanco que la nieve. Sal. 51:7

Oh, la san - gre de Cris - to, oh, la san - gre de Cris - to,

Oh, la san - gre de Cris - to de cul - pa me la - vó.

LETRA: Autor descon., s. 20, es trad.
MÚSICA: Compositor descon., s. 20, arreg. F.B.J.
Arreg. © 1992 Celebremos/Libros Alianza. Se prohíbe la reproducción sin autorización.

290 Cristo habita en mi corazón

Jn. 14:23-29
Ro. 8:1-11
Ef. 3:14-21

Que habite Cristo por la fe en vuestros corazones. Ef. 3:17

1. Cris-to ha-bi-ta en mi co-ra-zón; rí-o di-vi-no es su i-nun-da-ción; Por e-llo paz y a-mor mí-os son; Cris-to ha-bi-ta en mí.

2. Cris-to con-mi-go, her-mo-so el don; ho-ras pa-sa-mos en con-ver-sa-ción; Fe-li-ci-dad me da su co-mu-nión; Cris-to ha-bi-ta en mí.

3. Quie-ro que Cris-to con-tro-le mi ser; quie-ro que el mun-do su a-mor pue-da ver. Quie-ro que él se-a mi su-mo pla-cer; Cris-to ha-bi-ta en mí.

LETRA y MÚSICA: Brus del Monte, 1970, alt.
© 1970 Bruce W. Woodman. Usado con permiso.

ARG

CRISTO HABITA
10 10 10 6
Fa (Capo 1 - Mi)

291 Dios muestra su amor

Jn. 3:11-21
Ro. 5:1-11
1 Jn. 4:10-19

Mas Dios muestra su amor para con nosotros. Ro. 5:8

Mas Dios mues-tra su a-mor pa-ra con no-so-tros

LETRA: Basada en Romanos 5:8
MÚSICA: Wyatt Sutton P., 1990
© 1992 Celebremos/Libros Alianza. Se prohíbe la reproducción sin autorización.

HON

TEGUCIGALPA
Metro irreg.
Fa (Capo 1 - Mi)

En que sien - do a - ún pe - ca - do - res, Cris - to mu -

rió por no - so - tros. Cris - to mu - rió por no - so - tros.

Job 33:23-30
1 Ti. 2:1-7
Heb. 12:15-24
Con expresión

Hay un solo Dios 292

Hay un solo Dios, y un solo mediador entre Dios y los hombres. 1 Ti. 2:5

Por - que hay un so - lo Dios, y un so - lo me - dia - dor en - tre Dios y los

hom - bres, Je - su - cris - to el Re - den - tor, quien se dio a sí mis - mo en res -

ca - te al pe - ca - dor. Ven, a - mi - go, y a - cep - ta al Sal - va - dor.

LETRA: Basada en 1 Timoteo 2:5-6
MÚSICA: Felipe Blycker J., 1972
© 1972 *Philip W. Blycker en* Cánticos nuevos de la Biblia. *Usado con permiso.*

GUA

UN DIOS Y MEDIADOR
Metro irreg.
Fa (Capo 1 - Mi)

293 Oh, bondad tan infinita

Tit. 3: 3-8
2 Cr. 6: 40-41
Sal. 145: 1-13

Con firmeza   *¡Cuán grande es tu bondad...para los que te temen! Sal. 31:19*

1. ¡Oh, bondad tan infinita, hacia el mundo pecador,
2. Como el vasto firmamento, como el insondable mar,
3. Aunque fueran tus pecados rojos como el carmesí,

Dios, en Cristo revelando su eternal y santo amor!
Es la gracia salvadora que Jesús al alma da.
En el río del Calvario hay limpieza para ti.

CORO

Es Jesús *Es Jesús* para mí, *para mí,* la esperanza de salud;

Sólo en él *Sólo en él* hallaré *hallaré* la divina plenitud.

LETRA: Autor descon., bas. en letra de Lydia Baxter, 1870
MÚSICA: William H. Doane, 1871

PRECIOUS NAME
8787/Coro
Sol

294 Cuán profundo es tu amor

Ef. 3:14-21
1 Jn. 3:1-3
Tit. 3:3-8

Con intensidad   *De comprender...la profundidad...del amor de Cristo. Ef. 3:18-19*

1. Cúan profundo es tu amor,   (*Cúan profundo es tu amor,*)
2. Siendo yo pecador,   (*Siendo yo pecador,*)
3. Viendo la inmensidad   (*Viendo la inmensidad*)

LETRA y MÚSICA: Autor y compositor descon., Latinoamérica, s. 20, arreg. F. B. J.
Arreg. © 1992 Celebremos/Libros Alianza. Se prohíbe la reproducción sin autorización.

L.A.   CHICAGO
Metro irreg.
Do m (Capo 1 - Si m)

295 Dios al mundo amó

Jn. 3: 11-21
Ro. 5: 1-11
Ef. 2: 4-10

Con emoción

De tal manera amó Dios al mundo, que ha dado a su Hijo. Jn. 3: 16

CONTRAMELODÍA (DISCANTE)

LETRA: Basada en Juan 3:16
MÚSICA: Kit Lloyd, 1979, es arreg.
© 1979, arreg. 1983 Maranatha Music. Usado con permiso.

LLOYD
Metro irreg.
Mi♭(Capo 1 - Re)

Lc. 18: 18-30
Ro. 3: 21-28
Tit. 3: 3-8

Nuestro Dios nos salvó 296

Nos salvó...por su misericordia. Tit. 3: 5

Con admiración

Em / Mi m   B7 / Si 7

(1-2) Nues - tro Dios nos sal - vó, no por o - bras que no - so - tros hu - bié - ra - mos

G 1' 36"

Em / Mi m   D7 / Re7   G / Sol

he - cho, Si - no por su mi - se - ri - cor - dia
1. Nos la -
2. Por su Es -

Am / La m   B7 / Si 7   Em / Mi m

vó y nos re - ge - ne - ró.
pí - ri - tu nos re - no - vó.
Nues - tro Dios nos sal - vó por su

B7 / Si 7   Em / Mi m

gra - cia; nues - tro Dios nos sal - vó por su a - mor.

GUA

LETRA: Basada en Tito 3:5
MÚSICA: Carlos Enrique Ajquejay A., 1989, arreg. Pablo Sywulka B.
© 1992 Celebremos/Libros Alianza. Se prohíbe la reproducción sin autorización.

PATZICIA
Metro irreg.
Mi m

A ti me vuelvo 297

A ti me vuelvo, gran Señor que alzaste
a costa de tu sangre y de tu vida
la mísera de Adán primer caída,
y adonde él nos perdió nos recobraste;

A ti, Pastor bendito, que buscaste
de las cien ovejuelas la perdida,
hallándola del lobo perseguida,
sobre tus hombros santos te la echaste.

Miguel de Cervantes Saavedra, s. 16

298 ¿Qué me puede dar perdón?

1 Jn. 1
Heb. 9: 13-22
Tit. 2: 11-15

Con firmeza

Sin derramamiento de sangre no se hace remisión. Heb. 9: 22

1. ¿Qué me pue - de dar per - dón? só - lo de Je - sús la san - gre;
2. Fue el res - ca - te e - fi - caz só - lo de Je - sús la san - gre;
3. Ve - o pa - ra mi sa - lud só - lo de Je - sús la san - gre;
4. Can - ta - ré jun - to a sus pies, só - lo de Je - sús la san - gre;

¿Y un nue - vo co - ra - zón? só - lo de Je - sús la san - gre.
Tra - jo san - ti - dad y paz só - lo de Je - sús la san - gre.
Tie - ne de sa - nar vir - tud só - lo de Je - sús la san - gre.
El Cor - de - ro dig - no es, só - lo de Je - sús la san - gre.

CORO

Pre - cio - so es el rau - dal que lim - pia to - do mal;

No hay o - tro ma - nan - tial, só - lo de Je - sús la san - gre.

LETRA y MÚSICA: Robert Lowry, 1876, trad. H. W. Cragin

PLAINFIELD
Metro irreg.
Fa (Capo 1 - Mi)

Pedro Castro Iriarte (1840-1887)

El joven trabajaba como cajista en una imprenta cuando llegó un pedido de imprimir los primeros folletos evangélicos en Madrid. Mientras armaba cada frase, letra por letra, el mensaje de la literatura le llamó la atención a Pedro Castro.

Por ese tiempo Antonio Carrasco y dos ingleses empezaron a tener reuniones evangelísticas en la imprenta todas las mañanas. Contestaron las inquietudes del joven con respuestas bíblicas. Así, Pedro conoció el Evangelio y empezó una vida de servicio al Señor. Fue un hombre de letras, pasando del oficio de imprenta a ser un escritor y poeta muy respetado. Produjo abundante prosa y poesía, y sus bellos cuentos para niños tienen la calidad de los clásicos. Fue, además, autor y traductor de muchos himnos favoritos en España y las Américas. Algunos son: #270 (Santa Biblia) y #503 (Despertad).

Sirvió fielmente como pastor durante una época difícil de persecución y revolución. Dios lo usó para organizar la primera iglesia en Valladolid y nuevas congregaciones en Madrid.

Por fe contemplo redención 299

Is. 1: 16-19
Ap. 7: 9-17
Ap. 1: 12-19

Con certidumbre

Mas el justo por su fe vivirá. Hab. 2: 4

1. Por fe con - tem - plo re - den - ción, la fuen - te car - me - sí;
2. Mi vi - da en - tre - go a mi Je - sús; las du - das él qui - tó;
3. ¡Cuán in - e - fa - ble go - zo es sa - ber que sal - vo soy!
4. ¡Oh, gra - cia ex - cel - sa de mi Dios! Pro - fun - do es el a - mor

Je - sús nos da la sal - va - ción; su vi - da dio por mí.
Mi al - ma go - za en su luz; mis deu - das él pa - gó.
Mi Rey a - quí es mi Je - sús; al cie - lo sé que voy.
De mi Je - sús, di - vi - na luz, Cor - de - ro re - den - tor.

CORO

La fuen - te sin i - gual ha - llé, de vi - da y luz el ma - nan - tial;

¡Oh, glo - ria a Dios, me lim - pia a mí, me lim - pia a mí, me lim - pia a mí!

LETRA y MÚSICA: Phoebe Palmer Knapp, 1873, trad. H. C. Ball ⦿
Esta letra (estrofa) se puede cantar con la música de #36 (Oh, Dios),
#49 (Oh que tuviera) y #300 (Sublime).

CLEANSING WAVE
8 6 8 6/Coro
Mi♭ (Capo 1 - Re)

NUESTRA GRANDIOSA SALVACIÓN

300 Sublime Gracia

Siendo justificados...mediante la redención que es en Cristo Jesús. Ro. 3: 24

Jn. 9: 24-33
Ro. 3: 21-28
Ef. 1: 3-14

1. Su - bli - me gra - cia del Se - ñor que un in - fe - liz sal - vó;
2. Su gra - cia me en - se - ñó a te - mer; mis du - das ahu - yen - tó;
3. En los pe - li - gros o a - flic - ción que yo he te - ni - do a - quí,
4. Y cuan - do en Sion por si - glos mil bri - llan - do es - té cual sol,

Fui cie - go mas hoy mi - ro yo, per - di - do y él me ha - lló.
¡Oh cuán pre - cio - so fue a mi ser cuan - do él me trans - for - mó!
Su gra - cia siem - pre me li - bró y me guia - rá fe - liz.
Yo can - ta - ré por siem - pre a - llí su a - mor que me sal - vó.

LETRA: Estr. #1-3 John Newton, 1779, #4 en *Collection of Sacred Ballads*, 1790,
trad. Cristóbal E. Morales
MÚSICA: Melodía americana en *Virginia Harmony*,1831, arreg. Edwin O. Excell, 1900, alt.
Esta letra se puede cantar también con la música de #51 (Nuestra), #195 (Rasgóse el velo)
y #262 (Divino Espíritu). (Vea adjunta al #251)

AMAZING GRACE
8 6 8 6
Sol

301 ¿Sabes dónde hay una fuente?

1.¿Sabes dónde hay una fuente pura de divino amor,
Cuyas aguas celestiales manan con ferviente ardor?
Esta fuente inagotable, de eficacia y de valor
Es el Redentor bendito, el precioso Salvador.

Coro: Es Jesús la viva fuente, donde he apagado yo
Esa sed que consumía mi cuitado corazón.

2. Esa fuente siempre pura, nunca su cristal perdió;
Y sus aguas refrescantes se te ofrecen, pecador.
Si sediento y fatigado a Jesús, la fuente, vas,
Satisfecho y aliviado al momento quedarás.

3. ¡Oh! recibe pues su oferta, no rechaces, no, su amor;
Díle: "De esas aguas dame, y sabré su gran valor".
Sin dinero, y sin precio, se te ofrece el grato don:
Vida eterna, paz y gozo, de tus culpas el perdón.

 Isabel Lawrence, 1893, basada en una poesía de Philip Bliss, 1874
Esta letra se puede cantar con la música de #553 (Muy cercano).

2 Co. 5:11-21
Fil. 1:21-26
2 Ti. 1:6-13

Sin Cristo yo no tengo nada **302**

Si alguno está en Cristo, nueva criatura es. 2 Co. 5:17

Con convicción

1. Sin Cris-to yo no ten-go na - da; sin Cris-to no hay sal - va - ción; Sin Cris-to yo voy por la vi - da co-mo bar - co sin ti - món.

2. Sin Cris-to mi al-ma es-tá muer - ta; sin Cris-to es-cla-vo yo soy; Sin Cris-to no hay es-pe-ran - za, mas con él yo sal-vo soy.

CORO

¡Cris - to, oh Cris - to! Si has o - í - do su voz, ven, a - cép-ta-le hoy. ¡Oh Cris-to, oh Cris - to! con él se-gu-ro es-toy.

LETRA y MÚSICA: Mylon R. LeFevre, 1963, trad. Tony Arango, alt.
© 1963 *LeFevre Sing Publishing*, admin. William J. Gaither. Usado con permiso.

WITHOUT HIM
Metro irreg.
Fa (Capo 1 - Mi)

303 ¿Sabes tú de Cristo?

Jn. 17: 1-8
Mt. 11: 25-30
Jn. 12: 20-32

Con emoción

Y esta es la vida eterna: que te conozcan a ti. Jn. 17: 3

1. ¿Vi - ves can - sa - do y tris - te? ¿Es gran - de tu a - flic - ción?
2. ¿A quién te a - cer - cas, di - me, cuan - do te a - co - sa el mal?
3. En tus de - si - lu - sio - nes, tu llan - to en - ju - ga - rá;

¿Tu in - quie - tud per - sis - te? ¿Bus - cas fe - liz pro - tec - ción?
Y cuan - do tu al - ma gi - me, ¿quién es tu paz e - ter - nal?
En ru - das ten - ta - cio - nes, tu rue - go con - tes - ta - rá.

CORO

¿Sa - bes tú ¿Sa - bes tú de Cris - to? ¿Le co - no ¿Le co -

- ces ya? no - ces ya? En su a - mor En su a - mor ben - di -

to sal - va - ción y po - der te da - rá. te da - rá.

LETRA y MÚSICA: W. F. Lakey y V. B. Ellis, 1957, trad. Honorato Reza
© 1957, ren. 1985 Lillenas Publishing Co. Usado con permiso.

DO YOU KNOW MY JESUS
Metro irreg.
Si ♭ (Capo 1 - La)

¿Has hallado en Cristo? 304

1 Jn. 1
Ro. 5: 1-11
Ro. 3: 21-28

La sangre de Jesucristo...nos limpia de todo pecado. 1 Jn. 1: 7

Con vigor

1. ¿Has ha-lla-do en Cris-to tu buen Sal-va-dor? ¿E-res sal-vo por la san-gre de Je-sús? ¿Por la fe des-can-sas en el Re-den-tor? ¿E-res sal-vo por la san-gre de Je-sús?
2. ¿Vi-ves siem-pre al la-do de tu Sal-va-dor? ¿E-res sal-vo por la san-gre de Je-sús? ¿Del pe-ca-do e-res siem-pre ven-ce-dor? ¿E-res sal-vo por la san-gre de Je-sús?
3. ¿Cuan-do él vi-nie-re te en-con-tra-rás ya la-va-do en la san-gre de Je-sús? ¿Pa-ra su ve-ni-da pre-pa-ra-do es-tás, ya la-va-do en la san-gre de Je-sús?
4. Si per-dón y paz de-se-as, pe-ca-dor, tu re-fu-gio es la san-gre de Je-sús. Si li-brar-te quie-res de e-ter-nal do-lor, oh, a-cu-de a la san-gre de Je-sús.

CORO

Lá-va-me, lá-va-me, en tu san-gre, Cor-de-ro de Dios, Y con al-ma lim-pia me pre-sen-ta-ré an-te tu tri-bu-nal de luz.

LETRA y MÚSICA: Elisha A. Hoffman, 1878, trad. H. W. Cragin

WASHED IN THE BLOOD
11 11 11 11 / Coro
La♭ (Capo 1 - Sol)

305 Ven a los pies de Jesús

Hch. 16: 23-34
Jn. 20: 11-18
Jn. 3: 11-21

Con intensidad

Y ellas, acercándose, abrazaron sus pies, y le adoraron. Mt. 28: 9

1. Ven a los pies de Je - sús; ven, no des -
2. O - ye la voz del Se - ñor; mi - ra su in -
3. Vuel - ve tus o - jos a Dios; vuel - ve, es -
4. A - bre-le tu co - ra - zón a quien te o -

pre - cies su cruz. Ven por la sen-da de luz,
men-so do - lor. Pien - sa en que Dios es a - mor,
cu - cha su voz. Y ya no más se - rán dos,
fre - ce per - dón, Quien con su cru-ci - fix - ión

Por la sen-da de luz que es tan só - lo Je - sús, quien to-man-do su
En que Dios es a - mor; su-frió in-ten-so do - lor por ha-cer-te el fa -
U - no so-lo con Dios, u - no so - lo con Dios; ven y bus - ca ve-
Con-su-mó re-den-ción, o - fre-cien-do el per-dón y la con - so-la-

cruz, te brin-dó sal-va - ción; mi-ra al Mon - te de Sion. Sion.
vor de brin-dar-te sa-lud en su gran ple - ni - tud. tud.
loz a - quel be-llo pa - ís do se - rás más fe - liz. liz.
ción, pues él qui-so mo - rir pa-ra ha-cer-nos vi - vir. vir.

LETRA y MÚSICA: Alfredo Colom M., 1954, ◉ es arreg.
© 1954, ren. 1982 Singspiration Music. Usado con permiso.

GUA

VEN A LOS PIES
Metro irreg.
Mi m

306

1. Cristo la ruta para tu felicidad

EL CAMINO A LA FELICIDAD

8. FELICIDAD ETERNA la tienes en DIOS

PECADO

2. Tu eres pecador separado de DIOS

7. RECONCILIADO con DIOS por Cristo

3. El pecado te trajo muerte eterna

6. Por gracia y fe eres SALVO

4. DIOS te muestra su amor

5. CREE en el Señor JESUCRISTO

DIOS TE DICE EN LA BIBLIA:
1. Yo he venido para que tengan vida, y la tengan en abundancia. *Juan 10:10.*
2. Pero vuestras iniquidades han hecho división entre vosotros y vuestro Dios. *Isaías 59:2.*
3. La paga del pecado es muerte. *Romanos 6:23.*
4. Mas Dios muestra su amor para con nosotros, en que siendo aún pecadores, Cristo murió por nosotros. *Romanos 5:8.*
5. Cree en el Señor Jesucristo y serás salvo. *Hechos 16:31.*
6. Porque por gracia sois salvos por medio de la fe; y esto no de vosotros, pues es don de Dios; no por obras, para que nadie se glorie. *Efesios 2:8-9.*
7. Porque cuando éramos enemigos, fuimos reconciliados con Dios por la muerte de su Hijo. *Romanos 5:10.*
8. El que cree en el Hijo tiene vida eterna. *Juan 3:36.*

TU DECISIÓN:
Si quieres la vida feliz y eterna, Dios sólo te pide que creas en Jesucristo como tu único Salvador personal. Hoy mismo lo puedes hacer. Dile a Dios estas palabras:

Dios mío, soy un triste pecador, condenado a muerte eterna. Pongo toda mi fe en Jesucristo que murió en la cruz en mi lugar y perdona todos mis pecados. Hoy recibo a tu Hijo como mi único y personal Salvador. Sé que mis obras no me salvan. Ahora soy salvo y feliz eternamente, todo esto es un regalo que tú me das. Te doy las gracias, Padre mío, por medio de Cristo mi único mediador.

Ve hoy mismo a una iglesia evangélica y cuéntaselo al pastor y a los líderes. Ellos te dirán qué hacer para crecer en tu nueva vida cristiana.

¡BIENVENIDO A LA FAMILIA DE DIOS!

307 Nuestra vida acabará

Hch. 26: 15-29
Is. 40: 1-8
Mt. 11: 25-30

Por poco me persuades a ser cristiano. Hch. 26: 28

Con firmeza

1. Nues - tra vi - da a - ca - ba - rá, cual las ho - jas ca - e - rá,
2. Pier - de el hom - bre su vi - gor, se mar - chi - ta cual la flor,
3. Cla - ma a Dios de co - ra - zón con sin - ce - ra con - tri - ción;

cual el haz se li - ga - rá: bus-ca a Dios. Vue - la ca - da día ve-
se di - si - pa cual va - por: bus-ca a Dios. Co - mo el rí - o a pri - sa
por Je - sús Dios da per - dón: bus-ca a Dios. Si no es - cu - chas al Se-

(D.S.) tre - ves a es - pe-

loz y vo - lan - do da su voz: "Ven a dar tu cuen - ta a Dios".
va has - ta en - trar al vas - to mar, vas a - sí a la e - ter - ni - dad:
ñor, si des - pre - cias su per - dón, te a - ca - rre - as per - di - ción:

rar, Dios la puer - ta ce - rra - rá y di - rá, "Es tar - de ya".

Fin CORO

Bus - ca a Dios. Bus - ca a Dios, bus - ca a Dios;
bus - ca a Dios. *Bus - ca a Dios,* *bus - ca a Dios;*
bus - ca a Dios.

Bus - ca a Dios.

LETRA y MÚSICA: William J. Kirkpatrick, s. 19, trad. Enrique S. Turrall

BE IN TIME
Metro irreg.
Mi♭(Capo 1 - Re)

D. S. al Fin

en - tre tan - to ten - gas tiem - po, bus - ca a Dios. Si te a-
bus - ca aDios.

Jn. 6: 37-40
Jn. 10: 1-15
Jn. 5: 36-40

Con devoción

Tal como soy 308

El que por mí entrare, será salvo. Jn. 10: 9

•1. Tal co - mo soy, de pe - ca - dor, sin más con -
•2. Tal co - mo soy, bus - can - do paz en mi des -
•3. Tal co - mo soy, me a - co - ge - rás; per - dón, a -
•4. Tal co - mo soy, tu com - pa - sión ven - ci - do ha

fian - za que tu a - mor, Ya que me lla - mas,
gra - cia y mal te - naz, Con - flic - to gran - de
li - vio me da - rás, Pues tu pro - me - sa
to - da o - po - si - ción; Ya per - te - nez - co

a - cu - dí; Cor - de - ro de Dios, he - me a - quí.
sien - to en mí; Cor - de - ro de Dios, he - me a - quí.
ya cre - í; Cor - de - ro de Dios, he - me a - quí.
só - lo a ti; Cor - de - ro de Dios, he - me a - quí.

LETRA: Charlotte Elliott, 1834, 🔵 trad. T. M. Westrup 🔵
MÚSICA: William B. Bradbury, 1849 🔵
Esta letra se puede cantar también con la música de #407 (Me guía),
#516 (La cruz) y #567 (En la mansión).

WOODWORTH
8 8 8 8
Mi ♭ (Capo 1 - Re)

309 Toma de la fuente de agua

Jn. 4: 4-15
Is. 55
Jn. 7: 37-46

El que bebiere del agua que yo le daré, no tendrá sed jamás. Jn. 4: 14

1. Va - gué se - dien - to en el pe - ca - do a - bru - ma - dor, y na - da a mi al - ma dio sa - tis - fac - ción; Mas cuan - do fui a la cruz de Cris - to el Sal - va - dor, a - gua a - bun - dan - te ha - lló mi co - ra - zón.

2. ¡Oh cuán dul - ce rau - dal de Dios bro - tan - do es - tá! Fe - li - ci - dad y go - zo me brin - dó. En glo - ria, gra - cia y ben - di - ción mi vi - da i - rá; por e - so ¡A - le - lu - ya! can - to yo.

3. Oh pe - ca - dor ¿por qué a Je - sús no vie - nes hoy y a - sí su a - gua de vi - da a - cep - tar? El di - ce, "Fuen - te de a - gua e - ter - na y li - bre soy; la sed de tu al - ma pue - do a - pla - car".

CORO
To - ma de la fuen - te de a - gua vi - va, fuen - te e - ter - nal, a - gua del rau - dal; fuen - te de a - gua vi - va ce - les - tial.

LETRA y MÚSICA: John W. Peterson, 1950, trad. Aarón Espinosa
© 1950, ren. 1978, John W. Peterson. *Usado con permiso.*

LIVING WATER
Metro irreg.
Sol

Pecador, ven a Cristo Jesús **310**

Stg. 4: 7-10
Jn. 7: 37-46
1 Ti. 1: 12-17
Con ánimo

Si alguno tiene sed, venga a mí y beba. Jn. 7: 37

1. Pe - ca - dor, ven a Cris - to Je - sús, y fe - liz pa - ra
2. Si cual hi - jo que ne - cio pe - có, vas bus - can - do a sus
3. Si en pe - ca - do te sien - tes mo - rir, él se - rá tu Doc-
4. O - ve - jue - la que hu - yó del re - dil, ¡He a - quí tu be -

siem - pre se - rás, Que si tú le qui - sie - res te - ner,
pies com - pa - sión, Tier - no Pa - dre en Je - sús ha - lla - rás,
tor ce - les - tial, Y ha - lla - rás en su san - gre tam - bién
nig - no Se - ñor! Y en los hom - bros lle - va - da se - rás

al di - vi - no Se - ñor ha - lla - rás.
y ten - drás en sus bra - zos per - dón. CORO Ven a él, ven a
me - di - ci - na que cu - re tu mal. pe - ca - dor,
de tan dul - ce y a - man - te Pas - tor.

él, que te es - pe - ra tu buen Sal - va - dor; Ven a él,
pe - ca - dor, pe - ca - dor,

ven a él, que te es - pe - ra tu buen Sal - va - dor.
pe - ca - dor,

LETRA: Pedro Castro Iriarte, 1886
MÚSICA: Joseph P. Webster, 1868

ESP

SWEET BY AND BY
9 9 9 9 / Coro
Sol

311 ¿Quieres ser salvo?

En quien tenemos redención por su sangre. Col. 1: 14

Ap. 12: 10-12a
Col. 1: 9-14
Ap. 5

Con firmeza

1. ¿Quie-res ser sal-vo de to-da mal-dad? Tan só-lo hay po-der en mi Je-sús. ¿Quie-res vi-vir y go-zar san-ti-dad? Tan só-lo hay po-der en Je-sús.
2. ¿Quie-res ser li-bre de or-gu-llo y pa-sión? Tan só-lo hay po-der en mi Je-sús. ¿Quie-res ven-cer to-da cruel ten-ta-ción? Tan só-lo hay po-der en Je-sús.
3. ¿Quie-res ser-vir a tu Rey y Se-ñor? Tan só-lo hay po-der en mi Je-sús. Ven, y ser sal-vo po-drás en su a-mor; Tan só-lo hay po-der en Je-sús.

CORO

Hay po-der, po-der, hay po-der, sin i-gual po-der en Je-sús en Je-sús quien mu-rió; quien mu-rió; Hay po-der, hay po-der, po-der, sin i-gual po-der en la san-gre que él ver-tió.

LETRA y MÚSICA: Lewis E. Jones, 1899, trad. D. A. Mata

POWER IN THE BLOOD
Metro irreg.
Si♭ (Capo 1 - La)

Is. 55
Jn. 14: 1-10
Mt. 11: 25-30

A Jesucristo ven sin tardar 312

Al que a mí viene, no le echo fuera. Jn. 6: 37

Con fervor

1. A Je - su - cris - to ven sin tar - dar, que en - tre no - so - tros
2. Pien - sa que él so - lo pue - de col - mar tu tris - te pe - cho
3. Su voz es - cu - cha sin va - ci - lar, y gra - to a - cep - ta

hoy él es - tá, Y te con - vi - da con dul - ce a - fán,
de go - zo y paz, Y por - que an - he - la tu bien - es - tar,
lo que hoy te da; Tal vez ma - ña - na no ha - brá lu - gar;

(D.S.) Con - ti - go es - te - mos en co - mu - nión

CORO

tier - no di - cien - do: "Ven".
vuel - ve a de - cir - te: "Ven". ¡Oh cuán gra - ta
no te de - ten - gas, Ven.

go - zan - do e - ter - no bien!

nues - tra re - u - nión, cuan - do a - llá, Se - ñor, en tu man - sión,

LETRA y MÚSICA: George F. Root, 1870, trad. Juan B. Cabrera

COME TO THE SAVIOR
Metro irreg.
Si ♭ (Capo 1 - La)

Oh mi santo Dios (Vea #363)

A pesar de la fuerte propaganda y persecución en contra de la fe cristiana en su país, muchos rusos han encontrado en Dios la vida eterna y descanso para su alma, en las últimas décadas. El himno #363 (Oh mi santo Dios) ha sido uno de sus cantos favoritos.

Expresa la paz y la seguridad que da Jesucristo, y que ningún sistema humano es capaz de proveer. El himno fue traído al continente americano por un joven de Moscú, que vino a prepararse para volver a Rusia como pastor.

313 Ven amigo a Jesús

Jn. 1: 35-46
Heb. 7: 22-28
Mt. 11: 25-30

Por lo cual puede...salvar...a los que por él se acercan a Dios. Heb. 7: 25

1. Ven a-mi-go a Je - sús, pues él mu-rió por ti;
2. Las ma-nos del Se - ñor se a-bren hoy pa-ra ti;

Re-ci-bi-rás la luz que quie-re dar-te a ti. Mi buen Je-
Ven y con-fí-a en él, y se-rás muy fe-liz. Tus cui-tas

sús mu-rió pa-ra dar-te per-dón; A-bre tu co-ra-
pon en Dios, pues él las lle-va-rá; Qui-ta-rá tu pe-

zón y dul-ce paz ten-drás. Dí-a fa-tal ven-drá
sar por su con-so-la-ción.

cuan-do no ha-brá lu-gar; La puer-ta se a-bre hoy, y tú po-

LETRA y MÚSICA: Juan M. Isáis, 1960
© 1960 Juan M. Isáis. Usado con permiso.

MEX

VEN AMIGO A JESUS
Metro irreg.
Do m (Capo 1 - Si m)

drás en - trar. Más gra - cia ya no ha - brá, pues des - pre - cias - te
hoy; A - cep - ta, pe - ca - dor, la sal - va - ción de Dios.

Ro. 4: 6-8
Ap. 22: 1-7
Jn. 10: 1-15

Vida nueva encontré 314

Dios...nos dio vida juntamente con Cristo. Ef. 2: 4-5

1. Ya mi vi - da se la de - bo a Je - sús, por - que él mu -
2. Yo me rin - do a los pies de Je - sús mi Se - ñor, por - que
3. Pe - ca - dor, el San - to Es - pí - ri - tu te lla - ma a ti; ven a

rió en la cruz por mí.
fui un in - fiel pe - ca - dor.   Vi - da nue - va en - con - tré en la
Cris - to y sal - vo se - rás.

cruz de Je - sús por - que Cris - to mi deu - da pa - gó.

LETRA y MÚSICA: Adán A. Calderón, 1956, arreg. F. B. J.
© 1956 Singspiration Music. Usado con permiso.   L.A.

VIDA NUEVA ENCONTRÉ
Metro irreg.
Fa (Capo 1 - Mi)

315 Visión Pastoral

¿No deja las noventa y nueve y va por los montes a buscar? Mt. 18:12

Mt. 18:10-14
Lc. 15:1-10
Jn. 10:1-15

Con sentimiento

1. E - ran cien o - ve - jas, las de su re - ba - ño;
2. Es - ta an - ti - gua his - to - ria vuel - ve a re - pe - tir - se;
3. Si tú e - res un al - ma que su - fre an - gus - tia

e - ran cien o - ve - jas que a - man - te cui - dó, Pe - ro u - na
hay a - ún o - ve - jas que e - rra - bun - das van; Con el al - ma
de sen - tir - se so - la en cruel lo - bre - guez, Hoy te trai - go

tar - de al con - tar - las to - das, Le fal - ta - ba
ro - ta van por los co - lla - dos, Tem - blan - do de
nue - vas, nue - vas de gran go - zo; Es el e - van -

u - na, le fal - ta - ba u - na y tris - te llo -
frí - o, va - gan - do en el mun - do, sin Dios y sin
ge - lio que sal - va y re - di - me y te da la

LETRA y MÚSICA: Juan Romero, 1969, arreg. F. B. J.
© 1969 Juan Romero. Usado con permiso.

MEX

VISIÓN PASTORAL
Metro irreg.
Mi ♭ (Capo 1 - Re)

ró. / Las no-ven-ta y nue-ve de-jó en el a-
luz. / Pe-ro to-da ví-a ex-is-ten pas-
luz. / Se-a en la mon-ta-ña o en la cum-bre a

pris-co, y por la mon-ta-ña a bus-car-la fue;
to-res que por la mon-ta-ña a bus-car-las van,
gres-te, ya fue-ra en el va-lle o en a-bis-mo cruel,

La en-con-tró llo-ran-do, tem-blan-do de frí-o; Un-gió sus he-
Y cuan-do las ha-llan, las traen al ca-mi-no, Al ca-mi-no
Cris-to el buen Pas-tor quie-re en pas-tos ver-des Con-for-tar tu

ri-das, la car-gó en sus hom-bros y al re-dil vol-vió.
bue-no, la ver-dad y vi-da que es Cris-to el Se-ñor.
al-ma, ven-dar tus he-ri-das y dar-te la paz.

Tomás M. Westrup (1837-1909)
Hace más de un siglo la familia Westrup salió de Londres y se radicó en México, cuando Tomás cumplía apenas quince años. Construyeron un molino para elaborar harina de pan; pero hoy se recuerdan porque llegaron a conocer el "pan espiritual" de que habla Cristo en Mateo 4:4. En Monterrey entendieron el mensaje de la Biblia, y pronto cada uno pudo testificar: "Ya pertenezco sólo a ti, Cordero de Dios, heme aquí". Son las palabras del himno #308 (Tal como soy), que Tomás tradujo del inglés. Tanto él como su hijo, Enrique, fueron usados por Dios para escribir y traducir centenares de himnos. Consiguieron una imprenta y publicaron libros, tratados y un himnario de tres volúmenes: *Incienso Cristiano*.

316 Con voz benigna

Sal. 95: 1-7
Jn. 11: 17-29
Sal. 100

Con seguridad — *El Maestro está aquí y te llama. Jn. 11: 28*

1. Con voz be-nig-na te lla-ma Je-sús: in-vi-ta-ción
2. A los can-sa-dos con-vi-da Je-sús: con com-pa-sión
3. Siem-pre a-guar-dan-do con-tem-pla a Je-sús: ¡tan-to es-pe-rar,

de pu-ro a-mor. ¿Por qué le de-jas en va-no lla-mar?
mi-ra el do-lor. Tráe-le tu car-ga, te ben-de-ci-rá;
con tan-to a-mor! Has-ta sus plan-tas ven, mí-se-ro, y trae

¿Sor-do se-rás, pe-ca-dor?
te a-yu-da-rá el Se-ñor.
tu ten-ta-ción, tu do-lor.

CORO

Hoy te con-vi-da, hoy te con-vi-da; Voz ben-de-ci-da, be-nig-na con-ví-da-te hoy.

LETRA: Fanny J. Crosby, 1883, trad. T. M. Westrup
MÚSICA: George C. Stebbins, 1883

CALLING TODAY
10 8 10 7 / Coro
Si ♭ (Capo 1 - La)

Sal. 143
Sal. 25: 1-10
Mt. 11: 25-30
Con intensidad

Oh Señor, recíbeme cual soy 317

Dios, ten piedad de mí, pecador. Lc. 18: 13 (BLA)

1. Oh Se-ñor, re-cí-be-me cual soy, ya no más, ya no quie-ro pe-
2. Oh Se-ñor, to-ma mi co-ra-zón y haz-lo tu-yo por la e-ter-ni-
3. Pe-ca-dor, tú que va-gas sin Dios, ven a-ho-ra y a-cep-ta al Se-

car. Del pe-ca-do me quie-ro a-par-tar; jus-ti-fi-ca mi
dad. Llé-na-me de tu san-ta bon-dad, y en mi al-ma tú
ñor. Él te quie-re im-par-tir su per-dón; él te quie-re sal-

ser, da-me tu dul-ce paz y tu gran ben-di-ción.
pon u-na nue-va can-ción de paz y dul-ce a-mor.
var, él te quie-re a-yu-dar; hoy a-cep-ta el per-dón.

LETRA y MÚSICA: Juan M. Isáis, 1958
© 1958 Juan M. Isáis. Usado con permiso.

MEX

RECÍBEME
Metro irreg.
Do

Fanny J. Crosby (1820-1915)
La abuela mecía a su pequeña nieta, prometiéndole ser sus "ojos". La recién nacida había quedado ciega como resultado de una receta médica equivocada. En el regazo de su abuelita, Fanny aprendió de memoria muchos libros de la Biblia. Le entregó su vida a Cristo a los 31 años. Después, con todo el conocimiento bíblico que tenía, escribió unos 9,000 himnos.

Siempre oraba al Señor pidiéndole su dirección antes de escribir cualquier himno; pero un día no encontraba las palabras para cierta composición musical que le habían asignado. De repente se acordó que no había orado y se arrodilló para encomendarle el asunto a Dios. El resultado feliz de la oración fue que Fanny pudo dictarle a su secretaria todas las estrofas del #323 (Lejos de mi Padre Dios).

En cierta ocasión, alguien quiso consolarla por la tragedia de ser ciega. Ella respondió que no se lamentaba, pues al llegar al cielo el primer rostro que vería sería el de su Salvador.

318 A los sedientos, venid

Jn. 7: 37-46
Is. 55
Jn. 4: 4-15

Con ternura   *A todos los sedientos: Venid a las aguas. Is. 55: 1*

1. A los se-dien-tos, ve-nid a las a-guas, y los can-sa-dos, venid con va-lor; Hay u-na fuen-te pre-cio-sa de vi-da
que sa-tis-fa-ce del al-ma el cla-mor.

2. ¿Vi-ves a-ta-do a los go-ces del mun-do? ¿Vi-ves can-sa-do de
tan-to va-gar? ¿Hay en tu ser un an-he-lo pro-fun-do?
Ven a Je-sús; él te quie-re sal-var.

3. A los cre-yen-tes se o-fre-ce la gra-cia que sa-tis-fa-ce de
to-da an-sie-dad, Que ca-pa-ci-ta, que lim-pia, que sa-cia:
San-ta pro-me-sa de to-da ver-dad.

CORO

A-guas ten-drá el que vi-ve se-dien-to; rí-os ha-brá en el se-ca-dal; Bus-ca al Se-ñor mien-tras pue-des ha-llar-lo; cla-ma a él y sal-va-do se-rás.

LETRA: Lucy J. Rider, 1884, trad. Honorato Reza
MÚSICA: Lucy J. Rider, 1884, arreg. Floyd W. Hawkins
Trad. © 1962, ren. 1990, arreg. 1958, ren.1986 Lillenas Publishing Co. Usado con permiso.

RIDER
11 10 11 10/Coro
Sol

Vino una mujer de Samaria a sacar agua; y Jesús le dijo: Dame de beber. Pues sus discípulos habían ido a la ciudad a comprar de comer.

La mujer samaritana le dijo: ¿Cómo tú, siendo judío, me pides a mí de beber, que soy mujer samaritana? Porque los judíos y samaritanos no se tratan entre sí.

Respondió Jesús y le dijo: Si conocieras el don de Dios, y quién es el que te dice: Dame de beber; tú le pedirías, y él te daría agua viva.

Cualquiera que bebiere de esta agua, volverá a tener sed; mas el que bebiere del agua que yo le daré, no tendrá sed jamás; sino que el agua que yo le daré será en él una fuente de agua que salte para vida eterna.

La mujer le dijo: Señor, dame esa agua, para que no tenga yo sed, ni venga aquí a sacarla.

Y creyeron muchos más por la palabra de él, y decían a la mujer:

Ya no creemos solamente por tu dicho, porque nosotros mismos hemos oído, y sabemos que verdaderamente éste es el Salvador del mundo, el Cristo.

Versos de Juan 4

Cual la mar hermosa

Cual la mar hermosa es la paz de Dios,
fuerte y gloriosa, es eterna paz,
grande y perfecta, premio de la cruz,
fruto del Calvario, obra de Jesús.

En el gran refugio de la paz de Dios,
nunca hay molestias, es perfecta paz;
nunca negra duda, pena ni pesar,
vejaciones crueles, pueden acosar.

Toda nuestra vida cuidará Jesús;
Cristo nunca cambia, él es nuestra paz;
fuertes y seguros en el Salvador,
siempre moraremos en su grande amor.

Oh Señor amado, tú nos das quietud,
de ti recibimos celestial salud;
haznos conocerte, te amaremos más;
sé tú nuestro dueño, Príncipe de paz.

Coro:
Descansando en Cristo,
siempre paz tendré;
en Jehová confiando,
nada temeré.

El agua viva Juan 4:7-10, 13-15, 41-42 (RVR) **319**

Cual la mar hermosa Frances Havergal, 1874, ♀ es trad. **320** ↑[8] ♪ 3' 17"

Esta letra se puede cantar con la música de #346 (Del amor divino).
Foto: El Mar de Galilea

Jn. 14:23-29
Ro. 5:1-11
Col. 3:12-17
Con serenidad

Paz con Dios 321

La paz os dejo, mi paz os doy...no se turbe vuestro corazón. Jn 14:27

1. Paz con Dios, busqué ganarla con febril solicitud,
2. Lleno estaba yo de dudas, temeroso de morir,
3. Al final en desespero, "Ya no puedo", dije yo;
4. De mis obras despojado, vi la obra de Jesús;

Mas mis obras meritorias no me dieron la salud.
Hoy en paz, mañana triste con temor del porvenir,
Y del cielo oí respuesta, "Todo hecho ya quedó".
Supe que la paz fue hecha por su sangre en la cruz.

CORO

¡Oh, qué paz Jesús me da! Paz que antes ignoré;
Todo nuevo se tornó, desde que su paz hallé.

LETRA y MÚSICA: Francis A. Blackmer, 1886, trad. Stuart E. McNair

THE SAVIOR'S PEACE
8 7 8 7/Coro
Do

322 Años mi alma en vanidad vivió

Jn. 8:31-36
Ro. 6:1-11
Ro. 7:15-8:2

Con ánimo

Anunciamos que de estas vanidades os convirtáis al Dios vivo. Hch. 14:15

C / Do   F / Fa   C / Do   G7 / Sol 7

1. A - ños mi al - ma en va - ni - dad   vi - vió, ig - no - ran - do a quien por
2. Por la Bi - blia mi - ro que   pe - qué, y su ley di - vi - na
3. To - da mi al - ma a Cris - to ya en - tre - gué; hoy le quie-ro y sir - vo
4. En la cruz su a - mor Dios de - mos - tró, y de gra - cia al hom - bre

C / Do   F / Fa   C / Do   F / Fa   C / Do   Dm / Re m   G7 / Sol 7   C / Do

mí su - frió Y   que en el Cal - va - rio su - cum - bió: el Sal - va - dor.
que-bran - té; Mi al - ma en - ton - ces con - tem - pló con fe al Sal - va - dor.
co - mo a Rey; Por   los si - glos siem - pre can - ta - ré al Sal - va - dor.
re - vis - tió Cuan - do por no - so - tros se en - tre - gó el Sal - va - dor.

CORO   F / Fa   C / Do   G7 / Sol 7

Mi al - ma a - llí di - vi - na gra-cia ha - lló; Dios a - llí per - dón y

C / Do   C7 / Do7   F / Fa   C / Do   Dm / Re m   G7 / Sol 7   C / Do

paz me dio; Del pe - ca - do a - llí me li - ber-tó el Sal - va - dor.

LETRA: William R. Newell, 1895, trad. G.P. Simmonds
MÚSICA: Daniel B. Towner, 1895

CALVARY
Metro irreg.
Do

1 Co. 1:17-24
Ro. 5:1-11
Ef. 2:11-22
Con devoción

Lejos de mi Padre Dios 323

Por quien...tenemos entrada por la fe...y nos gloriamos en la esperanza. Ro. 5:2

1. Le - jos de mi Pa - dre Dios, por Je - sús fui ha - lla - do;
2. En Je - sús, mi Sal - va - dor, pon - go mi con - fian - za;
3. Cer - ca de mi buen Pas - tor vi - vo ca - da dí - a;

Por su gra - cia y por su a - mor fui por él sal - va - do.
To - da mi ne - ce - si - dad su - ple en a - bun - dan - cia.
To - da gra - cia en su Se - ñor ha - lla el al - ma mí - a.

CORO

En Je - sús, mi Se - ñor, sea mi glo - ria e - ter - na;

Él me a - mó y me sal - vó por su gra - cia tier - na.

LETRA: Fanny J. Crosby, 1869, ◉ trad. Tomás García ◉
MÚSICA: William H. Doane, 1869, alt.

NEAR THE CROSS
7 6 7 6/Coro
Fa (Capo 1 - Mi)

Tomás García (? -1906)
Como pastor mexicano del estado de Pue - bla, Tomás fue muy activo en la obra, aten - diendo a varias congregaciones. Al igual que su compañero de estudios, Vicente Mendoza (vea historia adjunta al #244), compuso y tradujo himnos.

Siendo aún joven, fue asesinado por un droga - dicto. Moribundo, llamó a los ancianos de su iglesia y los exhortó a ser fieles a Cristo. Así entró a la pre - sencia de Jesús su Señor, su "gloria eterna", como expresa el coro del #323 (Lejos de mi Padre), himno que tradujo Tomás.

324 Jamás, Jamás

Is. 1:16-19
Heb. 8:6-12
Sal. 103:6-14

Vuestros pecados os han sido perdonados. 1 Jn. 2:12

Con certidumbre

Ja - más, ja - más mis pe - ca - dos con - ta - rá; per - do - na - dos por
Ja - más oi - ré de los dí - as de

siem - pre, y an - te mi men - te nun - ca más los ha de men - cio - nar.

mal - dad; Cris - to me ha re - di - mi - do y ha da - do al ol - vi - do mi pe - car.

LETRA: Albert Orsborn, 1915, es trad.
MÚSICA: W. Kitching, 1915, arreg. F.B.J.
©1941 Salvationist Publ. & Supplies Ltd. Usado con permiso.

NO MORE
Metro irreg.
Si ♭ (Capo 1 - La)

325 En el monte Calvario

1. En el monte Calvario se vio una cruz,
Emblema de afrenta y dolor.
Y yo aprecio esa cruz, do murió mi Jesús
Por salvar al más vil pecador.

Coro:
¡Cuánto estimo la cruz de Jesús!
En sus triunfos mi gloria será.
Y algún día en vez de una cruz,
Mi corona Jesús me dará.

2. En la cruz do su sangre Jesús derramó,
Hermosura contemplo en visión,
Pues en ella el Cordero inmolado murió
Para darme pureza y perdón.

3. Seguiré a Jesús, tomaré hoy mi cruz,
Los desprecios con él sufriré;
Y algún día feliz, con los santos en luz,
Para siempre su gloria tendré.

George Bennard, 1913, trad. S.D. Athans, 🔹 alt.
Esta letra se puede cantar con la música de #326 (La hermosa visión).

La hermosa visión de la cruz 326

Col. 1:15-23
Ef. 2:11-22
Gá. 6:11-15

Haciendo la paz mediante la sangre de su cruz. Col. 1:20

1. Lar - gos a - ños va-gué por el va - lle del mal, sin con-sue-lo, sin fe, sin a - mor; Y la som - bra fa-tal de la sen - da que ho-llé pu-so en mi al - ma la hiel del do - lor.
2. Des-de en-ton - ces, por él, ya no soy lo que fui, u - na som-bra sin Dios y sin ley; Mi ex-is-ten - cia le di, y le quie-ro ser fiel; me cons - tri - ñe el a-mor de mi Rey.
3. Pe - re - gri - no que vais por el va - lle del mal, vues-tra sen-da só-lo es de do - lor; E - sa car - ga fa-tal que en el al - ma lle - váis, ven y pon - la a los pies del Se - ñor.

CORO

A mis pies el in - fier-no se a - brió, y cla - mé con el al-ma a Je - sús; Y al ins - tan-te la es-ce-na cam - bió en la her-mo - sa vi - sión de la cruz.

in - fier - no se a - brió,

la es - ce - na cam - bió

LETRA: Raúl Mejía González, 1919, 🜂 alt. (Vea 🜂 adjunta al #345) GUA

MÚSICA: George Bennard, 1913

OLD RUGGED CROSS
12 9 12 9/Coro
Si♭ (Capo 1 - La)

327 Hallé un buen amigo

Jn. 15:5-15
Stg. 2:18-23
1 P 1:13-23

En todo tiempo ama el amigo, y es como un hermano en tiempo de angustia. Pr. 17:17

Con ánimo

1. Ha - llé un buen a - mi - go, mi a - ma - do Sal - va - dor; con - ta -
2. Je - sús ja - más me fal - ta; ja - más me de - ja - rá; es mi
3. Yo sé que Je - su - cris - to muy pron - to vol - ve - rá, y en - tre -

ré lo que ha he - cho él por mí; Ha - llán - do - me per - di - do e in -
fuer - te y po - de - ro - so Pro - tec - tor. Del mun - do yo me a - par - to y
tan - to me pre - pa - ra un lu - gar En ca - sa de su Pa - dre, man -

dig - no pe - ca - dor, me sal - vó y ya me guar - da pa - ra sí. Me
de la va - ni - dad pa - ra con - sa - grar mi vi - da a mi Se - ñor. Si el
sión de luz y paz, do el cre - yen - te fiel con él ha de mo - rar. Lle -

sal - va del pe - ca - do, me guar - da de Sa - tán, pro - me - te es - tar con -
mun - do me per - si - gue, si su - fro ten - ta - ción, con - fia - do en Cris - to
gan - do a la glo - ria, con él yo es - ta - ré; con - tem - pla - ré su

(¡A - le - lu - ya!)

mi - go has - ta el fin. Él con - sue - la mi tris - te - za, me
pue - do re - sis - tir. La vic - to - ria me es se - gu - ra, y e -
ros - tro siem - pre a - llí. Con los san - tos re - di - mi - dos go -

LETRA: Charles W. Fry, 1881, trad. Enrique S. Turrall 🔊
MÚSICA: Melodía inglesa, arreg. William S. Hays, 1871

SALVATIONIST
Metro irreg.
Fa (Capo 1 - Mi)

qui - ta to - do a - fán; ¡Gran - des co - sas Cris - to ha he -cho pa - ra mí!
le - vo mi can - ción: ¡Gran - des co - sas Cris - to ha he -cho pa - ra mí!
zo - so can - ta - ré: ¡Gran - des co - sas Cris - to ha he -cho pa - ra mí!

Hch. 4: 8-12
1 Ti. 2: 1-7
Heb. 9: 13-22
Con alegría

Solamente en Cristo 328

No hay otro nombre bajo el cielo... en que podamos ser salvos. Hch. 4:12

1. So - la - men - te en Cris - to, so - la - men - te en él, La sal - va -
2. En San Juan ca - tor - ce y el ver - so seis, Di - ce Je -

ción se en - cuen - tra en él. No hay o - tro nom - bre da - do a los
sús, "Soy la ver - dad, Soy el ca - mi - no, tam - bién la

hom - bres; So - la - men - te en Cris - to, so - la - men - te en él.
vi - da; Na - die vie - ne al Pa - dre si - no por mí".

LETRA: Basada en Juan 14: 6 y Hechos 4: 12, autor descon.
MÚSICA: Compositor descon., Latinoamérica, s. 20, arreg. F. B. J.
Arreg. © 1992 Celebremos/Libros Alianza. Se prohibe la reproducción sin autorización.

L.A.

SOLAMENTE EN CRISTO
Metro irreg.
Do

329 Fuente de la vida eterna

Is. 12
Ef. 4:1-13
Sal. 103:1-13

Con confianza

La bendición de Jehová es la que enriquece. Pr. 10:22

1. Fuen-te de la vi-da e-ter-na y de to-da ben-di-ción,
2. De los cán-ti-cos ce-les-tes te qui-sié-ra-mos can-tar,
3. To-ma nues-tros co-ra-zo-nes, llé-na-los de tu ver-dad,

En-sal-zar tu gra-cia tier-na de-be ca-da co-ra-zón.
En-to-na-dos por las hues-tes que lo-gras-te res-ca-tar.
De tu Es-pí-ri-tu los do-nes, y de to-da san-ti-dad.

Tu pie-dad i-na-go-ta-ble, a-bun-dan-te en per-do-nar,
Al-mas que a bus-car vi-nis-te, por-que les tu-vis-te a-mor,
Guí-a-nos en o-be-dien-cia, hu-mil-dad y pu-ro a-mor;

U-ni-co Ser a-do-ra-ble, glo-ria a ti de-be-mos dar.
De e-llas te com-pa-de-cis-te con tier-ní-si-mo fa-vor.
Nos am-pa-re tu pre-sen-cia, oh ben-di-to Sal-va-dor.

LETRA: Robert Robinson, 1758, trad. T.M. Westrup
MÚSICA: Melodía americana, publ. por John Wyeth, 1813, arreg. Asahel Nettleton
Esta letra se puede cantar también con la música de #172 (Gracias dad) y #216 (Aleluya).
Para una tonalidad más alta (Mi♭) ver #513 (Los que somos).

NETTLETON
8787 D
Re

Jn. 14:1-10
Sal. 16
Pr. 3:5-6, 13-18

Hay una senda 330

Sus caminos son caminos deleitosos, y todas sus veredas paz. Pr. 3:17

Con intensidad

•1. Hay u - na sen - da que el mun - do no co - no - ce;
•2. Las a - mis - ta - des y to - dos mis pa - rien - tes
3. Y a - quel ca - mi - no de tan - tos su - fri - mien - tos,

hay u - na sen - da que yo pu - de en - con - trar; En Cris - to
fue - ron las gen - tes que yo re - la - cio - né; Me a - bo - rre -
a - quel ca - mi - no que el cie - lo me tra - zó, Fue trans - for -

ten - go la sal - va - ción de mi al - ma; Cris - to es la sen - da que
cie - ron por cau - sa de su nom - bre cuan - do su - pie - ron que a
ma - do en a - quel fe - liz mo - men - to cuan - do mi Cris - to a

me pue - de sal - var. En Cris - to ten - go la sal - va - ción de
Cris - to me en - tre - gué; Me a - bo - rre - cie - ron por cau - sa de su
mí me res - ca - tó; Fue trans - for - ma - do en a - quel fe - liz mo -

mi al - ma; Cris - to es la sen - da que me pue - de sal - var.
nom - bre cuan - do su - pie - ron que a Cris - to me en - tre - gué!*
men - to cuan - do mi Cris - to al cie - lo me lla - mó.

* orig. que yo me bauticé.

LETRA: Tomás Estrada, c. 1955
MÚSICA: Melodía mexicana, s.20, arreg. Roberto C. Savage
Arreg. © 1960 Singspiration Music. Usado con permiso.

MEX

HAY UNA SENDA
Metro irreg.
Mi♭ (Capo 1 - Re)

331 El encuentro con Jesús

Jn. 1:40-50
Lc. 24:14-32
Jn. 9:18-25

Y halló a Felipe, y le dijo: Sígueme. Jn. 1:43

Con entusiasmo

1. Con Je - sús un día me en - con - tré y le ex - pu - se mi con - di - ción,
2. E - sa paz que yo en - con - tré, que con - sue - la mi co - ra - zón,
3. Voy can - tan - do ya por do - quier que Je - sús me li - bró del mal;

Y a pe - sar de mi trans - gre - sión, Je - su - cris - to me dio el per - dón.
Nun - ca la ex - pe - ri - men - té por mi tris - te an - te - rior si - tua - ción.
A gran pre - cio él me com - pró. ¡Glo - ria a Dios por el don ce - les - tial!

CORO

E - se en - cuen - tro con Je - sús nun - ca lo po - dré ol - vi - dar; Por sen -

tir - me tan fe - liz, ja - más yo lo po - dré a - ban - do - nar.

LETRA: Estr. #1 y 2 Daniel A. Lima, 1973, #3 Felipe Blycker J., 1974
MÚSICA: Daniel A. Lima, 1973, arreg. Alma de Recinos, alt.
© 1992 Celebremos/Libros Alianza. Se prohibe la reproducción sin autorización.

GUA

TECUN UMAN
8 8 8 9 /Coro
Mi♭ (Capo 1 - Re)

Enrique S. Turrall (1867-1953)
Desde el comienzo de su ministerio en España, don Enrique se dio cuenta de la gran necesidad de tener himnos que expresaran las experiencias emocionales de la vida, tales como el arrepentimiento, el gozo, los conflictos y el amor. Escribió y tradujo himnos para funerales, bodas y otras ocasiones especiales. La colección aumentó hasta merecerse ser publicada como el himnario, *Cánticos Evangélicos*. Además de sus himnos, Turrall nos ha dejado el reto de llenar vacíos con música nueva que glorifique al Señor. Vea #327 (Hallé) y #632 (Engrandecido).

Col. 1:9-14
Sal. 31:1-5
Sal. 40:1-5, 16
Con sentimiento

Me salvó, me perdonó

Invoqué en mi angustia a Jehová, y él me oyó. Jon. 2:2

332

1. Va - ga - ba por el mun-do sin fe, sin es - pe - ran - za, no sa -
2. Cuan-do de - sa - len - ta - do es-toy en es - ta vi - da, con el
3. E - res, Je - sús, el li - rio que per - fu - mó mi vi - da; me li -
4. Cer - ca de ti, oh Cris-to, an - dar yo siem-pre quie-ro; me am-

bien-do que ha-bí-a un Sal - va - dor, Que, por li-brar mi al-ma de
al - ma im-plo-ro al Sal - va - dor, Pi - dién-do-le me man-de del
bras-te de to-da i-ni-qui-dad; Pu - sis-te en mi bo-ca un
pa - ra tu sa-cro-san-to a-mor; Sin ti la vi-da es tris-te, muy

muer-te y pe-ca-do, en el Cal-va-rio mu-rió el Buen Pas-tor.
cie-lo su con-sue-lo pa-ra po-der a-guan-tar el cruel do-lor.
can-to de a-la-ban-za; es mi an-he-lo cum-plir tu vo-lun-tad.
lle-na de a-mar-gu-ras, pe-ro tú e-res mi gran con-so-la-dor.

CORO

Me sal-vó, me per-do-nó, mi Je-su-cris-to me re-di-mió.
(orig.) Soy fe-liz, yo soy fe-liz, des-de que Cris-to me re-di-mió.

LETRA: Autor descon., Latinoamérica, s.20, coro adapt. Oscar López M.
MÚSICA: Compositor descon., Latinoamérica, s.20, arreg. Roberto C. Savage
Arreg. © 1954, ren. 1982 Singspiration Music. Usado con permiso.

L.A.

SOY FELIZ
Metro irreg.
Sol m (Capo 3 - Mi m)

333 Hay un nombre en la gloria

Regocijaos de que vuestros nombres están escritos en los cielos. Lc. 10:20

Ap. 2:12-17
Lc. 10:17-24
Is. 62:1-5

Con energía

1. U - na vez per - di - do vi - ví - a yo le - jos y va -
2. En la Bi - blia di - ce que sal - vo soy; por la gra - cia
3. Can - tos de a - le - grí - a e - le - vo hoy a mi Rey y

gan - te en e - rror; Mas la voz de Cris - to me
me re - di - mió; Ya por fe en su nom - bre a la
buen Sal - va - dor; To - dos mis ta - len - tos a

al - can - zó; me lla - mó con tier - no a - mor.
glo - ria voy, des - de que me res - ca - tó.
Cris - to doy, que me u - se por su a - mor.

CORO

Hay un nom - bre es - cri - to en la glo - ria; Mí - o es,
Mí - o

sí, mí - o es; Y los án - ge - les can - tan la his -
es, mí - o es;

LETRA y MÚSICA: C. Austin Miles, 1910, ☺ trad. J. Arturo Savage, alt.
Trad. © 1947 Rodeheaver, admin. Word Music. Usado con permiso.

A NEW NAME IN GLORY
10 8 10 7/Coro
Si♭ (Capo 1 - La)

to - ria, "Sal - vo es el pe - ca - dor". Oh, hay un To - dos
pe - ca - dor

mis pe - ca - dos ya son per - do - na - dos, ¡Glo - ria al Se - ñor!

Sal. 25:1-10
Stg. 1:16-25
1 P. 1:3-9

Cuán bueno es Dios 334

Toda buena dádiva y todo don perfecto desciende de lo alto. Stg. 1:17

Con serenidad

1. Cuán bueno es Dios, cuán bueno es Dios, cuán bueno es Dios, su a - mor me - dio.
2. Es siem - pre fiel, es siem - pre fiel, es siem - pre fiel, no me de - ja - rá.
3. Me cui - da - rá, me cui - da - rá, me cui - da - rá, es mi buen Pas - tor.
4. Le ser - vi - ré, le ser - vi - ré, le ser - vi - ré, vi - vi - ré por él.

LETRA: Autor descon., trad. Oscar López M.
MÚSICA: Melodía africana
Trad. © 1992 Celebremos/Libros Alianza. Se prohibe la reproducción sin autorización.

GOD IS SO GOOD
Metro irreg.
Fa (Capo 1 - Mi)

Salvos por gracia 335

Dios, que es rico en misericordia, por su gran amor con que
nos amó,

**Aun estando nosotros muertos en pecados, nos dio
vida juntamente con Cristo (por gracia sois salvos),**

En quien tenemos redención por su sangre, el perdón de
pecados según las riquezas de su gracia,... no por obras, para
que nadie se gloríe.

**Y en ningún otro hay salvación; porque no hay otro
nombre bajo el cielo, dado a los hombres, en que
podamos ser salvos.**

Efesios 2:4, 5; 1:7; 2:9; Hechos 4:12 (RVR)

336 Mi culpa él llevó

Is. 53
1 P. 2:21-25
Ro. 6:8-15

Cristo fue ofrecido una sola vez para llevar los pecados de muchos. Heb. 9:28

1. Can-sa-do y tris-te vi-ne al Sal-va-dor; mi cul-pa él lle-vó,
2. Bo-rra-dos to-dos mis pe-ca-dos son; mi cul-pa él lle-vó,
3. Ya vi-vo li-bre de con-de-na-ción; mi cul-pa él lle-vó,
4. Si vie-nes hoy a Cris-to, pe-ca-dor, tu cul-pa lle-va-rá,

mi cul-pa él lle-vó; E-ter-na di-cha ha-llé en su a-mor;
mi cul-pa él lle-vó; A él fe-liz e-le-vo mi can-ción;
mi cul-pa él lle-vó; Su dul-ce paz ten-go en mi co-ra-zón;
tu cul-pa lle-va-rá; Per-dón ten-drás si a-cu-des al Se-ñor;

mi cul-pa él lle-vó.
mi cul-pa él lle-vó.
mi cul-pa él lle-vó. *Ultimo coro* Tu cul-pa lle-va-rá, tu
tu cul-pa lle-va-rá.

CORO
Mi cul-pa él lle-vó, mi

cul-pa él lle-vó; a-le-gre siem-pre can-ta-ré.
cul-pa lle-va-rá, y lim-pia-rá tu co-ra-zón;

Al Se-ñor go-zo-so a-la-ba-ré, por-que él me sal-vó.
Y di-rás fe-liz en tu can-ción: "Mi cul-pa él lle-vó".

LETRA y MÚSICA: Margaret Jenkins Harris, 1903, trad. H.C. Ball

HE TOOK MY SINS AWAY
Metro irreg.
La♭ (Capo 1 - Sol)

Él vino a mi corazón

337

2 Co. 5:11-21
Gá. 1:11-24
Ro. 8:11-23
Con júbilo

Este misterio...Cristo en vosotros, la esperanza de gloria. Col. 1:27

1. Cuan glo - rio - so es el cam - bio o - pe - ra - do en mi ser, vi - nien - do a mi vi - da el Se - ñor; Hay en mi al - ma u - na paz que yo an - sia - ba te - ner, la paz que me tra - jo su a - mor.

2. Ya no voy por la sen - da que el mal me tra - zó, do só - lo en - con - tré con - fu - sión; Mis pe - ca - dos pa - sa - dos Je - sús los bo - rró; él vi - no a mi co - ra - zón.

3. Ni u - na som - bra de du - da os - cu - re - ce su a - mor, a - mor que me tra - jo el per - dón; La es - pe - ran - za que a - lien - to la de - bo al Se - ñor; él vi - no a mi co - ra - zón.

CORO

Él vi - no a mi co - ra - zón, él vi - no a mi co - ra - zón. Soy fe - liz con la vi - da que Cris - to me dio; él vi - no a mi co - ra - zón.

LETRA: Rufus H. McDaniel, 1914, trad. Vicente Mendoza
MÚSICA: Charles H. Gabriel, 1914

McDANIEL
Metro irreg.
Lab (Capo 1 - Sol)

338 A su nombre gloria

Col. 1:15-23
Col. 2:8-15
Ef. 2:11-22

Al que nos amó, y nos lavó...sea gloria e imperio por los siglos. Ap. 1:5-6

Con energía

1. Jun - to a la cruz, do mu - rió el Sal - va - dor por mis pe - ca - dos, cla -
2. Jun - to a la cruz re - ci - bí el per - dón; lim - pio en su san - gre es
3. Ven sin tar - dar a la cruz, pe - ca - dor; a - llí te es - pe - ra Je -

mé con fer - vor; ¡Qué ma - ra - vi - lla! Je - sús me sal - vó. ¡A su
mi co - ra - zón; Lle - na es mi al - ma de go - zo y paz: ¡A su
sús, Sal - va - dor. A - llí de Dios ha - lla - rás el a - mor: ¡A su

nom - bre glo - ria!   CORO
nom - bre glo - ria!   ¡A su nom - bre glo - ria! ¡A su nom - bre
nom - bre glo - ria!

glo - ria! ¡Qué ma - ra - vi - lla! Je - sús me sal - vó. ¡A su nom - bre glo - ria!

LETRA: Elisha A. Hoffman, 1878, trad. Vicente Mendoza
MÚSICA: John H. Stockton, 1878

GLORY TO HIS NAME
Metro irreg.
La♭ (Capo 1 - Sol)

Comprado con sangre por Cristo 339

1 P. 1:13-23
Ef. 1:3-14
Col. 1:9-14

En quien tenemos redención por su sangre, el perdón de pecados. Ef. 1:7

1. Com-pra-do con san-gre por Cris-to, con go-zo al cie-lo yo voy;
2. Soy li-bre de pe-na y cul-pa; su go-zo él me ha-ce sen-tir;
3. En Cris-to yo siem-pre me di-to, y nun-ca le pue-do ol-vi-dar;
4. Yo sé que me es-pe-ra co-ro-na, la cual a los fie-les da-rá

Li-bra-do por gra-cia in-fi-ni-ta, ya sé que su hi-jo yo soy.
Él lle-na de gra-cia mi al-ma; con él es tan dul-ce vi-vir.
Ca-llar sus fa-vo-res no quie-ro; voy siem-pre a Je-sús a-la-bar.
Je-sús Sal-va-dor en el cie-lo; mi al-ma con él es-ta-rá.

CORO

Lo sé, lo sé, com-pra-do con san-gre yo soy;
Lo sé, lo sé,

Lo sé, lo sé, con Cris-to al cie-lo yo voy.
Lo sé, lo sé,

LETRA: Fanny J. Crosby, 1883, trad. J.R. Ríos y W.C. Brand
MÚSICA: William J. Kirkpatrick, 1882

REDEEMED
9 8 9 8/Coro
Lab (Capo 1 - Sol)

340 Escogido fui de Dios

Nos escogió en él antes de la fundación del mundo. Ef. 1:4

Ef. 1:3-14
Ef. 3:14-21
Ef. 4:17-30

1. Es - co - gi - do fui de Dios en el A - ma - do; en lu -
2. Ten - go un se - llo que el Es - pí - ri - tu me ha da - do cuan - do
3. Me es - co - gió pa - ra a - la - ban - za de su glo - ria, y sen -

ga - res ce - les - tia - les su ben - di - ción me dio. An - tes de la
mi con - fian - za pu - se só - lo en mi Sal - va - dor, Pren - da que el Se -
tó - me en las al - tu - ras con Cris - to mi Se - ñor. Gran - de fue la ad -

cre - a - ción el plan fue he - cho por su san - ta vo - lun - tad.
ñor me dio de vi - da e - ter - na; es - co - gi - do fui de Dios.
mi - ra - ción al ver su gra - cia, cuan - do me es - co - gió mi Dios.

CORO

Es - con - di - do en Cris - to es - toy, na - die me a - par - ta - rá, y las

fuer - zas de es - te mun - do no me po - drán da - ñar. Vi - vo y an - do en

LETRA: Basada en Efesios 1, Lura A. Garrido, 1958
MÚSICA: Victor Garrido, 1958, alt.
© 1958 Singspiration Music. Usado con permiso.

COL

ESCOGIDO
Metro irreg.
Do

Vida Eterna **341**

Col. 2:8-15
1 Ti. 1:12-17
1 Jn. 5:7-13
Con convicción

Este es el testimonio: que Dios nos ha dado vida eterna. 1 Jn. 5:11

Dios nos ha da-do vi-da e - ter - na; y es-ta vi-da

es - tá en su Hi - jo. es - tá en su Hi - jo.

El que tie-ne al Hi - jo, tie - ne la vi - da;

el que no tie-ne al Hi - jo de Dios no tie-ne la vi - da.

LETRA: Basada en 1 Juan 5:11-12
MÚSICA: Felipe Blycker J., 1985
© 1985 *Philip W. Blycker en* Cánticos nuevos de la Biblia. *Usado con permiso.*

GUA

VIDA ETERNA
Metro irreg.
Sol

342 Un gran Salvador es Jesús

En Dios está mi salvación y mi gloria. Sal. 62:7

Is. 32:1-4
1 P. 2:21-25
Col. 1:15-23

1. Un gran Sal - va - dor es Je - sús el Se - ñor, un gran Sal - va -
2. Un gran Sal - va - dor es Je - sús el Se - ñor, mi ho - rren - do pe -
3. Rau - da - les de gra - cia re - ci - bo de él, rau - da - les de
4. Al ser trans - por - ta - do en las nu - bes fe - liz, con glo - ria mi

dor pa - ra mí. Pro - te - ge mi vi - da de to - do te - mor, re -
ca - do qui - tó. Me guar - da y sos - tie - ne fe - liz en su a - mor, mi
paz y vir - tud; Su Es - pí - ri - tu i - nun - da del to - do mi ser, de
Dios a en - con - trar, Su a - mor in - fi - ni - to, su gra - cia sin fin, mis

fu - gio me o - fre - ce a - quí.
vi - da del mal re - di - mió.
go - zo, sin par ple - ni - tud. Pro - te - ge mi al - ma de to - do te - mor, la
la - bios ha - brán de a - la - bar.

li - bra de to - da an - sie - dad. Mis du - das qui - tó y yo sé que su a - mor

LETRA: Fanny J. Crosby, 1890, trad. Honorato Reza
MÚSICA: William J. Kirkpatrick, 1890
Trad. © 1955, ren. 1983 Lillenas Publishing Co. Usado con permiso.

KIRKPATRICK
11 8 11 8/Coro
Do

| C | G7 | C | G7 | C | F | C | G7 | C |
| Do | Sol 7 | Do | Sol 7 | Do | Fa | Do | Sol 7 | Do |

fe - liz pro - tec - ción me da - rá, fe - liz pro - tec - ción me da - rá.

Sal. 115:1-8, 17-18
Sal. 20
Sal. 9:1-11

Yo te bendigo **343**

Con expresión

Bienaventurados todos los que confían en él. Is. 30:18

| D | A7 | | Bm | D | G | | A | Bm | A7 | D | | G | D |
| Re | La7 | | Si m | Re | Sol | | La | Si m | La7 | Re | | Sol | Re |

1. Yo te ben - di - go, oh mi Re - den - tor, tú, la con -
2. Tú e - res Rey de gra - cia y per - dón; om - ni - po -
3. E - res la vi - da, nues - tra ins - pi - ra - ción; en ti des -
4. Tu pro - vi - den - cia guar - da del a - zar en es - ta

| G | D | Em | A | D | E7 | A | D | A7 | Bm | D | G | B7 |
| Sol | Re | Mi m | La | Re | Mi 7 | La | Re | La7 | Si m | Re | Sol | Si 7 |

fian - za de mi co - ra - zón; Ya que su - fris - te por mi con - di -
ten - te rei - nas por do - quier; Se - ñor Je - sús, do - mi - na nues - tro
can - sa to - do mi que - rer; Sos - tén - nos siem - pre por tu gran po -
cor - ta vi - da te - rre - nal; O - tra es - pe - ran - za no hay pa - ra el mor -

| Em | A7 | D | A7 | D | A7 | Bm | Em | D | A7 | D | G | D |
| Mi m | La7 | Re | La7 | Re | La7 | Si m | Mi m | Re | La7 | Re | Sol | Re |

ción, qui - ta mis pe - nas, qui - ta mi te - mor.
ser; tu luz a - lum - bre siem - pre el co - ra - zón.
der, y en la prue - ba da - nos pro - tec - ción.
tal; tus fuer - zas siem - pre nos ha - rán triun - far. A - mén.

LETRA: Juan Calvino, 1545, trad. Julio Paz P., alt.
MÚSICA: William H. Monk, 1861
Trad. © 1992 Celebremos/Libros Alianza. Se prohibe la reproducción sin autorización.
Esta letra se puede cantar también con la música de #260 (Transfórmame), #382 (Mi
corazón) y #646 (Después). Para una tonalidad más alta (Mi♭) ver #519 (Aquí del pan).

EVENTIDE
10 10 10 10
Re

344 Yo sé a quién he creído

2 Ti. 1:6-13
1 P. 1:3-12
Jn. 16:7-15

Porque yo sé a quién he creído. 2 Ti. 1:12

Con gozo

1. No sé por qué la gra-cia del Se-ñor a mí un dí-a me al-can-zó,
2. No sé por qué la gra-cia del Se-ñor en mí él qui-so de-mos-trar,
3. No sé có-mo es que su Es-pí-ri-tu con-ven-ce al hom-bre de su e-rror,
4. No sé cuán-do el Se-ñor re-gre-sa-rá, de no-che o al a-ma-ne-cer,

Ni sé por qué o-bró la sal-va-ción en un in-dig-no co-mo yo.
Ni sé por qué cuan-do e-ra pe-ca-dor por mí su vi-da vi-no a dar.
Ni có-mo o-bra en el co-ra-zón cre-an-do fe en el Se-ñor.
Ni sé si por la muer-te he de pa-sar o vi-vo su-bi-ré con él.

CORO

Mas yo sé a quién he cre-í-do, y es po-de-ro-so pa-ra guar-

dar-me se-gu-ro has-ta el dí-a en que ven-ga él por mí.

LETRA : Daniel Whittle, 1893, trad. Pablo Sywulka B.
MUSICA: James McGranahan, 1883
Trad.© 1992 Celebremos/Libros Alianza. Se prohibe la reproducción sin autorización

EL NATHAN
10 8 10 8/Coro
Re

Ro. 3:21-28
2 Ti. 1:6-13
Heb. 4:1-8

Mi fe descansa en Jesús 345

Los que hemos creído entramos en el reposo. Heb. 4:3

Con seguridad

1. Mi fe des - can - sa en Je - sús, y en su re - den - ción;
2. Su o - bra su - fi - cien - te es, mi pe - na él pa - gó;
3. Yo na - da pue - do a - gre - gar, des - can - so só - lo en él;

Con - fia - do so - la - men - te en él, ob - ten - go sal - va - ción.
Su san - gre cu - bre mi mal - dad, pues él me re - di - mió.
Se - gu - ri - dad per - fec - ta da por su pro - me - sa fiel.

CORO

No ne - ce - si - to o - bra ha - cer, ni ri - to ob - ser - var;

Me bas - ta que Je - sús mu - rió; mu - rió en mi lu - gar.

LETRA: Lidie H. Edmunds, 1891, trad. Esteban Sywulka B.
MÚSICA: Atrib. a André Grétry, s. 19, arreg. William J. Kirkpatrick, 1891 ●
Trad. © 1992 Celebremos/Libros Alianza. Se prohíbe la reproducción sin autorización.

LANDÅS
8 6 8 6/Coro
Sol

La hermosa visión de la cruz

El destacado poeta guatemalteco, Raúl Mejía González, llegó a ser conocido como el borracho de su pueblo, Chiquimula, debido al vicio del licor. Atormentado por alucinaciones de ser perseguido por el diablo, un día le pareció oír que Satanás le condenaba eternamente y que se encontraba sin esperanza. Su pánico fue tal, que cayó sin fuerzas. Al rato pudo levantarse y corrió a la casa de un misionero evangélico gritando: —¡Socorro! ¡He visto el infierno!— Después de leer algunos pasajes de la Biblia y entender el mensaje de salvación, Raúl recibió a Cristo por la fe y su vida fue transformada. Escribió el himno #326 (La hermosa visión) como su testimonio personal.

346 Del amor divino

Ro. 8:28-39
Ro. 5:1-11
Sal. 91

Con convicción *¿Quién nos separará del amor de Cristo? Ro. 8:35*

1. Del a-mor di-vi-no, ¿quién me a-par-ta-rá? Es-con-di-do en
Cris-to, ¿quién me to-ca-rá? Si Dios jus-ti-fi-ca, ¿quién con-
de-na-rá? Cris-to por mí a-bo-ga, ¿quién me a-cu-sa-rá?

2. To-do lo que pa-sa en mi vi-da a-quí o-bra pa-ra
bien, pues cui-da él de mí. En mis prue-bas du-ras, Dios me es
siem-pre fiel. ¿Por qué, pues, las du-das? Yo des-can-so en él.

3. Pla-gas hay y muer-te en mi al-re-de-dor; or-de-nó mi
suer-te el que es Dios de a-mor. Ni u-na so-la fle-cha me podrá da-ñar; mien-tras no per-mi-ta, no me al-can-za-rá.

CORO

A los que a Dios a-man, to-do a-yu-da a bien;
Es-to es mi con-sue-lo, es-to es mi sos-tén.

LETRA: Basada en Ro. 8:28-39. Enrique S. Turrall, c. 1902, alt.
MÚSICA: James Mountain, 1876
Esta letra se puede cantar también con la música de #43 (Nuestra fortaleza).

ESP

WYE VALLEY
11 11 11 11/Coro
Fa (Capo 1 - Mi)

Sal. 61
Sal. 91
Is. 51:12-16
Con serenidad

Bajo sus alas 347

Con sus plumas te cubrirá, y debajo de sus alas estarás seguro. Sal. 91:4

1. Ba-jo sus a-las ha-bi-to se-gu-ro, en den-sa no-che y en cruel tem-pes-tad; Con-fiar yo pue-do, pues sé que él me guar-da; me ha res-ca-ta-do su in-men-sa bon-dad.

2. Ba-jo sus a-las re-fu-gio en-cuen-tro, en la tris-te-za, do-lor y a-flic-ción; Cuan-do te-mo-res y prue-bas me a-sal-tan, Cris-to me cu-bre con su pro-tec-ción.

3. Ba-jo sus a-las hay go-zo i-ne-fa-ble; paz y cer-te-za me da mi Se-ñor. No pue-de mal ni e-ne-mi-go ven-cer-me; sal-vo y se-gu-ro es-toy en su a-mor.

CORO

Se-gu-ro es-toy, se-gu-ro es-toy, ¿Quién de Je-sús me se-pa-ra? Se-gu-ro es-toy en su gran a-mor; sal-vo y se-gu-ro él me guar-da.

LETRA: William O. Cushing, 1890, trad. Mario Uribe F., alt.
MÚSICA: Ira D. Sankey, 1896
Trad. © 1955, ren. 1983 Lillenas Publishing Co. Usado con permiso.

HINGHAM
11 10 11 10/Coro
Do

348 Pues si vivimos

Ro. 14:7-12
Ro. 6:1-11
Fil. 1:15-21

Pues si vivimos, para el Señor vivimos. Ro. 14:8

Con intensidad

Pues si vi - vi - mos, pa - ra él vi - vi - mos,
Y si mo - ri - mos, pa - ra él mo - ri - mos.

Se - a que vi - va - mos, o que mu - ra - mos,

So - mos del Se - ñor, so - mos del Se - ñor.

LETRA: Basada en Romanos 14:8
MÚSICA: Compositor descon., México, s. 20, arreg. F.B.J.
Arreg. © 1992 Celebremos/Libros Alianza. Se prohibe la reproducción sin autorización.

MEX

SOMOS DEL SEÑOR
Metro irreg.
Fa (Capo 1 - Mi)

349 Del santo amor de Cristo

Jud. vv. 20-25
1 Jn. 4:10-19
2 Co. 5:11-21

Conservaos en el amor de Dios. Jud. v. 21

Con gozo

1. Del   san - to a - mor de   Cris - to que no   ten - drá su i - gual, de
2. Cuan do él vi - vió en el mun - do   la   gen - te lo si - guió; sus
3. Él   pu - so en las pu - pi - las del cie - go nue - va   luz, la e-
4. Su a - mor, por   las   e - da - des del mun - do, es el fa - nal que

LETRA y MÚSICA: Lelia N. Morris, 1912, ☺ trad. Vicente Mendoza, ☺ alt.

(Vea ✎ adjunta al #607)

NAYLOR
13 13 13 13/Coro
La♭ (Capo 1 - Sol)

350 Confío en Jesús

En Jehová Dios de Israel puso su esperanza. 2 R. 18:5

Sal. 5:1-8, 11-12
Sal. 7:1-2, 10, 17
Tit. 2:3-7

1. Con - fí - o en Je - sús, el que por mí mu - rió,
Y que por mis pe - ca - dos en la cruz pa - gó.

2. No hay mé - ri - to en mí, in - dig - no pe - ca - dor;
Mi ú - ni - ca es - pe - ran - za es el Sal - va - dor.

3. Je - sús en glo - ria es - tá; por mí a - bo - ga a - llí;
Sus ma - nos tras - pa - sa - das mues - tra él por mí.

4. Su gra - cia me mos - tró; la go - zo hoy por fe;
Y en su o - bra en la cruz des - can - sa - ré.

CORO

Por mí mu - rió, y vi - ve hoy;
Por mí mu - rió, por mí él vi - ve, vi - ve hoy;
Por to - da la e - ter - ni - dad lo - or le doy.

WAKEFIELD
6 6 12 / Coro
Sol

NUESTRA
Vida en
Cristo

351 Amarte sólo a ti, Señor

El que me ama, será amado por mi Padre. Jn. 14:21

Mt. 22:34-40
Sal. 63:1-8
1 P. 1:3-9

Con emoción

1. A - mar - te só - lo a ti, Se - ñor, a - mar - te só - lo a
2. Con - fiar tan só - lo en ti, Se - ñor, con - fiar tan só - lo en

ti, Se - ñor, a - mar - te só - lo a ti, Se - ñor,
ti, Se - ñor, con - fiar tan só - lo en ti, Se - ñor,

y ha - cer tu vo - lun - tad; Se - guir tu ca - mi -

nar, Se - ñor, se - guir sin des - ma - yar, Se - ñor,

se - guir has - ta el fi - nal, Se - ñor, y no mi - rar a -

LETRA: Basada en Juan 14:21, autor descon., Latinoamérica, s. 20
MÚSICA: Compositor descon., Latinoamérica, s. 20, arreg. F.B.J.
Arreg. © 1992 Celebremos/Libros Alianza. Se prohibe la reproducción sin autorización

L.A.

AMARTE
Metro irreg.
Mi m

Fil. 3:7-14
Col. 1:15-23
Ef. 2:4-10
Con admiración

Ya pertenezco a Cristo 352

Para presentaros santos y sin mancha e irreprensibles delante de él. Col. 1:22

1. Cris-to el Se-ñor me a-ma por siem-pre, mi vi-da guar-da
2. Cris-to ba-jó del cie-lo a bus-car-me; cu-bier-to de pe-
3. Go-zo in-de-ci-ble i-nun-da mi al-ma. Ya li-ber-ta-do es-

él tier-na-men-te. Ven-ce el pe-ca-do, cui-da del mal;
ca-do en-con-tró-me: Me le-van-tó de ver-güen-zas mil;
toy y mi vi-da Lle-na es-tá de fe-li-ci-dad;

CORO

ya per-te-nez-co a él. Ya per-te-nez-co a Cris-to, él per-te-ne-ce a

mí, No só-lo por el tiem-po a-quí, mas por la e-ter-ni-dad.

LETRA y MÚSICA: Norman J. Clayton, 1938, trad. J. Arturo Savage
© 1938 y 1943, ren. 1966 y 1971 Norman Clayton Pub. Co., admin. Word Music. Usado con permiso.

ELLSWORTH
Metro Irreg.
Sol

353 Un mandamiento nuevo

Jn. 15:5-15
1 Jn. 3:11-20
1 Jn. 4:10-19

Un mandamiento nuevo os doy: Que os améis unos a otros. Jn. 13:34

Con ánimo

1. Un man-da-mien-to nue-vo os doy: que os a-méis u-nos a o-tros.
2. A-mé-mo-nos de co-ra-zón, no de la-bios so-la-men-te.
3. Y ¿có-mo pue-do yo o-rar re-sen-ti-do con mi her-ma-no?

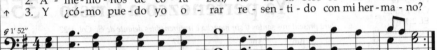

o-tros. Co-mo yo os he a-ma-do, co-mo yo os he a-
men-te. Pa-ra cuan-do Cris-to ven-ga, pa-ra cuan-do Cris-to
ma-no? Dios no es-cu-cha la o-ra-ción, do. Dios no es-cu-cha la o-ra-

ma-do, que os a-méis tam-bién vo-so-tros. Co-mo yo os he a-
ven-ga nos en-cuen-tre bien u-ni-dos. Pa-ra cuan-do Cris-to
ción si no es-toy re-con-ci-lia-do. Dios no es-cu-cha la o-ra-

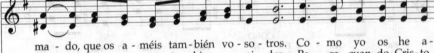

ma-do, co-mo yo os he a-ma-do que os a-méis tam-bién vo-so-tros.
ven-ga, pa-ra cuan-do Cris-to ven-ga nos en-cuen-tre bien u-ni-dos.
ción, Dios no es-cu-cha la o-ra-ción si no es-toy re-con-ci-lia-do.

LETRA: Basada en Juan 15:12
MÚSICA: Compositor descon., Latinoamérica, s. 20, arreg. Pablo Sywulka B.
Arreg. © 1992 Celebremos/Libros Alianza. Se prohibe la reproducción sin autorización.

MANDAMIENTO NUEVO

 L.A.

Metro irreg.
Mi m

1 Co. 13
1 Jn. 4:10-19
1 Jn. 3:11-20

El amor permanecerá — 354

El mayor de ellos es el amor. 1 Co. 13:13

Con confianza

1. Si yo ha - bla - se en len - guas y no ten - go a - mor,
2. El a - mor es su - fri - do; no se i - rri - ta, es be - nig - no.
3. Si - gue, pues, es - te a - mor; nun - ca de - jes de a - mar;

Soy me - tal que re - sue - na; ven - go a ser sin va - lor.
Nun - ca bus - ca lo su - yo; ¡oh, ex - cel - so ca - mi - no!
Lo - gra - rás a - sí a Dios con tu vi - da a - gra - dar.

CORO

Per - ma - ne - cen la fe, la es - pe - ran - za, el a - mor, pe - ro
de - bes te - ner el ma - yor de los tres. El a - mor siem - pre
es; to - do se a - ca - ba - rá, pe - ro és - te per - ma - ne - ce - rá.

LETRA: Basada en 1 Corintios 13, Nelson Sosa, 1981
MÚSICA: Nelson Sosa, 1981
© 1982 Casa Bautista de Publicaciones. Usado con permiso.

CUB

1 CORINTIOS 13
7 6 7 6/Coro
Fa (Capo 1 - Mi)

355 La gente de nuestro tiempo

Con emoción

Y ante todo, tened entre vosotros ferviente amor. 1 P. 4:8

1 P. 4: 1-8
1 Co. 13
1 Jn. 4: 10-19

1. La gen-te de nues-tro tiem-po no sa-be lo que es el a-
2. En Cris-to yo he en-con-tra-do e-jem-plo de paz y de a-
3. Y siem-pre de-bes ha-blar que en Cris-to sí hay sal-va-

mor, Que vi-ve per-dien-do el tiem-po, bus-can-do
mor. La muer-te del cru-ci-fi-ca-do me cuen-ta
ción, Lle-van-do el gra-to men-sa-je de muer-te

y sin en-con-trar. A-mor *(a-mor, a - mor)* es en-tre-gar-se
de su gran a-mor. Vi-vir *(vi-vir, vi - vir)* siem-pre sir-vien-do,
y re-su-rrec-ción.

en al-ma y cuer-po a la hu-ma-ni-dad;
sin que tú es-pe-res al-go pa-ra ti.

CORO

LETRA y MÚSICA: Jorge Clark Ramírez, 1975, arreg. Elena Cortés de Guzmán, alt.
© 1975 Casa Bautista de Publicaciones. Usado con permiso.

AMOR ES
Metro irreg.
Mi♭ (Capo 1 - Re)

AMOR Y GOZO

Jn. 14:23-29
Ro. 5:1-11
Ef. 2:11-22

Mi Paz 356

Justificados, pues, por la fe, tenemos paz para con Dios. Ro. 5:1

Con ternura

1. Mi paz te doy a ti, es la paz que el mun-do no -
2. Mi a-mor te doy a ti, es a - mor que el mun-do no -

da, es la paz que el mun-do no en - tien - de. Pa - ra
da, es a - mor que el mun-do no en - tien - de. Pa - ra

ti, re - cí - be-la, mi paz te doy a ti.
ti, re - cí - be-lo, mi a - mor te doy a ti.

LETRA y MÚSICA: Keith Routledge, 1975, es trad.
© 1975 Sovereign Music UK. Usado con permiso.

MY PEACE
Metro irreg.
Do

1 Co. 13
Flm. vv.3-7
1 Jn. 4:10-19

Amor, Amor 357

Tenemos gran gozo y consolación en tu amor. Flm. v.7

Con sencillez

A - mor, a - mor, a - mor, a - mor; Cris-to di-ce, "De-bes a-mar".

A - ma a tu ve-ci-no co-mo a tu her-ma-no. Dios es a - mor.

LETRA y MÚSICA: Autor y compositor descon, s. 20, es trad.

LOVE, LOVE
Canon a cuatro voces
Mi m

NUESTRA VIDA EN CRISTO

358 Somos uno en espíritu

Jn. 13: 32-35
Jn. 17: 12-23
1 Jn. 4: 6-12

En esto conocerán todos que sois mis discípulos, si tuviereis amor. Jn. 13: 35

1. So - mos u - no en es - pí - ri - tu y en el Se - ñor;
2. Tra - ba - je - mos u - ni - dos la - do a la - do en a - mor;
3. Mar - cha - re - mos to - ma - dos de la ma - no en u - nión;
4. Glo - ria al Pa - dre que es fuen - te de to - da ben - di - ción;

So - mos u - no en es - pí - ri - tu y en el Se - ñor,
Tra - ba - je - mos u - ni - dos la - do a la - do en a - mor,
Mar - cha - re - mos to - ma - dos de la ma - no en u - nión,
Glo - ria a Cris - to su Hi - jo que nos da sal - va - ción,

Y ro - ga - mos que un dí - a sea to - tal nues - tra u - nión,
A - yu - dan - do al ve - ci - no co - mo Cris - to en - se - ñó,
A - nun - cian - do que en es - ta tie - rra vi - ve y o - bra Dios,
Y al Es - pí - ri - tu San - to que nos u - ne en co - mu - nión,

CORO
Y que so - mos cris - tia - nos lo sa - brán, lo sa - brán,

Por - que u - ni - dos es - ta - mos en a - mor.

LETRA y MÚSICA: Peter Scholtes, 1966, trad. Federico J. Pagura, alt.
© 1966 F.E.L., admin. Lorenz Publications. Usado con permiso.

ST. BRENDAN'S
Metro irreg.
Mi m

El gozo del Señor 359

Neh. 8:1-10
Sal. 119:105-112
Jn. 4:4-15

No os entristezcáis, porque el gozo del Señor es vuestra fuerza. Neh. 8:10

Con gozo

1. El go-zo del Se-ñor mi for-ta-le-za es,
2. Si tie-nes e-se go-zo pue-des tú can-tar,
3. Me da del a-gua vi-va; sed no ten-go más;

El go-zo del Se-ñor mi for-ta-le-za es;
Si tie-nes e-se go-zo pue-des tú can-tar;
Me da del a-gua vi-va; sed no ten-go más;

El go-zo del Se-ñor mi for-ta-le-za es,
Si tie-nes e-se go-zo pue-des tú can-tar,
Me da del a-gua vi-va; sed no ten-go más;

Su go-zo sin me-di-da él me da.

LETRA: Basada en Nehemías 8:10, Alliene G. Vale, 1971, es trad.
MÚSICA: Alliene G. Vale, 1971

THE JOY OF THE LORD
Metro irreg.
Mi♭ (Capo 1 - Re)

360 Canten con alegría

A él clamé con mi boca, y fue exaltado con mi lengua. Sal. 66:17

1. Can - ten con a - le - grí - a las a - la - ban - zas de Cris - to el Rey;
2. Cris - to es la luz del mun - do, y el que le si - gue, la luz ten - drá;
3. Cris - to es, de las o - ve - jas que él re - di - mie - ra, su Buen Pas - tor;
4. Aho - ra ya no es - toy tris - te si - no que vi - vo siem - pre fe - liz,

An - den en los ca - mi - nos que nos mos - tra - ra su au - gus - ta grey.
Cris - to es el pan de vi - da, y el que de él co - me no mo - ri - rá.
Vi - no pa - ra sal - var - las, pe - ro su - frien - do cruen - to do - lor.
Con la dul - ce es - pe - ran - za de que al - gún dí - a i - ré al pa - ís,

Vi - van los re - di - mi - dos en las vic - to - rias del Ven - ce - dor;
Cris - to es la fuen - te vi - va, y el que de él be - be no ten - drá sed;
Y al de - rra - mar su san - gre en el ma - de - ro de a - que - lla cruz,
E - se pa - ís a - ma - do don - de mo - ra - das fue a pre - pa - rar

Pa - ra que to - dos jun - tos vea - mos las glo - rias del Re - den - tor.
Y si que - réis la vi - da, id a la fuen - te ya - llí be - bed.
Vi - da, paz y es - pe - ran - za, y e - ter - na glo - ria nos dio Je - sús.
Cris - to, el Pas - tor E - ter - no, que a sus o - ve - jas vi - no a sal - var.

LETRA y MÚSICA: Alfredo Colom M., 1954, 🎵 arreg. Roberto C. Savage 🎵
© 1954, ren. 1982 Singspiration Music. Usado con permiso.

CANTEN CON ALEGRÍA
16 16 16 16
Do

GUA

Grande gozo hay en mi alma 361

2 Co. 4:5-16
Gá. 5:16-25
Ro. 5:1-11

Con energía

Y se regocijó con toda su casa de haber creído a Dios. Hch. 16:34

1. Gran-de go - zo hay en mi al - ma hoy, pues Je - sús con - mi-go es - tá,
2. Hay un can - to en mi al - ma hoy, me - lo - dí - as a mi Rey;
3. Paz di - vi - na hay en mi al-ma hoy, por-que Cris - to me sal - vó;
4. Gra - ti-tud hay en mi al - ma hoy, y a-la - ban-zas a Je - sús;

Y su paz, que ya go-zan-do es-toy, por siem - pre du - ra - rá.
En su a-mor fe - liz y li - bre soy, y sal - vo por la fe.
Las ca - de-nas ro-tas ya es-tán; Je - sús me li - ber - tó.
Por su gra-cia a la glo - ria voy, go-zán-do-me en la luz.

CORO

Gran-de go - zo, ¡Cuán her - mo - so! Pa-so
Gran - de go-zo pa-ra mí, ¡Cuán her - mo-so con Je - sús!

to - do el tiem - po bien fe - liz; Por-que
bien fe - liz;

veo de Cris - to la son-rien-te faz, gran-de go-zo sien-to en mí.

LETRA: Eliza E. Hewitt, 1887, es trad.
MÚSICA: John R. Sweney, 1887

SUNSHINE
Metro irreg.
Lab (Capo 1 - Sol)

362 Solo no estoy

Mt. 28:16-20
Sal. 44:1-8
Jn. 14:15-26

Con regocijo

Cobrad ánimo...y trabajad; porque yo estoy con vosotros. Hag. 2:4

So-lo no es-toy, Je-sús es-tá a mi la-do, a-mi-go fiel que no me de-ja-rá. So-lo no es-toy; en tem-pes-tad o en cal-ma mi buen Je-sús su pro-tec-ción me da. Aun-que la tem-pes-tad me a-zo-te, y el mun-do me des-pre-cie, no te-me-ré lle-var la cruz, pues me guí-a con su a-mor. A-sí ca-mi-no

LETRA y MÚSICA: John W. Peterson, 1955, trad. Leslie Thompson
© 1955, ren. 1983 John W. Peterson. Usado con permiso.

I'M NOT ALONE
Metro irreg.
Fa (Capo 1 - Mi)

Oh mi santo Dios **363**

Sal. 40: 1-5,16
Sal. 94: 16-22
Sal. 125

Mas Jehová me ha sido por refugio. Sal. 94: 22

Con sentimiento

1. Oh mi san - to Dios, mi al - ma es - pe - ra en ti,
2. La se - re - ni - dad que en Dios en - con - tré
3. Si mu - rie - ra hoy, al ce - les - te ho - gar

y an - he - la des - can - so en ti. En tu se - no, oh Dios,
ca - da dí - a a - lien - ta mi fe.
yo i - rí - a con Dios a mo - rar.

siem - pre me cui - da - rás y tu paz e - ter - nal me da - rás.

LETRA: Autor descon., Rusia, c. 1976, trad. Oscar López M.
MÚSICA: Compositor descon., Rusia, c. 1976, arreg. Gennadi A. Sergienko y F.B.J.
© 1992 Celebremos/Libros Alianza. Se prohibe la reproducción sin autorización.

TY MOI BOJ SVYATOI
5 6 9/Coro
Mi m

(Vea adjunta al #312)

364 Jehová es mi Pastor

Jehová es mi pastor; nada me faltará. Sal. 23:1

Con certidumbre

1. Je - ho - vá es mi Pas - tor, me a - pa - cien - ta con a - mor,
2. Mi Pas - tor me guar - da - rá, siem - pre me con - for - ta - rá,
3. ¡Oh, tan fiel es mi Pas - tor! tan cons - tan - te es en su a - mor

en sus pas - tos de - li - ca - dos pa - ce - ré; Des - can -
por las sen - das de jus - ti - cia me guia - rá; En el
que mi co - pa re - bo - san - do siem - pre es - tá; Cuan - do en

(D.S.) Jun - to a

san - do sin te - mor al a - bri - go del Se - ñor,
tiem - po de do - lor me se - rá Con - so - la - dor;
va - lle os - cu - ro es - té, mal nin - gu - no te - me - ré;

él ca - mi - na - ré, en su bra - zo con - fia - ré,

de las a - guas de re - po - so be - be - ré.
en mi co - ra - zón su paz in - fun - di - rá.
a la ca - sa de mi Dios i - ré a mo - rar.

Fin

na - da del a - mor de Dios me a - par - ta - rá.

LETRA: Basada en el Salmo 23, Mary A. Whitaker, 1891,
    trad. Enrique S. Turrall
MÚSICA: George F. Root, 1891

IN HEAVENLY PASTURES
14 11 14 11/Coro
Sol

CORO

El Se-ñor me pas-to-re-a, na-da a-quí me fal-ta-rá;

Is. 40: 27-31
Sal. 103: 1-5
2 Co. 4: 5-16

Con ánimo

Los que esperan en Jehová 365

Los que esperan a Jehová tendrán nuevas fuerzas. Is. 40: 31

•1. Los que es-pe-ran en *Je-ho-vá nue-vas fuer-zas po-se-e-rán;
•2. En los bra-zos de mi Je-sús, hay lu-gar de con-sue-lo y luz;

*el Señor

Ca-mi-nan-do sin des-can-sar, nun-ca se fa-ti-ga-rán.
Él nos brin-da su go-zo y paz en el si-tio de so-laz.

CORO

Cual las á-gui-las al-za-rán, con el po-der de Cris-to el Rey,

Fuer-tes a-las pa-ra vo-lar, los que es-pe-ran en Je-ho-vá.

LETRA: Basada en Isaías 40: 27-31, Alfredo Colom M., 1956
MÚSICA: Alfredo Colom M., 1956, arreg. Roberto C. Savage
© 1956 Singspiration Music. Usado con permiso.

GUA

EL PALMAR
8 8 8 7/Coro
Re

366 En Jesucristo

Mr. 6:45-51
Lc. 10:3-7
Lc. 19:37-40

Y el mismo Señor de paz os dé siempre paz en toda manera. 2 Ts. 3:16

Con gozo

•1. En Jesucristo se halla la paz; en horas negras de tempestad Tienen las almas dulce solaz, grato consuelo, felicidad.

•2. En nuestras luchas, en el dolor, en tristes horas de tentación, Calma le infunde, santo vigor, nuevos alientos al corazón.

•3. Cuando en la lucha falta la fe y el alma ve se desfallecer, Cristo nos dice: "Siempre os daré gracia divina, santo poder".

CORO

Gloria cantemos al Redentor que por nosotros quiso morir; Y que la gracia del Salvador siempre dirija nuestro vivir.

LETRA: Fanny J. Crosby, 1873, trad. E.A. Monfort Díaz
MÚSICA: Phoebe Palmer Knapp, 1873
Esta letra (estrofa) se puede cantar con la música de #384 (Haz lo que quieras).

ASSURANCE
9 9 9 9/Coro
Re

Sal. 13
Is. 26: 1-4
Sal. 18: 1-6, 46-50

Con confianza

Confiado Estoy 367

En paz me...dormiré; porque sólo tú, Señor, me haces vivir confiado. Sal. 4:8

F / Mi
Dm / Do♯m

1. Se o-cul-ta el sol; la no-che cer-ca es-tá y el dí-a que se
2. I-gual que hoy más dí-as pa-sa-rán, y al-gu-nos que, tal
3. Pen-san-do es-toy que tris-te de-be ser vi-vir sin su ca-

↑ ♩ 2' 35"

Gm / Fa♯m
C7 / Si 7
F / Mi

fue no vol-ve-rá ja-más; Y yo se-gu-ro dor-mi-
vez, el sol no lu-ci-rá; Sé bien que Dios con-mi-go es-
lor, vi-vir sin en-ten-der Que al fin la vi-da a-ca-

Dm / Do♯m
Gm / Fa♯m
C7 / Si 7
F / Mi
CORO
F / Mi

ré, sa-bien-do que mi Dios me ve-la-rá tam-bién. Con-fia-do es-
tá, y a-quel que es-pe-ra en él, en paz des-can-sa-rá.
rá y ve-rás que an-dar sin Dios es só-lo va-ni-dad.

Gm7 / Fa♯m7
C7 / Si 7
FM7 / Mi M7
Gm7 / Fa♯m7
F / Mi
F / Mi

toy en mi Se-ñor; li-bra mi al-ma de te-mor; Le o-be-de-
él es mi guí-a y pas-tor; Sé que mi

Gm7 / Fa♯m7
C7 / Si 7
1 **F** / Mi **E♭7** / Re7 **F** / Mi
2 **F** / Mi **B♭** / La **F** / Mi

cí; me res-ca-tó y con sus a-las me cu-brió.
vi-da cui-da-rá y que has-ta el fin me guar-da-
rá.

LETRA y MÚSICA: Jordi Roig, 1976, arreg. F.B.J.
Usado con permiso del autor.

[ESP]

CATALUÑA
Metro irreg.
Fa (Capo 1 - Mi)

368 Día en día

2 Co. 12:9-10
Sal. 55:16-23
Hch. 18:1-10

Bendito el Señor; cada día nos colma de beneficios. Sal. 68:19

1. Dí - a en dí - a Cris - to es - tá con - mi - go; me con - sue - la en
2. Dí - a en dí - a Cris - to me a - com - pa - ña y me brin - da
3. Oh Se - ñor, a - yú - da - me es - te dí - a a vi - vir de

me - dio del do - lor, Pues con - fian - do en su po - der e - ter - no,
dul - ce co - mu - nión. To - dos mis cui - da - dos él los lle - va;
tal ma - ne - ra a - quí Que tu nom - bre es - té glo - ri - fi - ca - do,

no me a - fa - no, ni me da te - mor. So - bre pu - ja to - do en - ten - di -
a él le en - tre - go mi al - ma y co - ra - zón. No hay me - di - da del a - mor su -
pues an - he - lo hon - rar - te só - lo a ti. Con la dies - tra de tu gran jus -

mien - to la per - fec - ta paz del Sal - va - dor. En su a - mor tan
pre - mo de mi bon - da - do - so y fiel Pas - tor. Él me su - ple
ti - cia me sus - ten - tas en la tur - ba - ción. Tus pro - me - sas

gran - de e in - fi - ni - to siem - pre me da - rá lo que es me - jor.
lo que ne - ce - si - to, pues el pan de vi - da es mi Se - ñor.
son sos - tén y guí - a; siem - pre en e - llas hay con - so - la - ción.

LETRA: Carolina Sandell-Berg, 1865, trad. Roberto C. Savage y Francisco S. Cook
MÚSICA: Oscar Ahnfelt, 1872
Trad. y arreg. © 1958 Singspiration Music. Usado con permiso.

BLOTT EN DAG
10 9 10 9 D
Mi♭(Capo 1 - Re)

Hch. 26: 8-18
Hch. 10: 30-33
Hch. 16: 23-34

Cuando Cristo vino 369

Y le dijo: Levántate, vete; tu fe te ha salvado. Lc. 17: 19

1. Cuan - do Cris - to vi - no a mi co - ra - zón, mi vi - da en -
2. Hoy quie - ro que Cris - to te trans - for - me a ti, que cam - bie tu

te - ra cam - bió. Su paz y su a - mor a - le - ja - ron de mí
vi - da tam - bién; Oh, pien - sa en la cruz don - de mu - rió por ti

las du - das, las som - bras y el te - mor. Mi vi - da co - men - zó cuan-
y á - bre - le ya tu co - ra - zón.

do el Se - ñor lle - gó, y hoy pue - do can - tar yo de su a - mor.

LETRA: Autor descon., Latinoamérica, s. 20
MÚSICA: Melodía americana, s.20, arreg. Leslie Gómez C.
© 1982 Casa Bautista de Publicaciones. Usado con permiso.

L.A.

CRISTO VINO
11 8 11 9/Coro
Mi♭(Capo 1 - Re)

La paz de Dios 370

Justificados, pues, por la fe, tenemos paz para con Dios
por medio de nuestro Señor Jesucristo.
**En él tenemos libertad y acceso a Dios con
confianza, por medio de la fe en él.**

Romanos 5:1; Efesios 3:12 (RVA)

371 Cuán dulce es confiar

Ef. 1:3-14
Sal. 86:1-10, 14-17
Ap. 22:1-7

Guarda misericordia y juicio, y en tu Dios confía siempre. Os. 12:6

Con gozo

1. ¡Cuán dul - ce es con - fiar en Cris - to y en - tre - gar - se to - do a él,
2. Dul - ce sí es con - fiar en Cris - to y cum - plir su vo - lun - tad,
3. Siem - pre en ti con - fiar yo quie - ro, mi pre - cio - so Sal - va - dor;

Es - pe - rar en sus pro - me - sas, y en sus sen - das ser - le fiel!
No du - dan - do su pa - la - bra, que es la luz y la ver - dad.
En la vi - da y en la muer - te pro - tec-ción me dé tu a - mor.

CORO

Je - su - cris - to, Je - su - cris - to, ya tu a - mor pro - bas-te en mí;

Je - su - cris - to, Je - su - cris - to, siem - pre con - fia - ré en ti.

LETRA: Louisa M. R. Stead, 1882, trad. Vicente Mendoza, alt.
MÚSICA: William J. Kirkpatrick, 1882

TRUST IN JESUS
8 7 8 7 / Coro
Sol

372 Jesús me pastorea

Jn. 10:11-18
Sal. 23
Heb. 13:17-21

Con regocijo

Yo soy el buen pastor; y conozco mis ovejas. Jn. 10:14

Je - sús me pas - to - re - a, ca - mi - no yo con él;

LETRA: Basada en Juan 10:14
MÚSICA: Compositor descon., s. 20

SHEPHERD
Canon a dos voces
Fa (Capo 1 - Mi)

373 Estoy Bien

Ro. 5: 1-11
Ro. 8: 28-39
Ef. 1: 3-14

La mano de nuestro Dios es para bien sobre todos los que le buscan. Esd. 8:22

Con confianza

1. De paz i - nun - da - da mi sen - da es - té o cú - bra - la un mar de a - flic - ción, Cual - quie - ra que se - a mi suer - te, di - ré: "Es - toy bien, ten - go paz, ¡Glo - ria a Dios!"
2. Ya ven - ga la prue - ba o me tien - te Sa - tán, no a - men - gua mi fe ni mi a - mor; Pues Cris - to com - pren - de mis lu - chas, mi a - fán, y su san - gre o - bra - rá en mi fa - vor.
3. Fe - liz yo me sien - to al sa - ber que Je - sús li - bró - me de yu - go o - pre - sor; Qui - tó mi pe - ca - do, cla - vó - lo en la cruz; glo - ria de - mos al buen Sal - va - dor.
4. La fe tor - na - rá - se en fe - liz rea - li - dad al ir - se la nie - bla ve - loz; Des - cien - de Je - sús con su gran ma - jes - tad, ¡A - le - lu - ya, es - toy bien con mi Dios!

CORO

Es - toy bien, ¡Glo - ria a Dios! Ten - go paz en mi ser, ¡Glo - ria a Dios!
Es - toy bien, ¡Glo - ria a Dios!

LETRA: Horatio G. Spafford, 1873, trad. Pedro Grado Valdés, ● alt.
MÚSICA: Philip P. Bliss, 1876 ●

VILLE DU HAVRE
11 8 11 9 / Coro
Do

374 Sigo confiando en Jesús

En el Señor he confiado. Sal. 11:1

Con gozo

Si - go con - fian - do en Je - sús mi Sal - va - dor; si - go con -

fian - do en Je - sús, no ten - dré te - mor; Si vie - nen

prue - bas y a - fán pue - do can - tar; si - go con - fian - do en Je - sús,

nun - ca fal - ta - rá. Es a - mi - go fiel, tan fiel pa - ra

mí, me a - yu - da - rá has - ta el fin.

LETRA: John W. Peterson, 1962, trad. Pablo Sywulka B.
MÚSICA: John W. Peterson, 1962, arreg. en *The Korean-English Hymnal*, 1984, alt.
© 1962, ren. 1990 John W. Peterson. Usado con permiso.

I JUST KEEP TRUSTING
Metro irreg.
Fa (Capo 1 - Mi)

Sal. 27
Jn. 14: 15-26
Jos. 1: 1-9

Siempre conmigo está 375

El permanece en nosotros, por el Espíritu que nos ha dado. 1 Jn. 3: 24

Con certidumbre

B♭ La   **A♭** La7   **E♭** Re   **B♭** La

1. He vis - to el fúl - gi - do ra - yo, y o - í - do el true - no ru - gir;
2. Mun - da - nas nu - bes me en - vuel - ven, y ten - ta - cio - nes tam - bién;
3. Por mí mu - rió en el Mon - te, por mí su san - gre ver - tió,

g 2' 33"

CORO: (♩) No —— me de-sam - pa - ra - rá, (♩) ni —— me de - ja - rá,

F7 Mi 7   **B♭** La

Las o - las con su es - ta - lli - do que - rí - an - me des - truir;
An - te Je - sús se di - suel - ven, Je - sús es mi sos - tén;
Por mí a - brió e - sa fuen - te que li - ber - tad me dio.

Pues pro - me - tió no de - jar - me; (♩) él con - mi - go es - tá.

B♭ La   **B♭ 7** La7   **E♭** Re   **B♭** La

O - í la voz de mi Cris - to, cal - mó la cruel tem - pes - tad;
Me guar - da en to - do pe - li - gro, su pro - tec - ción él me da;
Me es - pe - ra a - llá en la glo - ria, sen - ta - do en gran ma - jes-tad;

(♩) No —— me de-sam - pa - ra - rá, (♩) ni —— me de - ja - rá,

F7 Mi 7   **B♭** La **D. C.**

Pues pro - me - tió no de - jar - me; siem - pre con - mi - go es - tá.
Pues pro - me - tió no de - jar - me; siem - pre con - mi - go es - tá.
Y des - de a - llá me pro - me - te siem - pre con - mi - go es - tar.

Pues pro - me - tió no de - jar - me; (♩) siem - pre con - mi - go es - tá. *(Fin)*

LETRA: Autor descon., trad. Enrique Turrall, ⊙ adapt. Comité de *Celebremos*
MÚSICA: Melodía americana, s.19

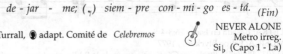

NEVER ALONE
Metro irreg.
Si♭ (Capo 1 - La)

376 Confiad en Jehová

Porque en Jehová él Señor está la fortaleza de los siglos. Is. 26: 4

Is. 26: 1-9, 12
Lm. 3: 25-33
Sal. 125

Con expresión

Tú guar - da - rás en com - ple - ta paz a a - quel cu - yo pen - sa -
mien - to en ti per - se - ve - ra, en ti per - se - ve - ra;
por - que en ti ha con - fia - do. Con - fiad en Jeho - vá per -
pe - tua - men - te por - que en Je - ho - vá el Se - ñor es - tá la
for - ta - le - za de los si - glos; con - fiad en Jeho - vá.

LETRA: Basada en Isaías 26:3-4
MÚSICA: Felipe Blycker J., 1977
© 1977 Philip W. Blycker en *Cánticos nuevos de la Biblia. Usado con permiso.*

GUA

CONFIAD
Metro irreg.
Sol

Descanso en ti 377

Ex. 33:11-22
Mt. 11:25-30
Sal. 23
Con confianza

En ti nos apoyamos y en tu nombre vamos. 2 Cr. 14:11 (RVA)

1. Des - can - so en ti, mi De - fen - sor y Es - cu - do, pues en la lid, con-
2. Oh Sal - va - dor, voy en tu san - to nom - bre, tu nom - bre a - ma - do,
3. Por fe yo voy, sin - tien-do mi fla - que - za, mas en tu gra - cia
4. Des - can - sa - ré con - ti - go al fin en glo - ria, en - tran - do por por-

ti - go a sal - vo es - toy; En tu po - der a com - ba - tir a - cu - do;
dig - no de lo - or, Jus - ti - cia, paz y re - den - ción del hom - bre,
a - po - ya - do es - toy; En tu po - der es - tá mi for - ta - le - za;
ta - les de es-plen - dor. Tu-ya es la lu - cha, tu - ya la vic - to - ria,

des - can - so en ti, y en tu nom - bre voy. En tu po - der a
Rey de la glo - ria y Prín - ci - pe de a - mor. Jus - ti - cia, paz y
des - can - so en ti, y en tu nom - bre voy. En tu po - der es-
y la a - la - ban - za a ti se - rá, Se - ñor. Tu - ya es la lu - cha,

com - ba - tir a - cu - do; des - can - so en ti, y en tu nom - bre voy.
re - den - ción del hom - bre, Rey de la glo - ria y Prín - ci - pe de a - mor.
tá mi for - ta - le - za; des - can - so en ti, y en tu nom - bre voy.
tu - ya la vic - to - ria, y la a - la - ban - za a ti se - rá, Se - ñor. A - mén.

LETRA: Edith G. Cherry, s.19, trad. Estela Z. Sharpin
MÚSICA: Jean Sibelius, 1899, arreg. en *The Hymnal*, 1933.
Arreg. © 1933, ren. 1961 Junta Presbiteriana de Educación Cristiana.
Trad. © 1969 Ediciones Certeza. Usado con permiso.

FINLANDIA
11 10 11 10 11 10
Fa (Capo 1 - Mi)

NUESTRA VIDA EN CRISTO

378 Noble Sostén

Sal. 37: 1-11
Sal. 37: 22-29
Is. 41: 8-13

[El Señor] sostiene a los justos. Sal. 37: 17

1. No-ble sos-tén de la es-pe-ran-za mí-a, fuen-te ben-di-ta de la vi-da e-ter-na, Tan só-lo el al-ma que en tus fuer-zas fí-a tie-ne paz, tie-ne paz.

2. Yo soy muy dé-bil, pe-ro en ti soy fuer-te; nun-ca en la lu-cha des-ma-yar po-dré; Si tú es-tás con-mi-go, ni a la mis-ma muer-te te-me-ré, te-me-ré.

3. Du-ra es la lu-cha, di-fí-cil la ta-re-a, mas tú me do-tas de tu gran po-der; Mi es-pí-ri-tu re-nue-vas con la i-de-a nue-va de ven-cer, de ven-cer.

CORO

Mi sos-tén es Je-sús, nun-ca en la lu-cha des-ma-yar po-dré; Mi sos-tén es Je-

ULTIMO CORO: A-le-lú, a-le-lú A-le-lú, a-le-

LETRA y MÚSICA: Autor y compositor descon., México, s. 20, arreg. F.B.J.
Arreg. © 1992 Celebremos/Libros Alianza. Se prohibe la reproducción sin autorización.

MEX

NOBLE SOSTÉN
Metro irreg.
Mi♭ (Capo 1 - Re)

sús (el Se - ñor), nun-ca en la lu-cha des-ma-yar po - dré.
lu - ya

Jos. 1:1-9
Fil. 4:6-13
1 Ts. 5:1-11
Con ánimo

Anímate y esfuérzate   379

Esfuérzate, sé valiente y actúa...Dios...estará contigo. 1 Cr. 28:20 (RVA)

A-ní-ma-te y es-fuér-za-te, y ma-nos a la o-bra, ma-nos a la
o-bra.
1. Da-vid di-jo a su hi-jo: "No te - mas, ni des-
2. "Él no te de-ja - rá ni te de-sam-pa-ra-

ma - yes por-que Je-ho-vá mi Dios es - ta-rá con - ti - go".
rá has - ta que a-ca-bes to-da la o - bra de Dios".

LETRA: Basada en 1 Crónicas 28:20
MÚSICA: Felipe Blycker J., 1985
© 1985 *Philip W. Blycker en* Cánticos nuevos de la Biblia. *Usado con permiso.*

ANÍMATE
Metro irreg.
Re m

GUA

380 Límpiame, Señor

Sal. 18:16-19
Sal. 19
Job 5:8-16

El es fiel y justo para...limpiarnos de toda maldad. 1 Jn. 1:9

Con adoración

1. Lím - pia - me, Se - ñor, de to - da mi mal - dad; Bo - rra mi pe - ca - do, da - me san - ti - dad. Quie - ro por tu san - gre el per - dón go - zar; Lím - pia - me, Se - ñor, pa - ra a - do - rar.
2. Lím - pia - me, Se - ñor, de to - da mi mal - dad; Sé que no bus - qué ha - cer tu vo - lun - tad. Te con - fie - so, Cris - to, que re - bel - de fui; Lí - bra - me, Se - ñor; a - cu - do a ti.
3. Lí - bra - me, Se - ñor, tu voz es - cu - cha - ré; Con hu - mil - de co - ra - zón te se - gui - ré. En sin - ce - ri - dad te quie - ro a - la - bar; Li - bre es - toy, Se - ñor, pa - ra a - do - rar.

LETRA: Autor descon., s. 20 trad. y adapt. Sonia Andrea Linares M.
MÚSICA: Compositor descon., s. 20, arreg. F.B.J.
Trad. y arreg. © 1992 Celebremos/Libros Alianza. Se prohibe la reproducción sin autorización.

SET MY SPIRIT FREE
11 11 11 9
Sol

381 Tú me perdonas, Señor

De una misma boca proceden bendición y maldición. Hermanos míos, esto no debe ser así.

Porque donde hay celos y contención, allí hay perturbación y toda obra perversa.

Someteos, pues, a Dios; resistid al diablo, y huirá de vosotros.

Acercaos a Dios, y él se acercará a vosotros.

Pecadores, limpiad las manos; y vosotros los de doble ánimo, purificad vuestros corazones.

Si andamos en luz, como él está en luz, tenemos comunión unos con otros,

Y la sangre de Jesucristo su Hijo nos limpia de todo pecado.

Si confesamos nuestros pecados, él es fiel y justo para perdonar nuestros pecados, y limpiarnos de toda maldad.

Hijitos míos, estas cosas os escribo para que no pequéis;

Y si alguno hubiere pecado, abogado tenemos para con el Padre, a Jesucristo el justo.

Examíname, oh Dios, y conoce mi corazón; Pruébame y conoce mis pensamientos;

Y ve si hay en mí camino de perversidad, y guíame en el camino eterno.

Santiago 3:10, 16; 4:7, 8;
1 Juan 1:7, 9; 2:1; Salmo 139:23, 24 (RVR)

Sal. 139: 1- 6, 23-24
Sal. 26
Sal. 66: 8-12

Mi corazón, oh examina hoy 382

Examíname, oh Dios, y conoce mi corazón. Sal. 139: 23

Con tranquilidad

1. Mi co-ra-zón, oh ex-a-mi-na hoy; mis pen-sa-
2. Lím-pia-me, Dios, de to-da mi mal-dad; a-vi-va

mien-tos prue-ba, oh Se-ñor. Ve si en mí per-ver-si-
hoy mi e-rran-te co-ra-zón. Quie-ro an-dar con-ti-go en

da-des hay; por sen-das rec-tas guí-a-me por tu a-mor.
san-ti-dad; lle-na mi vi-da de tu ben-di-ción.

Puente para pasar de Sol (1♯) a Mi♭ (3♭)

LETRA: Basada en Salmo 139: 23-24, J. Edwin Orr, 1936, trad. estr. #1 Carlos P. Denyer y
E. de Fuller, #2 Comité de *Celebremos*
MÚSICA: Melodía maori, es arreg.
Esta letra se puede cantar también con la música de #260 (Transfórmame),
#343 (Yo te bendigo) y #646 (Después).

MAORI
10 10 10 10
Sol

383 Si fui motivo de dolor

Si confesamos nuestros pecados, él es fiel...para perdonar. 1 Jn. 1: 9

Ef. 4: 29-5:1
1 Co. 8
1 Jn. 1

Con intensidad

1. Si fui mo - ti - vo de do - lor, oh Cris - to, si por mi
2. Si va - na y fú - til mi pa - la - bra ha si - do, si al que su -
3. Si por la vi - da qui - se an - dar sin pe - nas, tran - qui - lo,

cau - sa el dé - bil tro - pe - zó, Si en tus pi - sa - das ca - mi -
frí - a, en su do - lor de - jé, Si só - lo a - gra - do mí - o
li - bre y sin lu - char por ti, Cuan - do an - he - la - bas ver - me

nar no qui - se,
he bus - ca - do, per - dón te rue - go, mi Se - ñor y Dios.
en la lu - cha,

CORO

Es - cu - cha, oh Dios, mi con - fe - sión hu - mil - de
Oh, guar - da siem - pre mi al - ma en tu re - ba - ño;

LETRA: C. Maud Battersby, 1895, trad. Sara Menéndez de Hall, alt. CUB
MÚSICA: Melodía cubana, arreg. Roberto C. Savage
Arreg. © 1953, ren. 1981 Singspiration Music. Usado con permiso.

SI FUI MOTIVO
11 10 11 10 D
Mi ♭ (Capo 1 - Re)

Jer. 18: 1-6
Ro. 9: 20-23
2 Ti. 2: 15-22

Con calma

Haz lo que quieras 384

Tú eres nuestro padre; nosotros barro...obra de tus manos somos. Is. 64: 8

1. Haz lo que quie-ras de mí, Se-ñor; tú el Al-fa-re-ro, yo el ba-rro soy; Dó-cil y hu-mil-de an-he-lo ser; cúm-pla-se siem-pre en mí tu que-rer.

2. Haz lo que quie-ras de mí, Se-ñor; mí-ra-me y prue-ba mi co-ra-zón; Lá-va-me y qui-ta to-da mal-dad pa-ra que tu-yo se-a en ver-dad.

3. Haz lo que quie-ras de mí, Se-ñor; cu-ra mis lla-gas y mi do-lor; Tu-yo es, oh Cris-to, to-do po-der; tu ma-no ex-tien-de y sa-na mi ser.

4. Haz lo que quie-ras de mí, Se-ñor; del Pa-ra-cle-to da-me la un-ción; Due-ño ab-so-lu-to sé de mi ser; que el mun-do a Cris-to pue-da en mí ver.

LETRA: Adelaide A. Pollard, 1902, trad. Ernesto Barocio
MÚSICA: George C. Stebbins, 1907

ADELAIDE
9999
Mi♭ (Capo 1 - Re)

385 Perdón

Sal. 103:6-14
Mi. 7:18-20
1 Jn. 1

El Señor...grande en misericordia, que perdona la iniquidad. Nm. 14:18

Je-ho-vá tar-do pa-ra la i-ra; Je-ho-vá gran-de en

mi-se-ri-cor-dia; que per-do-na la i-ni-qui-dad, que per-

do-na la re-be-lión; Per-do-na a-ho-ra la i-ni-qui-dad,

per-do-na a-ho-ra la gran re-be-lión de es-te pue-blo,

se-gún la gran-de-za de tu di-vi-na mi-se-ri-cor-dia.

LETRA: Basada en Números 14:18-19   GUA

MÚSICA: Felipe Blycker J., 1985

© 1985 *Philip W. Blycker en* Cánticos nuevos de la Biblia *Usado con permiso.*

PERDÓN
Metro irreg.
Sol

Jn. 15: 5-15
Col. 1: 15-23
Ef. 2: 11-22

Cristo es mi dulce Salvador 386

Te glorificaré, oh Señor, porque me has exaltado. Sal. 30: 1

1. Cris - to es mi dul - ce Sal - va - dor, mi bien, mi paz, mi luz;
2. Cris - to es mi dul - ce Sal - va - dor; su san - gre me com - pró;
3. Cris - to es mi dul - ce Sal - va - dor, mi e - ter - no Re - den - tor;
4. Cris - to es mi dul - ce Sal - va - dor, por él sal - va - do soy,

Mos - tró - me su in - fi - ni - to a - mor mu - rien - do en du - ra cruz.
Con sus he - ri - das y do - lor, per - fec - ta paz me dio.
¡Oh! nun - ca yo po - dré pa - gar la deu - da de su a - mor.
La Ro - ca de la E - ter - ni - dad, en quien se - gu - ro es - toy.

Cuan - do es - toy tris - te en - cuen - tro en él con - so - la - dor y a -
Di - cha in - mor - tal a - llá ten - dré, con Cris - to siem - pre
Le se - gui - ré, pues, en la luz; no te - me - ré lle -
Glo - ria in - mor - tal a - llá ten - dré, con Cris - to siem - pre

mi - go fiel; Con - so - la - dor, a - mi - go fiel, es Je - sús.
rei - na - ré; Di - cha in - mor - tal a - llá ten - dré con Je - sús.
var su cruz; No te - me - ré lle - var la cruz de Je - sús.
rei - na - ré; Glo - ria in - mor - tal a - llá ten - dré con Je - sús.

LETRA y MÚSICA: Will L. Thompson, 1904, trad. S.D. Athans

ELIZABETH
Metro irreg.
Sol

387 Dulce Comunión

Con seguridad   *El eterno Dios es tu refugio, y acá abajo los brazos eternos.*   Dt. 33:27

•1. Dul - ce co - mu-nión la que go - zo ya en los bra - zos de mi
2. ¡Cuán dul-ce es vi - vir, cuán dul - ce es go - zar! en los bra - zos de mi
•3. No hay que te - mer, ni que des - con - fiar, en los bra - zos de mi

Sal - va - dor; ¡Qué gran ben - di - ción en su paz me da!
Sal - va - dor; A - llí quie - ro ir y con él mo - rar,
Sal - va - dor; Por su gran po - der él me guar - da - rá

¡Oh! yo sien - to en mí su tier - no a - mor. Li - bre,
sien - do ob - je - to de su tier - no a - mor. *Li - bre de pe - nas*
de los la - zos del en - ga - ña - dor.

sal - vo, del pe - ca - do y del te - mor; Li - bre,
sal - vo de du - das, *Li - bre de pe - nas,*

sal - vo, en los bra - zos de mi Sal - va - dor.
sal - vo de du - das,

LETRA: Elisha A. Hoffman, 1887, trad. Pedro Grado Valdés
MÚSICA: Anthony J. Showalter, 1887

SHOWALTER
10 9 10 9 / Coro
Sol

Mt. 1:18-23
Is. 53
Jn. 20:19-29

Hay Momentos 388

Pienso que ni aun en el mundo cabrían los libros. Jn. 21:25

Con sentimiento

Hay mo-men-tos que las pa-la-bras no me al-can-zan pa-ra de-cir-te lo que sien-to por ti, mi buen Je-sús. buen Je-sús.

Yo te a-gra-dez-co por to-do lo que has he-cho, por to-do lo que ha-ces, y to-do lo que ha-rás. lo que ha-rás.

LETRA y MÚSICA: Autor y compositor descon., Latinoamérica, s. 20, arreg. F.B.J.
Arreg. © 1992 Celebremos/Libros Alianza. Se prohíbe la reproducción sin autorización.

HAY MOMENTOS
Metro irreg.
Mi♭(Capo 1 - Re)

William J. Kirkpatrick (1838-1921)
Desde muy joven William sintió vocación por la música, y a los veintiún años de edad ya había editado su primera colección de himnos. Sin embargo, no fue sino hasta cumplir los cuarenta años que pudo dedicarle todo su tiempo a la profesión musical. Tuvo que prestar servicio militar, y luego trabajó como carpintero, abriendo una mueblería.

Seguramente cantaba mientras pulía la madera, y las melodías que compuso a lo largo de su vida han perdurado como favoritas. En este himnario hay diez de sus himnos; dos de ellos son: #281 (La Palabra) y #518 (Rey de mi vida). Falleció mientras escribía la segunda estrofa de un himno que habla de confiar solamente en Jesús para la salvación.

389 Amarte es lo mejor

Mr. 12: 29-33
Sal. 31: 14-24
1 Jn. 4: 10-19

Amarás al Señor tu Dios con todo tu corazón. Mt. 22: 37

1. A - mar - te, Dios, es lo me - jor que pue - do ha - cer;
2. Ser - vir - te, Dios, es lo me - jor que pue - do ha - cer;

a tu a - mor yo quie - ro siem - pre res - pon - der.

Quie - ro a - mar - te más, quie - ro a - mar - te más;
Quie - ro ser - vir - te más, quie - ro ser - vir - te más;

A - mar - te, Dios, es lo me - jor que pue - do ha - cer.
Ser - vir - te, Dios, es lo me - jor que pue - do ha - cer.

LETRA y MÚSICA: Mark Pendergrass, 1977, alt., trad. Esteban Sywulka B.
© 1977 Sparrow Song/Cherry River Music Publ. Co./Candle Co. Music,
admin. Sparrow Corp. Usado con permiso.

THE GREATEST THING
12 12 12 12
Mi ♭(Capo 1 - Re)

Cristo vive en mí 390

Gá. 2:16-21
1 P. 4:1 - 8
Tit. 2:11-15

Estando muertos...os dio vida juntamente con él. Col. 2:13

Con gozo

Con Cris-to he si-do jun-ta-men-te cru-ci-fi-ca-do, cru-ci-fi-ca-do; y ya no vi-vo yo, si-no que Cris-to vi-ve en mí. Lo que a-ho-ra vi-vo en la car-ne, lo vi-vo por la fe en el Hi-jo de Dios quien me a-mó y se en-tre-gó a sí mis-mo por mí, quien me a-mó y se en-tre-gó a sí mis-mo por mí.

LETRA: Basada en Gálatas 2:20
MÚSICA: Salomón Mussiett C., 1983, alt.
© 1983 Casa Bautista de Publicaciones. Usado con permiso.

CHI

GÁLATAS 2:20
Metro irreg.
Do

391 Ciertamente el bien de Dios

Sal. 23
Fil. 4: 4-9
Is. 40: 27-31

Ciertamente el bien y la misericordia me seguirán todos los días. Sal. 23: 6

Con seguridad

1. Yo fui pe-re-gri-no e-rra-bun-do; en las ga-rras del
2. Je-sús mi al-ma tris-te con-for-ta; nue-vas fuer-zas a
3. Si an-do en el va-lle de som-bra, va con-mi-go mi

mal me en-vol-ví. Mas Cris-to a-par-tó-me del mun-do y por
dia-rio ten-dré. Su fuen-te de paz no se a-go-ta, en su ho-
buen Sal-va-dor. Si tú quie-res que él te pro-te-ja, hoy re-

siem-pre mi al-ma le di.
gar ce-les-tial mo-ra-ré.
ci-be su gra-cia y a-mor.

CORO

Cier-ta-men-te el bien y la com-pa-sión de Dios, has-ta el fin, has-ta el fin me se-gui-rán.

Cier-ta-men-te el bien y la com-pa-sión de Dios, has-ta el fin,

LETRA: Basada en el Salmo 23, John W. Peterson y Alfred Smith,
    1958, trad. Magdalena S. Cantú
MÚSICA: John W. Peterson y Alfred Smith, 1958
© 1958 y 1966 Singspiration Music. Usado con permiso.

SURELY GOODNESS AND MERCY
9 9 9 9/Coro
Mi ♭(Capo 1 - Re)

has - ta el fin me se - gui - rán. Y en la ca - sa de Dios mo - ra -

ré por siem - pre; y co - me - ré de la me - sa de Jeho - vá.

Comunión con Cristo 392

Lo que hemos visto y oído lo anunciamos también a vosotros,
para que vosotros también tengáis comunión con nosotros.

**Y nuestra comunión es con el Padre y con su Hijo Jesu -
cristo.**

Si decimos que tenemos comunión con él y andamos en tinie -
blas, mentimos y no practicamos la verdad.

**Permaneced en él para que, cuando aparezca, tengamos
confianza y no nos avergoncemos delante de él, en su
venida.**

Amados, ahora somos hijos de Dios, y aún no se ha manifesta -
do lo que seremos.

**Pero sabemos que cuando él sea manifestado, seremos
semejantes a él, porque le veremos tal como él es.**

Y todo aquel que tiene esta esperanza en él, se purifica a sí
mismo, como él también es puro.

**Ahora vemos oscuramente por medio de un espejo, pero
entonces veremos cara a cara.**

Ahora conozco en parte, pero entonces conoceré plenamente,
así como fui conocido.

**Y ahora permanecen la fe, la esperanza y el amor, estos
tres;**

Pero el mayor de ellos es el amor.

**Fiel es Dios, por medio de quien fuisteis llamados a la
comunión de su Hijo Jesucristo, nuestro Señor.**

1 Juan 1:3, 6; 2:28; 3:2-3;
1 Corintios 13:12, 13; 1:9 (RVA)

393 A los pies de Jesucristo

La cual, sentándose a los pies de Jesús, oía su palabra. Lc. 10:39

Lc. 10:38-42
Heb. 4:11-16
Heb. 10:11-25

Con reflexión

1. A los pies de Je-su-cris-to es el si-tio a-quí me-jor,
2. A los pies de Je-su-cris-to, ha-llo tier-na com-pa-sión;
3. A los pies de Je-su-cris-to, yo ten-dré su ben-di-ción;

Es-cu-chan-do cual Ma-rí-a las pa-la-bras de su a-mor.
Él qui-tó ya mis a-fa-nes, y me dio su ben-di-ción.
En sus o-jos hay dul-zu-ra, y en su se-no pro-tec-ción.

A los pies de Je-su-cris-to, go-za-ré su co-mu-nión,
Pue-do yo de-cir-le a Cris-to mis cui-da-dos y te-mor,
¡Qué fe-liz es el mo-men-to que yo pa-so jun-to a ti!

Pues su ma-no fiel y tier-na me ha pro-vis-to pro-tec-ción.
Y con él ten-drá mi al-ma go-zo, paz, e-ter-no a-mor.
Y an-he-lo el en-cuen-tro cuan-do ven-gas tú por mí.

LETRA: Mary D. James, 1873, trad. H.C. Ball
MÚSICA: Asa Hull, 1877
Esta letra se puede cantar también con la música de #172 (Gracias),
#424 (Dejo el mundo) y #589 (Dicha grande).

ALL FOR JESUS
8787D
Fa (Capo 1 - Mi)

Pr. 3:1-8
Ef. 5:1-10
2 P. 3:8-14

Con devoción

Cuando andamos con Dios   394

Os ruego que andéis como es digno de la vocación con que fuisteis llamados. Ef. 4:1

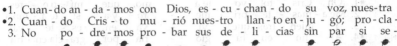

•1. Cuan-do an-da-mos con Dios, es-cu-chan-do su voz, nues-tra
•2. Cuan-do Cris-to mu-rió nues-tro llan-to en-ju-gó; pro-cla-
3. No po-dre-mos pro-bar sus de-li-cias sin par si se-

sen-da flo-ri-da se-rá; Cum-pli-re-mos su Ley por-que
mar-le de-be-mos do-quier; Go-za-rán del a-mor del ben-
gui-mos mun-da-no el pla-cer; Dis-fru-ta-mos su a-mor y di-

es nues-tro Rey, y su a-mor siem-pre nos gui-a-rá.
di-to Se-ñor los que hu-mil-des le en-tre-gan su ser.
vi-no fa-vor al ser fie-les en o-be-de-cer.

CORO

O-be-de-cer, y con-fiar en Je-sús, es la

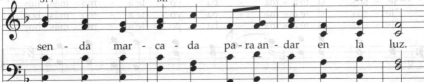

sen-da mar-ca-da pa-ra an-dar en la luz.

TRUST AND OBEY
669 D/Coro
Fa (Capo 1 - Mi)

LETRA: John H. Sammis, 1887, trad. estr. Pedro Grado V., ♫ alt., coro Vicente Mendoza ♫
MÚSICA: Daniel B. Towner, 1887

395 Oh Cristo, yo te amo

Señor, tú sabes que te amo. Jn. 21:15

1 Jn. 4:10-19
Fil. 1:21-26
Fil. 3:7-14

Con admiración

1. ¡Oh Cris - to! yo te a - mo, que mí - o e - res sé;
2. Me a - mas - te pri - me - ro y a - sí te a - mo a ti,
3. Y mien - tras que vi - va en es - te vai - vén,
4. Al fin en tu glo - ria por gra - cia en - tra - ré

Ya to - do pe - ca - do por ti de - ja - ré;
Pues so - bre el Cal - va - rio mo - ris - te por mí;
En la ho - ra fi - nal de la muer - te tam - bién,
Y a - llí con los san - tos lo - or - te da - ré;

¡Oh Cris - to pre - cio - so! por ti sal - vo soy;
Por lo que su - fris - te, mi vi - da te doy;
Yo te a - ma - ré siem - pre; can - tán - do - te es - toy,
Por si - glos e - ter - nos a can - tar - te voy,

Je - sús, si te a - ma - ba yo te a - mo más hoy.
Je - sús, si te a - ma - ba yo te a - mo más hoy.
"Je - sús, si te a - ma - ba yo te a - mo más hoy".
"Je - sús, si te a - ma - ba yo te a - mo más hoy".

LETRA: William R. Featherstone, 1862, trad. G.P. Simmonds
MÚSICA: Adoniram J. Gordon, 1876
Trad. © 1939, ren. 1967 Cánticos Escogidos. Usado con permiso.
Esta letra se puede cantar también con la música de #152 (Jesús es la Roca)
y #451 (Iglesia de Cristo)

GORDON
11 11 11 11
Fa (Capo 1 - Mi)

Oh Cristo mío, Rey de mi alma 396

Ef. 1: 3-14
Col. 2: 8-15
Ef. 2: 1-10

A fin de que seamos para alabanza de su gloria. Ef. 1: 12

1. Oh Cristo mío, Rey de mi alma, salvásteme del mal con gracia sin igual por tu preciosa sangre purísima; ninguna mancha ya me contamina.

2. Cuando iba errante, tú me buscaste, no me dejaste perder el alma; por plena gracia compraste mi salud, y me impartiste tu santa virtud.

CORO

Tanto me amaste que te ofreciste, sacrificándote sobre una cruz para mi redención con tanto amor; sé que te amo, Cristo mi Salvador.

LETRA y MÚSICA: Guillermo Gillam, 1947, alt.

COL

GILLAM
Metro irreg.
Si♭ (Capo 1 - La)

397 En mis angustias

Sal. 86: 1-10, 14-17
Sal. 27
Sal. 77: 1-13

Al Señor busqué en el día de mi angustia. Sal. 77: 2

Con sentimiento

1. En mis an-gus-tias me a-yu-da Je-sús; so-bre mi al-ma de-
2. Yo a-cu-do al tro-no de gra-cia con fe; o-ye mi voz, y mis
3. Cris-to es mi Ro-ca, mi Li-ber-ta-dor; es mi Es-cu-do, mi

rra-ma su luz; To-dos los dí-as con-sue-lo me da; ca-da mo-
lá-gri-mas ve Cris-to Je-sús en el cie-lo, y a-llí, ca-da mo-
gran De-fen-sor; Él a mi la-do en las lu-chas es-tá ca-da mo-

CORO

men-to con-mi-go es-tá.
men-to se a-cuer-da de mí. Ca-da mo-men-to me guar-das, Se-
men-to, y a-yu-da me da.

ñor, ca-da mo-men-to en gra-cia y a-mor; Vi-da a-bun-

dan-te yo ten-go en ti; ca-da mo-men-to tú vi-ves en mí.

LETRA: Daniel W. Whittle, 1893, es trad.
MÚSICA: May Whittle Moody, 1893

WHITTLE
10 10 10 10/Coro
Fa (Capo 1 - Mi)

Sal. 40: 1-5, 16
Sal. 70
Sal. 119: 129-135

Pacientemente (Respuesta musical) 398

La roca era Cristo. 1 Co. 10: 4

Con vigor

Pa - cien - te - men - te le es - pe - ré; me o - yó, me o - yó;
Del ho - yo de la des - truc - ción me sa - có, me sa - có.

Otras posibilidades:

(Mujeres)		(Varones)	
Pacientemente le esperé;		me oyó, me oyó.	
Del hoyo de la destrucción;	....	me sacó, me sacó.	
En firme peña me asentó;	....	Roca es, Roca es.	
Mis pasos Dios enderezó;	....	rectos son, rectos son.	
Un nuevo cántico me dió;	....	cantaré, cantaré.	
Doy alabanza a nuestro Dios;	....	¡Gloria a él, Gloria a él!.	

LETRA: Basada en el Salmo 40, Lynn Anderson, 1991
MÚSICA: Melodía afroamericana
Letra © 1992 Celebremos/Libros Alianza. Se prohibe la reproducción sin autorización.

COL

YES, HE DID (coro)
Metro irreg.
Sol

Un canto de alabanza 399

Al SEÑOR esperé pacientemente, y él se inclinó a mí y oyó mi
clamor.

**Me sacó del hoyo de la destrucción, del lodo cenagoso;
asentó mis pies sobre una roca y afirmó mis pasos.**   #398

Puso en mi boca un cántico nuevo, un canto de alabanza a
nuestro Dios; muchos verán esto y temerán, y confiarán en el
SEÑOR.

**Cuán bienaventurado es el hombre que ha puesto en el
SEÑOR su confianza, y no se ha vuelto a los soberbios ni a
los que caen en falsedad.**   #398

Muchas son, SEÑOR, Dios mío, las maravillas que tú has hecho, y
muchos tus designios para con nosotros;

**Nadie hay que se compare contigo; si los anunciara, y
hablara de ellos, no podrían ser enumerados.**   #398

Me deleito en hacer tu voluntad, Dios mío; tu ley está dentro de
mi corazón.

**He proclamado buenas nuevas de justicia en la gran
congregación;**   #398

He aquí, no refrenaré mis labios, oh SEÑOR, tú lo sabes.

**No he escondido tu justicia dentro de mi corazón; he
proclamado tu fidelidad y tu salvación;**   #398

No he ocultado a la gran congregación tu misericordia y tu
verdad.

**Regocíjense y alégrense en ti todos los que te buscan;
que digan continuamente: ¡Engrandecido sea el SEÑOR!
los que aman tu salvación.**   #398

Salmo 40:1-5, 8-10, 16 (BLA)

400 Quiero cantar una linda canción

Cantad a Jehová, vosotros sus santos. Sal. 30: 4

Jn. 9: 18-25
Jn. 4: 15-29
Hch. 26: 8-18

Con gozo

1. Quie-ro can-tar u-na lin-da can-ción de un hom-bre que me trans-for-mó,
Quie-ro can-tar u-na lin-da can-ción de a-quel que mi vi-da cam-bió. Es mi a-mi-go Je-sús, es mi a-mi-go Je-sús, él es Dios, él es Rey, es a-mor y ver-dad. Só-lo en él en-con-tré e-sa paz que bus-qué, só-lo en él en-con-tré la fe-li-ci-dad.

2. Cuan-do Je-sús a mi vi-da lle-gó e-sa paz y e-se go-zo me dio; Si cre-ye-res en él, si con-fia-res tam-bién, su a-mor te da-rá, y con él vi-vi-rás. Co-mo yo, can-ta-rás es-ta lin-da can-ción y a-mor lle-va-rás a la hu-ma-ni-dad.

Quie-ro que se-pas que tú tam-bién pue-des go-zar siem-pre de su a-mor.

LETRA y MÚSICA: Autor y compositor descon., Latinoamérica, s. 20, arreg. F.B.J.
Arreg. © 1992 Celebremos/Libros Alianza. Se prohibe la reproducción sin autorización.

L.A.

LINDA CANCIÓN
Metro irreg.
Do

Sal. 34: 1-10
Sal. 139: 7-18
Is. 26: 1-4

Mi pensamiento eres tú, Señor 401

¡Cuán preciosos me son, oh Dios, tus pensamientos! Sal. 139: 17

LETRA: Basada en Salmo 34: 1
MÚSICA: Compositor descon., Argentina, s. 20, arreg. F.B.J.
Arreg. © 1992 Celebremos/Libros Alianza. Se prohíbe la reproducción sin autorización.

ARG

PENSAMIENTO
Metro irreg.
Fa (Capo 1- Mi)

Cristo es Guía de mi vida (Vea #408)
La vida de Fanny Crosby se caracterizaba por una comunión íntima con su Salvador. Como había entregado su vida y carrera al Señor, no se afanó cuando llegó el día de pagar una cuenta para la publicación de sus himnos y no tenía dinero. Estaba orando, alabando al Señor, cuando un desconocido tocó a la puerta. El visitante le explicó que sus himnos le habían sido de gran bendición. Al despedirse le dio la suma exacta que cubría la cuenta, aun sin saber de la situación. Fanny dio gracias a Dios por tan maravillosa provisión y escribió el himno #408 (Cristo es Guía de mi vida) en gratitud y adoración.

402 La vid y los pámpanos

Jn. 15: 1-8
Mt. 21: 33-43
Lc. 8: 4-15

Con seguridad *Yo soy la vid verdadera, y mi Padre es el labrador. Jn. 15: 1*

1. Yo soy la vid y mi Padre el Labrador, vosotros pámpanos, dice el Salvador. Estad en mí (estad en mí) y yo en ti (y yo en ti); y fruto llevaréis; Porque sin mí (porque sin mí) nada podéis (nada podéis) hacer jamás. Dios nos ha puesto los frutos a llevar

2. El que estuviere en la vid le limpiará, para que frutos abunden más y más. Luego pedid (luego pedid) sin desmayar (sin desmayar) todo lo que deseáis; El Dios de amor (el Dios de amor) a quien amáis (a quien amáis) os lo dará. Glorificado así mi Padre es

3. Por mis palabras vosotros limpios sois; con el amor de mi Padre amo yo. Dejad mi amor (dejad mi amor) siempre brillar (siempre brillar) con todo su fulgor; Grato será (grato será) obedecer (obedecer) mi voluntad. Todo mi gozo en vosotros estará,

LETRA: Basada en Juan 15, Lura A. Garrido, 1958, alt.
MÚSICA: Victor Garrido, 1958, arreg. Roberto C. Savage.
©1958 Singspiration Music. Usado con permiso.

COL

LA VID Y LOS PÁMPANOS
Metro irreg.
Do

404 Oh deja que el Señor

1 P. 5:6-11
Sal. 37:1-11
Mt. 6:25-34

Echa sobre Jehová tu carga, y él te sustentará. Sal. 55:22

Con intensidad

1. Oh de-ja que el Se-ñor te en-vuel-va* con su Es-pí-ri-tu de a-
2. Al-za-mos nues-tra voz con go-zo, a-la-ban-do al Se-

te guíe o te llene

mor, sa-tis-fa-ga hoy tu al-ma y co-ra-zón.
ñor; con dul-zu-ra le en-tre-ga-mos nues-tro ser.

En-tré-ga-le lo que te im-pi-da en tu ca-mi-nar con
En-tre-ga to-da tu tris-te-za en el nom-bre de Je-

Dios y tu vi-da lle-na-rá de ben-di-ción.
sús y a-bun-dan-te vi-da hoy ten-drás en él.

CORO

Cris-to, oh Cris-to, llé-na-nos, Se-

LETRA y MÚSICA: John Wimber, 1979, es trad.
© 1979 Mercy Song, admin. C.A. Music/Music Services. Usado con permiso.

SPIRIT SONG
Metro irreg.
Mi♭ (Capo 1 - Re)

ñor; llé - na - nos, Se - ñor.

Hch. 4: 8-12
Sal. 148
Ef. 1: 15-23

Cuán dulce el nombre de Jesús 405

Y llamarás su nombre JESÚS. Mt. 1: 21

Con gozo

1. ¡Cuán dul - ce el nom - bre de Je - sús es pa - ra el hom - bre fiel!
2. Al pe - cho he - ri - do fuer - zas da, y cal - ma al co - ra - zón;
3. Tan dul - ce nom - bre es pa - ra mí, de do - nes ple - ni - tud;
4. Je - sús, mi a - mi - go y mi sos - tén, ben - di - to Sal - va - dor,
5. Si es po - bre a - ho - ra mi can - tar, cuan - do en la glo - ria es - té

Con - sue - lo, paz, vi - gor, sa - lud en - cuen - tra siem - pre en él.
Al al - ma ham - brien - ta es cual ma - ná, y a - li - via su a - flic - ción.
Rau - dal que nun - ca ex - haus - to vi de gra - cia y de sa - lud.
Mi vi - da y luz, mi e - ter - no bien, a - cep - ta mi lo - or.
Y a - llá te pue - da con - tem - plar, me - jor te a - la - ba - ré.

LETRA: John Newton, 1779, ● trad. Juan B. Cabrera, 1886 ●
MÚSICA: William H. Havergal, 1846
Esta letra se puede cantar también con la música de #36 (Oh, Dios) y #51 (Nuestra esperanza). Para una tonalidad más baja (Sol) ver #195 (Rasgóse el velo).

EVAN
8686
La♭ (Capo 1 - Sol)

Juan Bautista Cabrera (1837-1916)
Desde su infancia, Juan Bautista Cabrera sentía gran sed espiritual, y a los dieciséis años ingresó a una orden religiosa. Estudiaba la Biblia en secreto, pues era prohibido en esa época en España. Huyó a Gibraltar donde recibió a Cristo como Salvador personal, a su amigo y eterno bien, como dice el himno que tradujo, #405 (Cuán dulce).

Con gran gozo y paz regresó a España para compartir su fe por medio de revistas, la predicación y la música. Mientras organizaba iglesias, también publicaba himnarios y daba clases de canto. Se radicó en Madrid, donde ocupó importantes cargos de liderazgo en la obra evangélica. Sin embargo, hizo su contribución mayor en el área de la himnodia cristiana, ya que sus himnos han sido de bendición para un sinnúmero de creyentes.

Cabrera aparece como el compositor o traductor de muchos himnos. Entre ellos se encuentran el #4 (Santo, Santo, Santo), y también los siguientes cantos navideños: #114 (Suenen dulces himnos), #119 (Gloria a Dios en las alturas) y #140 (Venid fieles todos).

406 Si dejas tú que Dios te guíe

Jos. 24:14-22
Sal. 23
Sal. 1

Guíame por la senda de tus mandamientos. Sal. 119:35

1. Si de-jas tú que Dios te guí-e, con-fian-do so-la-
2. Es-pe-ra en Dios pa-cien-te-men-te, con go-zo en tu
3. En la o-ra-ción fiel per-ma-ne-ce; sé o-be-dien-te

men-te en él, En tus an-gus-tias y con-flic-tos
co-ra-zón; Con gra-ti-tud a-cep-ta siem-pre
a su ley; Su pro-tec-ción Dios te o-fre-ce,

ten-drás su a-yu-da gran-de y fiel. El in-mu-ta-ble a-
del cie-lo to-da ben-di-ción. Dios quie-re siem-pre
en sus pro-me-sas pon tu fe. Jeho-vá no ol-vi-da

mor de Dios ro-ca e-ter-na y fir-me es.
lo me-jor pa-ra los hi-jos de su a-mor.
nun-ca al fiel, ni al jus-to que con-fí-a en él. A-mén.

LETRA y MÚSICA: Georg Neumark, 1641, trad. Adolfo Robleto, alt.

NEUMARK
989888
Sol m (Capo 3 - Mi m)

Sal. 23
Sal. 25:1-10
Sal. 27
Con certidumbre

Me guía él 407

Enséñame, oh Señor, tu camino, y guíame por senda de rectitud. Sal. 27:11

1. Me guí - a él, con cuán - to a - mor me guí - a siem - pre mi Se - ñor;
2. En el a - bis - mo del do - lor o don - de in - ten - so bri - lla el sol,
3. La ma - no quie - ro yo to - mar de Cris - to y nun - ca va - ci - lar,
4. Y la ca - rre - ra al ter - mi - nar, el al - ba e - ter - na al vis - lum - brar,

En to - do tiem - po pue - do ver con cuán - to a - mor me guí - a él.
En dul - ce paz o en lu - cha cruel, con gran bon - dad me guí - a él.
Cum - plien - do con fi - de - li - dad su sa - bia y san - ta vo - lun - tad.
No ha - brá ni du - das ni te - mor, pues me guia - rá mi buen Pas - tor.

CORO

Me guí - a él, me guí - a él, con cuán - to a - mor me guí - a él;

No a - bri - go du - das ni te - mor, pues me con - du - ce el buen Pas - tor.

LETRA: Joseph H. Gilmore, 1862, trad. Epigmenio Velasco
MÚSICA: William B. Bradbury, 1864
Esta letra se puede cantar también con la música de #567 (En la mansión).

HE LEADETH ME
8 8 8 8/Coro
Do

Epigmenio Velasco Urda (1880-1940)
La música formó parte de la vida de Epigmenio desde la niñez, ya que tocaba en la estudiantina de su familia. Fue muy conocido en la Ciudad de México como director de coros, tan es así, que sus amigos le llamaban: "El campeón de los coros". Trabajó como educador, pastor, poeta, compositor y periodista, pero su mayor gozo fue entusiasmar a los grupos corales en su alabanza a Dios. Tradujo, entre otros, el himno #407 (Me guía él).

408 Cristo es Guía de mi vida

Col. 3:1-4
Sal. 27
Jn. 14:1-10

Jehová solo le guió. Dt. 32:12

Con vigor

1. Cris - to es Guí - a de mi vi - da, ya no hay na - da que te - mer;
2. Cris - to es Guí - a de mi vi - da, li - bre es - toy de to - do a - fán;
3. Cris - to es Guí - a de mi vi - da, ¡oh qué ple - ni - tud de a - mor!

Nun - ca pue - do yo du - dar - le, pues me sa - be de - fen - der.
En las prue - bas me da gra - cia, es de mi al - ma el vi - vo Pan.
En su ho - gar ce - les - te o - fre - ce dar des - can - so el Sal - va - dor.

Paz, con - sue - lo y vi - da e - ter - na por la fe yo ten - go en él,
Si de sed es - toy su - frien - do, si mi pa - so len - to va,
Cuan - do de es - te mun - do par - ta, vi - vi - ré con él, yo sé:

Y con él ya na - da te - mo por - que Cris - to es Guí - a fiel. a fiel.
El pre - pa - ra fuen - te vi - va que mi ser re - fres - ca - rá. ca - rá.
"Je - su - cris - to fue mi Guí - a", por los si - glos can - ta - ré. ta - ré.

LETRA: Fanny J. Crosby, 1875, trad. G.P. Simmonds
MÚSICA: Robert Lowry, 1875
Trad. © 1964 Cánticos Escogidos. Usado con permiso.
Esta letra se puede cantar también con la música de #393 (A los pies).
Para una tonalidad más baja (Sol) ver #514 (Yo vivía).

ALL THE WAY
8787D
La♭ (Capo 1 - Sol)

(Vea ♪ adjunta al #401)

Cristo mi camino guió 409

Ef. 5: 1-10
Sal. 1
Sal. 116: 1-9
Con emoción

Mas ahora...andad como hijos de luz. Ef. 5: 8

1. Un dí - a el mun-do de-ja - ré; a la do - ra - da pla-ya i - ré;
2. Y des-de el cie-lo al re-vi-sar a mi te-rres-tre ca - mi - nar,
3. Mi sen - da a-quí en-de-re - zó; las som-bras ne-gras me qui - tó;

Lle - gan-do al cie - lo can - ta - ré, "Cris-to mi ca-mi-no guió".
Se - gu - ro es-toy que he de pro-bar: Cris-to mi ca-mi-no guió.
Mi co - ra - zón él trans-for-mó; Cris-to mi ca-mi-no guió.

CORO

Cris - to mi ca-mi-no guió; pa - so a pa-so me lle-vó. Al fi-

nal de la jor-na-da, a los án - ge-les di-ré, "Cris-to mi ca-mi-no guió".

LETRA y MÚSICA: John W. Peterson, 1954, trad. Magdalena S. Cantú
© 1954, ren. 1982, trad. © 1966, John W. Peterson. Usado con permiso.

JESUS LED ME
8 8 8 7/Coro
Sol

Pedro Grado Valdés (1862-1923)
Durante sus estudios de derecho, Pedro Grado se dio cuenta de la falta de pastores en México. Se dedicó al pastorado, a la vez que ayudaba a la gente de escasos recursos con sus problemas legales. Como resultado de su ministerio, muchos llegaron a conocer a Cristo como Salvador personal, entre ellos, personas de "alto nivel social". Debido a esto se desató una persecución intensa en contra de Pedro. Sufrió varios atentados contra su vida, incluso por veneno. El Señor lo libró de los peligros y el valiente y fiel pastor expresó su agradecimiento en las palabras de unos himnos, publicados en su *Pequeña Colección*. Es conocido por su traducción de favoritos tales como: #387 (Dulce comunión), #210 (En la cruz), #472 (Anhelo trabajar) y #373 (Estoy bien).

410 Que mi vida entera esté

Rom. 6: 3-14
1 Co. 6: 12-20
1 P. 1: 13-23

Los que te aman, sean como el sol cuando sale en su fuerza. Jue. 5: 31

Con decisión

1. Que mi vi - da en - te - ra es - té con - sa - gra - da a ti, Se - ñor;
2. Que mis pies tan só - lo en pos de lo san - to pue - dan ir,
3. Que mi tiem - po to - do es - té con - sa - gra - do a tu lo - or,
4. To - ma ¡oh Dios! mi vo - lun - tad, y haz - la tu - ya, na - da más;
5. To - ma tú mi a - mor, que hoy a tus pies ven - go a po - ner;

Que a mis ma - nos pue - da guiar el im - pul - so de tu a - mor.
Y que a ti, Se - ñor, mi voz se com - plaz - ca en ben - de - cir.
Que mis la - bios al ha - blar, ha - blen só - lo de tu a - mor.
To - ma, sí, mi co - ra - zón; por tu tro - no lo ten - drás.
To - ma to - do lo que soy; to - do tu - yo quie - ro ser.

CORO

(orig.) Lá - va - me en tu san - gre, Sal - va - dor *(mi Sal - va - dor)*,
Lím - pia - me de to - da mi mal - dad *(de mi mal - dad)*. Trai - go a ti mi
(opt.) *Quie - ro en - tre - gar - me a ti, Se - ñor (a ti, Se - ñor)*,
Quie - ro siem - pre an - dar en san - ti - dad (en san - ti - dad).

vi - da, pa - ra ser, Se - ñor, tu - ya por la e - ter - ni - dad.

LETRA: Estr. #1-5 Frances R. Havergal, 1874, ⚫coro W.J.K., 1903,
trad. Vicente Mendoza; ⚫ coro opt. Oscar López M., 1989
MÚSICA: William J. Kirkpatrick, 1903 ⚫   (Vea 🔔adjunta al #275)

ENTIRE CONSECRATION
7777/Coro
Do

Cautívame, Señor

411

2 Co. 12:9-10
Ro. 6:15-23
Gá. 5:13-25

El que pierde su vida por causa de mí, la hallará. Mt. 10:39

1. Cau - tí - va - me, Se - ñor, y li - bre en ti se - ré; an -
he - lo ser un ven - ce - dor, rin - dién - do - me a tus pies. No
pue - do ya con - fiar tan só - lo en mi po - der; en
ti yo quie - ro des - can - sar, y fuer - te ha - bré de ser.

2. Mi dé - bil co - ra - zón va - ci - la sin ce - sar, y es
co - mo na - ve sin ti - món en tur - bu - len - to mar. Con -
cé - de - le, Se - ñor, per - fec - ta li - ber - tad; en -
vuél - ve - le en tu san - to a - mor, y li - bre a - sí se - rá.

3. Sin fuer - zas pa - ra a - mar y a - sí me - jor vi - vir; tú
so - lo pue - des ins - pi - rar el go - zo de ser - vir. Qui -
sie - ra des - ple - gar mis a - las, oh Se - ñor, mas
só - lo lo po - dré lo - grar al so - plo de tu a - mor.

4. Cau - tí - va - me, Se - ñor, que en ti mi vo - lun - tad ten -
drá un bau - tis - mo de vi - gor, fir - me - za y san - ti - dad. Po -
drá la ten - ta - ción mi vi - da sa - cu - dir; no ha -
brá más cier - ta pro - tec - ción que la que en - cuen - tre en ti.

LETRA: George Matheson, 1890, trad. Federico J. Pagura.
MÚSICA: La familia Orbe, Ecuador, 1966, arreg. Roberto C. Savage, ♩ alt.
Trad. © 1962 Ediciones La Aurora. Música © 1966 Singspiration Music. Usado con permiso.
Esta letra se puede cantar también con la música de #235 (A Cristo coronad).

ECU

ORBE
6 6 8 6 D
Mi m

412 Oh yo quiero andar con Cristo

2 P. 3: 8-14
Ef. 5: 1-10
1 Jn. 1

Ciertamente el obedecer es mejor que los sacrificios. 1 S. 15: 22

Con decisión

1. ¡Oh! yo quie-ro an-dar con Cris-to; quie-ro o-ír su tier-na voz,
2. ¡Oh! yo quie-ro an-dar con Cris-to; él vi-vió en san-ti-dad;
3. ¡Oh! yo quie-ro an-dar con Cris-to; de mi sen-da es la luz;

Me-di-tar en su Pa-la-bra, siem-pre an-dar de él en pos.
En la Bi-blia yo lo le-o, y yo sé que es la ver-dad.
De-ja-ré el per-ver-so mun-do; car-ga-ré a-quí mi cruz.

Con-sa-grar a él mi vi-da, cum-plir fiel su vo-lun-tad,
Cris-to e-ra san-to en to-do, el Cor-de-ro de la cruz;
Es-te mun-do na-da o-fre-ce; Cris-to o-fre-ce sal-va-ción,

Y al-gún dí-a con mi Cris-to, go-za-ré la cla-ri-dad.
Quie-ro ser un fiel cris-tia-no, se-gui-dor de mi Je-sús.
Y es mi dul-ce es-pe-ran-za go-zar vi-da e-ter-na en Sion.

CORO

¡Oh, yo quie-ro an-dar con Cris-to! ¡Oh, yo

LETRA y MÚSICA: Charles F. Weigle, 1902, trad. H.C. Ball, 🌐 alt.

LAFAYETTE
8 7 8 7 D / Coro
La♭ (Capo 1 - Sol)

quie - ro vi - vir con Cris - to! ¡Oh, yo quie - ro mo - rir con

Cris - to! Quie - ro ser - le un tes - ti - go fiel.

Jn. 12: 20-32
Hch. 26: 15-29
Sal. 119: 25-34

He decidido seguir a Cristo 413

Y luego los llamó; y...le siguieron. Mr. 1: 20

Con certidumbre

1. He de - ci - di - do se - guir a Cris - to, he de - ci -
2. La vi - da vie - ja la he de - ja - do, la vi - da
3. El Rey de glo - ria me ha trans - for - ma - do, el Rey de

di - do se - guir a Cris - to, he de - ci - di - do se - guir a
vie - ja la he de - ja - do, la vi - da vie - ja la he de -
glo - ria me ha trans - for - ma - do, el Rey de glo - ria me ha trans - for -

Cris - to; no vuel - vo a - trás, no vuel - vo a - trás.
ja - do; no vuel - vo a - trás, no vuel - vo a - trás.
ma - do; no vuel - vo a - trás, no vuel - vo a - trás.

LETRA: Autor descon., c. 1950, trad. y adapt. Roberto C. Savage
MÚSICA: Melodía hindú, arreg. William J. Reynolds
Letra © 1954 Singspiration Music. Arreg. © 1959 Broadman Press. Usado con permiso.

ASSAM
Metro irreg.
Do

414 Oh Cristo, anhelo agradarte

Sal. 40: 1-10
Sal. 69: 30-34
Mi. 6: 6-8

Con intensidad   *El hacer tu voluntad, Dios mío, me ha agradado. Sal. 40: 8*

Oh Cris-to mí-o, yo an-he-lo a-gra-dar-te, tú que has he-cho tan-to pa-ra mí; Haz que mi vi-da se-a ren-di-da, lim-pia y san-ta, con-sa-gra-da a ti. Te ne-ce-si-to, yo soy tan dé-bil; mas con tu a-yu-da pue-do ven-cer; Oh Cris-to mí-o, yo an-

LETRA y MÚSICA: Wilda de Savage, 1949
© 1949, ren. 1977 Singspiration Music. Usado con permiso.

ECU

ANHELO AGRADARTE
Metro irreg.
Re m

Mt. 6: 25-34
Mt. 7: 7-12
Lc. 18: 27-30
Con calma

Busca primero el reino de Dios 415

Mas buscad primeramente el reino de Dios y su justicia. Mt. 6: 33

CONTRAMELODÍA (DISCANTE)

A - le - lu - ya, a -

Bus - ca pri - me - ro el rei - no de Dios y su jus -

le - lu - ya, a - le -

ti - cia per - fec - ta, y lo de - más a - ña -

lu - ya, a - le - lú, a - le - lu - ya.

di - do se - rá; a - le - lú, a - le - lu - ya.

LETRA: Basada en Mateo 6: 33, Karen Lafferty, 1971, es trad.
MÚSICA: Karen Lafferty, 1971
© 1972 Maranatha Music. Usado con permiso.

LAFFERTY
Metro irreg.
Mi♭ (Capo 1 - Re)

416 Cristo fiel te quiero ser

Ef. 4:1-13
Ap. 2:8-11
2 Ti. 2:1-9

Como lo habéis aprendido de Epafras...un fiel ministro de Cristo. Col. 1:7

1. Cris-to, fiel te quie-ro ser, da-me el po-der, da-me el po-der;
2. Con Je-sús yo quie-ro ha-blar, só-lo con él, só-lo con él;
3. Da-me ar-dien-te co-ra-zón, lle-no de a-mor, lle-no de a-mor,
4. Ca-da dí-a quie-ro cum-plir tu vo-lun-tad, tu vo-lun-tad,

Yo con-ti-go quie-ro an-dar, sin va-ci-lar, sin va-ci-lar.
Paz y go-zo yo ten-dré, al ser-le fiel, al ser-le fiel.
Y tu Es-pí-ri-tu, Se-ñor, co-mo Guia-dor, co-mo Guia-dor.
Y ser-vir-te a ti, Se-ñor, en hu-mil-dad, en hu-mil-dad.

CORO

En tus pa-sos quie-ro se-guir, cer-ca de ti, cer-ca de ti;

Y si en-cuen-tro prue-bas a-quí, da-me con-fian-za en ti.

LETRA y MÚSICA: J.O. Hillyer, 1936, es trad.

FAITHFUL
Metro irreg.
Mi♭(Capo 1 - Re)

Berta Westrup de Velasco (1883-1959)

Las dulces voces de las hermanas en la fe cantan, "Las mujeres cristianas trabajan". Muchas sociedades femeniles agradecen a la hermana Berta la letra de su himno lema (vea el #590), que habla del trabajo tenaz como expresión de la fe.

Ella dedicó su vida a la docencia, con magníficos resultados. Centenares de niños estudiaron en su escuela en San Simón, México, D.F., y los padres de familia asistieron a sus reuniones de orientación para mejorar el hogar.

Los alumnos disfrutaron de clases interesantes: cultivaron parcelas, participaron en dramas con moralejas, aprendieron a hacer pozos artesianos y otras cosas prácticas. Doña Berta fue muy respetada, y una calle en Monterrey fue nombrada en honor a ella.

Recientemente se ha publicado un libro acerca de la familia Velasco Westrup. Entre ellos hubo varios autores de himnos, como también educadores y pastores, incluyendo al esposo de doña Berta. Se les recuerda por su deseo de comunicar el amor de Cristo sin contemplar las barreras sociales.

Heb. 12:12-17
Col. 1:15-23
Ef. 1:3-14

Sed puros y santos 417

Santos seréis, porque santo soy yo Jehová vuestro Dios. Lv. 19:2

Con decisión

1. Sed pu-ros y san-tos, mi-rad al Se-ñor;
2. Sed pu-ros y san-tos, an-dad en la luz;
3. Sed pu-ros y san-tos, Je-sús nos guia-rá;

Per-ma-ne-ced fie-les siem-pre en o-ra-ción;
O-rad en se-cre-to, res-pues-ta ven-drá;
Se-guid su ca-mi-no, y en él con-fiad;

Le-ed la Pa-la-bra del buen Sal-va-dor;
Su Es-pí-ri-tu San-to re-ve-la a Je-sús,
En paz o en pe-na, la cal-ma da-rá

So-co-rred al dé-bil, mos-trad com-pa-sión.
Y su se-me-jan-za en no-so-tros pon-drá.
Quien nos ha sal-va-do de nues-tra mal-dad.

LETRA: William D. Longstaff, 1882, es trad.
MÚSICA: Melodía irlandesa, s. 8, arreg. Donald P. Hustad, alt.
Arreg. © 1974 Hope Publishing Co. Usado con permiso.

SLANE
6 5 6 5 D
Mi♭ (Capo 1 - Re)

418 Señor, tú me llamas

Hacer justicia, y amar misericordia, y humillarte ante tu Dios. Mi. 6: 8

Jn. 1: 40-50
Ro. 1: 1-6
Ro. 8: 28-39

1. Se-ñor, tú me lla-mas por mi nom-bre des-de le-jos;
   Se-ñor, tú me o-fre-ces u-na vi-da san-ta y lim-pia;
2. Se-ñor, tú me lla-mas por mi nom-bre des-de le-jos;
   Se-ñor, yo a-cu-do a tu lla-ma-do a ca-da ins-tan-te,

(CODA) 3. Se-ñor, tú me lla-mas por mi nom-bre des-de le-jos;

Por mi nom-bre ca-da dí-a tú me lla-mas.
U-na vi-da sin pe-ca-do, sin mal-
Por mi nom-bre ca-da dí-a tú me lla-mas.
Pues mi go-zo es ser-vir-te más y

Por mi nom-bre ca-da dí-a tú me

dad.
más.
Se-ñor, na-da ten-go pa-ra dar-te; So la-

lla-mas. (Fin)

men-te te o-frez-co mi vi-da pa-ra que la

LETRA y MÚSICA: Rubén Giménez, 1978
© 1978 Casa Bautista de Publicaciones. Usado con permiso.

ARG

PUEYRREDON
Metro irreg.
Mi♭(Capo 1 - Re)

Un vaso nuevo 419

Como el barro en las manos del alfarero, así sois vosotros. Jer. 18: 6

Jer. 18: 1-6
2 Co. 4: 1-7
2 Ti. 2: 15-22
Con sinceridad

Yo quie-ro ser, Se-ñor a-ma-do, co-mo el ba-rro en ma-nos del al-fa-re-ro; to-ma mi vi-da y haz-la tu-ya; yo quie-ro ser, yo quie-ro ser un va-so nue-vo.

LETRA y MÚSICA: Autor y compositor descon., Latinoamérica, s. 20, arreg. E.S.B. L.A.
Arreg. © 1992 Celebremos/Libros Alianza. Se prohíbe la reproducción sin autorización.

VASO NUEVO
Metro irreg.
Mi♭ (Capo 1 - Re)

420 Te vengo a decir

Sal. 18: 1-6, 46-50
Dt. 6: 4-12
Sal. 116: 1-9

Con vigor

Amarás a...Dios de todo tu corazón...y con todas tus fuerzas. Dt. 6: 5

1. Te ven-go a de - cir, te ven-go a de - cir, oh mi Sal - va - dor,
2. Te quie - ro se - guir, te quie - ro se - guir, oh mi Sal - va - dor,

que yo te a-mo a ti, que yo te a-mo a ti, con el co - ra - zón.
y dar-te mi ser, y dar-te mi ser, mi A - mi-go, mi Dios.

Te ven - go a de - cir, te ven - go a de - cir to - da la ver - dad;
Te quie - ro ser - vir, te quie - ro ser - vir, mi Dios y mi Rey;

(D.S.) Te ven - go a de - cir, te ven-go a de - cir to - da la ver - dad;

te quie - ro, Se - ñor, te a - mo, Se - ñor, con el co - ra - zón.
te ven - go a po - ner to-do lo que soy; re - cí - be - lo, Dios.

te quie - ro, Se - ñor, te a - mo, Se - ñor, con el co - ra - zón.

CORO

Yo quie-ro can - tar, yo quie - ro can - tar de go - zo y de paz;

LETRA y MÚSICA: Juan M. Isáis, 1965, arreg. en *Psalter Hymnal*, 1988, alt.
© 1979 Juan M. Isáis. Usado con permiso.

MEX

ISÁIS
15 15 15 15 / CORO
Sol

Con mis labios **421**

Con labios de júbilo te alabará mi boca. Sal. 63: 5

Sal. 63: 1-8
Sof. 3: 9-14
Sal. 51: 10-17

LETRA: Basada en Salmo 63: 5
MÚSICA: Compositor descon., Latinoamérica, s. 20, arreg. E. Sywulka B.
Arreg. © 1992 Celebremos/Libros Alianza. Se prohibe la reproducción sin autorización.

CON MIS LABIOS
Metro irreg.
Mi♭ (Capo 1 - Re)

422 Que el sentir de Jesucristo

Fil. 2:1-11
1 P. 2:21-25
2 Co. 4:5-16

Haya, pues, en vosotros este sentir que hubo también en Cristo Jesús. Fil. 2:5

Con expresión

1. Que el sen - tir de Je - su - cris - to to - do el tiem - po es - té en mí;
2. Que la paz de Dios mi Pa - dre rei - ne en mi co - ra - zón;
3. Que yo si - ga la ca - rre - ra con pa - cien - cia y va - lor,

Que su a - mor mi guí - a se - a en lo que ha - go a - quí.
Pa - ra que a los a - fli - gi - dos dé con - so - la - ción.
La mi - ra - da pues - ta en Cris - to, de mi fe au - tor.

Que yo pue - da su Pa - la - bra dí - a en dí - a a te - so - rar;
Que el a - mor de Je - su - cris - to, más pro - fun - do que la mar,
Que re - fle - je su be - lle - za al bus - car al pe - ca - dor,

Y a - sí en mí su i - ma - gen se ha - ga re - fle - jar.
Se - a el mó - vil que me im - pul - se siem - pre a triun - far.
Y que ve - an no al sier - vo, si - no a su Se - ñor.

LETRA: Kate B. Wilkinson, 1925, trad. Esther López de Cajas y Rosa Bolaños de Arce
MÚSICA: James Mountain, 1876
Trad. © 1992 Celebremos/Libros Alianza. Se prohíbe la reproducción sin autorización.

TRANQUILITY
8 7 8 5 D
Sol

Por tanto, nosotros también, teniendo en derredor nuestro tan grande nube de testigos, despojémonos de todo peso y del pecado que nos asedia, y corramos con paciencia la carrera que tenemos por delante.

Puestos los ojos en Jesús, el autor y consumador de la fe, el cual por el gozo puesto delante de él sufrió la cruz, menospreciando el oprobio, y se sentó a la diestra del trono de Dios.

Versos de Hebreos 12

Cuando pases por las aguas
yo estaré contigo

y si por los ríos
no te ahogarás

Cuando pases por el fuego
no te quemarás, ni llama arderá en ti.

Isaías 43:2

Hazme un instrumento 423

Heb. 12: 12-17
Mr. 10: 35-45
Mt. 5: 2-12
Con sumisión

Seguid la paz con todos, y la santidad. Heb. 12: 14

1. Haz-me un ins-tru-men-to de tu paz; don-de ha-ya o-dio lle-ve
2. Haz-me un ins-tru-men-to de tu paz; que lle-ve tu es-pe-ran-za
4. Haz-me un ins-tru-men-to de tu paz; pues tu per-dón dis-fru-to al

tu a-mor, Don-de ha-ya he-ri-das lle-ve tu per-
por do-quier; Don-de hay ti-nie-blas, lle-ve yo tu
per-do-nar; Tu ben-di-ción re-ci-bo yo al

dón, don-de ha-ya du-das, fe en ti.
luz, don-de hay tris-te-za, go-zo en ti. *(Fin)* ti.
dar, y vi-vo al mo-rir en ti.

3. Ma-es-tro, yo qui-sie-ra a-pren-der a no ser con-so-la-do si-no
Ser com-pren-di-do si-no com-pren-der,

con-so-lar, ser a-ma-do, tan-to co-mo a-mar.

LETRA: Francisco de Asís, s. 12, es trad.
MÚSICA: Gabriel Pérez T. y Francisco Javier Xajpot, 1999, arreg. Felipe Blycker J.
Música © 1999 Celebremos/Libros Alianza. Se prohíbe la reproducción sin autorización.

XELAJÚ-PATZÚN
Metro irreg.
Re m

424 Dejo el mundo y sigo a Cristo

Mt. 19:16-24
Jn. 1:40-50
Mt. 9:9-13

Y se levantó y le siguió. Mt. 9:9

Con seguridad

1. De - jo el mun - do, y si - go a Cris - to, por que el mun - do pa - sa - rá,
2. De - jo el mun - do, y si - go a Cris - to; paz y go - zo en él ten - dré,
3. De - jo el mun - do, y si - go a Cris - to; su son - ri - sa quie - ro ver
4. De - jo el mun - do, y si - go a Cris - to, a - co - gién - do - me a su cruz,

Mas su a - mor, a - mor ben - di - to, por los si - glos du - ra - rá.
Y al mi - rar que va con - mi - go yo fe - liz ca - mi - na - ré.
Co - mo luz que mi ca - mi - no ha - ga a - quí res - plan - de - cer.
Y des - pués i - ré a ver - le ca - ra a ca - ra en ple - na luz.

CORO

¡Oh, qué gran mi - se - ri - cor - dia! ¡Oh, de a - mor, su - bli - me don!

¡Ple - ni - tud de vi - da e - ter - na, pren - da vi - va de per - dón!

LETRA: Fanny J. Crosby, 1879, trad. Vicente Mendoza
MÚSICA: John R. Sweney, 1879
Esta letra se puede cantar también con la música de #172 (Gracias dad),
#393 (A los pies) y #482 (Oh qué amigo).
Para una tonalidad más baja (Mi♭) ver #623 (Este templo).

GIVE ME JESUS
8 7 8 7 / Coro
Fa (Capo 1 - Mi)

Sal. 26
Sal. 145:1-13
Jn. 12:20-32
Con entusiasmo

Bendito el Señor 425

Bendecid ahora al Señor vuestro Dios. 1 Cr. 29:20

•Ben - di - to el Se - ñor   por su po - der,   ben - di - to el Se -

ñor   por su a - mor.   Te a - la - ba - mos, Se - ñor,

con sin - ce - ri - dad,   Nos ren - di - mos a   ti

con in - te - gri - dad.   con in - te - gri - dad.

LETRA: Autor descon., Latinoamérica, s. 20
MÚSICA: Compositor descon., Latinoamérica, s. 20, arreg. F.B.J.
Arreg. © 1992 Celebremos/Libros Alianza. Se prohíbe la reproducción sin autorización.

L.A.

BENDITO EL SEÑOR
Metro irreg.
Fa (Capo 1 - Mi)

Charles Wesley (1707-1788)
El penúltimo hijo de una familia de 19 hijos, Charles fue uno de los instrumentos huma-nos, junto con su hermano, John, que Dios usó para impulsar el Gran Avivamiento que transformó Ingla-terra. Su primer intento de evangelizar a una tribu de indígenas en Norteamérica fracasó, pues los her-manos Wesley predicaban, pero realmente no cono-cían a Dios personalmente. De regreso a su país, se dieron cuenta de su necesidad espiritual durante una reunión de oración y se convirtieron al Señor. De allí en adelante predicaron con fervor, usando la música también para comunicar el mensaje bíblico. Charles fue el autor de más de 6500 himnos, algunos de los cuales cantamos hoy, tales como #49 (Oh que tuviera) y # 166 (Maravilloso es el gran amor).

426 Tú has venido a la orilla

Mt. 4:17-25
Mr. 1:14-20
Lc. 5:1-11

Con admiración *Boga mar adentro, y echad vuestras redes para pescar. Lc. 5:4*

1. Tú has ve-ni-do a la o-ri-lla, no has bus-ca-do ni a sa-bios ni a ri-cos, tan só-lo quie-res que yo te si-ga.
2. Tú sa-bes bien lo que ten-go: en mi bar-ca no hay o-ro ni es-pa-das, tan só-lo re-des y mi tra-ba-jo.
3. Tú ne-ce-si-tas mis ma-nos, mi can-san-cio que a o-tros des-can-se, a-mor que quie-ra se-guir a-man-do.
4. Tú, pes-ca-dor de o-tros ma-res, an-sia e-ter-na de al-mas que es-pe-ran, a-mi-go bue-no, que a-sí me lla-mas.

CORO

Se-ñor, me has mi-ra-do a los o-jos y son-rien-do has di-cho mi nom-bre; en la a-re-na he de-ja-do mi bar-ca;

LETRA y MÚSICA: Cesáreo Gabaráin, 1979, arreg. Skinner Chávez-Melo
© 1979 Cesáreo Gabaráin, admin. OCP Publications. Usado con permiso.

ESP   PESCADOR DE HOMBRES
Metro irreg.
Mi ♭ (Capo 1 - Re)

Dios cuidará de ti 427

1 P. 5: 6-11
Sal. 37: 1-11
Sal. 62: 1-8

Con ánimo

Echando toda vuestra ansiedad sobre él, porque él tiene cuidado de vosotros. 1 P. 5: 7

jun-to a ti bus-ca-ré o-tro mar.

1. En tus a-fa-nes y en tu do-lor, Dios cui-da-rá de ti;
2. Si des-fa-lle-ces en tu la-bor, Dios cui-da-rá de ti;
3. Nun-ca en la prue-ba su-cum-bi-rás, Dios cui-da-rá de ti;

Ba-jo las a-las de su a-mor, Dios cui-da-rá de ti.
Si ves pe-li-gros en de-rre-dor, Dios cui-da-rá de ti.
En su re-ga-zo te a-po-ya-rás, Dios cui-da-rá de ti.

CORO

Dios cui-da-rá de ti, y por do-quier con-ti-go i-rá;

Dios cui-da-rá de ti, na-da te fal-ta-rá.

LETRA: Civilla D. Martin, 1904, es trad.
MÚSICA: W. Stillman Martin, 1904

GOD CARES
Metro irreg.
Si♭ (Capo 1 - La)

428 Vencedor

Si Dios es por nosotros, ¿quién contra nosotros? Ro. 8:31

2 Co. 4:5-16
Ro. 8:28-39
1 Co. 15:51-58

Con confianza

•1. Mu - chas ve - ces he pen - sa - do, de pro - ble - mas tan car - ga - do,
•2. En el mun - do a - gi - ta - do, de la mul - ti - tud ro - dea - do,
•3. Gra - cias doy por las vic - to - rias, gra - cias doy por las de - rro - tas;

me pre - gun - to, ¿por qué hay tan - ta prue - ba y do - lor? Pe - ro en ca - da
na - die ve mi so - le - dad y llan - to, Se - ñor; Mas en ca - da
a Dios gra - cias por el due - lo a - bru - ma - dor. A tra - vés de

cir - cuns - tan - cia Dios me da más de su gra - cia, y me mues - tra
ho - ra os - cu - ra, tu Es - pí - ri - tu a - se - gu - ra que con - ti - go
los pro - ble - mas ve - o sus mi - se - ri - cor - dias, y en to - do

que soy más que ven - ce - dor.
yo soy más que ven - ce - dor. ¡Ven - ce - dor! ¡Ven - ce - dor!
yo soy más que ven - ce - dor. *Yo soy*

CORO

LETRA y MÚSICA: Andraé Crouch, 1971, trad. Frank Gonzales, alt.
©1971 Manna Music. Usado con permiso.

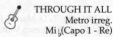

THROUGH IT ALL
Metro irreg.
Mi♭(Capo 1 - Re)

Yo en Cris - to he con - fia - do, mi fe es - tá en Dios; ¡Ven - ce - dor!

¡Ven - ce - dor! Sí, a - ho - ra yo soy más que ven - ce - dor *(ven ce - dor)*.

Yo soy

Yo no quiero pecar 429

Ro. 6:8-15
1 Jn. 3:3-9
1 P. 1:13-23
Con sencillez

Todo aquel que es nacido de Dios, no practica el pecado. 1 Jn. 3:9

1. Yo no quie - ro pe - car, yo no quie - ro e - rrar; o - fen -
2. San - ta - men - te vi - vir es la vi - da me - jor; es la

der a mi Dios, yo no quie - ro ja - más. Quie - ro an - dar en la
vi - da que a - gra - da y de - lei - ta al Se - ñor; San - ta - men - te vi -

luz que me da mi Je - sús; más no quie - ro pe - car con - tra Dios.
vir es la vi - da me - jor, es la vi - da que a - gra - da al Se - ñor.

LETRA y MÚSICA: Alfredo Colom M., 1954, es arreg.
© 1954, ren. 1982 Singspiration Music. Usado con permiso.

GUA

NO QUIERO PECAR
Metro irreg.
Mi ♭ (Capo 1 - Re)

NUESTRA VIDA EN CRISTO

430 Entenderemos

Por tanto, no seáis insensatos, sino entendidos. Ef. 5: 17

Stg. 1: 2-12
1 P. 1: 3-9
Ap. 2: 8-11

1. Cuan - do ten - ta - do, yo he de - sea - do sa - ber por qué hay
2. "Has - ta la muer - te", di - jo el Ma - es - tro, "se - rás tú fiel y
3. Cuan - do ven - drá Je - sús de la glo - ria, to - dos al cie - lo

mu - chos a - quí Que an - dan sin prue - bas y sin cui - da - do
tra - ba - ja - rás; To - do tu a - fán ha - brás de de - jar - lo,
nos lle - va - rá; Cuan - do le vea - mos en a - quel dí - a,

mien - tras el mal me a - se - cha a mí.
cuan - do al ce - les - te ho - gar en - tra - rás". En - ten - de - re - mos
lo en - ten - de - re - mos, sí, más a - llá.

nues - tras an - gus - tias, en - ten - de - re - mos nues - tro pe - sar; Her - manc

mí - o, nun - ca des - ma - yes, to - do en el cie - lo se ha de a - cla - rar.

LETRA: W.B. Stevens, 1937, trad. Francisco S. Cook
MÚSICA: W.B. Stevens, 1937, arreg. J.R. Baxter, Jr., alt.
© 1937 Stamps-Baxter Music, admin. y trad. © 1954, ren. 1982 Singspiration Music.
   Usado con permiso.
Esta letra se puede cantar también con la música de #147 (Gloria a tu nombre).

FARTHER ALONG
10 9 10 9/Coro
Fa (Capo 1 - Mi)

Tentado, no cedas 431

1 Co. 10: 6-13
Stg. 1: 12-19
Ro. 7: 15-8: 2

Dios...no os dejará ser tentados más de lo que podéis resistir. 1 Co. 10: 13

Con energía

1. Ten - ta - do, no ce - das, ce - der es pe - car; me - jor es con
2. E - vi - ta el pe - ca - do, pro - cu - ra a - gra - dar a Dios, a quien
3. Fiel a la Pa - la - bra y e - nér - gi - co sé; en Cris - to tu a -

Cris - to lu - char y triun - far. ¡Va - lor, pues, cris - tia - no!
de - bes por siem - pre en - sal - zar. No man - ches tus la - bios;
mi - go pon to - da tu fe. Sé siem - pre ho - nes - to;

do - mi - na tu mal, Dios pue - de li - brar - te de a - sal - to mor - tal.
go - bier - na tu voz; tu co - ra - zón guar - da de o - fen - sas a Dios.
de Dios es tu ser; co - ro - na te es - pe - ra, y vas a ven - cer.

CORO

En Je - sús, pues, con - fí - a; en sus bra - zos tu al - ma

Ha - lla - rá dul - ce cal - ma; él te ha - rá ven - ce - dor.

LETRA y MÚSICA: Horatio R. Palmer, 1868, trad. T.M. Westrup, ● alt.
Esta letra (estrofa) se puede cantar con la música de #272 (Cuán firme) y #417 (Sed puros).

YIELD NOT
11 11 11 11 / Coro
La♭ (Capo 1 - Sol)

432 Firme Estaré

Dios mío, fortaleza mía, en él confiaré. 2 S. 22: 3

Is. 33: 10-16
2 S. 22: 1-7
Sal. 31: 1-5

Con intensidad

1. Cris-to guar-da siem-pre, pue-do en él con-fiar; no me de-ja
2. Fuer-te es Je - su - cris-to, pue-do en él con-fiar; to - do me ha pro-
3. En la no-che os-cu - ra, pue-do en él con-fiar; mi al-ma es-tá se-
4. Mu-chos me a-ban - do-nan, pue-do en él con-fiar; o - tros me en-

nun-ca, pue-do en él con-fiar,
vis - to, pue-do en él con-fiar,
gu - ra, pue-do en él con-fiar, Pues, cual la Ro-ca e-ter-na de los
ga - ñan, pue-do en él con-fiar,

si - glos, fir - me es-ta - ré. ¡Na-da, no, na-da me ha de mo-

ver! (¡No, na - da!) ¡Na-da, no, na-da me ha de mo-ver! Pues, cual la

Ro-ca e-ter-na de los si - glos, fir - me es-ta - ré.

LETRA : Estr. John T. Benson, coro autor descon., es trad.
MÚSICA: Compositor descon., arreg. Roberto C. Savage
Arreg. © 1954, ren. 1982 Singspiration Music. Usado con permiso.

I SHALL NOT BE MOVED
11 11 11 5/Coro
La ♭ (Capo 1 - Sol)

Después de la tormenta 433

Mt. 14:22-33
Mr. 4:35-41
Lc. 8:22-25

Con seguridad

Y levantándose, reprendió al viento...y cesó el viento. Mr. 4:39

1. Des - pués de la tor - men - ta vie - ne la cal - ma, vie - ne la paz; si a Cris - to, de ro - di - llas, tú se la pi - des, él te la da. No im - por - ta que le - gio - nes del e - ne - mi - go te ha - gan su - frir, Si al nom - bre de mi Cris - to, sa - gra - do nom - bre, ten - drán que hu - ir

2. La no - che más os - cu - ra tie - ne su au - ro - ra, tie - ne su al - bor; la vi - da más per - di - da tie - ne es - pe - ran - za del Sal - va - dor. No im - por - ta que el pe - ca - do te ha - ya man - cha - do con su mal - dad, Pues Cris - to te per - do - na y te co - ro - na de san - ti - dad.

3. Je - sús hoy nos in - vi - ta con voz ben - di - ta a ir a él; su paz nos a - se - gu - ra en prue - ba du - ra; es siem - pre fiel. Con Cris - to triun - fa - re - mos y en él te - ne - mos buen Ge - ne - ral; Mar - che - mos vic - to - rio - sos, siem - pre go - zo - sos, has - ta el fi - nal.

LETRA: Juan José Ramírez M., s. 20, alt.
MÚSICA: Melodía portorriqueña, arreg. Roberto C. Savage, ● alt.
Arreg. © 1954, ren. 1982 Singspiration Music. Usado con permiso.

P.R.

PUERTO RICO
16 16 16 16
La♭(Capo 1 - Sol)

434 Victoria en Cristo

Y esta es la victoria que ha vencido al mundo, nuestra fe. 1 Jn. 5:4

Con vigor

Ro. 8:11-23
Jn. 16:29-33
Ro. 8:28-39

1. O - í ben - di - ta his - to - ria de Je - sús, quien de su glo - ria,
2. O - í que en a - mor tier - no, él sa - nó a los en - fer - mos;
3. O - í que a - llá en la glo - ria, hay man - sio - nes de vic - to - ria,

Al Cal - va - rio de - ci - dió ve - nir pa - ra sal - var - me a mí.
A los co - jos los man - dó co - rrer, al cie - go lo hi - zo ver.
Que su san - ta ma - no pre - pa - ró pa - ra los que él sal - vó.

Su san - gre de - rra - ma - da se a - pli - có fe - liz a mi al - ma;
En - ton - ces su - pli - can - te le pe - dí al Cris - to a - man - te,
Es - pe - ro u - nir mi can - to al del gru - po sa - cro - san - to

Me dio vic - to - ria sin i - gual cuan - do me a - rre - pen - tí.
Le die - ra a mi al - ma la sa - lud y fe pa - ra ven - cer.
Que vic - to - rio - so ren - di - rá tri - bu - to al Re - den - tor.

CORO

Ya ten - go la vic - to - ria, pues Cris - to me sal - va. Bus - có - me y com -

LETRA y MÚSICA: E.M. Bartlett, 1939, alt., trad. Honorato Reza

HARTFORD
Metro irreg.
Sol

G Sol   A La   A7 La7   D Re   G Sol   G7 Sol 7

pró - me con   su di - vi - no a - mor. Me im - par - te de su glo - ria,   su

C Do   G Sol   Am G D7 G   La m Sol Re7 Sol

paz i - nun - da mi al - ma; Vic - to - ria me con - ce - dió cuan - do por mí mu - rió.

Zac. 10:8-12
Lc. 24:14-32
Is. 40:27-31
Con reflexión

Débil Soy 435

Mientras hablaban...Jesús mismo se acercó, y caminaba con ellos. Lc. 24:15

B♭ La   Cm F7 Si m Mi 7   B♭ La

1. Dé - bil soy; tu fuer - za es tal   que me guar - da - rás del mal;
2. En la prue - ba   y do - lor   cuí - da - me, oh Buen Se - ñor;
CORO: A   tu   la - do an - dar, Se - ñor,   es - ta es mi o - ra - ción;

♩ 2' 27"

B♭ La   B♭7 La7   E♭ Re   E°7 Re♯°I   B♭ La   F7 Mi 7   B♭ La

D. C. al Coro

Sa - tis - fe - cho es - toy, oh sí,   al an - dar, Se - ñor, jun - to a ti.
Y al fin en tu man - sión   go - za - ré de tu co - mu - nión.
Ca - da dí - a en tu a - mor   siem - pre guár - da - me, Sal - va - dor.

LETRA: Autor descon., trad. Jorge Sánchez Ch.
MÚSICA: Melodía americana
Trad. © 1954, ren. 1982 Singspiration Music. Usado con permiso.

CLOSER WALK
Metro irreg.
Si ♭ (Capo 1 - La)

436 ¡Bendiciones, cuántas tienes!

Sal. 40:1-5, 16
Sal. 103:1-5
Sal. 136:1-9

Bendice, alma mía, a Jehová, y no olvides ninguno de sus beneficios. Sal. 103:2

Con ánimo

1. Cuan-do com-ba-ti-do por la ad-ver-si-dad cre-as ya per-di-da tu fe-li-ci-dad, Mi-ra lo que el cie-lo pa-ra ti guar-dó; cuen-ta las ri-que-zas que el Se-ñor te dio.

2. ¿An-das a-go-bia-do por al-gún pe-sar? ¿Du-ro te pa-re-ce a-mar-ga cruz lle-var? Cuen-ta las pro-me-sas del Se-ñor Je-sús, y de las ti-nie-blas na-ce-rá la luz.

3. Cuan-do de o-tros ve-as la pros-pe-ri-dad y tus pies clau-di-quen tras de su mal-dad, Cuen-ta las ri-que-zas que ten-drás por fe don-de el o-ro es pol-vo que ho-lla-rá tu pie.

CORO

¡Ben-di-cio-nes, cuán-tas tie-nes ya! Ben-di-cio-nes, Dios te man-da más; Ben-di-cio-nes, te sor-pren-de-rás cuan-do ve-as lo que Dios por ti ha-rá.

LETRA: Johnson Oatman, Jr., 1897, es trad.
MÚSICA: Edwin O. Excell, 1897
Esta letra (estrofa) se puede cantar con la música de #209 (Manos cariñosas).

BLESSINGS
11 11 11 11/Coro
Mi ♭(Capo 1 - Re)

Yo quiero vencer 437

Ap. 3:8-13
2 Co. 2:10-16
Ap. 2:1-7

Con certidumbre

A Dios gracias, el cual nos lleva siempre en triunfo en Cristo Jesús. 2 Co. 2:14

1. Yo quie-ro ven - cer, yo quie - ro triun - far por fe en mi Cris - to;
2. An - he-lo ir en pos, muy cer - ca de Dios por to-da mi vi - da;
3. Por fe en mi Je - sús hoy vi-vo en la luz que lle-va al cie - lo;

Yo quie-ro ob-te - ner, yo quie-ro al-can-zar co - ro-na en el cie - lo.
Y an - te su al-tar an-sí - o lle-var o-tra al-ma per - di - da.
No ha-bré de te-mer, pues Cris-to ha de ser mi e - ter - no con-sue-lo.

Quie - ro o-be-de-cer, fiel siem - pre ser - vir a mi Sal-va-dor;
¡Qué di-cha se - rá ver siem - pre la faz de mi Re-den-tor!
Yo quie-ro sen-tir pla-cer de ser - vir con ab-ne - ga-ción;

Yo quie-ro ven - cer, yo quie-ro triun - far por fe en mi Se - ñor.
Yo quie-ro ven - cer, y co-rres-pon-der a su gran a - mor.
Yo quie-ro triun-far y siem-pre mo - rar a-llá en su man-sión.

Yo quie-ro ven - cer, yo quie-ro triun - far por fe en mi Se - ñor.
Yo quie-ro ven - cer y co-rres-pon-der a su gran a - mor.
Yo quie-ro triun-far y siem-pre mo - rar a-llá en su man-sión.

LETRA y MÚSICA: J.J. Ramírez y J.A.Savage, 1966
© 1966 J. Arturo Savage. Usado con permiso.

VEN

YO QUIERO VENCER
Metro irreg.
Mi♭ (Capo 1 - Re)

438 Su gracia es mayor

La gracia de nuestro Señor fue más abundante. 1 Ti. 1:14

Ro. 5:17-6:4
1 Co. 10:6-13
Heb. 4:11-16

Con devoción

1. Su gra-cia es ma-yor si las car-gas au-men-tan; su fuer-za es ma-
2. Si nues-tros re-cur-sos se han a-go-ta-do, si fuer-zas nos

yor si la prue-ba es más cruel; Si es gran-de la lu-cha ma-
fal-tan pa-ra ter-mi-nar, Si al pun-to ya es-ta-mos de

yor es su gra-cia, si más son las pe-nas, ma-yor es su paz.
des-es-pe-rar-nos, el tiem-po ha lle-ga-do en que Dios pue-de o-brar.

CORO

Su a-mor no ter-mi-na, su gra-cia no a-ca-ba, un lí-mi-te

no hay al po-der del Se-ñor, Pues de sus in-men-sas ri-

LETRA: Annie Johnson Flint, 1941, trad. Honorato T. Reza
MÚSICA: Hubert Mitchell, 1941

HE GIVETH MORE GRACE
12 11 12 11 / Coro
Mi ♭ (Capo 1 - Re)

que-zas en glo-ria, a-bun-da su gra-cia, a-bun-da su a-mor.

En este mundo de misterio 439

Señor, en este mundo de misterio
Cuya causa no podemos conocer,
Vemos la humildad de los pequeños
Y los grandes su gloria enaltecer.

La viuda que dio lo que tenía,
El joven llevando pan y peces,
El mozo que de cerca lo seguía,
Sin llevar la gloria de sus creces.

Oh Señor, ¿por qué tanto silencio?
¿Por qué no llevan ninguna gloria?
¿Por qué ni sus nombres aparecen
En el gran escenario de la historia?

No te afanes por la vida pasajera,
Ni del cruel olvido tengas pena,
Que las glorias de este mundo son ficticias
Y las glorias venideras son eternas.

C.R. Arcadio Hidalgo Sánchez, 1981

Pon tus ojos en Cristo 440

Is. 45: 21-25
Jn. 9: 35-38
Mr. 10: 46-52

Con emoción

El cual, siendo el resplandor de su gloria. Heb. 1: 3

Pon tus o-jos en Cris-to, tan lle-no de gra-cia y a-mor,

Y lo te-rre-nal sin va-lor se-rá a la luz del glo-rio-so Se-ñor.

LETRA y MÚSICA: Helen Howarth Lemmel, 1922, trad. Carlos P. Denyer.
© 1922, ren. 1950, trad. © 1966 Singspiration Music. Usado con permiso.

LEMMEL (Coro)
Metro irreg.
Fa (Capo 1 - Mi)

441 Jehová-jireh

Y llamó Abraham el nombre de aquel lugar, Jehová proveerá. Gn. 22: 14

Gn. 22: 1-14
1 R. 17: 1-15
Mt. 10: 1-10

Con ánimo

LETRA: Basada en Génesis 22:14
MÚSICA: Merla Watson, 1974
© 1974 Catacombs Productions, admin. Lorenz Publications. Usado con permiso.

JEHOVAH-JIREH
Metro irreg.
Mi m

Él conoce mi camino 442

Job 19: 23-27
2 Ti. 3: 14-4:8   Ap. 2: 8-11

Mas él conoce mi camino; me probará, y saldré como oro. Job 23:10

Con energía

1. Mas él co - no - ce mi ca - mi - no, mas él co - no - ce mi ca - mi - no,
2. Me pro - ba - rá y sal - dré co - mo o - ro, me pro - ba - rá y sal - dré co - mo o - ro,

Mas él co - no - ce mi ca - mi - no, ¡Vi - va mi Re - den - tor!
Me pro - ba - rá y sal - dré co - mo o - ro, ¡Vi - va mi Re - den - tor!

El Señor es bueno 443

Sal. 34: 1-10
Sal. 52
Sal. 73

Jehová es bueno, fortaleza en el día de la angustia. Nah. 1:7

Con energía

*El Se - ñor es bue - no, for - ta - le - za en el dí - a de an -

gus - tia;   gus - tia.   *El Se - ñor es bue - no, y co -

no - ce a los que en él con - fí - an;   los que en él con - fí - an.

* Jehová

LETRA: Basada en Job 23:10 y 19: 25 (#442) y Nahum 1: 7 (#443)
MÚSICA: Felipe Blycker J., 1985
© 1985 Philip W. Blycker en *Cánticos nuevos de la Biblia.* Usado con permiso.

MEX

JOB/NAHUM
Metro irreg.
Fa (Capo 1 - Mi)

444 Hasta Entonces

Tus ojos verán al Rey en su hermosura. Is. 33:17

Ap. 21: 1-7
Ap. 5
Ap. 1: 1-8

Con certidumbre

1. Mi co-ra-zón can-tan-do es-tá de Cris-to cuan-do
2. El po-bre mun-do i-rá pron-to al ol-vi-do, tan pa-
3. Gran a-le-grí-a es la del re-di-mi-do al ser

me a-cuer-do de su gran a-mor. Aun-que la vi-da es-tá
sa-je-ra es la vi-da a-quí; Por tal en-ga-ño y pe-
li-bra-do al fin de su do-lor; No ha-brá más muer-te, lá-

a-tri-bu-la-da es-pe-ro un dí-a ver al Sal-va-dor.
na no me a-fa-no por-que en la glo-ria a Cris-to le ve-ré.
gri-mas, tris-te-za en la pre-sen-cia e-ter-na del Se-ñor.

CORO

Mas has-ta en-ton-ces se-gui-ré can-tan-do, can-tan-do

de Je-sús y de su a-mor; Has-ta a-quel dí-a cuan-do en

LETRA y MÚSICA: Stuart Hamblen, 1958, trad. Timoteo Anderson C.
© 1958 Stuart Hamblen. Usado con permiso.

UNTIL THEN
11 10 11 10/Coro
Si♭ (Capo 1 - La)

ple - na   glo - ria   ve - ré la   faz de   mi Se - ñor.

Triunfo en las pruebas   445

Pues tengo por cierto que las aflicciones del tiempo presente no son comparables con la gloria venidera que en nosotros ha de manifestarse.

Y sabemos que a los que aman a Dios, todas las cosas les ayudan a bien, esto es, a los que conforme a su propósito son llamados.

¿Qué, pues, diremos a esto? Si Dios es por nosotros, ¿quién contra nosotros?

Antes, en todas estas cosas somos más que vencedores por medio de aquel que nos amó.

Vosotros os alegráis, aunque ahora por un poco de tiempo, si es necesario, tengáis que ser afligidos en diversas pruebas,

Para que sometida a prueba vuestra fe, mucho más preciosa que el oro, el cual aunque perecedero se prueba con fuego, sea hallada en alabanza, gloria y honra cuando sea manifestado Jesucristo.

Romanos 8:18, 28, 31, 37; 1 Pedro 1:6-7 (RVR)

Lv. 23:39-43
2 Cr. 6:40-41
Fil. 4:4-9

¡Regocijad!   446

Regocijaos en el Señor siempre. Fil. 4:4

Con ánimo

¡Re - go - ci - jad* en el   Se - ñor! os   di - go: ¡Re - go - ci - jad!*

¡Re-go - ci-jad!*   os   di - go: ¡Re - go - ci - jad!*

*opt. Regocijaos

LETRA: Basada en Filipenses 4:4
MÚSICA: Compositor descon., s. 20

REJOICE
Canon a dos voces
Fa (Capo 1 - Mi)

447 Dad Gracias

He aprendido a contentarme, cualquiera que sea mi situación. Fil. 4:11

Fil. 4:4-9
Col. 4:2-6
Ro. 1:16-22

Dad gracias, de todo corazón, dad gracias al Dios santísimo; Dad gracias porque a su Hijo Jesucristo nos dio. Ya ahora diga el débil, "Fuerte soy", diga el pobre, "Rico soy", por lo que hizo el Señor por mí. mí. Dad gracias.

*Se puede repetir todo el canto y usar esta terminación.

LETRA y MÚSICA: Henry Smith, 1978, trad. CANZION Producciones, Lori Black y
Marcela Arboleda M.
© 1978 Integrity's Hosanna. Usado con permiso.

GIVE THANKS
Metro irreg.
Fa (Capo 1 - Mi)

NUESTRA

*Amada
Iglesia*

448 La Iglesia sin mancha

Una iglesia gloriosa, que no tuviese mancha ni arruga. Ef. 5:27

Jud. vv. 20-25
Ef. 5:24-27
Ap. 5

Con vigor

1. ¿Quié - nes son los que han ve - ni - do? ¿Ha - cia dón - de mar - cha - rán? De pu - re - za van ves - ti - dos, ro - pas blan - cas lle - van ya.
2. ¿Pue - des es - cu - char los can - tos que con - mue - ven to - do ser? Es el gru - po de los san - tos que al Cor - de - ro quie - ren ver.
3. No te a - sus - ten las tris - te - zas, nun - ca ce - das an - te el mal. Triun - fa - rás en tus po - bre - zas, ten - drás go - zo ce - les - tial.
4. El pen - dón de tu a - la - ban - za de - bes hoy en ar - bo - lar; En tu Rey pon tu es - pe - ran - za y él vic - to - ria te da - rá.

CORO

Es la I - gle - sia fiel, sin man - cha ni a - rru - ga, que el Sal - va - dor re - di - mió. Es la I - gle - sia fiel, sin man - cha ni a - rru - ga, que el Sal - va - dor re - di - mió.

LETRA y MÚSICA: Ralph E. Hudson, 1894, trad. Honorato Reza
Trad. © 1962, ren. 1990 Lillenas Publishing Co. Usado con permiso.

A GLORIOUS CHURCH
8 7 8 7/Coro
Si ♭ (Capo 1 - La)

Mi iglesia querida 449

Hch. 20:32-38
1 Co. 12:4-14
Ef. 5:24-27

Con ánimo

Vosotros, pues, sois el cuerpo de Cristo. 1 Co. 12:27

1. U - na i - gle - sia pre - fie - re mi al - ma, u - na i -
•2. Siem - pre da su men - sa - je con - sue - lo a las
↑[8] •3. Cuán a - le - gres re - sue - nan sus can - tos, por - que
*4. Hoy ce - le - bra es - ta i - gle - sia que - ri - da o - tro

Esta estrofa es especialmente apropiada para aniversarios.

gle - sia que a - vi - va mi fe; Ha - llo en e - lla la paz y la
al - mas que bus - can a Dios, Por - que quie - re que va - yan al
son de su fe la ex - pre - sión; Son el gri - to triun - fal de los
a - ño de vi - da por fe; La con - ser - ve el Se - ñor siem - pre u -

D.S. Ha - lla - rás for - ta - le - za y con -

cal - ma que en el mun - do bus - qué y no ha - llé.
cie - lo, del di - vi - no Ma - es - tro en pos.
san - tos, un men - sa - je de a - mor y per - dón.
ni - da, y vic - to - ria en su nom - bre le dé.

Oh, ven, ven, ven, ven,

sue - lo a los pies de tu buen Sal - va - dor.

D.S. al Fin

ven a go - zar en - tre her - ma - nos, oh ven a a - do - rar al Se - ñor.

LETRA: Raúl Echeverría M., 1947, ℗ basada en poesía de William S. Pitts, 1857,
adapt. Pablo Sywulka B.
MÚSICA: William S. Pitts, 1857, arreg. E.O. Excell, 1910, alt.
Letra © 1992 Celebremos/Libros Alianza. Se prohibe la reproducción sin autorización.

LITTLE BROWN CHURCH
GUA
10 9 10 9/Coro
Si ♭ (Capo 1 - La)

450 De la Iglesia el fundamento

Ef. 2: 11-22
Sal. 118: 1, 19-24
1 P. 2: 4 -10

He aquí que yo he puesto en Sion por fundamento una piedra. Is. 28: 16

Con decisión

1. De la Iglesia el fundamento es Jesús el Salvador;
   Por la obra de su gracia le dio vida su Señor;
   Para hacer la esposa suya de los cielos descendió,
   Y su sangre por limpiarla en la cruz él derramó.

2. De entre todas las naciones escogida en variedad,
   A través de las edades se presenta en unidad;
   En diversidad de pueblos sólo tiene un Señor,
   Una fe y un nacimiento, un constante y puro amor.

3. Ella alaba sólo un nombre, sigue una sola luz;
   Guarda una esperanza y su gloria es una cruz;
   Por el celo que la anima, de las almas corre en pos,
   Y ambiciona por la gracia conducirlas hacia Dios.

4. A través de sufrimientos, de fatigas y dolor,
   El glorioso día espera en que vuelva su Señor;
   Consumada su carrera, ya sin mancha estará;
   A las Bodas del Cordero victoriosa entrará.

LETRA: Samuel J. Stone, 1868, trad. Juan B. Cabrera, 🌐 alt.
MÚSICA: Franz Joseph Haydn, 1797, basada en una melodía croata.
Esta letra se puede cantar también con la música de #329 (Fuente de), #108 (Jubilosos),
#172 (Gracias dad) y #329 (Fuente de).
Para una tonalidad más baja (Re) ver #600 (Dios el Creador).

AUSTRIA
8787D
Mi♭(Capo 1 - Re)

Iglesia de Cristo 451

Ef. 5:24-27
Col. 1:15-23
1 Ts. 5:1-11
Con ánimo

Linaje escogido, real sacerdocio, nación santa, pueblo (de) Dios. 1 P. 2:9

1. I - gle - sia de Cris - to, rea - ni - ma tu a - mor, y es - pe - ra ve -
2. Si fal - ta en al - gu - nos el san - to fer - vor, la fe sea de
3. Quien si - gue la sen - da del vil pe - ca - dor, se en - tre - ga en los

lan - do a tu au - gus - to Se - ñor; Je - sús el Es - po - so, ves -
to - dos el des - per - ta - dor. Ve - lad, com - pa - ñe - ros, ve -
bra - zos de un sue - ño trai - dor; Mas pa - ra los sier - vos del

ti - do de ho - nor, vi - nien - do se a - nun - cia con fuer - te cla - mor.
lad sin te - mor, que es - tá con no - so - tros el Con - so - la - dor.
buen Sal - va - dor, ve - lar es - pe - ran - do es su an - he - lo me - jor.

LETRA: Mateo Cosidó, 1874
MÚSICA: Atrib. a J. Michael Haydn, s.18, en *Sacred Melodies*, de William Gardiner, 1815
Esta letra se puede cantar también con la música de #152 (Jesús es), **ESP**
#271 (Los cielos) y #272 (Cuán firme).
Para una tonalidad más baja (Sol) ver #107 (Al Rey adorad).

LYONS
11 11 11 11
La ♭ (Capo 1 - Sol)

Cristo y su Iglesia 452

Vosotros sois el cuerpo de Cristo, y miembros suyos individualmente.
Y además, él es la cabeza del cuerpo, que es la iglesia.

**Aun todas las cosas las sometió Dios bajo sus pies y
le puso a él por cabeza sobre todas las cosas para la iglesia,**

La cual es su cuerpo, la plenitud de aquel que todo lo llena en todo.

**En él también vosotros, habiendo oído la palabra de
verdad, el evangelio de vuestra salvación, y habiendo
creído en él, fuisteis sellados con el Espíritu Santo.**

1 Corintios 12:27; Colosenses 1:18a; Efesios 1:22, 23, 13 (RVA)

453 En la Iglesia

Hch. 20:27-32
Col. 1:24-29
1 Ts. 1:2-10

Cristo amó a la iglesia, y se entregó a sí mismo por ella. Ef. 5:25

Con gozo

1. En la Iglesia la gloria es para él, para él, para él;
2. En mi vida la gloria es para él, para él, para él;

En la Iglesia la gloria es para él a-hora y por la e-
En mi vida la gloria es para él a-hora y por la e-

ter-ni-dad.
ter-ni-dad. Para él, (para él,) para él, (para él,)

para él, (para él,) para él. (para él.)

LETRA y MÚSICA: Autor y compositor descon., Latinoamérica, s. 20, arreg. F.B.J. L.A.
Arreg. © 1992 Celebremos/Libros Alianza. Se prohibe la reproducción sin autorización.

EN LA IGLESIA
Metro irreg.
Si ♭ (Capo 1 - La)

454 Ardan nuestros corazones

1. ¡Ardan nuestros corazones adorando al Salvador,
   Y en amor ferviente unidos, busquen paz en el Señor!
   De su cuerpo somos miembros, de su luz reflejo fiel:
   Entre hermanos es Maestro, suyos somos, nuestro es él.

2. Oh, Amor, tú has ordenado que arda nuestro corazón;
   Vivifica nuestras almas, líbralas de confusión.
   ¡Prende tú la llama viva del amor que así unirá
   A los hijos que ha engendrado nuestro Padre celestial!

Nikolaus L. von Zinzendorf, 1723, trad. Juan Alberto Soggin.
Esta letra se puede cantar con la música de #216 (Aleluya) y #286 (Oh, Señor).

Jos. 1: 1-9
Ef. 6: 10-18
1 P. 5: 6-11

Dios de gracia, Dios de gloria 455

Vestíos de toda la armadura de Dios, para que podáis estar firmes. Ef. 6: 11

Con amplitud

1. Dios de gra - cia, Dios de glo - ria, da - nos pres - to
2. Hoy las fuer - zas del ma - lig - no nos a - co - san
3. Nues-tros o - dios in - hu - ma - nos cu - ra con tu in -
4. Guí - a - nos por las más al - tas ru - tas de la

tu po - der; A tu a - ma - da I - gle - sia a - dor - na
sin ce - sar; De te - mor y du - da, Cris - to
men - so a - mor; Lí - bra - nos de go - ces va - nos,
san - ti - dad, Pro - cla - man - do pa - ra el al - ma

con un nue - vo flo - re - cer. Da - nos luz y va - len - tí - a
pue - de al al - ma res - guar - dar. Da - nos luz y va - len - tí - a
sin con - cien - cia o sin va - lor. Da - nos luz y va - len - tí - a
ver - da - de - ra li - ber - tad. Da - nos luz y va - len - tí - a

en la ho - ra del de - ber, *del de - ber,* en la ho - ra del de - ber.
pa - ra nun - ca des-ma - yar, *des - ma - yar,* pa - ra nun - ca des-ma - yar.
fren-te a to - da ten - ta - ción, *ten - ta - ción,* fren-te a to - da ten - ta - ción.
y fir - me - za en tu ver - dad, *tu ver - dad,* y fir - me - za en tu ver - dad.

LETRA: Harry E. Fosdick, 1930, trad. Federico J. Pagura
MÚSICA: John Hughes, 1907
Letra usada con permiso de Elinor Fosdick Downs
Esta letra se puede cantar también con la música de #159 (Fruto del amor divino).

CWM RHONDDA
8 7 8 7 8 7 7
Sol

456 Hoy por los santos

Ap. 14:12-13
Heb. 11:32-12:3
Ap. 7:9-17

Con amplitud   *Teniendo en derredor nuestro tan grande nube de testigos. Heb. 12:1*

1. Hoy, por los san - tos que des - can - san ya, des-
2. Tú fuis - te am - pa - ro, ro - ca y de - fen - sor; en
•3. Oh ben - de - ci - da y san - ta co - mu - nión de
4. Y cuan - do ru - da la ba - ta - lla es, del
•5. La au - ro - ra e - ter - na ya des - pun - ta - rá; las

pués de con - fe - sar - te por la fe, Tu
la ba - ta - lla, re - cio Ca - pi - tán; Tu
los que aún lu - chan o en la glo - ria es - tán; Un
cie - lo se o - ye un cán - ti - co triun - fal; Se a
hues - tes fie - les lle - ga - rán al Rey, Can -

nom - bre, oh Cris - to, he - mos de a - la - bar;
luz ven - ció las som - bras del te - mor.
so - lo cuer - po, por - que tu - yos son.
fir - ma el bra - zo, ven - ce al fin la fe:
tan - do a - le - gres a la Tri - ni - dad:

LETRA: William W. How, 1864, trad. Federico J. Pagura
MÚSICA: Ralph Vaughan Williams, 1906
Trad. © 1962 Ediciones La Aurora. Música © 1906 Oxford University Press. Usado con permiso.

SINE NOMINE
10 10 10 / Aleluyas
Sol

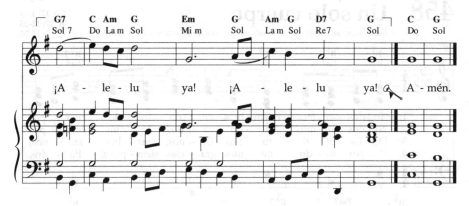

Jn. 13:32-35
1 P. 2:9-12
1 Jn. 4:6-12

La familia de Dios 457

En esto conocerán todos que sois mis discípulos, si tuviereis amor. Jn. 13:35

Con alegría

Soy fe - liz por - que soy de la fa - mi - lia de Dios; me la - vó en la
san - gre mi Sal - va - dor. He - re - de - ro con Cris - to, hi - jo soy por su a-
mor; soy fe - liz en la fa - mi - lia, la fa - mi - lia de Dios.

LETRA: William y Gloria Gaither, 1970, trad. Sid D. Guillén, alt.
MÚSICA: William J. Gaither, 1970
© 1970 y arreg. 1971 William J. Gaither. Usado con permiso.

FAMILY OF GOD
Metro irreg.
Fa (Capo 1 - Mi)

458 Un solo cuerpo

Todos los miembros del cuerpo, siendo muchos, son un solo cuerpo. 1 Co. 12: 12

1 Co. 12: 4-14
Jn. 17: 12-23
Ef. 5: 15-20

Con energía

1. To - dos so - mos miem - bros de un so - lo cuer - po;
2. To - dos fui - mos bau - ti - za - dos en un cuer - po;
3. Del Es - pí - ri - tu sed lle - nos, mis her - ma - nos;
4. Y por to - do de - mos gra - cias siem - pre al Pa - dre;

To - dos so - mos miem - bros de un so - lo cuer - po;
To - dos fui - mos bau - ti - za - dos en un cuer - po;
Del Es - pí - ri - tu sed lle - nos, mis her - ma - nos;
Y por to - do de - mos gra - cias siem - pre al Pa - dre;

To - dos so - mos miem - bros de un so - lo cuer - po;
To - dos fui - mos bau - ti - za - dos en un cuer - po,
Del Es - pí - ri - tu sed lle - nos, mis her - ma - nos,
Y por to - do de - mos gra - cias siem - pre al Pa - dre,

Sien - do mu - chos so - mos u - no en Je - sús.
To - dos por el San - to Es - pí - ri - tu de Dios.
Pa - ra ha - cer la bue - na vo - lun - tad de Dios.
A - la - ban - do y can - tan - do al Se - ñor.

LETRA: Basada en 1 Corintios 12: 12-13 y Efesios 5: 19-20
MÚSICA: Felipe Blycker J., 1977
© 1977, *Philip W. Blycker, en* Cánticos nuevos de la Biblia. *Usado con permiso.*

GUA

UN SOLO CUERPO
Metro irreg.
Mi♭ (Capo 1 - Re)

459 REFLEXIÓN: Mi querida iglesia; Foto: cerca de Belén

MI QUERIDA IGLESIA

Señor, tú me has puesto en una familia muy especial, donde encuentro el amor y el apoyo de hermanos. Me has colocado en un maravilloso cuerpo en el cual cada miembro contribuye para beneficio de los demás.

Me has hecho parte de un nuevo pueblo que traspasa las barreras de raza, cultura y nivel social. Es tu Iglesia y ¡cuánto te agradezco el inmenso privilegio de ser parte de ella!

Te reconozco como Jefe y Cabeza de la Iglesia. Sé que te agradamos al reunirnos para estudiar tu Palabra y alabar tu nombre. Te honramos al participar de tu mesa.

La comunión entre nosotros y la demostración de tu amor en nuestro servicio también te complacen. Te gozas cuando cumplimos tu mandato de proclamar el evangelio y hacer discípulos.

Espero el día gozoso cuando presentarás a tu Iglesia perfecta, sin mancha ni arruga. Mientras tanto, ¡qué hermoso es unir mi voz a la de mis hermanos en Salmos, himnos y cánticos espirituales!

...debemos crecer en todo hacia Cristo que es la cabeza del cuerpo, y por Cristo el cuerpo entero se ajusta y se liga bien, mediante la unión entre sí de todas sus partes. Y cuando cada parte funciona bien, todo va creciendo y desarrollándose en amor

Efesios 4:15-16

1 Jn. 3:11-20
Ro. 12:9-18
1 Jn. 4:6-12

Con amplitud

Amémonos, Hermanos 460

Que nos amemos unos a otros. 2 Jn. v. 5

1. A - mé - mo - nos, her - ma - nos, con tier - no y pu - ro a - mor;
2. A - mé - mo - nos, her - ma - nos, en dul - ce co - mu - nión,
3. A - mé - mo - nos, her - ma - nos, y al mun - do pe - ca - dor

Un so - lo cuer - po so - mos, y nues - tro Pa - dre es Dios.
Y paz, a - fec - to y gra - cia da - rá el Con - so - la - dor.
Mos - tre - mos có - mo vi - ven los que son del Se - ñor.

A - mé - mo - nos, her - ma - nos, lo quie - re el Sal - va - dor,
A - mé - mo - nos, her - ma - nos, y en nues - tra san - ta u - nión,
A - mé - mo - nos, her - ma - nos, con to - do el co - ra - zón;

Quien su pre - cio - sa san - gre por to - dos de - rra - mó.
No e - xis - tan as - pe - re - zas ni dis - cor - dan - te voz.
Lo or - de - na el Dios y Pa - dre; su ley es ley de a - mor.

LETRA: Juan Bautista Cabrera, 1887 🖉
MÚSICA: De *Meiningisches Gesangbuch* , 1693, arreg. Felix Mendelssohn, 1847
Esta letra se puede cantar también con la música de #187 (Cabalga), #203 (Cabeza) y
#639 (Tu pueblo).
Para una tonalidad más baja (Re) ver #284 (Oh Verbo encarnado).

ESP

MUNICH
7676D
Mi♭ (Capo 1 - Re)

461 Somos uno en Cristo

Ef. 4:1-6
Jn. 17:12-23
1 Co. 12:4-14

Un cuerpo, y un Espíritu, como fuisteis...llamados en una misma esperanza. Ef. 4:4

Con ánimo

Somos u - no en Cris - to, so - mos u - no, so - mos u - no,
u - no so - lo. so - lo. Un so - lo Dios, un so - lo Se - ñor,
u - na so - la fe, un so - lo a - mor, un so - lo bau - tis - mo, un
so - lo Es - pí - ri - tu, y e - se es el Con - so - la - dor.

LETRA y MÚSICA: Autor y compositor descon., Latinoamérica, s.20, arreg. F.B.J.
Arreg. © 1992 Celebremos/Libros Alianza. Se prohíbe la reproducción sin autorización.

L.A.

SOMOS UNO
Metro irreg.
Mi m

462 Unidos en Cristo

Porque de la manera que en un cuerpo tenemos muchos miembros, pero no todos los miembros tienen la misma función,

Así nosotros, siendo muchos, somos un cuerpo en Cristo, y todos miembros los unos de los otros.

De manera que, teniendo diferentes dones, según la gracia que nos es dada,

Si el de profecía, úsese conforme a la medida de la fe;

O si de servicio, en servir; o el que enseña, en la enseñanza;

El que exhorta, en la exhortación; el que reparte, con liberalidad;

El que preside, con solicitud; el que hace misericordia, con alegría.

El amor sea sin fingimiento. Aborreced lo malo, seguid lo bueno.

Amaos los unos a los otros con amor fraternal; en cuanto a honra, prefiriéndoos los unos a los otros.

¡Mirad cuán bueno y cuán delicioso es habitar los hermanos juntos en armonía!

Romanos 12:4-10; Salmo 133:1 (RVR)

Sal. 133
Heb. 13:1-8
1 P. 3:8-9

Con vigor

Miren qué bueno 463

Permanezca el amor fraternal. Heb. 13:1

¡Mi - ren qué bue - no, qué bue - no es!

1. 3. Mi - ren qué bue - no es cuan - do los cre - yen - tes es - tán jun - tos,

es co - mo a - cei - te bue - no de - rra - ma - do so - bre Aa - rón.
se pa - re - ce al ro - cí - o so - bre los mon - tes de Sion.
por - que el Se - ñor nos man - da vi - da e - ter - na y ben - di - ción.

LETRA: Basada en el Salmo 133, Pablo Sosa, 1970
MÚSICA: Pablo Sosa, 1970, arreg. Alvin Schutmaat
© 1974 Pablo D. Sosa. Usado con permiso.

ARG

FLORES
*Canon a tres voces (opcional)
Do

*Se puede cantar como canon a tres voces, al no repetir la primera frase.

464 Nuevas Alegres

Col. 1:9-14
Ap. 21:1-5, 22-26
1 Ts. 1:2-10

También a nosotros se nos ha anunciado la buena nueva. Heb. 4:2

Con gozo

1. Nue-vas a-le-gres pa-ra de-cir-les ten-go a-ho-ra y es-tas son:
2. Go-ces mun-da-nos ya he de-ja-do, no quie-ro más tan fal-so pla-cer;
3. Ya no me im-por-ta lo que di-je-ron los e-ne-mi-gos de mi Se-ñor.

Que mis pe-ca-dos son per-do-na-dos, y con Je-sús ten-dré ga-lar-dón.
Paz pro-me-tie-ron, mas en-ga-ña-ron; no me pu-die-ron sa-tis-fa-cer.
Él me ha bus-ca-do y me ha sal-va-do; voy a la glo-ria, rei-no de a-mor.

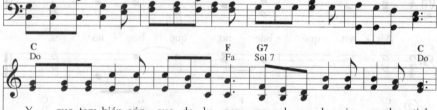

Y que tam-bién aún que-da lu-gar en el pa-la-cio ce-les-tial
Mas bien es-toy con mi Sal-va-dor; al cie-lo voy por su fa-vor;
Siem-pre yo ten-go lu-chas a-quí; dul-ce des-can-so ten-go a-llí;

Pa-ra a-que-llos los que qui-sie-ren la sal-va-ción a-cep-tar.
Cris-to me guí-a to-dos los dí-as en su a-mor y ver-dad.
¡Oh, qué gran go-zo pa-ra mi al-ma cuan-do me lla-me el Se-ñor!

LETRA: Autor descon., Latinoamérica, s. 20
MÚSICA: Compositor descon., Latinoamérica, s. 20, arreg. Roberto C. Savage, alt.
Arreg. © 1953, ren. 1981 Singspiration Music. Usado con permiso.

NUEVAS ALEGRES
Metro irreg.
Do

L.A.

2 Ti. 1:6-13
2 Ti. 3:14-4:8
2 Ti. 2:1-9

No te dé temor **465**

Nos ha dado Dios espíritu...de poder, de amor y de dominio propio. 2 Ti. 1:7

Con vigor

1. No te dé te - mor ha - blar por Cris - to; haz que bri - lle en ti su luz;
2. No te dé te - mor ha - cer por Cris - to cuan - to de tu par - te es - tá;
3. No te dé te - mor su - frir por Cris - to los re - pro - ches, o el do - lor;
4. No te dé te - mor mo - rir por Cris - to, vía, ver - dad y vi - da es él;

Al que te sal - vó con - fie - sa siem - pre; to - do de - bes a Je - sús.
O - bra con a - mor, con fe y cons - tan - cia; tus tra - ba - jos pre - mia - rá.
Su - fre con a - mor tus prue - bas to - das, cual su - frió tu Sal - va - dor.
Él te lle - va - rá con su ter - nu - ra a su cé - li - co ver - gel.

CORO

No te dé te - mor, no te dé te - mor, nun - ca, nun - ca, nun - ca;

Es tu a - man - te Sal - va - dor; nun - ca, pues, te dé te - mor.

LETRA: Fanny Crosby, 1864, trad. T.M. Westrup
MÚSICA: William B. Bradbury, 1864, arreg. Hubert P. Main

NEVER BE AFRAID
10 7 10 7/Coro
Fa (Capo 1 - Mi)

466 Testifica

Mt. 28:16-20
Ro. 15:17-24
Ro. 1:14-17

No podemos dejar de hablar de lo que hemos visto y oído. Hch. 4:20 (NVI)

Con certidumbre

• Si sien-tes com-pa-sión por tus a-mi-gos* en-ton-ces hábla-

les de tu Se-ñor. ñor. Há-bla-les de Cris-to; cuen-ta a tus a-mi-gos*

* *opciones: vecinos, parientes, etc.*

lo que el Sal-va-dor hi-zo por ti. ti. Tes-ti-fi-ca, tes-ti-

fi-ca, tes-ti-fi-ca de Cris-to por do-quier. quier.

LETRA y MÚSICA: Antonio Morales, 1964
En Himnos de Fe y Alabanza, 1966. *Permiso solicitado.*

BOL

TESTIFICA
Metro irreg.
Fa (Capo 1 - Mi)

Eugenio Jordán (1920-1990)
Eugenio y sus nueve hermanos crecieron en el mundo de las bellas artes. El optó por dedicar-se al violín y a la marimba.

A los veinte años estaba tocando en una banda de jazz, sin interés en nada espiritual. Sin embargo, aceptó la invitación de asistir a una reunión en una iglesia, y como consecuencia, Dios lo transformó.

Eugenio entendió inmediatamente que el Señor lo estaba llamando a ser misionero. El resistía el llama-

do, pues había nacido con un defecto que le dificulta-ba hablar. Pero al ver la respuesta de Dios a Moisés en Exodo 3:4 y 4:10-12, Eugenio dijo: —Heme aquí, Señor.

Fue el comienzo de una vida de ministerio junto con su esposa, Ruth. Este se extendió por varios paí-ses, mayormente con la emisora HCJB en el Ecuador. Se les recuerda por su deseo de glorificar al Señor con su música, compartiendo las Buenas Nuevas go-zosamente.

Hch. 1:1-8
Jn. 15:26-16:14
Hch. 10:34-48

Con ánimo

Recibiréis Poder 467

Recibiréis poder...y me seréis testigos. Hch. 1:8

Re-ci-bi-réis po-der, re-ci-bi-réis po-der cuan-do ha-ya ve-ni-do so-bre vo-so-tros el Es-pí-ri-tu de Dios, cuan-do ha-ya ve-ni-do so-bre vo-so-tros el Es-pí-ri-tu de Dios, y tes-ti-fi-ca-réis, y tes-ti-fi-ca-réis en Je-ru-sa-lén, Ju-de-a tam-bién, Sa-ma-ria y has-ta el fi-nal. nal.

LETRA: Basada en Hechos 1:8
MÚSICA: Fredy Gularte, 1986, arreg. F.B.J.
© 1992 Celebremos/Libros Alianza. Se prohibe la reproducción sin autorización.

GUA

GRAN COMISIÓN
Metro irreg.
Mi m

468 Grato es decir la historia

Venid...y contaré lo que ha hecho a mi alma. Sal. 66:16

Ro. 10:8-18
Sal. 66:1-4, 16-20
Jn. 1:35-46

Con gozo

1. Gra - to es de - cir la his - to - ria del ce - les - tial fa - vor, de
2. Gra - to es de - cir la his - to - ria que bri - lla cual fa - nal, y en
3. Gra - to es de - cir la his - to - ria que an - ti - gua, sin ve - jez, pa -

Cris - to y de su glo - ria, de Cris - to y de su a - mor; Me a - gra - da re - fe -
glo - rias y por - ten - tos no re - co - no - ce i - gual; Me a - gra - da re - fe -
re - ce al re - pe - tir - la más dul - ce ca - da vez; Me a - gra - da re - fe -

rir - la, pues sé que es la ver - dad; y na - da sa - tis - fa - ce cual
rir - la, pues me ha - ce mu - cho bien; por e - so a ti de - se - o de -
rir - la, pues hay quien nun - ca o - yó que pa - ra ha - cer - le sal - vo el

e - lla, mi an - sie - dad.
cír - te - la tam - bién. ¡Cuán be - lla es e - sa his - to - ria! Mi te - ma a - llá en la
buen Je - sús mu - rió.

glo - ria se - rá la an - ti - gua his - to - ria de Cris - to y de su a - mor.

LETRA: A. Catherine Hankey, 1866, 🎵 trad. Juan B. Cabrera 🎵
MÚSICA: William G. Fischer, 1869, alt.
Esta letra (estrofa) se puede cantar con la música de #187 (Cabalga), #533 (Estad por) y
#639 (Tu pueblo). (Vea 🎵 adjunta al #270)

HANKEY
7 6 7 6 D/Coro
Sol

Mt. 28:16-20
Fil. 2:1-11
1 Jn. 5:7-13

En el nombre del Señor Jesús

469

¿Qué Dios como tú, que perdona la maldad y olvida el pecado? Mi. 7:18

Con gozo

1. En el nom-bre del Se-ñor Je-sús, Dios me per-do-
2. En su nom-bre, él nos da po-der en el cie-lo,

nó, y re-na-cí, y el a-mor que re-ci-bí,
tie-rra y do-quier, y el po-der que re-ci-bí,

quie-ro com-par-tir-lo con-ti-go a-quí. Di-jo: Li-bre-
quie-ro com-par-tir-lo con-ti-go a-quí.

CORO

men-te te di mi a-mor, li-bre-men-te dá. Vé en mi

nom-bre y por-que tú crees, o-tros tam-bién cre-e-rán.

LETRA y MÚSICA: Carol Owens, 1972, trad. Manuel Jaramillo
© 1972 Bud John Songs, Inc., admin. C.M.I./Sparrow Corp. Usado con permiso.

FREELY, FREELY
9 9 8 10/Coro
Mi♭ (Capo 1 - Re)

470 ¡Vamos!

1 S. 3:2-10
Lc. 10:17-21
Jn. 6:5-14

Con alegría

No digas: Soy un niño; porque a todo lo que te envíe irás tú. Jer. 1:7

1. Va - mos, to - dos con gran de - ci - sión a ha - blar de nues-tro Se - ñor;
2. To-do el mun-do nos ha de es - cu - char ha - blan-do del Sal-va-dor;

De Je - sús que su vi - da en - tre - gó a -
Vi - vi - re - mos con la san - ti - dad que

sí brin - dan - do su a - mor. ¡Qué ma - ra - vi - lla es
Dios nos man - da te - ner. ¡Qué go - zo nos da - rá!

jun - to a Je - sús es - tar! dis - fru - tan - do su luz.
¡Cuán - ta fe - li - ci - dad! pre - go - nan - do su paz.

Va - mos, ni - ños* ¡hay que a - van - zar! con el po - der del Se - ñor;
Vi - da nue - va te - ne - mos ya, o - tros la de - ben te - ner;

*todos

Va - mos, ni - ños* ¡a tra - ba - jar! las fuer - zas vie - nen de Dios.
Va - mos, to - dos lle - nos de fe su a - mor a de - mos - trar.

*todos

LETRA: Salomón R. Mussiett C., 1983
MÚSICA: Leslie Gómez C., 1983, arreg. Mildred y Manolo Padilla.
© 1983 Casa Bautista de Publicaciones. Usado con permiso.

VAMOS
Metro irreg.
Do

Sal. 126
Jer. 31:15-17
Jn. 4:31-38
Con devoción

Los que con lágrimas

471

Los que sembraron con lágrimas, con regocijo segarán. Sal. 126:5

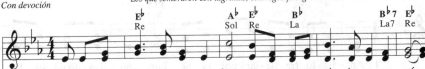

1. Los que con lá - gri - mas sem - bra - ron, con re-go-ci - jo se-ga - rán;
2. Tra-yen-do al hom - bro sus ga - vi - llas, y en la gar-gan-ta u-na can - ción;

Don - de sus lá - gri - mas re - ga - ron, her-mo-sas plan - tas cre - ce - rán.
No se per - die - ron las se - mi-llas, mas die-ron fru - to en ben-di - ción.

CORO

An - dan - do i - rán,   llo - ran-do i - rán,
An - dan - do i - rán,   llo - ran - do i - rán,

Pe - ro fe - li - ces vol - ve - rán;   li - ces vol - ve - rán.

* Se utiliza la segunda terminación solamente al final de la segunda estrofa.

LETRA: Basada en Salmo 126:5, Alfredo Colom M., 1953
MÚSICA: Alfredo Colom M., 1953, es arreg.
© 1953, ren. 1981 Singspiration Music. Usado con permiso.

GUA

LOS QUE CON LÁGRIMAS
9 8 9 8/Coro
Mi♭ (Capo 1 - Re)

Leandro Garza Mora (1854-1938)
Experiencias amargas marcaron la niñez y ju - ventud de Leandro Garza. Tenía sólo cinco años cuando su padre falleció, obligando a su madre a sostener la familia. Pasaron por penurias y proble-mas. Cuando al fin ella volvió a casarse, el joven Leandro se disgustó. Se fue de la casa y cayó en ma - las costumbres. Con el tiempo regresó y la familia en-tabló amistad con unos misioneros evangélicos. Reci-bieron el mensaje de salvación y Garza ayudó a esta-blecer una iglesia en su pueblo, Matamoros, México. Llegó a ser pastor y traductor de himnos, sirviendo al Señor durante 70 años. Tradujo el himno # 482 (Oh qué amigo nos es Cristo).

472 Anhelo trabajar por el Señor

Ap. 2: 1-7
1 Co. 15: 7-14
Col. 1: 24-29

Con ánimo

Para lo cual también trabajo, luchando según la potencia de él. Col. 1: 29

A♭ Sol   E♭7 Re7

1. An - he - lo tra - ba - jar por el Se - ñor; con - fian - do en su Pa -
2. An - he - lo ca - da dí - a tra - ba - jar, y es - cla - vos del pe -
3. An - he - lo ser o - bre - ro de va - lor, con - fian - do en el po -

♩ 1' 50"

E♭7 Re7   A♭ Sol   A♭ Sol   A♭7 Sol 7

la - bra y en su a - mor, Quie - ro yo can - tar y o - rar, y o - cu -
ca - do li - ber - tar, Con - du - cir - los a Je - sús, nues - tro
der del Sal - va - dor; El que quie - ra tra - ba - jar ha - lla -

D♭ Do   B♭m La m   A♭ Sol   E♭7 Re7   A♭ Sol   CORO

pa - do siem - pre es - tar en la vi - ña del Se - ñor.
Guí - a, nues - tra Luz, en la vi - ña del Se - ñor.
rá tam - bién lu - gar en la vi - ña del Se - ñor.   Tra - ba -

A♭ Sol

jar y o - rar,   en la vi - ña, en la
jar y o - rar, tra - ba - jar y o - rar,

A♭ Sol   E♭7 Re7   A♭ Sol

vi - ña del Se - ñor;   Mi an - he - lo es o - rar,
del Se - ñor;

LETRA y MÚSICA: Isaiah Baltzell, 1880, trad. Pedro Grado Valdés

I WANT TO BE A WORKER
Metro irreg.
La♭ (Capo 1 - Sol)

y o-cu-pa-do siem-pre es-tar en la vi-ña del Se-ñor.

Jud. vv. 3-4, 16-25
2 Ti. 3: 1-5, 14-17
Ro. 1: 24-32

El mundo hoy 473

Para que...resplandecéis como luminares en el mundo. Fil. 2: 15

1. El mun-do hoy se en-cuen-tra en a - go - ní - a, pe-ca-do y do-
   Con gue - rras, o - dios y en - vi - dias su - fre sin Dios y sin a -
2. Al mun-do a - fli - gi - do el E - van - ge - lio con go-zo pro-cla-
   Cual lu - mi - na - res en un si-glo os-cu - ro, a Cris-to le-van-

lor;
mor, sin a - mor, sin a - mor.
mad;
tad, le - van - tad, le-van - tad.

Te - ne - mos Bue - nas Nue - vas pa - ra
Con he - chos y pa - la - bras de-mos-

dar - les de Je - sús el Sal - va - dor;
tre - mos la ver - dad del gran a - mor

del Se - ñor, hmm, hmm.

LETRA: Sonia Andrea Linares M. y Oscar López M., 1991   PER
MÚSICA: Melodía peruana, arreg. F.B.J.
Letra © 1992 Celebremos/Libros Alianza. Se prohibe la reproducción sin autorización.

EL CONDOR PASA
Metro irreg.
Do m   (Capo 1 - Si m)

474 Ved los millones

Mt. 28:16-20
Lc. 24:44-52
Jn. 4:31-38

Toda potestad me es dada en el cielo y en la tierra. Mt. 28:18

1. Ved los millones que entre las tinieblas viven, perdidos, sin un Salvador. ¿Quién, quién irá las nuevas proclamando que por Jesús Dios salva al pecador?

2. "A mí venid" la voz divina llama; clamad "venid" en nombre de Jesús. Para salvarnos de la muerte eterna su vida él ofreció en la dura cruz.

3. Que venga pronto el día tan glorioso, en que los redimidos se unirán En coro excelso, santo y jubiloso; eternamente gloria a Dios darán.

CORO

Todo poder mi Dios me dio, y a mis siervos mando yo: "Id al mundo y proclamad el Evangelio, y estoy con vosotros siempre".

LETRA y MÚSICA: James McGranahan, 1886, trad. H.M.W.

FAR, FAR AWAY
11 10 11 10/Coro
La♭ (Capo 1 - Sol)

Hasta lo último 475

Hch. 1:6-11
Mt. 28:16-20
Ro. 15:17-24

Seréis testigos en Jerusalén, en toda Judea, en Samaria, y hasta lo último. Hch. 1:8

Con energía

Has-ta lo úl-ti-mo, has-ta lo úl-ti-mo, has-ta lo úl-ti-mo i-

re-mos. Has-ta lo úl-ti-mo, has-ta lo úl-ti-mo con Cris-to

nues-tro Sal-va-dor. Con el po-der del Es-pí-ri-tu en el pue-blo

del Se-ñor, se-gui-re-mos el per-fec-to plan de Dios.

LETRA: Basada en Hechos 1:8, Ronaldo Blue, 1967
MÚSICA: Ronaldo Blue, 1967
© 1992 Celebremos/Libros Alianza. Se prohíbe la reproducción sin autorización.

GUA

BLUE
Metro irreg.
Do

La gran comisión 476

Por tanto, id, y haced discípulos a todas las naciones, bautizándolos en el nombre del Padre, y del Hijo, y del Espíritu Santo; **Enseñándoles que guarden todas las cosas que os he mandado; y he aquí yo estoy con vosotros todos los días, hasta el fin del mundo. Amén.** Mateo 28:19-20 (RVR)

477 Mensajeros del Maestro

Me he propuesto predicar el evangelio donde Cristo no era conocido. Ro. 15:20 (NVI)

Ro. 10:8-18
Is. 52:6-9
Hch. 8:4-8

Con amplitud

1. Men - sa - je - ros del Ma - es - tro, a - nun - ciad al co - ra - zón
2. En los an - tros del pe - ca - do y en los si - tios de a - flic - ción,

De Je - sús la Bue - na Nue - va, que nos brin - da sal - va - ción.
Pro - cla - mad la paz de Cris - to que trae - rá con - so - la - ción.

De la cum - bre de los mon - tes, en los va - lles y en el mar,
Pre - di - cad a los cau - ti - vos su glo - rio - sa li - ber - tad;

Por do - quier el E - van - ge - lio pres - tos id a de - cla - rar.
Al can - sa - do y al ca - í - do Bue - nas Nue - vas a - nun - ciad.

LETRA: Vicente Mendoza, alt. ℗
MÚSICA: John Zundel, 1870

  [MEX]

Esta letra se puede cantar también con la música de #108 (Jubilosos),
#172 (Gracias dad) y #450 (De la Iglesia).
Para una tonalidad más baja (La♭) ver #589 (Dicha Grande).

BEECHER
8787D
Si♭ (Capo 1 - La)

Jn. 14:23-29
Sal. 29
2 P. 3:8-14

La paz os dejo 478

Vino y anunció las buenas nuevas de paz. Ef. 2:17

Con tranquilidad

La paz os de-jo, mi paz os doy, no co-mo el mun-do da;

Id pues y pro - cla-mad: Dios nos da paz.

LETRA: Basada en Juan 14:27
MÚSICA: Melodía hebrea
© 1971 Chorister's Guild en "Letters". Usado con permiso.

ISRAELÍ
Canon a cuatro voces
Re

1 S. 3:2-10
Is. 6:1-8
Ro. 10:8-18

Heme Aquí 479

Entonces respondí yo: Heme aquí, envíame a mí. Is. 6:8

Con emoción

He-me a-quí, yo i-ré, Se- ñor; He-me a-quí, yo i-

ré, Se- ñor. En - ví-a-me a mí, que dis-

pues-to es-toy; lle-va-ré tu glo - ria a las na-cio- nes.

LETRA y MÚSICA: Marcos Witt, 1990, arreg. F.B.J.
© 1990 CANZIÓN Producciones. Admin. CANZIÓN Editora. Usado con permiso.

WITT
Metro irreg.
Fa (Capo 1 - Mi)

480 A prisa Iglesia

Hch. 13:26-33
Lc. 1:1-4
Ro. 15:17-24

♯/♭

Y nosotros también os anunciamos el evangelio de aquella promesa. Hch. 13:32

Con vigor

1. ¡A pri - sa, I - gle - sia! tu Se - ñor es - pe - ra; al mun - do en-
2. Ve cuán - tos mi - les ya - cen re - te - ni - dos por el pe-
3. A to - do pue - blo y ra - za, fiel, pro - cla - ma que Dios, en
4. Tus hi - jos da, que lle - ven su pa - la - bra, y con tus

te - ro di que Dios es luz, Que el Cre - a - dor no quie - re
ca - do en ló - bre - ga pri - sión; No sa - ben de a - quel que
quien ex - is - ten, es a - mor; Que él ba - jó pa - ra sal-
bie - nes haz - los pro - se - guir. Por e - llos tu al - ma en o - ra-

que se pier - da u - na so - la al - ma, le - jos de Je - sús.
ha su - fri - do en vi - da y cruz por dar - les re - den - ción.
var sus al - mas; por dar - les vi - da, muer - te él su - frió.
ción de - rra - ma, que to - do, Cris - to te ha de re - tri - buir.

CORO

Nue - vas pro - cla - ma de go - zo y paz,

Nue - vas de Cris - to, sa - lud y li - ber - tad.

LETRA: Mary Ann Thompson, 1868, trad. Alejandro Cativiela, alt.
MÚSICA: James Walch, 1875
Para una tonalidad más baja (La♭) ver #598 (Cuando las bases).

TIDINGS
11 10 11 10/Coro
Si♭(Capo 1 - La)

Todo aquel que invocare 481

Jl. 2: 21-32
Jn. 4: 31-38
Ro. 10: 8-18

Hagan discípulos de todas las naciones. Mt. 28:19 (NVI)

LETRA: Basada en Romanos 10: 13-15
MÚSICA: Fredy Gularte, 1984, arreg. Oscar López M.
© 1992 Celebremos/Libros Alianza. Se prohíbe la reproducción sin autorización.

GUA

GULARTE
Metro irreg.
Mi ♭ (Capo 1 - Re)

482 Oh qué amigo nos es Cristo

Fil. 4:4-9
Jn. 15:5-15
Mr. 14:32-42

Con confianza

Por nada estéis afanosos, sino sean conocidas vuestras peticiones. Fil. 4:6

• 1. ¡Oh qué a-mi-go nos es Cris-to! él lle-vó nues-tro do-lor;
• 2. ¿An-das dé-bil y car-ga-do de cui-da-dos y te-mor?
• 3. Je-su-cris-to es nues-tro A-mi-go: de es-to prue-ba nos mos-tró,

Él nos man-da que lle-ve-mos to-do a Dios en o-ra-ción.
A Je-sús, re-fu-gio e-ter-no, di-le to-do en o-ra-ción.
Pues a re-di-mir-nos vi-no; por no-so-tros se hu-ma-nó.

¿Vi-ve el hom-bre des-pro-vis-to de paz, go-zo y san-to a-mor?
¿Te des-pre-cian tus a-mi-gos? cuén-ta-se-lo en o-ra-ción;
El cas-ti-go de su pue-blo en su muer-te él su-frió;

Es-to es por-que no lle-va-mos to-do a Dios en o-ra-ción.
En sus bra-zos de a-mor tier-no, paz ten-drá tu co-ra-zón.
Cris-to es un A-mi-go e-ter-no; só-lo en él con-fí-o yo.

LETRA: Joseph M. Scriven, 1855, trad. Leandro Garza Mora
MÚSICA: Charles C. Converse, 1868
Esta letra se puede cantar también con la música de #154 (Cristo), #408 (Cristo es) y #424 (Dejo el mundo).

CONVERSE
8787D
Fa (Capo 1 - Mi)

Sal. 37:1-11
Is. 55
Ro. 7:15-8:2

Deléitate asimismo en el Señor 483

Deléitate asimismo en Jehová. Sal. 37:4

LETRA: Basada en Salmo 37:4
MÚSICA: Myriam Altamirano, 1979, arreg. F.B.J.
© 1992 Celebremos/Libros Alianza. Se prohibe la reproducción sin autorización

ECU

* Opt. Jehová

DELÉITATE
Metro irreg.
Fa (Capo 1 - Mi)

Gracias, Señor 484

De día, mandará el Señor su misericordia;
**Y de noche, su canción estará conmigo, la oración al
Dios de mi vida.**
Clamaré al Dios Altísimo, al Dios que me favorece.
**Al anochecer, al amanecer y al mediodía oraré y
clamaré; y él oirá mi voz.**
Sean gratos los dichos de mi boca y la meditación de mi
corazón delante de ti, oh Señor, Roca mía y Redentor mío.
¡Cuán preciosos me son, oh Dios, tus pensamientos!
¡Cuán grande es la suma de ellos!
**Te doy gracias con todo mi corazón; el día que clamé,
me respondiste; mucho valor infundiste a mi alma.**
Salmo 42:8*; 57:2; 55:17; 19:14*; 139:17; 138:1a, 3 (RVA)

I come to the garden

485 A solas al huerto yo voy

Jn. 20:11-18
Lc. 22:39-46
Mr. 14:32-42

Me llevó a la casa del banquete, y su bandera sobre mí fue amor. Cnt. 2:4

Con dulzura

1. A so - las al huer - to yo voy, cuan - do duer - me a -
2. Tan dul - ce es la voz del Se - ñor, que las a - ves
3. Me en - can - ta a so - las es - tar con mi Cris - to a -

ún la flo - res - ta; Y en quie - tud y paz con Je - sús es - toy
guar - dan si - len - cio; Y tan só - lo se o - ye su voz de a - mor,
llá en el huer - to, Mas me man - da ir pa - ra com - par - tir

CORO

o - yen - do ab - sor - to a - llí su voz.
que in - men - sa paz al al - ma da.
las bue - nas nue - vas de su a - mor.

Él con - mi - go es - tá, pue - do o -

ír su voz, me a - se - gu - ra de su a - mor; tan pre - cio - sa

es nues - tra co - mu - nión, a so - las con mi Se - ñor.

LETRA y MÚSICA: C. Austin Miles, 1912, trad. Vicente Mendoza, alt.

GARDEN
Metro irreg.
La ♭ (Capo 1 - Sol)

(vea adjunta al #486)

Sal. 5:1-8,11-12
Sal. 55:16-23
Sal. 141:1-4, 8-9
Con devoción

Oh Señor, de mañana oirás 486

Yo a ti he clamado, oh Señor, y de mañana mi oración se presentará. Sal. 88:13

Oh Se-ñor, de ma-ña-na o i-rás mi voz, de ma-ña-na me pre-

sen-ta-ré de-lan-te de ti, y es-pe-ra-ré. ré.* Por-que

tú no e-res un Dios que se com-pla-ce en la mal-dad; el

ma-lo no ha-bi-ta-rá jun-to a ti.

*Opt. al "Fin" se puede repetir las últimas cinco palabras disminuyendo en volumen cada vez.

LETRA: Basada en Salmo 5:3
MÚSICA: Compositor descon., Latinoamérica, s. 20, arreg. F.B.J.
Arreg. © 1992 Celebremos/Libros Alianza. Se prohibe la reproducción sin autorización.

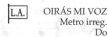

L.A. OIRÁS MI VOZ
Metro irreg.
Do

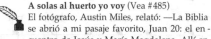

A solas al huerto yo voy (Vea #485)

El fotógrafo, Austin Miles, relató: —La Biblia se abrió a mi pasaje favorito, Juan 20: el encuentro de Jesús y María Magdalena. Allí en el huerto, ese domingo de resurrección, ella cayó de rodillas ante el Señor. Mientras yo leía sentí como si hubiese estado presente en aquel jardín—. La porción le hizo tal impacto a Miles, que pronto comenzó a escribir una poesía. Luego le agregó música con la misma facilidad.

La experiencia de adoración y comunión se repite a diario en la vida de toda persona que conoce al Cristo resucitado. También podemos "oír su voz" diciéndonos que somos suyos. Esa comunicación nos llega por medio de la Palabra escrita de Dios, la cual nos llena de paz.

487 Cristo, queremos dar gracias

Sal. 28:6-9
Sal. 26
Sal. 100

En él confió mi corazón, y...se gozó. Sal. 28:7

Con devoción

1. Cris-to, que-re-mos dar gra-cias; Cris-to, que-re-mos dar gra-cias; Cris-to, que-re-mos dar gra-cias, dar gra-cias por tu gran bon-dad.
2. Cris-to, que-re-mos ser-vir-te; Cris-to, que-re-mos ser-vir-te; Cris-to, que-re-mos ser-vir-te; ser-vir-te por tu gran bon-dad.
3. Cris-to, sa-be-mos que vie-nes; Cris-to, sa-be-mos que vie-nes; Cris-to, sa-be-mos que vie-nes e i-re-mos con-ti-go a tu ho-gar.

LETRA: William y Gloria Gaither, 1974, trad. Sid D. Guillén, alt.
MÚSICA: William J. Gaither, 1974
© 1974 William J. Gaither. Usado con permiso.

THANK YOU
8888
Mi♭ (Capo 1 - Re)

488 Gracias, oh Señor

Sal. 143
Sal. 140
1 Ts. 5:12-18

Con reverencia

Oh Señor, oye mi oración, escucha mis ruegos. Sal. 143:1

Gra-cias, oh Se-ñor, por es-cu-char-nos hoy, por

LETRA: Oscar López M., 1990
MÚSICA: George Whelpton, 1897
Letra © 1992 Celebremos/Libros Alianza. Se prohíbe la reproducción sin autorización.

HEAR OUR PRAYER
Metro irreg.
Mi♭ (Capo 1 - Re)

Abre mis ojos 489

490 Dilo a Cristo

Sal. 73
Mt. 11:25-30
Heb. 4:11-16

Con certidumbre *Velad y orad, para que no entréis en tentación. Mr. 14:38*

1. Cuan - do es - tés can - sa - do y a - ba - ti - do, di - lo a Cris - to,
2. Cuan - do es - tés de ten - ta - ción cer - ca - do, mi - ra a Cris - to,
3. Cuan - do lle - gue la fi - nal jor - na - da, fí - a en Cris - to,

di - lo a Cris - to; Si te sien - tes dé - bil, con - fun - di - do,
mi - ra a Cris - to; Cuan - do ru - jan hues - tes de pe - ca - do,
fí - a en Cris - to; Te da - rá al cie - lo fran - ca en - tra - da,

di - lo a Cris - to el Se - ñor. Di - lo a Cris - to, di - lo a Cris - to,
mi - ra a Cris - to el Se - ñor. Mi - ra a Cris - to, mi - ra a Cris - to,
fí - a en Cris - to el Se - ñor. Fí - a en Cris - to, fí - a en Cris - to,

él es tu a - mi - go más fiel; no hay o - tro a -

mi - go co - mo Cris - to, di - lo tan só - lo a él.

LETRA: Jeremiah E. Rankin, 1888, es trad.
MÚSICA: Edmund S. Lorenz, 1888

DAYTON
10 10 10 7/Coro
Sol

Padre nuestro celestial 491

1 Ti. 4:1-9
Lc. 9:12-17
Lc. 24:14-32

Con sencillez

Lo que Dios creó...se toma con acción de gracias. 1 Ti. 4:4

Pa - dre nues - tro ce - les - tial, Dios in - men - so de bon - dad,

Tú nos man - das que pi - da - mos ben - di - ción por nues - tro pan.

LETRA: Autor descon., Guatemala, s. 20
MÚSICA: Melodía guatemalteca, arreg. Esteban Sywulka B.
Arreg. © 1992 Celebremos/Libros Alianza. Se prohibe la reproducción sin autorización.

GUA

TAJUMULCO
Metro irreg.
Fa (Capo 1 - Mi)

Gracias damos, Señor 492

Sal. 90:1-6,12-17
Sal. 103:1-5
Ap. 11:15-17

Con calma

Les diste pan del cielo en su hambre, y en su sed...aguas. Neh. 9:15

Gra - cias da - mos, Se - ñor, por el pan, gra - cias da - mos, Se - ñor,

por el pan; Por el pan es - pi - ri - tual, que a - li -

men - ta a ca - da cual, y tam - bién por el pan ma - te - rial.

L.A.

LETRA y MÚSICA: Autor y compositor descon., Latinoamérica, s. 20, arreg. F.B.J.
Arreg. © 1992 Celebremos/Libros Alianza. Se prohibe la reproducción sin autorización.

GRACIAS DAMOS
Metro irreg.
Mi♭ (Capo 1 - Re)

493 Dulce Oración

Me invocará, y yo le responderé. Sal. 91:15

Sal. 63:1-8
Sal. 91
Sal. 143

Con contemplación

1. Dul-ce o-ra-ción, dul-ce o-ra-ción, de to-da in-fluen-cia mun-da-nal
2. Dul-ce o-ra-ción, dul-ce o-ra-ción, al tro-no ex-cel-so de bon-dad
3. Dul-ce o-ra-ción, dul-ce o-ra-ción, que a-lien-to y go-zo al al-ma das,

E-le-vas tú mi co-ra-zón, al tier-no Pa-dre ce-les-tial.
Tú lle-va-rás mi pe-ti-ción a Dios que es-cu-cha con pie-dad.
En es-ta tie-rra de a-flic-ción con-sue-lo siem-pre me se-rás.

¡Oh, cuán-tas ve-ces tu-ve en ti aux-i-lio en ru-da ten-ta-ción,
Por fe es-pe-ro re-ci-bir la gran di-vi-na ben-di-ción,
Has-ta el mo-men-to en que ve-ré a Cris-to en cé-li-ca man-sión,

Y cuán-tos bien-es re-ci-bí, me-dian-te ti, dul-ce o-ra-ción!
Y siem-pre a mi Se-ñor ser-vir por tu vir-tud, dul-ce o-ra-ción.
En-ton-ces me des-pe-di-ré fe-liz, de ti, dul-ce o-ra-ción.

LETRA: William W. Walford, 1845, trad. Juan B. Cabrera
MÚSICA: William B. Bradbury, 1861
Esta letra se puede cantar también con la música de #407 (Me guía él).

SWEET HOUR
8 8 8 8 D
Do

Abba Padre 494

Ro. 8:11-23
Gá. 4:3-7
Ef. 5:8-20

Habéis recibido el espíritu de adopción, por el cual clamamos: ¡Abba, Padre! Rom. 8:15

Es - ta - mos a - quí *can - tan - do jun - tos co - mo fa - mi -

*opciones: orando juntos, leyendo juntos, etc.

lia, u - ni - dos dan - do a - la - ban - zas al

Rey de re - yes, can - tan - do: "¡Ab - ba,

Pa - dre, dig - no e - res tú!" tú!"

LETRA: Steve Hampton, 1978
MÚSICA: Steve Hampton, 1978, arreg. Mildred y Manolo Padilla
© 1978, 1985 Scripture in Song, admin. Integrity's Hosanna. Usado con permiso.

FAMILY SONG
Metro irreg.
Mi♭(Capo 1 - Re)

Por estos alimentos, Dios 495

Mt. 6:25-34
Sal. 37:22-29
Sal. 34:1-10

Contentos con lo que tenéis ahora; porque él dijo: No te desamparé. Heb 13:5

Con ánimo

Por es - tos a - li - men - tos, Dios, te da - mos gra - cias hoy.

LETRA: Autor descon., Holanda, es trad.
MÚSICA: Melodía holandesa

BEDANKT
Canon a cuatro voces
Sol

496 ¿Has oído, Señor?

Ap. 1:9-10
Sal. 116:1-9
Sal. 18:1-6, 46-50

Amo al Señor, pues ha oído mi voz y mis súplicas. Sal. 116:1

Con energía

1. ¿Has o - í - do, Se - ñor, mis o - ra - cio - nes? ¿Por ven - tu - ra has o -
2. No pre - ten - do, Se - ñor, co - sas te - rre - nas; no pre - ten - do, mi
3. Yo ya sé que tú quie - res co - ra - zo - nes hu - mi - lla - dos, sin
4. Yo no quie - ro se - guir la vie - ja his - to - ria y ca - er, pues me has

í - do mi cla - mor? Pues de - rra - ma tus ri - cas ben - di -
Dios, más que tu a - mor; Que me en - se - ñes las co - sas que son
som - bras de mal - dad; Tú no quie - res or - gu - llos ni pa -
da - do tu per - dón, Y es - pe - ro es - tar con - ti - go en

cio - nes; da - me fe y a - le - grí - a, oh Se - ñor. No pre - ten - do ri -
bue - nas, que e - di - fi - can, dan vi - da y dan va - lor. Yo no du - do, Se -
sio - nes; quie - res fe, man - se - dum - bre, paz, bon - dad. ¡Oh, Se - ñor! tu pie -
glo - ria, dis - fru - tan - do de e - ter - no ga - lar - dón. Si con - tes - tas, mi

que - zas con po - li - lla cual los bie - nes te - rre - nos que se
ñor, que tú has o - í - do mis hu - mil - des que - re - llas, mi o - ra -
dad es in - fi - ni - ta; la he sen - ti - do la - tir den - tro mi
Dios, mis pe - ti - cio - nes, no cae - ré o - tra vez den - tro del

LETRA y MÚSICA: Alfredo Colom M., 1953, ⓟ alt., arreg. Roberto C. Savage ⓟ
© 1953, ren. 1981 Singspiration Music. Usado con permiso.

GUA MIS ORACIONES
11 10 11 10 D
Do

F		F		C
Fa		Fa		Do

van;   Quie-ro,   sí, que me des sa - bi - du - rí - a,
ción;   No lo   du - do, Se - ñor, por - que he cre - í - do
ser;   A - quí es - toy a tus pies, Pa - dre   ben - di - to,
mal;   Y   yo   sé que a - llá en las   man - sio - nes

G		1	C		2 G7	C
Sol			Do		Sol 7	Do

a - sí co - mo le dis - te   a San Juan.   a San Juan.
que me has da - do tu a - mor y   tu per - dón.   tu per - dón.
no   per - mi - tas que vuel - va yo a ca - er.   yo a ca - er.
me   ve - ré en tu rei - no   ce - les - tial.   ce - les - tial.

Sal. 119:30-37
Hab. 3:2, 17-19
2 Ti. 1:6-13
Con ánimo

Avívanos, Señor 497

Oh Señor, aviva tu obra en medio de los tiempos. Hab. 3:2

	F						C7
	Mi						Si 7

A - ví - va - nos, Se - ñor, con   nue - va ben - di - ción;

$\flat$ 0' 25"

F	B$\flat$		F	C7 Dm F C7	F
Mi	La		Mi	Si 7 Do# m Mi Si 7	Mi

In - fla - ma el fue - go   de tu a - mor en   ca - da co - ra - zón.

LETRA: Albert Midlane, 1858, adapt. F. Crosby, 1875, 🌐 trad. E.S. Turrall 🌐
MÚSICA: William H. Doane, 1875

WOODSTOCK (Coro)
6 6 8 6
Fa (Capo 1 - Mi)

498 Yo te sirvo

Sírvele con corazón perfecto y con ánimo voluntario. 1 Cr. 28:9

Sal. 100
1 Ti. 2:1-7
Ap. 7:9-17

Con decisión

1. Yo te sir-vo por-que te a-mo; tú me has da-do sal-va-ción. No e-ra na-da y me bus-cas-te, y me dis-te tu per-dón.

2. Yo te sir-vo por-que me a-mas-te; pues te dis-te, oh Dios, por mí. Tú ba-jas-te a es-te mun-do, y su-fris-te a-quí por mí.

CORO
Vi-das he-chas pe-da-zos, co-ra-zo-nes tris-tes, que-bran-ta-dos, en ti en-cuen-tran vi-da por tu muer-te en la cruz.

LETRA: Estr. #1, William J. y Gloria Gaither, 1969, trad. Sid D. Guillén, alt.,
   estr. #2, Felipe Blycker J., 1989
MÚSICA: William J. Gaither, 1969
© 1969 William J. Gaither. Usado con permiso.

SERVING
Metro irreg.
Mi♭ (Capo 1 - Re)

Recorría Jesús todas las ciudades y aldeas, enseñando en las sinagogas de ellos, y predicando el evangelio del reino, y sanando toda enfermedad y toda dolencia en el pueblo.

Y al ver las multitudes, tuvo compasión de ellas; porque estaban desamparadas y dispersas como ovejas que no tienen pastor.

Entonces dijo a sus discípulos: A la verdad la mies es mucha, mas los obreros pocos.

Rogad, pues, al Señor de la mies, que envíe obreros a su mies.

Versos de Mateo 9

Yo soy la vid verdadera ...
El que permanece en mí
y yo en él, éste lleva
mucho fruto.

Juan 15

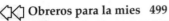

Obreros para la mies **499**

Mt. 28:16-20
Heb. 13:1-8
Mr. 16:14-18

Mateo 9:35-38 (RVR)

A servir a Cristo **500**

Yo estoy contigo...por dondequiera que fueres. Gn. 28:15

Con gozo

1. A ser-vir a Cris-to sin te-mor i-ré, don-de él di-
ri-ja mi in-se-gu-ro pie; Sin su com-pa-ñí-a to-dos es
tur-ba-ción, mas si él me guí-a no ten-dré te-mor.

2. Con Je-sús por guí-a don-de-quie-ra voy; ca-mi-nan-do en
pos de él se-gu-ro es-toy. Y aun-que pa-dre y ma-dre me ha-yan
de fal-tar, Je-su-cris-to nun-ca me a-ban-do-na-rá.

3. Don-de-quie-ra con Je-sús, en tie-rra y mar, quie-ro ser su
fiel tes-ti-go sin ce-sar, Y si por de-sier-to mi ca-
mi-no va, un se-gu-ro al-ber-gue mi Je-sús se-rá.

CORO

Con Je-sús por do-quier, sin te-mor i-ré,
Si Je-sús me guí-a na-da te-me-ré.

LETRA: Jessie B. Pounds, 1887, estr. #3 Helen C. Dixon, 1915, es trad.
MÚSICA: Daniel B. Towner, 1887

ANYWHERE
11 11 11 11/Coro
Do

501 Solamente Temed

Solamente temed a Jehová y servidle de verdad. 1 S. 12:24

Pr. 3:1-8
1 P. 4:7-16
Col. 3:22-25

Con brillo (ritmo de tango)

LETRA: Basada en 1 Samuel 12:24 [GUA]
MÚSICA: Felipe Blycker J., 1980
© *1980 Philip W. Blycker en* Cánticos nuevos de la Biblia. *Usado con permiso.*

CHIMALTENANGO
Metro irreg.
Do m (Capo 1 - Si m)

ha he - cho por no - so - tros Je - ho - vá.

Ap. 17:7-14
Ap. 2:8-11
2 Ti. 2:1-9

Sed fieles, hermanos 502

Se requiere...que cada uno sea hallado fiel. 1 Co. 4:2

Con certidumbre

1. Sed fie - les, her - ma - nos, lu - chan - do por nues-tro Dios;
2. Al - zad la Pa - la - bra con á - ni - mo y va - lor;

CORO: Sed fie - les, her - ma - nos, lu - chan - do por nues-tro Dios;

En su mi - nis - te - rio, sol - da - dos del E - van - ge - lio.
Con fe pre - di - cad - la, es - pa - da es de vic - to - ria.

En su mi - nis - te - rio, sol - da - dos del E - van - ge - lio.

Fer - vien - tes sem-brad, las al-mas ga-nad, es tiem-po de tra - ba - jar;
Cons - tan - tes o - rad, go - zo-sos o - brad, co - ro - na Dios os da - rá;

La sa - na doc-tri-na de Dios ex-po-ned, las hues - tes del mal ven - ced.
Al mun-do sin Dios sed la sal y la luz, mi - ran-do al Se - ñor Je - sús.

LETRA: Comité de *Celebremos*, 1990
MÚSICA: Johannes Brahms, 1876, arreg. F. B. J.
© 1992 Celebremos/Libros Alianza. Se prohibe la reproducción sin autorización.

SINFONÍA-BRAHMS
Metro irreg.
Fa (Capo 1 - Mi)

503 Despertad, Despertad

Despiértate, tú que duermes, y levántate de los muertos. Ef. 5: 14

Ef. 5: 8-20
Ef. 6: 10-18
2 Ti. 3: 14-4:8

#/♭

Con energía

1. ¡Des - per - tad, des - per - tad, oh cris - tia - nos! Vues - tro sue - ño fu -
2. Des - per - tad y bru - ñid vues-tras ar - mas; vues-tros lo - mos ce -
3. La glo - rio - sa ar-ma-du - ra de Cris - to a - cu - did con an -
4. No te - máis, pues de Dios re - ves - ti - dos, ¿Qué e - ne - mi - go ven -

nes - to de - jad, Que el cruel e - ne - mi - go os a - ce - cha,
ñid de ver - dad, Y cal - zad vues - tros pies a - pres - ta - dos
he - lo a to - mar: No te - máis, pues el dar - do e - ne - mi - go
ce - ros po - drá, Si to - máis por es - pa - da la Bi - blia,

Y cau - ti - vos os quie - re lle - var. ¡Des - per - tad! las ti -
Con el gra - to e - van - ge - lio de paz. Bas - ta ya de pro -
No la pue - de rom - per ni pa - sar. ¡Oh cris - tia - nos, an -
La pa - la - bra de Dios de ver - dad? En la cruz ha - lla -

nie - blas pa - sa - ron; de la no - che no sois hi - jos ya, Que lo
fun - das ti - nie - blas, bas - ta ya de pe - re - za mor - tal; Re - ves -
tor - cha del mun - do! de es - pe - ran - za el yel - mo to - mad; Em - bra -
réis la ban - de - ra, en Je - sús ha - lla - réis Ca - pi - tán; En el

LETRA: Pedro Castro Iriarte, 1876
MÚSICA: En *Colección española*, s. 19
Para una tonalidad más baja (Re) ver #593 (Dios bendiga).

PUEBLA
10 9 10 9 D
Mi ♭ (Capo 1 - Re)

sois de la luz y del dí - a, y te - néis el de - ber de lu - char.
tid, re - ves - tid vues - tro pe - cho de la co - ta de fe y ca - ri - dad.
zad de la fe el es - cu - do y sin mie - do co - rred a lu - char.
cie - lo ob - ten - dréis la co - ro - na: ¡A lu - char, a lu - char, a lu - char!

1 S. 3:2-10
Sal. 25:1-10

Oh, háblame y hablaré 504

Sal. 143

Oh Señor, oye mi oración, escucha mis ruegos. Sal. 143:1

Con emoción

1. Oh, há - bla - me y ha - bla - ré, Se -
2. Oh, guí - a - me y gui - a - ré en
3. En - sé - ña - me, y en - se - ña - ré pa -
4. Oh, llé - na - me, Se - ñor Je - sús; re -
5. Oh, ú - sa - me, mi Sal - va - dor, se -

↑[8]
♩ 2' 19"

ñor, en e - co de tu voz; Y con tu a - yu - da
tus ca - mi - nos, oh Se - ñor, Al va - ci - lan - te y
la - bras tu - yas de ver - dad; Da - me a - li - men - to
bo - se tu a - mor en mí; Que fiel re - fle - je
gún tu san - ta vo - lun - tad; Ser - vir - te es mi

bus - ca - ré al que an - da le - jos y sin Dios.
dé - bil pie que va por sen - das de e - rror.
y da - ré a los ham - brien - tos tu ma - ná.
yo tu luz, y glo - ri - fi - que so - lo a ti.
su - mo ho - nor a - ho - ra y en la e - ter - ni - dad. A - mén.

LETRA: Frances Havergal, 1872, ● trad. Jaime C. Clifford, alt.
MÚSICA: Robert A. Schumann, 1839, arreg. en *Hymnal with Tunes, Old and New* , 1872
Esta letra se puede cantar también con la música de #5 (Cantad alegres),
#175 (Oh profundo) y #308 (Tal como).

CANONBURY
8888
Sol

NUESTRA AMADA IGLESIA

505 Demos con alegría

Cada uno dé como propuso...porque Dios ama al dador alegre. 2 Co. 9:7

1. De - mos con a - le - grí - a y no por ne - ce - si - dad
2. Nun - ca es - ca - sa - men - te mas siem - pre de co - ra - zón

CORO: To - do lo que res - pi - ra, a - la - be a Je - ho - vá.

al Dios de to - da gra - cia con gran li - be - ra - li - dad;
y ge - ne - ro - sa - men - te con go - zo y o - ra - ción;
To - do lo que res - pi - ra, a - la - be a Je - ho - vá.

Mi - nis - tran - do y su - plien - do, gra - ti - tud siem - pre ex - pre - san - do
A - yu - dan - do y o - fren - dan - do co - mo Dios nos ha en - se - ña - do;
A - la - bad - le sol y lu - na y vo - so - tros to - dos sus san - tos,

al Se - ñor, el Cre - a - dor, la o - fren - da de nues - tro a - mor. mor.
él nos ve y nos pro - vee; su a - mor es per - fec - ta ley. ley.
A - la - bad y ben - de - cid el nom - bre de Je - ho - vá. vá.

LETRA: Basada en 2 Corintios 9:6-12, Sonia Andrea Linares M., 1989,   TODO LO QUE RESPIRA
    coro basado en el Sal. 148 y 150   Metro irreg.
MÚSICA: Compositor descon., Latinoamérica, s. 20, arreg. F.B.J.   Fa (Capo 1 - Mi)
Estr.#1 y #2 y arreg. © 1992 Celebremos/Libros Alianza. Se prohíbe la reproducción sin autorización.

506 Para siempre es su bondad

1. ¿Qué podemos ofrendar? ¿Qué presente digno dar?
   Dediquemos hoy a él bienes, vida, alma fiel;
   Para siempre es su bondad; al Señor magnificad.

Basada en el Salmo 136, John Milton, 1623, trad. Donald R. Fletcher, alt., en *Cantos Bíblicos*,
   1965, México. Esta letra se puede cantar con la música de #560 (Roca de la eternidad).

2. De la nada nos formó, y la vida él nos dio;
Él nos cuida en su bondad, y nos guía en la verdad;
Para siempre es su bondad; al Señor magnificad.

2 Ti. 3:14-4:8
1 Ti. 4:11-16
Ap. 2:8-11

Oh, cumple tu ministerio 507

Que prediques...que instes...redarguye, reprende y exhorta. 2 Ti. 4:2

1. Oh, cum - ple tu mi - nis - te - rio en la o - bra del Se - ñor;
2. Haz o - bra de e-van - ge - lis - ta en la mies del Sal - va - dor,
3. Pre - di - ca la San - ta Bi - blia con men - sa - jes de va - lor,
4. Ex - hor - ta, pues, con pa - cien - cia, siem - pre lle - no de can - dor;

Oh, cum - ple tu mi - nis - te - rio, tra - ba - jan - do con fer - vor.
Lle - van - do las Bue - nas Nue - vas don - de es - té el pe - ca - dor.
Ins - tan - do en to - do tiem - po, pro - cla - man - do con vi - gor.
En - se - ña doc - tri - na sa - na, com - ba - tien - do to - do e - rror.

CORO

Oh, cum - ple tu mi - nis - te - rio, sir - vien - do en a - mor;

Oh, cum - ple tu mi - nis - te - rio en la o - bra del Se - ñor.

LETRA: Basada en 2 Timoteo 4:2-5, Ronaldo Blue, 1969, alt. E.S.
MÚSICA: Ronaldo Blue, 1969, arreg. F. B. J.

CUMPLE TU MINISTERIO
8 7 8 7/Coro
Fa (Capo 1 - Mi)

508 Los Talentos

El reino…es como un hombre que…a sus siervos…les entregó bienes. Mt. 25: 14

Mt. 25: 14 -29
1 Co. 3: 5 -15
1 Co. 15: 57-16: 2

Con resolución

1. To - dos re - ci - bie - ron sus ta - len - tos del Se - ñor, ca - da
2. El que re - ci - bió los cin - co, cin - co más ga - nó, y el que

sier - vo a - sí con - for - me a su ca - pa - ci - dad Re - ci - bió la
dos te - ní - a, con su - dor los du - pli - có. Pe - ro el de

su - ma ex - ac - ta, lo que le to - có, pa - ra ser u - sa - da,
un ta - len - to, só - lo lo en - te - rró, y de su se - ñor re -

pues, se - gún su ha - bi - li - dad.
pro - che du - ro re - ci - bió.

CORO

U - no, dos, o cin - co, ¿cuán - tos tie - nes tú? U - no, dos, o cin - co, Cris - to te los dio.

LETRA: Basada en Mateo 25: 14-30, Felipe Blycker J., 1985, alt.
MÚSICA: Felipe Blycker J., 1985, arreg. Gladys Platt
© 1985 Philip W. Blycker en Cánticos nuevos de la Biblia. Usado con permiso.

MEX

LOS TALENTOS
13 13 13 13/Coro
Mi ♭ (Capo 1 - Re)

Ofrenda al Señor **509**

2 Cr. 7:1-6
Mal. 3:7-10
2 Co. 9

No con tristeza, ni por necesidad, porque Dios ama al dador alegre. 2 Co. 9:7

Con alegría

U-sa hoy tus do-nes mien-tras pue-das tra-ba-jar;

De-sa-rro-lla tus ta-len-tos, ¡sir-ve a tu Se-ñor! ¡Sir-ve al Se-ñor!

Final optativo

1. O-fren-da al Se-ñor por-que él es bue-no, o-fren-da al Se-
2. De-mos al Se-ñor lo que es su-yo, de-mos al Se-
3. Dios a-ma al da-dor a-le-gre, Dios

ñor por-que él es bue-no, O-fren-da al Se-ñor por-que
ñor lo que es su-yo, De-mos al Se-ñor lo que
a-ma al da-dor a-le-gre, Dios a-ma al da-

él es bue-no,
es su-yo, o-fren-da a su san-to nom-bre.
dor a-le-gre,

LETRA y MÚSICA: Autor y compositor descon., Latinoamérica, s. 20, arreg. F.B.J.
Arreg. © 1992 Celebremos/Libros Alianza. Se prohíbe la reproducción sin autorización.

L.A.

OFRENDA
Metro irreg.
Fa (Capo 1 - Mi)

510 Fiel mayordomo seré

Mt. 21:33-43
Mt. 25:14-29
Lc. 19:12-26

Con intensidad *Bien, buen siervo...sobre poco has sido fiel, sobre mucho te pondré. Mt. 25:23*

1. Ven - go ren - di - do a tus pies, Se - ñor; quie - ro fiel - men - te de -
2. "Pro - bad - me en es - to", di - ce el Se - ñor, "y ben - di - cio - nes de -
3. Tú vas con - mi - go, no du - da - ré; en tus pro - me - sas yo

po - si - tar Tiem - po, di - ne - ro, mi don de a - mor;
rra - ma - ré". Fiel a mis vo - tos de fe se - ré,
con - fia - ré. De lo que es tu - yo yo te da - ré,

o - fren - da gra - ta hoy ven - go a dar.
tes - ti - go dig - no de mi Se - ñor.
y al - mas pre - cio - sas co - se - cha - ré. To - do buen don

vie - ne de Dios; ¿Có - mo ne - gar - lo po - dré? Fiel ma - yor - do - mo de

Cris - to se - ré, y un dí - a, "Fiel sier - vo", oi - ré.

LETRA: Berta I. Montero, 1978, alt.
MÚSICA: Felipe Blycker J., 1990

MEX

Letra © 1978 Casa Bautista de Publicaciones. Música © 1992 Celebremos/Libros Alianza.
  Usado con permiso.

LA PRADA
9999/Coro
Re m

Gozo da servir a Cristo 511

Sal.100
Heb. 11:32-12:3
Stg. 1:2-4

Me regocijé cuando vinieron los hermanos y dieron testimonio. 3 Jn. v. 3

1. Go-zo da ser-vir a Cris-to, en la vi-da dia-ria a-quí;
2. Go-zo da ser-vir a Cris-to, go-zo que triun-fan-te es-tá
3. Go-zo da ser-vir a Cris-to, go-zo en la os-cu-ri-dad,

Go-zo, que con a-le-grí-a, siem-pre él me da a mí.
En la pe-na o tris-te-za; Cris-to en to-do ven-ce ya.
Por-que ten-go el se-cre-to de la luz de la ver-dad.

CORO

Go-zo hay, sí, en ser-vir a Cris-to; go-zo en el co-ra-zón. Ca-da dí-a él da po-der, me a-yu-da a ven-cer, y da go-zo, go-zo en el co-ra-zón.

LETRA: Oswald J. Smith, 1931, trad. Edith T. Sholin
MÚSICA: Bentley D. Ackley, 1931
© 1931, ren. 1959, Rodeheaver, admin. Word Music. Usado con permiso.

JOY IN SERVING JESUS
8 7 8 7/Coro
La♭ (Capo 1 - Sol)

512 En las aguas de la muerte

Ro. 6:3-14
Hch. 8:26-39
Hch. 16:23-34

Con devoción *Bautizándolos en el nombre del Padre, y del Hijo, y del Espíritu Santo. Mt. 28:19*

1. En las aguas de la muerte, sumergido fue Jesús,
2. En las aguas del bautismo hoy confieso yo mi fe:
3. Yo que estoy crucificado, ¿Cómo más podré pecar?

Mas su amor no fue apagado por sus penas en la cruz.
Jesucristo me ha salvado y en su amor me gozaré.
Ya que soy resucitado, santa vida he de llevar.

Levantóse de la tumba, sus cadenas quebrantó,
Me bautizo en testimonio que a Jesús siguiendo estoy;
Son las aguas del bautismo mi señal de salvación,

Y triunfante y victorioso a los cielos ascendió.
Desde ahora para el mundo y el pecado muerto soy.
Y yo quiero consagrarme al que obró mi redención.

LETRA: V. E. Thomann, 1902, trad. Enrique Turrall
MÚSICA: Robert Lowry, 1864, alt.
Esta letra se puede cantar también con la música de #513 (Los que somos),
#514 (Yo vivía) y #553 (Muy cercano).

BEAUTIFUL RIVER
8787D
Mi♭ (Capo 1 - Re)

Los que somos bautizados **513**

Hch. 8:26-39
Ro. 6:3-14
Mt. 28:16-20

Aquí hay agua; ¿qué impide que yo sea bautizado? Hch. 8:36

Con certidumbre

1. Los que so-mos bau-ti - za-dos con el Sal - va - dor Je - sús,
   Al pe - ca - do so-mos muer-tos; hoy an - de-mos en su luz;
   Se - pul - ta-dos jun - ta-men - te so-mos con el Sal - va - dor
   En fi - gu - ra de la muer - te que su-frió el buen Se - ñor.

2. Si por fe con él mo - ri-mos (el bau - tis-mo es la se - ñal)
   Con él ya re-su-ci - ta-mos por su vi-da es-pi-ri - tual;
   Y no an - da-mos co - mo an-tes en ca - mi-nos de pe - car,
   Si - no en no - ve-dad de vi - da que el Se - ñor a - quí nos da.

3. ¡Cuán glo - rio - sa vi - da ha da - do Cris-to a los que él re - di - mió!
   Él, de muer - te a vi-da a - ho - ra, con po - der los tras-pa - só;
   Y el ben - di-to a - mor de Cris - to nos cons - tri - ñe, pues mu - rió
   Pa - ra que ya no vi - va-mos pa - ra sí, mas pa - ra Dios.

LETRA: George P. Simmonds, 1964
MÚSICA: Melodía americana, publ. por John Wyeth, 1813, arreg. Asahel Nettleton
Letra © 1964 Cánticos Escogidos. Usado con permiso.
Esta letra se puede cantar también con la música de
 #424 (Dejo el mundo) y #482 (Oh qué amigo).
Para una tonalidad más baja (Re) ver #329 (Fuente de la vida).

L.A.

NETTLETON
8 7 8 7 D
Mi ♭ (Capo 1 - Re)

514 Yo vivía en el pecado

Hch. 8:26-39
Ro. 6:1-11
Gá. 3:23-28

Y descendieron ambos al agua, Felipe y el eunuco, y le bautizó. Hch. 8:38

1. Yo vi - ví - a en el pe - ca - do, y doc - tri - nas del e - rror
2. Tu - ve el co - ra - zón muy tris - te pues en va - no, paz bus - qué,
3. An - tes muer - to en el pe - ca - do, ya he muer - to con Je - sús,

Me gui - a - ban, en - ga - ña - do, a u - na muer - te de te - rror.
Pe - ro a mí, Se - ñor, di - jis - te: "Hoy des - can - so te da - ré".
Y del mun - do se - pa - ra - do, yo me juz - go por la cruz.

Soy sal - va - do del a - bis - mo, con Je - sús al cie - lo voy,
Es la san - gre que me sal - va y en paz me guar - da - rá;
En el a - gua su - mer - gi - do, tes - ti - mo - nio a to - dos doy

Y con - fie - so por bau - tis - mo que del mun - do ya no soy. no soy.
El Es - pí - ri - tu me se - lla y me san - ti - fi - ca - rá. ca - rá.
Que en Cris - to he cre - í - do y por él ya sal - vo soy. vo soy.

LETRA: Jaime Clifford, c. 1930, alt.
MÚSICA: Robert Lowry, 1875
Esta letra se puede cantar también con la música de #216 (Aleluya),
    #329 (Fuente de) y #424 (Dejo el mundo).
Para una tonalidad más alta (La♭) ver #408 (Cristo es Guía).

ARG

ALL THE WAY
8787D
Sol

El testimonio del bautismo 515

Con Cristo estoy juntamente crucificado, y ya no vivo yo, mas vive Cristo en mí;

Y lo que ahora vivo en la carne, lo vivo en la fe del Hijo de Dios, el cual me amó y se entregó a sí mismo por mí.

¿O no sabéis que todos los que hemos sido bautizados en Cristo Jesús, hemos sido bautizados en su muerte?

Así también vosotros consideraos muertos al pecado, pero vivos para Dios en Cristo Jesús, Señor nuestro.

Gálatas 2:20; Romanos 6:3, 11 (RVR)

Fil. 3:7-14
Gá. 2:16-21
Ro. 6:1-11

La cruz excelsa 516

Lejos esté de mí gloriarme, sino en la cruz de nuestro Señor. Gá. 6:14

1. La cruz ex - cel - sa al con - tem - plar do Cris - to a - llí por mí mu - rió, De to - do cuan - to es - ti - mo a - quí, lo más pre - cio - so es su a - mor.
2. No bus - co glo - ria ni ho - nor si - no en la cruz de mi Se - ñor. Las co - sas que me en - can - tan más las sa - cri - fi - co por su a - mor.
3. De su ca - be - za, ma - nos, pies, pre - cio - sa san - gre co - rrió a - llí. Co - ro - na de es - pi - nas fue la que Je - sús lle - vó por mí.
4. El mun - do en - te - ro no se - rá dá - di - va dig - na de o - fre - cer. A - mor tan gran - de y sin i - gual en cam - bio ex - i - ge to - do el ser.

LETRA: Isaac Watts, 1707, trad. W. T. Millham
MÚSICA: Melodía gregoriana, arreg. Lowell Mason, 1824

HAMBURG
8 8 8 8
Fa (Capo 1 - Mi)

517 Obediente a tu mandato

Con seguridad — *Tomad, comed; esto es mi cuerpo que por vosotros es partido. 1 Co. 11:24*

1 Co. 11:23-28
Mt. 26:26-29
Mr. 14:22-26

•1. O - be - dien - te a tu man - da - to par - ti - ci - pa hoy tu grey
•2. Re - cor - da - mos la tris - te - za que a - fli - gió tu co - ra - zón,
3. Gra - cias, oh Je - sús, te da - mos por tu in - fi - ni - to a - mor;

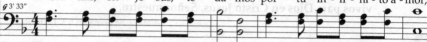

De la ce - na, y con go - zo la re - ci - be nues - tra fe;
Y la co - pa de a - mar - gu - ra que por to - do pe - ca - dor
Gra - cias mil, pues dis - fru - ta - mos tu cle - men - cia y tu fa - vor.

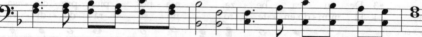

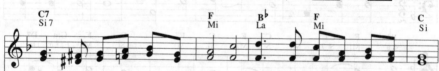

Tu do - lor en el Cal - va - rio y tu pe - na y gran a - mor
En el Gól - go - ta to - mas - te, des - pre - cian - do tu do - lor;
Tu - ya fue la cruz, mas nues - tra es la di - cha y es la paz;

A - nun - cia - mos en tu nom - bre, a - man - tí - si - mo Se - ñor.
Te pe - di - mos que fer - vien - tes, te si - ga - mos con va - lor.
Tu - ya se - a pues la glo - ria, hoy y por la e - ter - ni - dad. A - mén.

LETRA: James Montgomery, 1825, trad. M. N. Hutchinson, c. 1877
MÚSICA: Charles C. Converse, 1868
Esta letra se puede cantar también con la música de #108 (Jubilosos),
#216 (Aleluya) y #450 (De la Iglesia).

CONVERSE
8787D
Fa (Capo 1 - Mi)

Heb. 12:1-3
Jn. 20:1-10
Mt. 10:32-39

Rey de mi vida 518

La cruz...a los que se salvan...es poder de Dios. 1 Co. 1:18

Con reflexión

1. Rey de mi vi - da tú e - res ya: glo - ria te doy, Je - sús;
2. Por fe la tum - ba pue - do ver que ya va - cí - a es - tá;
3. Yo, cual Ma - rí - a, quien su a - mor te de - mos - tró, Je - sús,
4. Haz - me dis - pues - to a lle - var la du - ra cruz por ti;

No me per - mi - tas ol - vi - dar tu o - bra en la cruen - ta cruz.
Án - ge - les san - tos de po - der fue - ron tu guar - dia a - llá.
Quie - ro ser - vir - te fiel, Se - ñor, al re - cor - dar tu cruz.
Con go - zo su - fri - ré, Se - ñor; fuis - te a la cruz por mí.

CORO

Si ol - vi - do del Get - se - ma - ní, tu su - fri - mien - to a - gu - do a - llí,

Y tu di - vi - no a - mor por mí, Cris - to, haz - me ver tu cruz.

LETRA: Jennie E. Hussey, 1921, trad. G.P. Simmonds
MÚSICA: William J. Kirkpatrick, 1921

DUNCANNON
8 6 8 6/Coro
Mi♭ (Capo 1 - Re)

519 Aquí del pan partido tomaré

Lc. 22:14-20
Mr. 14:22-26
Mt. 26:26-29

Por tanto, pruébese cada uno a sí mismo, y coma así del pan. 1 Co. 11:28

Con reverencia

1. A-quí del pan par-ti-do to-ma-ré, y de la co-pa de tu co-mu-nión. El nom-bre de mi Dios in-vo-ca-ré, go-zán-do-me en la paz de sal-va-ción.
2. La cul-pa del pe-ca-do mí-a fue, mas tu-ya fue la san-gre de la cruz. Por e-lla y tu jus-ti-cia ten-go, sé, per-dón, con-sue-lo y paz, Se-ñor Je-sús.
3. Nos le-van-ta-mos de la ce-na a-quí; la fies-ta pa-sa, mas no a-sí el a-mor. To-do se va, mas tú te que-das, sí, cer-ca, muy cer-ca, a-ma-do Sal-va-dor.

LETRA: Horatius Bonar, 1855, trad. T.W. Speaks.
MÚSICA: William H. Monk, 1861
Esta letra se puede cantar también con la música de #260 (Transfórmame) y
#382 (Mi corazón). Para una tonalidad más baja (Re) ver #343 (Yo te bendigo).

EVENTIDE
10 10 10 10
Mi ♭ (Capo 1 - Re)

520 Hoy venimos, cual hermanos

1 Co. 11:23-28
Mt. 26:26-29
Mr. 14:17-21

Con serenidad

Les dio, diciendo: Esto es mi cuerpo que por vosotros es dado. Lc. 22:19

1. Hoy ve-ni-mos, cual her-ma-nos, a la ce-na del Se-ñor.
2. En me-mo-ria de su muer-te y la san-gre que ver-tió,
3. Re-cor-dan-do las an-gus-tias que su-frie-ra el Re-den-tor,
4. Nos da vi-da por su muer-te, go-zo por su a-flic-ción;

LETRA: Estr. #1-3 atrib. John Rowe, s. 19, trad. M. N. Hutchinson, c. 1873,
estr. #4 Esteban Sywulka B., 1990
MÚSICA: Isaac B. Woodbury, 1845
Esta letra se puede cantar también con la música de #393 (A los pies).

DORRANCE
8787
Mi ♭ (Capo 1 - Re)

A - cer - qué - mo - nos, cris - tia - nos, res - pi - ran - do tier - no a - mor.
Ce - le - bre - mos el ban - que - te que en su a - mor nos or - de - nó.
Di - vi - di - da es - tá nues - tra al - ma en - tre el go - zo y el do - lor.
A - la - be - mos al Cor - de - ro por su e - ter - na sal - va - ción.

1 Co. 11:23-28
Mt. 26:26-29
Lc. 22:14-20

Llegamos a tu mesa 521

Todas las veces que comiereis este pan y bebiereis esta copa. 1 Co. 11:26

Con ternura

1. Lle - ga - mos a tu me - sa, oh Se - ñor, a ce - le - brar de
2. Oh, ex - a - mi - na y lá - va - me, Se - ñor; yo dig - na - men - te
3. Tu cuer - po fue he - ri - do por mi bien; co - ro - na de es -
4. En el ma - de - ro de la mal - di - ción tu san - gre me com -
5. Oh Sal - va - dor, en tu me - mo - ria es que el vi - no y pan to -

nue - vo tu a - mor; A - mor ver - ti - do en la te - rri - ble
quie - ro hoy to - mar Tu ce - na con un lim - pio co - ra -
pi - nas en tu sien. Tu cuer - po co - mo el pan par - ti - do
pró la re - den - ción. La san - gre, ca - ro pre - cio de fa -
ma - mos ca - da vez Has - ta que ven - gas, y tu gran bon -

cruz, cuan - do por mí mo - ris - te, mi Je - sús.
zón, con - ti - go y con tu pue - blo en co - mu - nión.
fue, el pan que co - mo a - quí con go - zo y fe.
vor, re - cuer - do en es - ta co - pa de a - mor.
dad ce - le - bra - re - mos por la e - ter - ni - dad.

LETRA y MÚSICA: Esteban Sywulka B., 1989
© 1989 Esteban Sywulka B. Usado con permiso.
Esta letra se puede cantar también con la música de #260 (Transfórmame) y
#343 (Yo te bendigo).

GUA

LLEGAMOS A TU MESA
10 10 10 10
Mi ♭ (Capo 1 - Re)

NUESTRA AMADA IGLESIA

522 Es la cena del Señor

Lc. 24:14-32
Lc. 22:14-20
Mt. 26:26-29

Con reverencia   *Estando sentado con ellos a la mesa, tomó el pan y lo bendijo. Lc. 24:30*

1. Es la ce - na del Se - ñor me - mo - rial de su a - mor;
2. Al par - tir el pan a - quí, me a - cor - da - ré de ti,
3. Al to - mar la co - pa a - quí, me a - cor - da - ré de ti,
4. Tu - ya, oh Cris - to, la pa - sión; mí - o el cie - lo y re - den - ción;

Re - pre - sen - ta en ver - dad su per - fec - ta y gran bon - dad;
De tu cuer - po en la cruz que en - tre - gas - te, oh Je - sús;
De la san - gre car - me - sí que ver - tis - te tú por mí;
Quie - ro de - di - car - me a ti, pues te dis - te tú por mí;

Me re - cuer - da de la cruz y la muer - te de Je - sús.
¡Cuán - to te a - mo, oh Sal - va - dor, por com - prar - me, con a - mor!
Pues tu an - gus - tia y cruel do - lor nun - ca ol - vi - da - ré, Se - ñor.
Con a - mor te ser - vi - ré y tu nom - bre a - la - ba - ré.

LETRA: Comité de *Celebremos*, 1990
MÚSICA: Melodía española, atrib. a Henry R. Bishop, arreg. Benjamin Carr, 1825
Letra © 1992 Celebremos/Libros Alianza. Se prohíbe la reproducción sin autorización.
Esta letra se puede cantar también con la música de #560 (Roca de).
Para una tonalidad más alta (La♭) ver #229 (Hoy en gloria).

ESP

MADRID
777777
Sol

523 La mesa del Señor

La copa de bendición que bendecimos, ¿no es la comunión de la
sangre de Jesucristo? El pan que partimos, ¿no es la comunión del
cuerpo de Cristo?

**Siendo uno solo el pan, nosotros, con ser muchos, somos
un cuerpo; pues todos participamos de aquel mismo pan.**

No podéis beber la copa del Señor, y la copa de los demonios;

**No podéis participar de la mesa del Señor, y de la mesa de
los demonios.**

De manera que cualquiera que comiere este pan o bebiere esta copa del Señor indignamente, será culpado del cuerpo y de la sangre del Señor.

Por tanto, pruébese cada uno a sí mismo, y coma así del pan, y beba de la copa.

Porque todas las veces que comáis este pan y bebáis esta copa,

La muerte del Señor proclamáis hasta que él venga.

1 Corintios 10:16, 17, 21; 11:27, 28 (RVR) 11:26 (BLA)

Is. 1:16-19
Ap. 7:9-17
Lc. 23:32-46

Hay un precioso manantial 524

En aquel tiempo habrá un manantial abierto...para purificación. Zac. 13:1

Con reflexión

1. Hay un pre-cio-so ma-nan-tial de san-gre de E-ma-nuel,
2. El mal-he-chor se con-vir-tió pen-dien-te de u-na cruz;
3. Y yo tam-bién mi po-bre ser a-llí lo-gré la-var;
4. ¡E-ter-na fuen-te car-me-sí! ¡Rau-dal de pu-ro a-mor!

Que pu-ri-fi-ca a ca-da cual que se su-mer-ge en él.
Él vio la fuen-te y se la-vó, cre-yen-do en Je-sús.
La glo-ria de su gran po-der me go-zo en en-sal-zar.
Se la-va-rá por siem-pre en ti el pue-blo del Se-ñor.

Que se su-mer-ge en él, que se su-mer-ge en él.
Cre-yen-do en Je-sús, cre-yen-do en Je-sús.
Me go-zo en en-sal-zar, me go-zo en en-sal-zar.
El pue-blo del Se-ñor, el pue-blo del Se-ñor.

LETRA: William Cowper, c.1771, trad. M. N. Hutchinson
MÚSICA: Melodía americana, s.19, arreg. Lowell Mason, 1830

CLEANSING FOUNTAIN
8 6 8 6 6 6 8 6
Si ♭ (Capo 1 - La)

525 Vengan a la mesa

Con gozo

Les dijo Jesús: Venid, comed. Jn. 21: 12

Mt. 26: 26-29
Mr. 14: 22-26
Lc. 22: 14-20

CORO

Ven-gan a la me-sa, ven-gan
Ven-gan con gran go-zo, ven-gan

a ce-le-brar.
a a- do-rar.

1. Cris-to ex-tien-de su ma-no con tier-na
   Él nos con-vi-da a la ce-na de la con-
2. Jun-tos to-me-mos la ce-na con gra-ti-
   Cris-to Je-sús nos dio vi-da, es nues-tro
3. So-mos un Cuer-po en Cris-to; con su a-
   Hoy com-par-ti-mos con go-zo, hi-jos de

in-vi-ta-ción; ción.
me-mo-ra-
tud al Se-ñor;
gran Sal-va- dor. ↑
mor nos u-nió;
un so-lo Dios.

LETRA: Barbara Mink, 1989, adapt. Sonia Andrea Linares M.
MÚSICA: Barbara Mink, 1989, arreg. F.B.J.
© 1989 Barbara Mink. Usado con permiso.

VENGAN A LA MESA
8 7 8 7/Coro
Mi♭(Capo 1 - Re)

Ap. 7:9-17
Heb. 10:11-25
Heb. 13:20-25
Con intensidad

Cristo su preciosa sangre   526

Teniendo libertad...por la sangre de Jesucristo...acerquémonos. Heb. 10:19, 22

1. Cris - to su pre - cio - sa san - gre en la cruz ver - tió;
2. Es la san - gre tan pre - cio - sa del buen Sal - va - dor
3. Cris - to in - vi - ta a los per - di - dos al ce - les - te ho - gar;

Por no - so - tros pe - ca - do - res él la dio.
La que qui - ta los pe - ca - dos y el te - mor.
Al ham - brien - to él o - fre - ce pan sin par.

Con su san - gre me - ri - to - ria hi - zo re - den - ción,
Sin la san - gre es im - po - si - ble que ha - ya re - mi - sión;
Muy pre - cio - sa es la san - gre, por - que me com - pró

Y por e - so Dios te brin - da el per - dón.
Por las o - bras no se al - can - za sal - va - ción.
Vi - da e - ter - na en el cie - lo; ¡Glo - ria a Dios!

LETRA: Estr. #1-2 Frances Havergal, 1884, ℗ trad. Stuart E. McNair, alt.,
estr. #3 Felipe Blycker J. y Oscar López M., 1989
MÚSICA: Felipe Blycker J., 1989
Música y estr.#3 © 1992 Celebremos/Libros Alianza. Se prohíbe la reproducción sin autorización

GUA

MESQUITE
8583D
Re m

527 Recordad al Señor

Al Cordero, sea la alabanza, la honra, la gloria y el poder. Ap. 5: 13

Jn. 3: 11-21
Lc. 19: 28-40
Ap. 5

Con vigor

1. Re - cor - dad al Se - ñor, ben - de - cid su san - to
2. A - la - bad al Se - ñor, y can - tad su san - to
3. Ex - al - tad al Se - ñor, y hon - rad su san - to
4. De - mos - trad su a - mor, y ha - ced - lo en su

nom - bre; ce - le - bre - mos su glo - ria y a - mor. Fue le - van-
nom - bre; ce - le - bre - mos su glo - ria y ho - nor; Si no can-
nom - bre; ce - le - bre - mos su glo - ria con fer - vor; En es - ta
nom - bre, an - te el mun - do u - ni - dos en a - mor; En tes - ti-

ta - do en la cruz, dio su vi - da por no - so-
ta - mos al Se - ñor, aun las ro - cas can - ta - rí-
ce - na del Se - ñor, en me - mo - ria del Cor - de-
mo - nio de la luz, co - mo fie - les se - gui - do-

tros; Re - cor - de - mos al Sal - va - dor Je - sús.
an; A - la - be - mos al Sal - va - dor Je - sús.
ro, De su san - gre, su cuer - po y su a - mor.
res Es - tre - che - mos los la - zos del a - mor.

LETRA y MÚSICA: Reba Rambo Gardner, 1977, trad. Sonia Andrea Linares M.
© 1977 Benson. Usado con permiso.

LIFT HIM UP
Metro irreg.
Do

Jos. 5:13-15
Ef. 6:10-18
Ro. 8:28-39

Con energía

Siervos de Jesús 528

Si la trompeta diere sonido incierto, ¿quién se preparará? 1 Co. 14:8

1. Sier - vos de Je - sús, hom - bres de ver - dad, guar - das del de - ber,
2. Nues - tro Ca - pi - tán es ya ven - ce - dor, él nos re - di - mió
3. In - ven - ci - bles son los que con a - fán ca - da dí - a van

so - mos, sí. Li - bres de mal - dad, ri - cos en bon - dad, fie - les
por su cruz. Guar - das del de - ber, él nos da po - der, y nos
al de - ber. Triun - fos ob - ten - drán y re - ci - bi - rán mag - no

CORO

en la lid se - re - mos, sí.
gui - a - rá has - ta la luz. ¡Fir - mes! ¡fuer - tes! Al - cen la ban - de - ra,
ga - lar - dón del Re - den - tor.

Gran - de, no - ble em - ble - ma del Se - ñor*. ¡Pron - tos! ¡bra - vos!

Pa - sen la con - sig - na: Mar - chen, to - dos, va - mos a ven - cer.

LETRA y MÚSICA: William F. Sherwin, 1869, es trad. *orig. deber

BATTLE CRY
10 8 10 9/Coro
La♭ (Capo 1 - Sol)

529 A ti, oh Señor

Sal. 25:1-10
Sal. 34:1-10
Is. 63:7-9

A ti he elevado mi alma. Sal. 143:8

Con vigor

A ti, oh Se - ñor, le - van - ta - ré mi al - ma;

opt. Jeho - vá

Dios mío, en ti con - fí - o; no se - a a - ver - gon - za - do,

no se - a - le - gren de mí mis e - ne - mi - gos. mi - gos.

LETRA: Basada en Salmo 25:1
MÚSICA: Compositor descon., Latinoamérica, s. 20, arreg. F.B.J.
Arreg. © 1992 Celebremos/Libros Alianza. Se prohibe la reproducción sin autorización.

L.A.

SALMO 25
Metro irreg.
Fa (Capo 1 - Mi)

530 Fe la victoria es

Ro. 8:28-39
1 Jn. 5:1-7
Ap. 12:10-12a

Dios...nos da la victoria por medio de nuestro Señor Jesucristo. 1 Co. 15:57

Con ánimo

1. Sol - da - dos del Se - ñor Je - sús, va - lien - tes hoy lu - chad;
2. Con la ban - de - ra de su a - mor y es - pa - da de ver - dad
3. Al que ven - cie - re, el Se - ñor de blan - co ves - ti - rá;

LETRA: John H. Yates, 1891, trad. Honorato Reza, adapt. Esteban Sywulka B.
MÚSICA: Ira D. Sankey, 1891
Trad. © 1962, ren. 1990 Lillenas Publishing Co. Usado con permiso.

SANKEY
8 6 8 6 D/Coro
Mi ♭ (Capo 1 - Re)

cons - tan - tes, mien-tras ha - ya luz las ar - mas em-pu-ñad.
se - gui-mos fiel al Sal-va-dor, quien triun-fos nos da - rá.
su nom-bre an - te el Pa-dre Dios, Je - sús con-fe-sa-rá.

Al e - ne - mi - go com-ba-tid con fuer-za y no te-máis,
Mar-cha-mos tras los san - tos que lu - chan-do con-tra el mal
Las a - la-ban-zas del gran Rey su pue-blo can - ta - rá

pues la vic - to - ria en la lid por fe la ob - ten - dréis.
lo de-rro-ta - ron por la fe, y en glo-ria hoy es - tán.
por si-glos mil, pues por la fe, vic - to-ria siem-pre da.

CORO

Fe la vic - to - ria es, fe la vic - to - ria es;
Fe la vic - to - ria es, fe la vic - to - ria es;

Fe nues-tra vic - to - ria es, que al mun - do ven-ce - rá.

531 Soldados de Dios

Por lo demás, fortaleceos en el Señor y en el poder de su fuerza. Vestíos de toda la armadura de Dios, para que podáis hacer frente a las intrigas del diablo;

Porque nuestra lucha no es contra sangre ni carne, sino contra principados, contra autoridades, contra los gobernantes de estas tinieblas, contra espíritus de maldad en los lugares celestiales.

Por esta causa, tomad toda la armadura de Dios, para que podáis resistir en el día malo, y después de haberlo logrado todo, quedar firmes.

Permaneced, pues, firmes, ceñidos con el cinturón de la verdad, vestidos con la coraza de justicia y calzados vuestros pies con la preparación para proclamar el evangelio de paz.

Tomad también el casco de la salvación y la espada del Espíritu, que es la palabra de Dios, orando en todo tiempo.

La noche está muy avanzada, y el día está cerca. Despojémonos, pues, de las obras de las tinieblas y vistámonos con las armas de la luz.

Andemos decentemente, como de día; no con glotonerías y borracheras, ni en pecados sexuales y desenfrenos, ni en peleas y envidia.

Más bien, vestíos del Señor Jesucristo, y no hagáis provisión para satisfacer los malos deseos de la carne.

Efesios 6:10-15, 17-18a; Romanos 13:12-14 (RVA)

532 ¡A Combatir!

1 S. 17:45-47
1 Ti. 6:11-16
1 Co. 9:24-27

Tenemos lucha contra...huestes espirituales de maldad. Ef. 6:12

Con vigor

1. ¡A com-ba-tir! re-sue-na la gue-rre-ra voz del buen Je-sús, que hoy lla-man-do-es-tá; Sin des-ma-yar se-guid-le siem-pre
2. ¡A com-ba-tir! nos lla-ma nues-tro Sal-va-dor; sa-lid, lu-chad con nues-tro Ca-pi-tán; En la cons-tan-te lid, se-guid sin
3. Al Rey de re-yes, nues-tro Sal-va-dor Je-sús, ho-nor y glo-ria to-dos tri-bu-tad, Pues ya los su-yos go-zan de su

LETRA y MÚSICA: Lelia N. Morris, 1905, ☺ trad. Enrique S. Turrall ☺

THE FIGHT IS ON
Metro irreg.
Si ♭ (Capo 1 - La)

533 Estad por Cristo firmes

Con brillo

Así que, hermanos míos amados, estad firmes y constantes. 1 Co. 15:58

•1. ¡Es-tad por Cris-to fir-mes, sol-da-dos de la cruz!
•2. ¡Es-tad por Cris-to fir-mes! os lla-ma él a la lid;
•3. ¡Es-tad por Cris-to fir-mes! las fuer-zas vie-nen de él;

Al-zad hoy la ban-de-ra, en nom-bre de Je-sús.
¡Con él, pues, a la lu-cha, sol-da-dos to-dos id!
El bra-zo de los hom-bres, es dé-bil y es in-fiel.

Es vues-tra la vic-to-ria, con él por Ca-pi-tán;
Pro-bad que sois va-lien-tes, lu-chan-do con-tra el mal;
Ves-tí-os la ar-ma-du-ra, ve-lad en o-ra-ción;

Por él se-rán ven-ci-das las hues-tes de Sa-tán.
Es fuer-te el e-ne-mi-go, mas Cris-to es sin i-gual.
De-be-res y pe-li-gros de-man-dan gran te-són.

LETRA: George Duffield, 1858, trad. Jaime C. Clifford
MÚSICA: George J. Webb, 1837
Esta letra se puede cantar también con la música de #187 (Cabalga) y #639 (Tu pueblo).

WEBB
7676D
Si ♭ (Capo 1 - La)

Adelante con valor 534

2 Co. 4:5-16
Is. 59:19-21
1 Co. 1:17-24

Has dado...bandera que alcen por causa de la verdad. Sal. 60:4

Con energía

1. Cual pen - dón her - mo - so des - ple - gue - mos hoy
2. En el mun - do pro - cla - me - mos con fer - vor
3. En el cie - lo nues - tro cán - ti - co se - rá

la ban - de - ra de la cruz; La ver - dad del E - van -
es - ta his - to - ria de la cruz; Ben - di - ga - mos sin ce -
a - la - ban - zas a Je - sús; Nues - tro co - ra - zón a -

ge - lio, el bla - són del sol - da - do de Je - sús.
sar al Re - den - tor, quien nos tra - jo paz y luz.
llí re - bo - sa - rá de a - mor y gra - ti - tud.

CORO

¡A - de - lan - te, a - de - lan - te! en pos de nues - tro Sal - va - dor.

Nos da go - zo y paz nues - tro Rey, ¡A - de - lan - te con va - lor!

LETRA: Daniel W. Whittle, 1887, trad. Enrique S. Turrall
MÚSICA: James McGranahan, 1887

ROYAL BANNER
Metro irreg.
La ♭ (Capo 1 - Sol)

535 ¡Gloria, gloria, aleluya!

Ro. 8:28-39
1 Co. 15:51-58
Ap. 12:10-12a

En todas estas cosas somos más que vencedores. Ro. 8:37

Con entusiasmo

1. Es el Dios de los e-jér-ci-tos en quien yo con-fia-ré; y con
2. Con e-jér-ci-to no ga-na sus vic-to-rias el Se-ñor; ni con
3. En Be-lén de Pa-les-ti-na el Se-ñor Je-sús na-ció, y des-

cím-ba-los de go-zo al Se-ñor en-sal-za-ré. El des-pi-de
ar-mas lu-cha con-tra Sa-ta-nás, el Ten-ta-dor. La po-ten-cia
pués de trein-ta a-ños, en la cruen-ta cruz mu-rió. Pe-ro vi-ve

los re-lám-pa-gos, mas nun-ca te-me-ré; él es mi Pro-tec-tor.
del Es-pí-ri-tu, ha di-cho el Dios de a-mor, es lo que ven-ce-rá.
pa-ra siem-pre, pues la tum-ba ya ven-ció; su nom-bre a-la-ba-ré.

CORO

¡Glo-ria, glo-ria, a-le-lu-ya! ¡Glo-ria, glo-ria, a-le-lu-ya!

¡Glo-ria, glo-ria, a-le-lu-ya! A Cris-to doy lo-or.

LETRA: Julia Ward Howe, 1861, trad. y adapt. Roberto C. Savage☺
MÚSICA: Melodía americana, s. 19
Trad. © 1956, ren. 1984 Singspiration Music. Usado con permiso.

BATTLE HYMN
Metro irreg.
Si ♭ (Capo 1 - La)

¡Sin Ti, Jesús, nacemos solamente para morir;
contigo nos morimos para nacer y así nos engendraste!
Miguel de Unamuno

RESURRECCION

Tras la noche tenebrosa
y el rugir del vendaval,
tiende el alba majestuosa
cortinaje de cristal;

Y aparece un claro día
sin las brumas del dolor,
donde el alma se extasía
y se goza el puro amor.

Tras la nota vespertina
que oprimiera el corazón;
viene aquella matutina
que se alarga en fiel canción.

Cual la ninfa misteriosa
que en su tumba se guardó,
y en brillante mariposa
Con el tiempo se tornó.

Tal aquel que duerme en Cristo,
de su sueño al despertar,
con ropaje nunca visto,
lo veréis resucitar.

Y la tienda que aprisiona
cual gusano en vil zurrón,
con poder se desmorona,
¿qué es, o muerte, tu aguijón?

Arturo Borja A.

Tampoco queremos, hermanos, que ignoréis acerca de los que duermen, para que no os entristezcáis como los otros que no tienen esperanza.

Porque si creemos que Jesús murió y resucitó, así también traerá Dios con Jesús a los que durmieron en él.

Por lo cual os decimos esto en palabra del Señor: que nosotros que vivimos, que habremos quedado hasta la venida del Señor, no precederemos a los que durmieron.

Porque el Señor mismo con voz de mando, con voz de arcángel, y con trompeta de Dios, descenderá del cielo; y los muertos en Cristo resucitarán primero.

Luego nosotros los que vivimos, los que hayamos quedado, seremos arrebatados juntamente con ellos en las nubes para recibir al Señor en el aire,

y así estaremos siempre con el Señor. Por tanto, alentaos los unos a los otros con estas palabras.

He peleado la buena batalla, he acabado la carrera, he guardado la fe.

Por lo demás, me está guardada la corona de justicia, la cual me dará el Señor, juez justo, en aquel día; y no sólo a mí, sino también a todos los que aman su venida.

Versos de 1 Tesalonicenses 4 y 2 Timoteo 4

Sin Ti, Miguel de Unamuno, s. 20 536 ESP

Resurrección, Arturo Borja A., 1966 GUA

Esta letra se puede cantar con la música de #393 (A los pies)

La segunda venida de Cristo 537 1 Ts. 4:13-18; 2 Ti. 4:7, 8 (RVR)

2 Ti. 2: 1-9
Ef. 6: 10-18
Jos. 1: 1-9

¿Soy yo soldado de Jesús? 538

Velad, estad firmes en la fe; portaos varonilmente, y esforzaos. 1 Co. 16: 13

Con ánimo

G / Sol   D7 / Re7   G / Sol

1. ¿Soy yo sol-da-do de Je-sús y sier-vo del Se-ñor?
2. Lu-cha-ron o-tros por la fe; va-lien-te an-he-lo ser.
3. Es me-nes-ter que se-a fiel, que nun-ca vuel-va a-trás,

G / Sol   D7 / Re7   G / Sol

No te-me-ré lle-var su cruz, su-frien-do por su a-mor.
Por mi Se-ñor yo pe-lea-ré, con-fian-do en su po-der.
Que si-ga siem-pre en pos de él, y me guia-rá en paz.

CORO

G / Sol

Des-pués de la ba-ta-lla nos co-ro-na-rá, Dios

D7 / Re7   G / Sol

nos co-ro-na-rá, Dios nos co-ro-na-rá; Des-pués de la ba-

G / Sol   C / Do   D7 / Re7   G / Sol

ta-lla nos co-ro-na-rá en a-que-lla san-ta Sion.

LETRA: Estr. #1-3 Isaac Watts, 1724, trad. Enrique S. Turrall; coro autor descon.,
trad. H.C. Ball

MÚSICA: Melodía inglesa, s.19
Esta letra (estrofa) se puede cantar con la música de
#36 (Oh Dios) y #51 (Nuestra esperanza).

WEAR A CROWN
8 6 8 6/Coro
Sol

539 Firmes y adelante

Pelea la buena batalla de la fe. 1 Ti. 6:12

Con entusiasmo

Ef. 6:10-18
1 Ti. 6:11-16
1 Co. 9:24-27

1. Fir - mes y a - de - lan - te, hues - tes de la fe, sin te - mor al -
2. Al sa - gra - do nom - bre de nues - tro A - da - lid, tiem - bla el e - ne -
3. Mué - ve - se po - ten - te la I - gle - sia de Dios; de los ya glo -
4. Tro - nos y co - ro - nas pue - den pe - re - cer; de Je - sús la I -

gu - no, que Je - sús nos ve. Je - fe so - be - ra - no,
mi - go y hu - ye de la lid. Nues - tra es la vic - to - ria,
rio - sos mar - cha - mos en pos; So - mos só - lo un cuer - po,
gle - sia cons - tan - te ha de ser; Na - da en con - tra su - ya

Cris - to al fren - te va, y la re - gia en - se - ña tre - mo - lan - do es - tá.
dad a Dios lo - or; y ói - ga - lo el a - ver - no lle - no de pa - vor.
y u - no es el Se - ñor, u - na la es - pe - ran - za, y u - no nues - tro a - mor.
pre - va - le - ce - rá, por - que la pro - me - sa nun - ca fal - ta - rá.

CONTRAMELODÍA OPTATIVA *(voces o instrumentos)* (DISCANTE)

Fir - mes y a - de - lan - te, hues - tes de la fe, de la fe, sin te -

CORO

Fir - mes y a - de - lan - te, hues - tes de la fe, sin te -

LETRA: Sabine Baring-Gould, 1864, trad. Juan B. Cabrera
MÚSICA: Arthur S. Sullivan, 1871, contramelodía, F.B.J.
Esta letra se puede cantar con la música de #43 (Nuestra fortaleza),
#346 (Del amor) y #587 (Henos en).

ST. GERTRUDE
11 11 11 11 / Coro
Mi♭ (Capo 1 - Re)

mor al - gu - no, que Je - sús, que Je - sús nos ve. A - mén.

Fm7 / Mi m7   E♭ / Re   A♭ / Sol   B♭7 / La7   E♭ / Re   A♭ / Sol   E♭ / Re

mor al - gu - no, que Je - sús nos ve. A - mén.

Sale a la lucha 540

1. Sale a la lucha el Salvador,
corona a conquistar;
Su insignia luce por doquier,
flamante al frente va;

2. Su cáliz ¿quién lo beberá
triunfando del dolor?
Aquel que lleva aquí su cruz
del Cristo es seguidor.

Reginald Heber, 1827 ◉ trad. G. Paúl . S. ◉
Esta letra se puede cantar con la música de #36 (Oh, Dios mi soberano Rey).

1 Jn. 5: 1-7
Ap. 3: 1-7
Ap. 3: 8-13
Con vigor

A la victoria Jesús nos llama 541

En el mundo tendréis aflicción; pero confiad, he vencido al mundo. Jn. 16: 33

1. A la vic - to - ria Je - sús nos lla - ma, va con no - so - tros el Ca - pi - tán;
2. A la vic - to - ria Je - sús nos lla - ma, nos lla - ma a to - dos los de su grey;
3. A la vic - to - ria Je - sús nos lla - ma, sin de - te - ner - nos, sin ir a - trás,
4. A la vic - to - ria Je - sús nos lla - ma, ya los cla - ri - nes so - nan-do es - tán,

Mar - che - mos, pues, a com - ba - tir a los e - jér - ci - tos de Sa - tán.
Hay que triun - far con - tra el mal, que con no - so - tros va nues - tro Rey.
Has - ta triun - far, has - ta ven - cer las fie - ras hues - tes de Sa - ta - nás.
Pues al ven - cer con - tra el mal, los mis - mos cie - los se a - le - gra - rán.

LETRA y MÚSICA: Alfredo Colom M., 1953, ◉ arreg. Roberto C. Savage ◉   GUA   A LA VICTORIA
© 1953, ren. 1981 Singspiration Music. Usado con permiso.   Metro irreg.
Sol

542 Cristo nuestro Jefe

Yo soy el Alfa y la Omega...el Todopoderoso. Ap. 1:8

Ef. 3:14-21
Ro. 8:28-39
1 Co. 15:51-58

Con vigor

1. Cris-to, nues-tro Je-fe, nos lle-va a la lid; nun-ca te-me-re-mos si él nos di-ce, "Id". Aún su jus-ta cau-sa se sue-le ig-no-rar, mas le se-gui-re-mos fiel.

2. Nues-tro es-tan-dar-te lu-ce por do-quier, con po-der y glo-ria siem-pre se ha de ver. Cris-to nues-tro Je-fe al mun-do ya ven-ció y le se-gui-re-mos fiel.

3. La fu-rio-sa lu-cha lar-ga no se-rá, y a los ven-ce-do-res nos con-gre-ga-rá, Don-de can-ta-re-mos un him-no triun-fal; sí, le se-gui-re-mos fiel.

CORO

A-de-lan-te es la or-den del Se-ñor; a-de-lan-te va-mos sin te-mor. "A-de-lan-te" can-ta ya su grey; la vic-to-ria es cier-ta con el Rey.

LETRA: Carrie E. Breck. 1903, es trad.
MÚSICA: Grant Colfax Tuller, 1903, alt.

CHRIST IS OUR CAPTAIN
Metro irreg.
La♭ (Capo 1 - Sol)

NUESTRO
Glorioso Futuro

543 Ya Cristo viene

1 Ts. 5: 1-11
2 P. 3: 8-14
Mt. 25: 1-13

Ciertamente vengo en breve. Amén; sí, ven, Señor Jesús. Ap. 22: 20

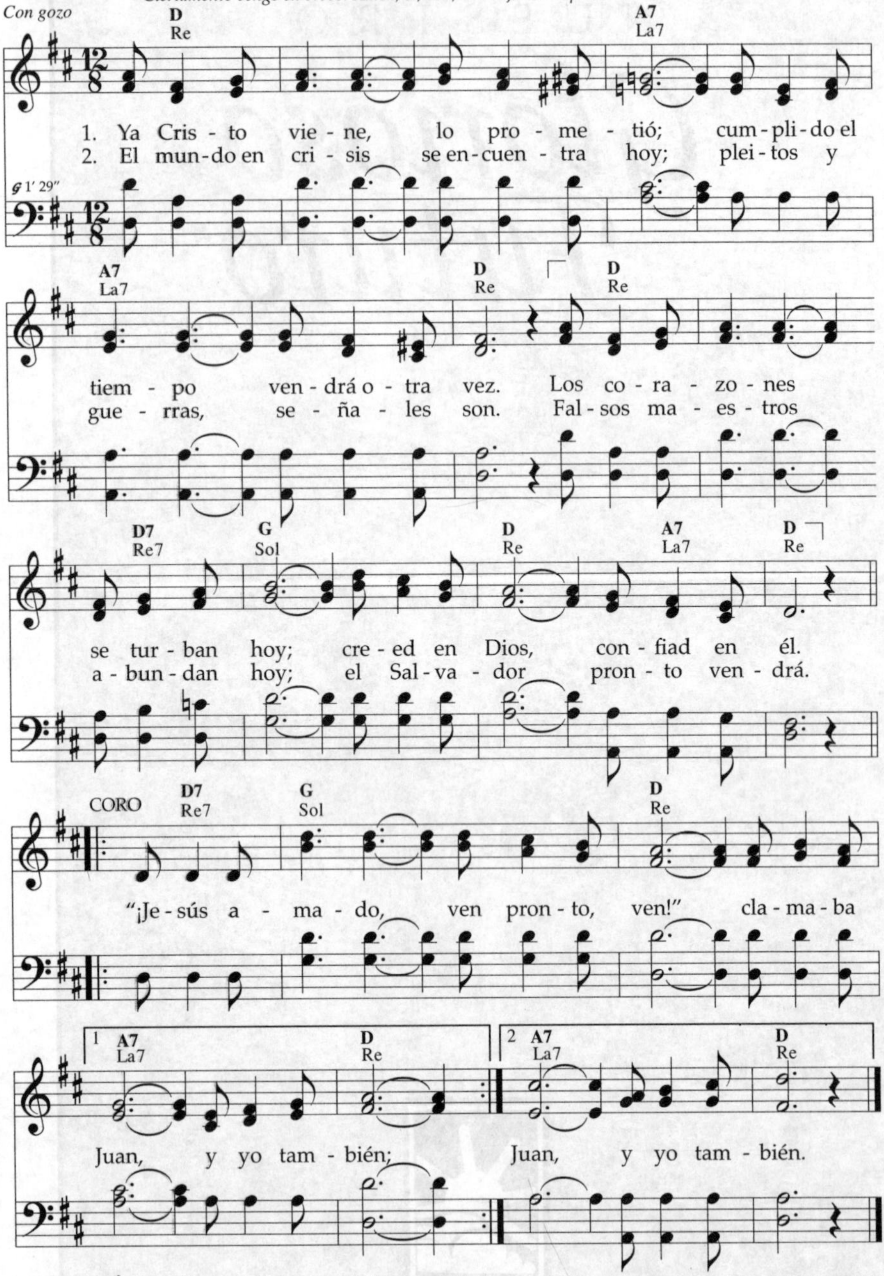

Con gozo
D Re A7 La7
1. Ya Cris - to vie - ne, lo pro - me - tió; cum - pli - do el
2. El mun - do en cri - sis se en - cuen - tra hoy; plei - tos y
1' 29"
A7 La7 D Re D Re
tiem - po ven - drá o - tra vez. Los co - ra - zo - nes
gue - rras, se - ña - les son. Fal - sos ma - es - tros
D7 Re7 G Sol D Re A7 La7 D Re
se tur - ban hoy; cre - ed en Dios, con - fiad en él.
a - bun - dan hoy; el Sal - va - dor pron - to ven - drá.
CORO
D7 Re7 G Sol D Re
"¡Je - sús a - ma - do, ven pron - to, ven!" cla - ma - ba
1 A7 La7 D Re 2 A7 La7 D Re
Juan, y yo tam - bién; Juan, y yo tam - bién.

LETRA y MÚSICA: Alejandro M. Montes, 1975, arreg. F.B.J.

BOL

YA CRISTO VIENE
Metro irreg.
Re

La venida de Cristo 544

Lc. 21:25-36
2 P. 3:8-14
Ap. 22:12-17, 20-21

Cuando estas cosas comiencen a suceder...vuestra redención está cerca. Lc. 21:28

Con ánimo

1. La ve - ni - da de Cris - to se a - cer - ca; pron - to vie - ne su I-
2. Ya que - re - mos que Cris - to nos lle - ve a los cie - los con
3. A - rre - gle - mos, es - te - mos a cuen - tas con Je - sús, el Cor-
4. Per - do - nan - do, Je - sús nos per - do - na, y nos lle - va con

gle - sia a bus - car. No dur - ma - mos, es - te - mos a - ler - ta; ¡Vi - gi
él a mo - rar. No se - a - mos ja - más ne - gli - gen - tes; ¡Tra - ba
de - ro de Dios. Del que o - fen - de ten - ga - mos cle - men - cia; ¡Per - do
él a rei - nar. Ga - na - re - mos tam - bién la co - ro - na; ¡Vi - gi

lad, vi - gi - lad, vi - gi - lad!
jad, tra - ba - jad, tra - ba - jad!
nad, per - do - nad, per - do - nad!
lad, tra - ba - jad, per - do - nad!

CORO

Pron - to vie - ne Je - sús y nos lle - va a la her - mo - sa man - sión ce - les - tial. Pron - to vie - ne Je - sús por su I - gle - sia; nos i - re - mos con él a mo - rar.

LETRA: Santiago J. Stevenson O., 1964
MÚSICA: Melodía chilena
© 1964 Santiago J. Stevenson O. Usado con permiso.
Esta letra se puede cantar también con la música de #593 (Dios bendiga).

LA VENIDA DE CRISTO
10 9 10 9 / Coro
Do m (Capo 1 - Si m)

545 Viene otra vez

Entonces verán al Hijo del Hombre que vendrá en una nube. Lc. 21: 27

Mt. 25: 1-13
Mt. 24: 3-13
Ap. 22: 12-17, 20-21

Con gozo

1. No-tas a - le-gres can-tad, y con fer-vor pro-cla-mad
2. Pe-na y do-lor pa-sa-rán, y se re-go-ci-ja-rán

Es-ta glo-rio-sa ver-dad: Cris-to muy pron-to ven-drá.
To-dos los que en Cris-to es-tán, cuan-do re-gre-se el Se-ñor.

CORO

Vie-ne o-tra vez, vie-ne o-tra vez,

Tal vez al a-ma-ne-cer, o tal vez al a-no-che-cer.

Dí-a glo-rio-so se-rá pa-ra mí; al mun-do vie-ne o-tra vez.

LETRA y MÚSICA: John W. Peterson, 1957, trad. Roberto C. Savage
© 1957, ren. 1985 John W. Peterson. Usado con permiso.

COMING AGAIN
7 7 7 7 / Coro
Si♭ (Capo 1 - La)

Un día Cristo volverá 546

1 Ts. 4: 13-18
Lc. 21: 25-36
Hch. 1: 6-11

Este mismo Jesús...vendrá como le habéis visto ir al cielo. Hch. 1: 11

1. Un día Cristo volverá; es la promesa del Señor;
   Tal como fue así vendrá, y su pueblo ha de ver al Salvador.
2. Los mensajeros del Señor anuncian que Jesús vendrá;
   Señales hay alrededor; él vendrá y a los suyos llevará.
3. En busca de su grey vendrá, con toda gloria y honor;
   Su Iglesia esperándose está, y aclamará con gozo a su Señor.
4. ¡Oh bienvenido, Rey Jesús! tus hijos te esperan ya;
   Muy pronto han de ver la luz y gozar en tu presencia siempre allá.

CORO

Muy pronto, sí, Jesús vendrá, y alegre le verá su pueblo. ¡Velad! ¡Orad! el Rey vendrá, los suyos arrebatará.

LETRA: Thoro Harris, 1916, trad. H.C. Ball
MÚSICA: Lydia Kamekeha Liliuokalani Kalakaua, 1878, arreg. Thoro Harris, 1916

ALOHA OE
Metro irreg.
Sol

547 El cielo y la tierra pasarán

Mt. 24:32-44
Mt. 5:14-19
Ap. 21:1-5,22-26

El cielo y la tierra pasarán, pero mis palabras no pasarán. Mt. 24:35

LETRA: Basada en Marcos 13:31ss, Felipe Blycker J., 1985
MÚSICA: Felipe Blycker J., 1985, arreg. Gladys Platt
© 1985 Philip W. Blycker en *Cánticos nuevos de la Biblia. Usado con permiso.*

MEX

VALSEQUILLO
Metro irreg.
Sol

LA VENIDA DEL REY

El Rey ya viene 548

Lc. 21: 25-36
1 Ts. 4: 13-18
1 Co. 15: 51-58

El que da testimonio dice: Ciertamente vengo en breve. Ap. 22: 20

¡Oh, el Rey ya vie-ne, el Rey ya vie-ne! So-na-rá la gran trom-pe-ta, y su ros-tro yo ve-ré; ¡Oh, el Rey ya vie-ne, el Rey ya vie-ne! ¡Glo-ria a Dios! ¡El vie-ne por mí!

LETRA y MÚSICA: William y Gloria Gaither, 1970. trad. Sid D. Guillén, alt.
© 1970 William J. Gaither. Usado con permiso.

KING IS COMING (Coro)
Metro irreg.
Si♭ (Capo 1 - La)

George P. Simmonds (1890-1991)

A los cuatro años, Jorge ya cantaba himnos con gran devoción y entusiasmo. Cuando tenía diez años sintió el llamado a ser misionero. Conservó su amor al Señor y por la música a lo largo de su vida. Tan es así, que después de cumplir los cien años de edad aún cantaba solos en grandes reuniones, y por televisión. Empezó su obra como misionero, juntamente con su esposa, Nessie, en el Ecuador. Luego exploró el área del Amazonas y cruzó el continente. Colaboró en la compilación de *Himnos de la Vida Cristiana*. También trabajó con las Sociedades Bíblicas en varios países sudamericanos.

Después sirvió como pastor de unas iglesias hispanas en los Estados Unidos de América. Fue un prolífero traductor de 800 himnos y cantos corales. Usó algunos seudónimos como G. Paúl S. y J. Pablo Simón.

549 La mañana gloriosa

Aguardando la manifestación gloriosa de nuestro gran Dios y Salvador. Tit. 2:13

Con gozo

1. Cuán glo-rio - sa se-rá la ma-ña-na cuan-do ven-ga Je-
2. Es - pe-ra-mos la ma-ña-na glo-rio-sa pa-ra dar la bien-ve-
3. El cris-tia - no fiel y ver-da-de-ro y tam-bién el o-

sús el Sal-va-dor; Los cre-yen-tes u-ni-dos co-mo her-ma-nos, bien-ve-
ni-da al Dios de a-mor, Don-de to-do se-rá co-lor de ro-sa en la
bre-ro de va-lor Y la I-gle-sia, es-po-sa del Cor-de-ro, es-ta-

ni-da da-re-mos al Se-ñor.
san-ta fra-gan-cia del Se-ñor.
rán en los bra-zos del Se-ñor.

CORO

No ha-brá ne-ce-si-dad de la

luz el res-plan-dor, ni el sol da-rá su luz, ni tam-po-co su ca-lor;

A-llí llan-to no ha-brá, ni tris-te-za, ni do-lor, Por-que en-ton-ces Je-

LETRA: Mariano Beltrán, c. 1947
MÚSICA: Compositor descon. s. 20, arreg. Roberto C. Savage
Arreg. © 1953, ren. 1981, Singspiration Music. Usado con permiso.

L.A.

MAÑANA GLORIOSA
10 10 11 10 / Coro
Do

Con las nubes viene Cristo 550

Ap. 1: 1-8
1 Ts. 4: 13-18
Ap. 7: 9-17

Con ánimo

He aquí que viene con las nubes, y todo ojo le verá. Ap. 1: 7

1. Con las nu-bes vie-ne Cris-to, el que en la cruz mu-rió;
2. To-dos le ve-rán, glo-rio-so, a-ta-via-do en ma-jes-tad,
3. En su cuer-po ya glo-rio-so las he-ri-das lle-va-rá,
4. To-da la crea-ción se pos-tre a tus pies pa-ra a-do-rar;

San-tos mi-les le a-la-ban, quien la muer-te con-quis-tó.
Y los que le re-cha-za-ron en su in-cre-du-li-dad
Que su ex-cel-so sa-cri-fi-cio en la cruz re-cor-da-rán,
De po-der, do-mi-nio y glo-ria, Cris-to, e-res dig-no ya.

¡A-le-lu-ya! ¡A-le-lu-ya! So-bre to-do ya triun-fó.
Con gran llan-to, con gran llan-to al Me-sí-as mi-ra-rán.
Y con go-zo, y con go-zo su I-gle-sia las ve-rá.
¡A-le-lu-ya! ¡A-le-lu-ya! ¡Oh, ven pron-to a rei-nar!

LETRA: Estr. #1,2,4 Charles Wesley, 1758, ✪ estr. #3 John Cennick, 1752,
trad. Esteban Sywulka B.
MÚSICA: Henry T. Smart, 1867
Trad. © 1992 Celebremos/Libros Alianza. Se prohíbe la reproducción sin autorización.
Para una tonalidad más baja (La♭) ver #122 (Angeles, alzad).

REGENT SQUARE
878787
Si♭ (Capo 1 - La)

NUESTRO GLORIOSO FUTURO

551 Cuando anuncie el arcángel

Porque el Señor mismo...con voz de arcángel...descenderá del cielo. 1 Ts. 4: 16

1 Ts. 4: 13-18
1 Co. 15: 51-58
Lc. 21: 25-36

1. Cuando anuncie el arcángel que más tiempo no habrá
   y aclare esplendoroso el día final; Cuando todos los salvados se congreguen ante Dios, entre ellos yo también tendré lugar.

2. Resucitarán gloriosos los que han muerto en Jesús,
   las delicias del Paraíso a gozar, Y triunfantes entrarán en las mansiones de la luz; para mí, también habrá un dulce hogar.

3. Trabajemos para Cristo anunciando su amor,
   mientras dure nuestra vida terrenal, Y al fin de la jornada, con los salvos por Jesús, entraremos en la patria celestial.

CORO

Cuando allá se pase lista,
cuando allá se pase lista, cuando a-
Cuando allá se pase lista, yo estaré,
cuando allá se pase lista, yo estaré,

LETRA y MÚSICA: James M. Black, 1893, es trad.

ROLL CALL
Metro irreg.
La♭ (Capo 1 - Sol)

(A♭ / Sol) (D♭ / Do) (A♭ / Sol) (E♭7 / Re7) (A♭ / Sol)

llá se pa-se lis-ta, a mi nom-bre yo fe-liz res-pon-de-ré.

cuan-do a-llá se pa-se lis-ta,

1 Co. 15:51-58
1 Ts. 4:13-18
Ro. 8:11-23

El poder del Espíritu **552**

El Dios de paz que resucitó...a nuestro Señor...os haga aptos. Heb. 13:20-21

Con convicción

(C / Do) (G7 / Sol 7)

Si el po-der del Es-pí-ri-tu que a Cris-to le-van-tó mo-ra en

(G7 / Sol 7) (1. C / Do) (2. C / Do) (C7 / Do 7)

mí, mo-ra en mí. mí.

mo-ra en mí, mo-ra en mí. mo-ra en mí. mo-ra en mí.

(C7 / Do 7) (F / Fa) (C / Do)

Vi-vi-fi-ca-rá mi cuer-po el Es-

(G7 / Sol 7) (1. C / Do) (C7 / Do 7) (2. C / Do)

pí-ri-tu de Dios. Dios.

el Es-pí-ri-tu de Dios, de Dios. Dios.

LETRA: Basada en Romanos 8:11
MÚSICA: Compositor descon., México, s.20, arreg. F.B.J.
Arreg. © 1992 Celebremos/Libros Alianza. Se prohíbe la reproducción sin autorización.

MEX

PODER
Metro irreg.
Do

553 Muy cercano está el día

Cercano está el día de Jehová sobre todas las naciones. Abd. v. 15

1 Ts 5:1-11
2 P. 3:8-14
Mt. 24:32-44

Con ánimo

1. Muy cer-ca-no es-tá el dí-a cuan-do vol-ve-rá Je-sús,
2. Su ve-ni-da vic-to-rio-sa, li-bra-rá la hu-ma-ni-dad
3. ¡Cuan-to an-he-lan y de-se-an la ve-ni-da de Je-sús

Con la ma-jes-tad y glo-ria que le dio su Pa-dre Dios;
De Sa-tán, au-tor i-ni-cuo de su gran ca-la-mi-dad;
Los cre-yen-tes, re-di-mi-dos por la o-bra de su cruz!

De sus san-tos ro-de-a-dos en la nu-be ba-ja-rá;
Ce-sa-rán to-dos los ma-les por el rei-no de Je-sús;
"Ven y sién-ta-te con-mi-go en mi tro-no", el Rey di-rá:

Ya de Cris-to es el rei-na-do y el pe-ca-do qui-ta-rá.
¡A-le-gra-os, oh mor-ta-les! ¡Ved el triun-fo de su cruz!
"Has su-fri-do y has ven-ci-do; de mi glo-ria go-za ya".

LETRA: Autor descon., Latinoamérica, en *Himnos de la Vida Cristiana*, 1939
MÚSICA: Philip P. Bliss, 1874

CENTRAL FOUNTAIN
8 7 8 7 D/Coro
La♭(Capo 1 - Sol)

Este letra (estrofa) se puede cantar con la música de
#122 (Ángeles) y #408 (Cristo es guía).   L.A.

Ap. 22:12-17, 20-21
1 Jn. 3:1-3
1 Ts. 4:13-18
Con alegría

Cristo viene otra vez 554

He aquí que viene con las nubes, y todo ojo le verá. Ap. 1:7

LETRA: Basada en 1 Tesalonicenses 4:16-17 y 1 Juan 3:2, Kenneth R. Hanna
MÚSICA: En *The Diapason*, 1860, arreg. Gerald S. Henderson
Arreg. © 1986 Word Music. Usado con permiso.   MEX

DIAPASÓN
Canon a tres voces
Fa (Capo 1 - Mi)

555 Le Veremos

1 Jn. 3:1-3
1 Ts. 4:13-18
Ap. 1:1-8

Seremos semejantes a él, porque le veremos tal como él es. 1 Jn. 3:2

Con emoción

1. Los cie-los se a-bren con glo-ria in-de-ci-ble; los as-tros a-
2. Bri-llan-te es-plen-dor ro-dea-rá su ve-ni-da; en e-se ins-
3. Con son de trom-pe-ta y gran voz de man-do los muer-tos en

plau-den en triun-fan-te ful-gor; Des-te-llan las nu-bes luz
tan-te Cris-to nos reu-ni-rá. La gran es-pe-ran-za se-
Cris-to ya re-su-ci-ta-rán; Y los que vi-vi-mos, tam-

in-des-crip-ti-ble, y en gran ma-jes-tad des-cien-de el Se-ñor.
rá ya cum-pli-da; ve-re-mos su ros-tro y nos lle-va-rá.
bién trans-for-ma-dos, con él go-za-re-mos vi-da e-ter-nal.

CORO

¡Ven - drá Je-su-cris-to y le ve-re-mos ca-ra a ca-ra en

to-da su glo - ria! ¡Ven ca-ra a Je-sús, el Rey y Se-ñor!

LETRA y MÚSICA: Dottie Rambo, 1980, trad. S.A. Linares M. y E. Sywulka B.
© 1980 Benson. *Usado con permiso.*

WE SHALL BEHOLD HIM
Metro irreg.
Do

LA VENIDA DEL REY

Final Optativo

Jun - tos con el Se - ñor, el gran Sal - va - dor.

Ap. 1: 1-8
Ap. 5
Jn. 14: 1-10

En presencia estar de Cristo 556

Ahora vemos por espejo... mas entonces veremos cara a cara. 1 Co. 13:12

Con gozo

1. En pre-sen-cia es-tar de Cris-to, ver su ros-tro, ¡qué se-rá,
2. Só-lo tras os-cu-ro ve-lo hoy lo pue-do a-quí mi-rar,
3. ¡Cuán-to go-zo ha-brá con Cris-to cuan-do no ha-ya más do-lor,
4. Ca-ra a ca-ra, ¡cuán glo-rio-so ha de ser a-sí vi-vir!

Cuan-do al fin en ple-no go-zo mi al-ma le con-tem-pla-rá!
Mas ya pron-to vie-ne el dí-a que su glo-ria ha de mos-trar.
Cuan-do ce-sen los pe-li-gros y ya es-te-mos en su a-mor!
¡Ver el ros-tro de quien qui-so nues-tras al-mas re-di-mir!

CORO

Ca-ra a ca-ra es-pe-ro ver-le, más a-llá del cie-lo a-zul;

Ca-ra a ca-ra en ple-na glo-ria he de ver a mi Je-sús.

LETRA: Carrie E. Breck, 1898, trad. Vicente Mendoza
MÚSICA: Grant Colfax Tullar, 1898

FACE TO FACE
8 7 8 7/Coro
Sol

557 Yo sólo espero ese día

1 Ts. 4: 13-18
1 Co. 15: 51-58
2 P. 3: 8-14

Luego nosotros los que vivimos...seremos arrebatados...con ellos. 1 Ts. 4: 17

1. Yo só - lo es - pe - ro e - se dí - a cuan - do Cris - to vol - ve - rá,
2. Ya no me im - por - ta que el mun - do me des - pre - cie por do - quier;
3. En - ton - ces a - llí triun - fan - te y vic - to - rio - so es - ta - ré;

Yo só - lo es - pe - ro e - se dí - a cuan - do Cris - to rei - na - rá.
Ya no soy más de es - te mun - do, soy del rei - no ce - les - tial.
A mi Se - ñor Je - su - cris - to ca - ra a ca - ra le ve - ré.

A - fán y to - do tra - ba - jo pa - ra mí ter - mi - na - rán;
Yo só - lo es - pe - ro e - se dí - a cuan - do me le - van - ta - ré
A - llí no ha - brá más tris - te - zas, ni a - flic - cio - nes pa - ra mí;

Cuan - do Cris - to ven - ga a su rei - no me lle - va - rá.
De la tum - ba frí - a con un cuer - po ya in - mor - tal.
Con los re - di - mi - dos al Cor - de - ro a - la - ba - ré.

Ritmo optativo (Los primeros tres sistemas tienen el mismo ritmo)

Yo só - lo es - pe - ro e - se dí - a cuan - do Cris - to vol - ve - rá; (etc.)

(Ultimo sistema)

Cuan - do Cris - to ven - ga, a su rei - no me lle - va - rá.

LETRA: Autor descon., Latinoamérica, s. 20, alt.
MÚSICA: Melodía llanera (Colombia-Venezuela), arreg. J. Arturo Savage, alt.
Arreg. © 1954 Singspiration Music. Usado con permiso.

L.A.

YO SOLO ESPERO ESE DÍA
Metro irreg.
Sol

EL HOGAR CELESTIAL

Pudiera bien ser 558

1 Ts. 4: 13-18
Ap. 3: 8-13
1 Ts. 5: 1-11

Debéis vosotros andar en santa y piadosa manera de vivir. 2P. 3: 11

Con resolución

1. Pu - die - ra bien ser cuan - do el día a - ma - nez - ca y el sol o - tra
2. Tam - bién pue - de ser que, cual or - be de dí - a, fla - me - e la
3. Los san - tos del cie - lo des - cien - den y can - tan con án - ge - les
4. Del mun - do sa - lir ¡Oh qué go - zo se - rí - a! sin lá - gri - mas,

vez en el cie - lo a - pa - rez - ca   Que al mun - do ya res - plan - de -
tar - de o la no - che som - brí - a   En luz e - ter - nal, por - que al
mil que al Se - ñor a - com - pa - ñan, Pues ya con po - der, ma - jes -
muer - te, te - mor o a - go - ní - a;   A - sí pue - de ser, pues al

cien - te de glo - ria, Je - sús por los su - yos ven - drá.
mun - do con glo - ria Je - sús por los su - yos ven - drá.
tad y gran glo - ria Je - sús por los su - yos ven - drá.
mun - do con glo - ria Je - sús por los su - yos ven - drá.

CORO

¿Cuán - do, oh buen Sal - va - dor, oi - re - mos la gra - ta can - ción? "¡A - le -
lu - ya! ¡Cris - to vie - ne! ¡A - le - lu - ya! A - mén. ¡A - le - lu - ya! A - mén".

LETRA: H. L. Turner, 1877, trad. G.P. Simmonds, coro Comité de *Celebremos*
MÚSICA: James McGranahan, 1877
Trad. estr. © 1939 Cánticos Escogidos. Usado con permiso.

CHRIST RETURNETH
Metro irreg.
Si ♭ (Capo 1 - La)

559 Yo podré reconocerle

1 Co. 13:8-12
Ap. 5
Ap. 1:1-8

Yo soy...el que vivo, y estuve muerto; mas he aquí que vivo por los siglos. Ap. 1:17-18

1. Cuan-do al fin se ter-mi-ne a-quí mi vi-da te-rre-nal, y el rí-o os-cu-ro ten-ga que cru-zar, En la o-tra ri-be-ra al Sal-va-dor co-no-ce-ré; su son-ri-sa bien-ve-ni-da me da-rá.

2. ¡Oh qué go-zo se-rá vi-vir a-llí con el Se-ñor, y su ros-tro y her-mo-su-ra con-tem-plar! Con los san-tos go-zo-sos en per-fec-ta co-mu-nión le a-do-ra-ré por la e-ter-ni-dad.

3. Por los be-llos por-ta-les me con-du-ci-rá Je-sús; no ha-brá pe-ca-do, ni nin-gún do-lor; Go-za-ré con los su-yos a-la-ban-zas en-to-nar, mas pri-me-ro quie-ro ver a mi Se-ñor.

CORO

Yo po-dré re-co-no-cer-le; sus he-ri-das a-llí con-tem-pla-ré. Bien po-dré

LETRA: Fanny J. Crosby, 1897, trad. G.P. Simmonds, alt.
MÚSICA: John R. Sweney, 1897
Trad. © 1978 Casa Bautista de Publicaciones. Usado con permiso.

I SHALL KNOW HIM
14 11 14 11/Coro
Sol

re - co - no - cer - le cuan - do a Cris - to en la glo - ria le ve - ré.

Ex. 33:11-22
Sal. 31:1-5
1 P. 2:4-10

Roca de la eternidad 560

Sé tú mi roca fuerte, y fortaleza para salvarme. Sal. 31:2

Con fervor

1. Ro - ca de la e - ter - ni - dad, fuis - te a - bier - ta tú por mí;
2. Aun - que se - a siem - pre fiel, aun - que llo - re sin ce - sar,
3. Mien - tras ha - ya de vi - vir, y al ins - tan - te de ex - pi - rar,

Sé mi es - con - de - de - ro fiel; só - lo en - cuen - tro paz en ti,
Del pe - ca - do no po - dré jus - ti - fi - ca - ción lo - grar;
Cuan - do va - ya a res - pon - der en tu au - gus - to tri - bu - nal,

Ri - co, lim - pio ma - nan - tial, en el cual la - va - do fui.
Só - lo en ti te - nien - do fe, deu - da tal po - dré pa - gar.
Sé mi es - con - de - de - ro fiel, Ro - ca de la e - ter - ni - dad.

LETRA: Augustus M. Toplady, 1775, trad. T.M. Westrup
MÚSICA: Thomas M. Hastings, 1830

TOPLADY
777777
Si ♭ (Capo 1 - Re)

561 Es Señor de los cielos

Has puesto tu gloria sobre los cielos. Sal. 8:1

Sal. 8
Ap. 1:1-8
Mr. 4:35-41

1. Es Se - ñor de los cie - los, la tie - rra y el mar,
2. Es el Rey de la his - to - ria, y la cre - a - ción,

de to - do es Cre - a - dor; el Se - ñor es del tiem - po y
Rey so - be - ra - no, triun - fal; es el Rey de la glo - ria, su -

la e - ter - ni - dad y de to - do se - rá el Se - ñor.
bli - me, e - ter - nal, y el Rey de los re - yes se - rá.

Te a - do - ro y te a - la - bo mi Rey; De mi vi - da tú

e - res Se - ñor, (1) y Se - ñor de se - ño - res se - rás.
(2) y el Rey de los re - yes se - rás.

LETRA: Twila Paris, 1984, trad. Esteban Sywulka B.
MÚSICA: Twila Paris, 1984, arreg. F.B.J.
© 1984 Singspiration Music. Usado con permiso.

WE BOW DOWN
Metro irreg.
Mi ♭ (Capo 1 - Re)

Soneto al Crucificado 562

No me mueve, mi Dios, para quererte
el cielo que me tienes prometido,
ni me mueve el infierno tan temido
para dejar por eso de ofenderte.

Tú me mueves, Señor; muéveme el verte
clavado en una cruz y escarnecido;
muéveme ver tu cuerpo tan herido;
muévenme tus afrentas y tu muerte.

Muéveme, al fin, tu amor, y en tal manera,
que aunque no hubiera cielo, yo te amara,
y aunque no hubiera infierno, te temiera.

No me tienes que dar porque te quiera,
pues aunque lo que espero no esperara,
lo mismo que te quiero te quisiera.

MEX Atribuido a Miguel de Guevara, s. 17

Jn. 14:1-10
Ap. 21:1-5, 22-26
Ap. 22:1-7
Con seguridad

La nueva Jerusalén 563

Y me mostró la gran ciudad santa de Jerusalén. Ap. 21:10

1. Hay un río que fluye sin cesar en la nueva Jerusalén;
   que me habla de eterno bienestar
2. Hay un árbol de vida sin igual en la nueva Jerusalén;
   cada mes da su fruto a raudal
3. No tendremos la luna ni el sol en la nueva Jerusalén;
   mas la gloria de Dios en arrebol,
4. El Cordero un Libro tiene allí en la nueva Jerusalén;
   mi morada eterna conseguí

(1.) Celeste es el manantial,
     pristino cual el cristal   en la gran Ciudad de Dios.
(2.) Sus hojas dan sanidad,
     a pueblos Dios da bondad   en la gran Ciudad de Dios.
(3.) Dolor no habrá allá
     tampoco enfermedad   en la gran Ciudad de Dios.
(4.) Inscrito mi nombre está,
     y nadie lo borrará   en la gran Ciudad de Dios.

LETRA: Basada en Apocalipsis 21-22, Renato Tariariá, 1988, Tribu Waiwai/Brasil,
   trad. Oscar López M.
MÚSICA: Melodía waiwai, arreg. Florinda H. Hawkins
© 1992 Celebremos/Libros Alianza. Se prohíbe la reproducción sin autorización.

WAIWAI
Metro irreg.
Fa (Capo 1 - Mi)

BRA

564 Más allá del sol

La ciudad no tiene necesidad de sol ni de luna. Ap. 21: 23

Jn. 14: 1-10
2 Co. 5: 1-9
Ap. 21: 1-5, 22-26

1. Aun-que en es-ta vi-da no ten-go ri-que-zas, sé que a-llá en la glo-ria ten-go u-na man-sión; Cual al-ma per-di-da en-tre las po-bre-zas, de mí, Je-su-cris-to tu-vo com-pa-sión.

2. A-sí por el mun-do yo voy ca-mi-nan-do, de prue-bas ro-dea-do y de ten-ta-ción; Pe-ro a mi la-do vie-ne, con-so-lan-do, mi ben-di-to Cris-to en la tur-ba-ción.

3. A los pue-blos to-dos del li-na-je hu-ma-no Cris-to quie-re dar-les ple-na sal-va-ción; Tam-bién u-na ca-sa pa-ra ca-da her-ma-no fue a pre-pa-rar-les a la San-ta Sion.

CORO

Más a-llá del sol, más a-llá del sol, yo ten-go un ho-gar, ho-gar, be-llo ho-gar, más a-llá del sol.

LETRA y MÚSICA: Emiliano Ponce, 1940, arreg. Roberto C. Savage, alt.

MÁS ALLÁ DEL SOL
12 11 12 11/Coro
Mi ♭ (Capo 1 - Re)

MEX

Jn. 14: 1-10
2 P. 3: 8-14
Ap. 21: 1-5, 22-26

Bellas Mansiones 565

Voy allá a prepararles un lugar. Jn. 14: 2 (NVI)

Con entusiasmo

1. Man - sión glo - rio - sa ten - go yo en el cie - lo, do las mal -
2. En es - te mun - do pre - do - mi - na el llan - to, so - mos su -
3. A - mi - go mí - o, cuán - to an - he - lo yo ver - te li - bre de

da - des nun - ca en - tra - rán. To - da tris - te - za cam - bia - rá en con -
je - tos al do - lor fa - tal. Mas en el cie - lo ce - sa - rá el que -
pe - nas y de tur - ba - ción, A Je - su - cris - to de - bes ya en - tre -

sue - lo, y en dul - ce can - to el do - lor y a - fán.
bran - to y por los si - glos nun - ca ha - brá más mal.
gar - te; ten - drás tam - bién u - na be - lla man - sión.

CORO

Be - llas man - sio - nes hay a - llá en la glo - ria; Ten - dré en la
Sue - nan las no - tas de la gra - ta vic - to - ria; Voy pues con

1. mí - a el go - zo sin par.
2. go - zo a mi dul - ce ho - gar.

LETRA y MÚSICA: Ira F. Stanphill, 1949, trad. Francisco Liévano
© 1949, ren. 1977 Ira Stanphill, admin. Singspiration Music. Usado con permiso.

MANSIÓN
12 10 12 10/Coro
Do

566 No se turbe vuestro corazón

Lc. 24: 36-48
Jn. 14: 1-10
Sal. 42

Con confianza

No se turbe vuestro corazón; creéis en Dios, creed también en mí. Jn. 14: 1

No se tur-be vues-tro co-ra-zón, no se tur-be vues-tro co-ra-zón; En la ca-sa de mi Pa-dre mu-chas mo-ra-das hay; mu-chas mo-ra-das hay. Cre-éis en Dios, cre-ed tam-bién en mí, voy pues a pre-pa-rar lu-gar pa-ra vo-so-tros, pa-ra vo-so-tros, un lu-gar pa-ra vo-so-tros.

LETRA: Basada en Juan 14:1
MÚSICA: René Castillo, 1988, arreg. Wyatt Sutton P.

HON

SIGUATEPEQUE
Metro irreg.
Mi m

Jn. 14: 1-10
Ap. 21: 1-5, 22-26
1 Ts. 5: 1-11

En la mansión do Cristo está 567

No tiene necesidad de sol...porque el Cordero es su lumbrera. Ap. 21: 23

LETRA: E. Rodríquez, 1933, alt.
  basada en himno de Johnson Oatman, Jr., 1892
MÚSICA: Charles H. Gabriel, 1902
Esta letra se puede cantar también con la música de #407 (Me guía él).

HIGHER GROUND
8 8 8 8/Coro
Sol

William Robert Adell (1883-1975)
El joven agricultor laboraba de muy buena voluntad para sostener a su madre. Con el tiempo, llegó a ser maestro albañil y tuvo la oportunidad de servir como misionero en Guatemala junto con su señora.

Dios usó a Roberto para escribir materiales para la escuela dominical y para traducir o componer unos 200 himnos en español, entre ellos: #8 (Maravillosa Gracia) y #63 (Oh, amor de Dios).

Al final de su vida, ya ciego, ascribió el siguiente testimonio: "Considero que todo lo que he hecho es muy ordinario, excepto mi servicio para Dios. Con todo, hoy parece ser muy poco. Pero muero consciente de que 'por la gracia de Dios soy lo que soy'. En esta transición voy con gozo a su presencia, caminando con mi Salvador a la mansión de mi Padre celestial".

568 Cuando mis luchas terminen

Cuando él se manifieste, seremos semejantes a él. 1 Jn. 3:2

Ap. 21:1-7
Ap. 5
Ap. 21:1-5, 22-26

1. Cuan - do mis lu - chas ter - mi - nen a - quí y ya se - gu - ro en los cie - los es - té, Cuan - do al Se - ñor yo con - tem - ple a - llí, ¡Glo - ria por siem - pre se - rá pa - ra mí!

2. Cuan - do por gra - cia yo pue - da te - ner en sus man - sio - nes mo - ra - da de paz, Cuan - do por siem - pre su faz pue - da ver, ¡Glo - ria por siem - pre se - rá pa - ra mí!

3. Go - zo in - fi - ni - to se - rá con - tem - plar a los sal - va - dos que a - llí es - ta - rán, Mas la pre - sen - cia de Cris - to go - zar, ¡Glo - ria por siem - pre se - rá pa - ra mí!

¡E - sa se - rá glo - ria sin fin, glo - ria sin fin, glo - ria sin fin!

Cuan - do por gra - cia su

¡E - sa se - rá glo - ria sin fin, glo - ria sin fin, glo - ria sin fin!

LETRA y MÚSICA: Charles H. Gabriel, 1900, trad. Vicente Mendoza, alt.

GLORY SONG
10 10 10 10/Coro
Sol

faz pue-da ver, ¡Glo-ria *por siem-pre por mí ha de ser!

Opt. *sin fin pa-ra mí ha de ser.

Victoria sobre la muerte 569

Sabemos que si nuestra casa terrenal, esta tienda temporal, se deshace, tenemos un edificio de parte de Dios, una casa no hecha de manos, eterna en los cielos.

Así vivimos, confiando siempre y comprendiendo que durante nuestra estancia en el cuerpo peregrinamos ausentes del Señor.

Pues confiamos y consideramos mejor estar ausentes del cuerpo, y estar presentes delante del Señor.

Por lo tanto, estemos presentes o ausentes, nuestro anhelo es serle agradables.

Él transformará nuestro cuerpo de humillación para que tenga la misma forma de su cuerpo de gloria, según la operación de su poder.

Amados, ahora somos hijos de Dios, y aún no se ha manifestado lo que seremos.

Pero sabemos que cuando él sea manifestado, seremos semejantes a él, porque le veremos tal como él es.

Pero ahora, Cristo sí ha resucitado de entre los muertos, como primicias de los que durmieron.

He aquí, os digo un misterio: No todos dormiremos, pero todos seremos transformados

En un instante, en un abrir y cerrar de ojos, a la trompeta final.

Porque sonará la trompeta, y los muertos serán resucitados sin corrupción; y nosotros seremos transformados.

Porque es necesario que esto corruptible sea vestido de incorrupción, y que esto mortal sea vestido de inmortalidad.

Y cuando esto corruptible se vista de incorrupción y esto mortal se vista de inmortalidad, entonces se cumplirá la palabra que está escrita: ¡Sorbida es la muerte en victoria!

Pero gracias a Dios, quien nos da la victoria por medio de nuestro Señor Jesucristo.

2 Corintios 5:1, 6, 8-9; Filipenses 3:21a; 1 Juan 3:2; 1 Corintios 15:20, 51-54, 57 (RVA)

570 Alabanzas dad a Cristo

Sal. 16
Ap. 5
Ap. 7: 9-17

En tu presencia hay plenitud de gozo, delicias...para siempre. Sal. 16: 11

1. A - la - ban - zas dad a Cris - to, en - sal - zad al Re - den - tor;
2. La vic - to - ria es se - gu - ra a las hues - tes del Se - ñor;
3. ¡A - de - lan - te en la lu - cha, oh sol - da - dos de la fe!

Tri - bu - tad - le, san - tos to - dos, gran - de glo - ria y lo - or.
¡Oh, pe - lead con la mi - ra - da pues - ta en el Pro - tec - tor!
Por su gra - cia triun - fa - re - mos, ¡glo - ria a Cris - to, nues - tro Rey!

CORO

Cuan - do es - te mos en glo - ria, en pre - sen - cia de
Cuan - do es - te - mos *en pre -*

nues - tro Re - den - tor, A u - na voz
sen - cia de nues - tro Re - den - tor, *A u - na voz*

la his - to - ria di - re - mos del gran Ven - ce - dor.
del gran, *del gran Ven - ce - dor.*

LETRA: Eliza H. Hewitt, 1898, trad. H. C. Ball
MÚSICA: Emily D. Wilson, 1898

HEAVEN
8 7 8 7 / Coro
Si♭ (Capo 1 - La)

571 REFLEXIÓN: Mi glorioso futuro

MI GLORIOSO FUTURO

¡Oh, Cristo, Rey de reyes! Eres el Señor de la historia. Por tu Palabra entiendo que todo lo que sucede forma parte de tu plan soberano, el cual culminará en tu triunfo, para alabanza de tu gloria.

Antes sentía miedo al pensar en el futuro; pero ahora que soy tuyo, gozo de paz y seguridad. Sé que al dejar esta vida terrenal, iré a estar contigo.

Anhelo el día cuando vendrás para llevar a tu Iglesia. Resucitarás a los creyentes que murieron y transformarás a los vivos. Participaremos de tu victoria cuando regreses a la tierra para establecer tu reino de paz y justicia.

Tú, Señor, me has librado del terrible castigo del infierno y me has preparado un hogar eterno en la refulgente ciudad celestial. Esta bendita esperanza me inspira a una vida de servicio y santidad.

No logro comprender totalmente el glorioso futuro que me espera, pero sé que te veré y gozaré de tu presencia. Así como lo haré en aquel día, uno hoy mi voz al gran coro de los redimidos para celebrar tu gloria.

Secará todas las lágrimas y no habrá muerte ni llanto ni lamento ni dolor porque las primeras cosas pasaron

cuando Cristo vuestra vida se manifieste, entonces vosotros también seréis manifestados con él en su gloria.

COLOSENSES 3:4

APOCALIPSIS 21:4

NUESTRAS
Ocasiones
Especiales

572 Cristo me ama

Con sencillez   *Como el Padre me ha amado, así también yo os he amado. Jn. 15:9*

Ef. 1:3-14
Ro. 8:28-39
Jn. 15:7-11

1. Cris - to me a - ma, me a - ma a mí, su Pa - la - bra di - ce a - sí;
2. Cris - to me a - ma, él mu - rió, y la glo - ria nos a - brió;
3. Cris - to me a - ma, es ver - dad, y me cui - da en su bon - dad;

Ni - ños pue - den ir a él, quien es nues - tro a - mi - go fiel.
Mis pe - ca - dos bo - rra - rá, me da - rá la en - tra - da a - llá.
Cuan - do mue - ra, bien lo sé, que al cie - lo yo i - ré.

CORO

Sí, Cris - to me a - ma; sí, Cris - to me a - ma;

Sí, Cris - to me a - ma; la Bi - blia di - ce a - sí.

LETRA: Anna B. Warner, 1860, es trad.
MÚSICA: William B. Bradbury, 1862

CHINA
7 7 7 7/Coro
Do

William B. Bradbury (1816-1868)
Este compositor es especialmente conocido por su amor a los niños. A través de su vida se dedicó a formar coros infantiles, hasta de mil vo - ces, para alabar a Dios. Siempre muy activo, William fabricaba pianos y logró que se incluyera la música en el programa de las escuelas públicas de su ciu - dad.

Escribió 59 colecciones de cánticos, introduciendo un nuevo estilo sencillo y alegre que él había conocido en un viaje a Suiza. La música del #572 (Cristo me ama) es obra de Bradbury. Los niños en todo el mun - do lo cantan en diversos idiomas. Entre los músicos es conocido con el título "China" porque usa sólo cinco notas (la escala pentatónica), y por lo tanto el coro ha sido muy apreciado por la niñez de Asia.

Jesús me ama 573

Mr. 10:13-16
Mt. 19:13-15
Hch. 26:15-29

Tomó un niño y lo puso junto a él. Lc. 9:47 (NVI)

Con ternura

1. Je-sús me a-ma, vi-no a sal-var-me, Je-sús me a-ma, mu-rió por mí;
2. Yo e-ra pre-so del vil pe-ca-do, yo e-ra pre-so, mas me li-bró;
3. Lo que me-rez-co es el cas-ti-go, lo que me-rez-co, Je-sús pa-gó;
4. A-ho-ra en-tre-go mi vi-da y al-ma, a-ho-ra en-tre-go to-do al Se-ñor;

Por e-so can-to siem-pre, "Él me a-ma, Je-sús me a-ma, mi Sal-va-dor".

LETRA: August Rische, s. 19, trad. Roberto C. Savage
MÚSICA: Melodía turingiana, 1840
Trad. © 1953, ren. 1981 Singspiration Music. Usado con permiso.

GOTT IST DIE LIEBE
Metro irreg.
Do

Cristo me ama, esto sé 574

Mt. 19:13-15
Mr. 10:13-16
Jn. 10:11-18

Dejad a los niños venir...porque de los tales es el reino de los cielos. Mt. 19:14

Con ánimo

Cris-to me a-ma, es-to sé, y a la cruz, él mis-mo fue.

Su san-gre dio, del pe-ca-do me li-bró, su san-gre dio, del pe-

ca-do me li-bró, Y mi vi-da trans-for-mó.

LETRA: Ronald Hamilton, 1977, trad. Ruth Ann Flower
MÚSICA: Melodía alemana
Letra © 1977 Musical Ministries, admin. Majesty Music. Usado con permiso.

DER HAHN
Canon a cinco voces
Fa (Capo 1 - Mi)

575 Gozo me da la Palabra leer

Jn. 10:11-18
Sal. 119:97-105
2 Ti. 3:14-4:8

Fueron halladas tus palabras, y yo las comí; y...me fue por gozo. Jer. 15:16

Con energía

1. Go - zo me da la Pa - la - bra le - er; co - sas pre - cio - sas a - llí pue - do ver, Y so - bre to - do, que el gran Re - den - tor es de los ni - ños el tier - no Pas - tor.

2. Me a - ma Je - sús, pues por mí él mu - rió, y de su a - mor a los ni - ños ha - bló: "De - jad que ven - gan los ni - ños a mí, pa - ra sal - var - los mi san - gre ver - tí".

3. Si al - guien pre - gun - ta que có - mo lo sé; "Bus - ca a Je - sús, pe - ca - dor", le di - ré; "por su Pa - la - bra, que tie - nes a - quí, pue - des sa - ber que te a - ma a ti".

CORO

Con a - le - grí - a yo can - ta - ré Al Re - den - tor, tier - no Pas - tor, Que en el Cal - va - rio por mí mu - rió, sí, sí, por mí mu - rió.

LETRA y MÚSICA: Philip P. Bliss, 1874, es trad.

GLADNESS
10 10 10 10/Coro
Sol

Mt. 19:13-15
1 S. 3:2-10
2 Ti. 1:3-10

Dejad a los niños que vengan 576

Dejad a los niños venir a mí, y no se lo impidáis. Mr. 10:14

Con sencillez

1. "¡De - jad a los ni - ños que ven - gan!" les
2. Sus do - nes es - tán aún la - ten - tes, bo -
3. Mos - tre - mos a - ho - ra a e - llos que

di - jo el buen Sal - va - dor; Con ma - nos de su - ma ter -
to - nes que quie - ren bro - tar; Es - pe - ran la luz de no -
to - dos po - se - en va - lor; Je - sús a - fir - mó, "De los

nu - ra los ben - di - jo con a - mor.
so - tros y el a - po - yo del ho - gar.
ta - les es el rei - no del Se - ñor".

LETRA y MÚSICA: Barbara Mink, 1987
© 1987 Barbara Mink. Usado con permiso.

DEJAD A LOS NIÑOS
9 8 9 7
Mi m

Jesús bendice a los niños 577

Fue al pie de unas palmeras. Las turbas silenciosas
que no sienten fatiga, y olvidadas del pan,
escuchan de los labios de Jesús altas cosas
y ante el hondo misterio pensativas están...
Unos niños levantan sus caritas de rosas;
de los ojos divinos les atrae el imán;
acercarse quisieran, mas las manos rugosas
de los viejos apóstoles se oponen a su afán.
Y Jesús dijo entonces; —Dejadles,— y risueños
a Cristo presentaron los niños pequeños;
—Dejadles que a mí vengan e imitad su candor,
si queréis formar parte de mi reino bendito.
En seguida inclinóse hasta el más pequeñito,
y lo besó, lo mismo que se besa una flor...

Luis Felipe Contardo, s. 20, alt.

ESP

578 Acuérdate

Ec. 11:9-12:7
1 Ti. 4:11-16
2 Ti. 1:3-10

Acuérdate de tu Creador en los días de tu juventud. Ec. 12:1

A-cuér-da-te de tu Cre-a-dor en los dí-as de tu ju-ven-tud;

A-cuér-da-te de tu Cre-a-dor en los dí - as de tu ju-ven-tud.

An-tes que ven-gan los dí-as ma-los, y lle-guen los a-ños

de los cua-les di-gas: "No ten-go en e-llos con-ten-ta-

mien-to, no ten-go en e-llos con-ten-ta - mien-to".

LETRA: Basada en Eclesiastés 12:1
MÚSICA: Felipe Blycker J., 1977
© 1977 Philip W. Blycker en Cánticos nuevos de la Biblia. Usado con permiso.

GUA

ACUÉRDATE
Metro irreg.
Sol m (Capo 3 - Mi m)

Sal. 32
Sal. 1
Sal. 18:1-6, 46-50

Corazones siempre alegres

579

Te haré entender, y te enseñaré el camino en que debes andar. Sal. 32:8

Con vigor

1. Co - ra - zo - nes siem - pre a - le - gres, re - bo - san - do gra - ti - tud,
2. Dios nos guí - a de la ma - no, nos am - pa - ra su po - der;
3. Si nos vie - ra des - ma - ya - dos en nues - tra de - bi - li - dad,
4. En sus fuer - zas lle - va - re - mos aún con go - zo nues - tra cruz;

So - mos los que a Dios a - ma - mos, re - di - mi - da ju - ven-tud.
Es su bra - zo po - de - ro - so, que nos quie - re de - fen-der.
Con su gra - cia nos a - ni - ma, nos le - van - ta su bon-dad.
Lue - go con él can - ta - re - mos en la glo - ria de su luz.

CORO

Siem - pre a - le - gres va - mos to - dos, lle - nos de fe - li - ci - dad;

Her - mo - sí - si - mo el ca - mi - no ha - cia la e - ter - ni - dad.

LETRA: Johann Abraham Reitz, s. 19, trad. Conrado Ihlow [CHI]
MÚSICA: Victor Riveros S., 1973
© 1973 Casa Bautista de Publicaciones. Usado con permiso.
Esta letra se puede cantar también con la música de #424 (Dejo el mundo),
#450 (De la Iglesia) y #514 (Yo vivía).

RIVEROS
8 7 8 7 / Coro
Do m (Capo 1 - Si m)

580 Quinceañera Feliz

Sal. 90:1-6, 12-17
Ec. 12:1-2
1 Ti. 4:11-16

Con gozo

Añadid a vuestra fe virtud; a la virtud conocimiento. 2 P. 1:5

Quin-ce a - ños Dios te con - ce - de en es-te mun-do vi - vir
y guar-dar-te siem-pre quie - re, oh quin-cea-ñe-ra fe - liz;
Da-le a Cris-to la glo - ria por tu fe - liz ex - is - tir,
nun-ca des - pre - cies su gra - cia; quié-re-le siem-pre ser - vir.

CORO

Gó - za-te hoy, quin-cea-ñe - ra fe - liz;

LETRA: Autor descon., México, s.20
MÚSICA: Melodía mexicana, arreg. Gladys Platt
Arreg. © 1992 Celebremos/Libros Alianza. Se prohíbe la reproducción sin autorización.

QUINCEAÑERA
Metro irreg.
Do

MEX

Da - le al Se - ñor tu vi - da y co - ra - zón;
y vi - vi - rás ba - jo su fiel pro - tec - ción,
y en ca - da pa - so que das tú ten - drás gran ben - di - ción.

Oración de un joven 581

Lo que soy y lo que puedo
Yo lo debo a mi Señor
Y a sus pies postrado quedo,
Asombrado de su amor.

Lejos, pues de mí gloriarme,
Ni de bienes ni de talento
No me es dado el ensalzarme
Sino en el madero cruento.

 GUA

Todo es tuyo, oh Dios mío,
Nada puede en mí valer,
Dueño eres de mi albedrío,
Toma, sí, mi entero ser.

Arturo Borja A.,1966

Arcadio Hidalgo Sánchez (1918-1990)
La vida de Arcadio reflejó el gozo en el Señor a pesar de sufrir un defecto físico que le dejó con una cojera marcada. Esta condición no le impedía caminar muchos kilómetros, a veces por trochas llenas de fango, para evangelizar en apartadas regiones de Costa Rica. Cantaba y declamaba su extenso repertorio con gran gusto y amenizaba actividades sociales con juegos y chistes. También se le recuerda con aprecio por sus himnos y poesías, una de estas es el #439 (En este mundo de misterio).

582 Proclamad, juventud redimida

2 Ti. 2:15-22
1 Ti. 4:1-9
1 Ti. 4:11-16

Sigue la justicia, la fe, el amor y la paz. 2 Ti. 2:22

1. Pro-cla-mad, ju-ven-tud re-di-mi-da, el glo-rio-so e-van-
2. ¡A-de-lan-te con Cris-to, a-de-lan-te! ¡A-de-lan-te, fe-
3. ¡Ju-ven-tud fer-vo-ro-sa, a-de-lan-te! ¡A-de-lan-te con

ge-lio de a-mor, Que trans-for-ma del hom-bre la vi-da,
bril ju-ven-tud! Ca-mi-nad vic-to-rio-sa y triun-fan-te,
Cris-to Je-sús! Ca-mi-ne-mos en mar-cha triun-fan-te,

pro-ve-yén-do-le vi-da me-jor. Pro-cla-mad las ver-da-des glo-
pro-cla-man-do a los hom-bres sa-lud. Le-van-tad la ban-de-ra im-po-
dan-do al mun-do i-rre-den-to la luz, E-sa luz re-den-to-ra que a-

rio-sas, le-van-tan-do has-ta el cie-lo la voz; Pro-cla-mad las ver-
nen-te, la ban-de-ra que Dios os le-gó, En el Nor-te, en el
lum-bra, que i-rra-dia con gran ple-ni-tud, Que des-tru-ye la ho-

da-des her-mo-sas que des-cien-den del tro-no de Dios.
Sur y el O-rien-te, pues la ho-ra del triun-fo so-nó.
rren-da pe-num-bra, ¡A-de-lan-te, fe-bril ju-ven-tud!

LETRA y MÚSICA: Alfredo Colom M., 1966, ℗ arreg. Roberto C. Savage ℗
© 1966 Singspiration Music. Usado con permiso.
Esta letra se puede cantar también con la música de #544 (La venida de Cristo).

GUA ADELANTE JUVENTUD
10 9 10 9 D
Fa (Capo 1 - Mi)

Fil. 1:3-11
Col. 1:9-14
Heb. 13:17-21
Con convicción

Dios mío eres tú   583

Dios, Dios mío eres tú; de madrugada te buscaré. Sal. 63:1

Dios, Dios mí-o e-res tú; de ma-dru-ga-

da te bus-ca-ré; ré; Mi al-ma

tie-ne sed de ti, y mi car-ne te an-he-la, en tie-rra

se-ca y á-ri-da don-de a-guas no hay, no hay. hay.

LETRA: Basada en Salmo 63:1
MÚSICA: Compositor descon., Latinoamérica, s.20, arreg. F.B.J.
Arreg. © 1992 Celebremos/Libros Alianza. Se prohíbe la reproducción sin autorización.

L.A.

SALMO 63
Metro irreg.
Sol

La Juventud   584

Acuérdate de tu Creador en los días de tu juventud...
Sé ejemplo de los creyentes en palabra, conducta, amor, espíritu, fe y pureza...
Ocúpate en la lectura, la exhortación y la enseñanza.
Huye también de las pasiones juveniles, y sigue la justicia, la fe, el amor y la paz, con los que de corazón limpio invocan al Señor.

Eclesiastés 12:1a; 1 Timoteo 4:12b, 13b; 2 Timoteo 2:22 (RVR)

585 La Reina Ester

¿Y quién sabe si para esta hora has llegado al reino? Est. 4:14

Est. 4:10-16
Heb. 11:32-12:3
Est. 8:10-17

Con intensidad

1. El Rey per-sa, bus-can-do o-tra rei-na, es-co-gió a la huér-fa-na, Es-ter; Fiel ju-dí-a, don-ce-lla muy ri-sue-ña, la pri-me-ra del rei-no vi-no a ser.
2. Su buen pa-dre a-dop-ti-vo, Mar-do-que-o, con-fron-tó el com-plot del cruel A-mán, Quien o-dió con vehe-men-cia al he-bre-o; a-ca-bar con la ra-za fue su a-fán.
3. A-yu-na-ron tres dí-as los he-bre-os, fue su par-te en el a-tre-vi-do plan; Di-jo Es-ter an-te el tro-no de A-sue-ro: "Si yo mue-ro, que mue-ra; Dios sa-brá".
4. El mal-va-do A-mán fue a la hor-ca y el pue-blo ju-dí-o se sal-vó; Mar-do-que-o del rey ob-tu-vo hon-ra, y Es-ter gran e-jem-plo nos de-jó.

CORO

Del Se-ñor pue-do ver la pro-vi-den-cia, ca-da dí-a me guí-a en su a-mor; Me pre-gun-to a-ho-ra:

LETRA: Basada en Ester 1-10, Felipe Blycker J. y Rodolfo Mendieta, 1982, alt.
MÚSICA: Felipe Blycker J., 1985
© 1985 Philip W. Blycker en Cánticos nuevos de la Biblia. Usado con permiso.

GUA

ESTER
11 10 11 10/Coro
Si♭m/Si♭(Capo 1 - La m/La)

"¿Y quién sa - be si por es - to a - quí me tra - jo Dios?"

Hacedores del bien 586

Pero habla tú lo que está de acuerdo con la sana doctrina;
que los hombres mayores sean sobrios, serios y prudentes,
sanos en la fe, en el amor y en la perseverancia.

**Asimismo, que las mujeres mayores sean reveren-
tes en conducta, no calumniadoras ni esclavas del
mucho vino, maestras de lo bueno,**

De manera que encaminen en la prudencia a las mujeres
jóvenes: a que amen a sus maridos y a sus hijos,

Para que la palabra de Dios no sea desacreditada.

Exhorta asimismo a los jóvenes a que sean prudentes,
mostrándote en todo como ejemplo de buenas obras.

**No os engañéis; Dios no puede ser burlado. Todo
lo que el hombre siembre, eso mismo cosechará.**

No nos cansemos, pues, de hacer el bien; porque a su
tiempo cosecharemos, si no desmayamos.

**Por lo tanto, mientras tengamos oportunidad,
hagamos el bien a todos, y en especial a los de la
familia de la fe.**

Tito 2:1-4,5b-7a; Gálatas 6:7,9,10 (RVA)

Isabel G. V. de Rodríguez (1894-1975)
Una gran educadora y oradora de Monte-
video, Isabel González Vásquez de Rodríguez sirvió
fielmente al Señor al lado de su esposo, el pastor
Gabino Rodríguez. Ellos trabajaron en Uruguay y
Argentina, donde Isabel ayudó a establecer

sociedades femeninas en las iglesias. Enfocó su vida
en la lucha contra el alcoholismo y demás vicios.
También se esforzó por la educación en el hogar.
Escribió algunos libros y varios himnos, entre ellos:
el #623 (Este templo) y #594 (Oración de Matri-
monio).

587 Henos en tus huestes, Señor

2 R. 6: 11-17
Jos. 5: 13-15
Sal. 55: 1-11, 16-18

El SEÑOR tu Dios está en medio de ti, guerrero victorioso. Sof. 3: 17 (BLA)

Con ánimo

1. ¿Quién es-tá en las hues-tes del buen Sal-va-dor, pron-to a de-di-car-se fiel a su Se-ñor? ¿Quién a-ban-do-nan-do su fa-laz vi-vir quie-re a-cá ser-vir y aun con él su-frir?

2. No am-bi-cio-na-mos glo-ria ni po-der, mas que-re-mos ya tu vo-lun-tad ha-cer; Quien tu per-du-ra-ble gra-cia lle-ga a ver, vé-se cons-tre-ñi-do de tu par-te a ser.

3. No con o-ro o pla-ta, oh Je-sús, Se-ñor; tú nos re-di-mis-te con di-vi-no a-mor; Con tu pro-pia san-gre, ¡san-ta li-ba-ción! fue que tú e-fec-tuas-te nues-tra re-den-ción.

↑[16] 4. La ba-ta-lla du-ra siem-pre ha-brá de ser; e-ne-mi-gos fuer-tes he-mos de te-ner, Mas om-ni-po-ten-te es nues-tro Ca-pi-tán; ha ven-ci-do ya las fuer-zas de Sa-tán.

CORO

Por tu ri-ca gra-cia, por tu gran a-
Por tu ri-ca gra-cia, por tu

LETRA: Frances R. Havergal, 1877, ◉ es trad. en *Alabanza Cristiana*, 1969
MÚSICA: Caradog Roberts, 1921
Esta letra se puede cantar también con la música de #43 (Nuestra fortaleza).

RACHIE
11 11 11 11/Coro
Sol

Gn. 50:15-21
Gn. 39:1-6a
Stg. 1:2-12

El varón próspero 588

Mas el Señor estaba con José, y fue varón próspero. Gn. 39:2

Con vigor

1. Mas Je - ho - vá es - ta - ba con Jo - sé, mas Je - ho -
2. Su ben - di - ción es - ta - ba con Jo - sé, su ben - di -
3. No pe - ca - rí - a con - tra Dios, Jo - sé, no pe - ca -
4. Mas Je - ho - vá es - ta - ba con Jo - sé, su ben - di -

vá es - ta - ba con Jo - sé, mas Je - ho - vá es -
ción es - ta - ba con Jo - sé, su ben - di - ción es -
rí - a con - tra Dios, Jo - sé, no pe - ca - rí - a
ción es - ta - ba con Jo - sé, no pe - ca - rí - a

ta - ba con Jo - sé, y fue va - rón prós - pe - ro.
ta - ba con Jo - sé, y fue va - rón prós - pe - ro.
con - tra Dios, Jo - sé, y fue va - rón prós - pe - ro.
con - tra Dios, Jo - sé, y fue va - rón prós - pe - ro.

LETRA: Basada en Génesis 39:2, 5, 9
MÚSICA: Felipe Blycker J., 1980

GUA

JOSÉ
10 10 10 7
Fa (Capo 1 - Mi)

© 1985 Philip W. Blycker en Cánticos nuevos de la Biblia. Usado con permiso.

589 Dicha grande es la del hombre

Sal. 1
Sal. 17:1-8
Sal. 119:43-56

Bienaventurado el varón que no anduvo en consejo de malos. Sal. 1:1

Con ánimo

1. Di-cha gran-de es la del hom-bre cu-yas sen-das rec-tas son;
2. An-tes, en la ley di - vi - na ci-fra su ma-yor pla-cer,
3. Él pros-pe-ra en lo que em-pren-de y le sa-le to-do bien;

No an-da con los pe-ca-do-res, en ac-tuar de per-ver-sión.
Me-di-tan-do no-che y dí-a en su di-vi-nal sa-ber;
Mas fu-nes-tos re-sul-ta-dos los im-pí-os siem-pre ven;

A los ma-los con-se-je-ros de-ja, por-que te-me el mal;
Es-te, co-mo el ár-bol ver-de, bien re-ga-do y en sa-zón,
Por-que Dios la sen-da mi-ra por la cual los su-yos van;

Hu-ye de la bur-la-do-ra gen-te im-pí-a e in-mo-ral.
Fru-tos a-bun-dan-tes rin-de y ho-jas que pe-ren-nes son.
O-tra es la de los im-pí-os: al in-fier-no ba-ja-rán.

LETRA: Basada en el Salmo 1, Tomás M. Westrup, 1881 🎵
MÚSICA: John Zundel, 1870

MEX

Esta letra se puede cantar también con la música de #122 (Ángeles),
#172 (Gracias dad) y #408 (Cristo es).
Para una tonalidad más alta (Si♭) ver #477 (Mensajeros).

BEECHER
8 7 8 7 D
La♭ (Capo 1 - Sol)

Pr. 31:10-31
1 P. 3:1-6
Ef. 5:21-31

Con resolución

Las mujeres cristianas 590

Alábenla en las puertas sus hechos. Pr. 31:31

1. Las mu-je-res cris-tia-nas tra-ba-jan con a-mor, con pa-
2. Con te-so-ros de a-mor en el al-ma, con po-ten-cia in-can-
3. Ex-ten-di-dos los bra-zos for-me-mos, de cons-tan-cia y va-

cien-cia y con fe; Me-jo-rar el ho-gar só-lo bus-can, im-plo-
sa-ble en el bien, Ha-lle gra-cia di-vi-na y sea sa-bia ca-da
lor, no-ble u-nión; Tra-ba-jan-do y can-tan-do e-le-ve-mos nues-tro

ran-do de Dios el po-der. Nues-tra fe triun-fa-
ma-dre al cum-plir su de-ber. Nues-tra fe
ser, el ho-gar, la na-ción.

CORO
Nues-tra fe

rá, *triun-fa-rá,* ex-pre-sa-da en tra-ba-jo te-naz; El a-mor *El a-mor*

u-ni-rá *u-ni-rá* nues-tras al-mas en gra-to so-laz.

LETRA: Autor descon., trad. Berta Westrup de Velasco, 1918
MÚSICA: George C. Stebbins, 1878
Para una tonalidad más alta (Si ♭) ver #282 (Sembraré).

WHAT MUST IT BE
10 9 10 9/Coro
La ♭ (Capo 1 - Sol)

591 Rut la moabita

Tu pueblo será mi pueblo, y tu Dios mi Dios. Rt. 1:16

2 Ti. 1:3-10
Pr. 31:10-31
1 P. 3:1-6

Con júbilo

1. Na-ció en-tre í-do-los Rut en Mo-ab, mas con un he-bre-o, fe-
2. Mu-rió su es-po-so y cu-ña-do tam-bién, las viu-das su-frie-ron gran
3. "Tu pue-blo", Rut di-jo, "mi pue-blo se-rá; a don-de tú fue-res con-
4. La jo-ven hu-mil-de a Bo-oz a-cu-dió, y co-mo pa-rien-te él

liz se ca-só; Su sue-gra Noe-mí le brin-dó a-mis-tad;
ad-ver-si-dad; Noe-mí, pues, dis-pu-so vol-ver a Be-lén,
ti-go i-ré; Tu Dios se-gui-ré y me am-pa-ra-rá;
la re-di-mió; La hi-zo su es-po-sa, a-mor le brin-dó,

por e-lla, del Dios ver-da-de-ro a-pren-dió.
y Rut de-mos-tró su a-mor y leal-tad.
no más a los í-do-los a-do-ra-ré".
y de la pa-re-ja Da-vid des-cen-dió.

CORO

Dios nues-tro Pa-dre, te loa-mos por tu a-mor; Dios po-de-ro-so, pe-di-mos pro-tec-ción; Dios so-be-

LETRA: Basada en Rut 1-4, Felipe Blycker J. y Rodolfo Mendieta, 1982, alt.
MÚSICA: Felipe Blycker J., 1985
© 1985 Philip W. Blycker en *Cánticos nuevos de la Biblia, Usado con permiso.*
Esta letra (estrofa) se puede cantar también con la música de #152 (Jesús es la
Roca) y #271 (Los cielos).

GUA

RUT
11 11 11 11/Coro
Fa m/Fa (Capo 1 - Mi m/Mi)

ra-no, di - rí-ge-nos, Se - ñor, has-ta lle-gar a tu ce-les-tial man-sión.

Ef. 5:21-31
1 Jn. 4:10-19
1 Co. 13
Con dulzura

Perfecto Amor 592

Por esto dejará...a su padre y madre, y se unirá a su mujer. Ef. 5:31

1. Per - fec-to a - mor, que al hom-bre es trans-cen - den - te, con - ce - de a
2. Vi - da per - fec - ta, que de tu a-bun-dan-cia de - mues-tren
3. Con - cé - de - les tu go - zo en la tris - te - za, y en el a -

és - tos, Dios, tu ben - di - ción, Que su a - mor per - du - re e - ter - na -
ca - ri - dad y gran va - lor, Dul - ce es - pe - ran - za, fe y per - se - ve -
fán tu gra - cia e - fi - caz; Cuan - do se a - ba - ten, da - les tu pro -

men - te, no dos, si no u - no en per - fec - ta u - nión.
ran - cia; que en tiem - po ad - ver - so vi - van sin te - mor.
me - sa de a - quel ce - les - te ho - gar de a - mor y paz.

LETRA: Dorothy B. de Gurney, 1883, trad. G.P. Simmonds
MÚSICA: Joseph Barnby, 1889
Trad. © 1962 Cánticos Escogidos. Usado con permiso.

O PERFECT LOVE
11 10 11 10
Mi ♭ (Capo 1 - Re)

#/b

593 Dios bendiga las almas unidas

Gn. 2:18-24
Ef. 5:21-31
1 Cor. 13

Y dijo...Dios: No es bueno que el hombre esté sólo, le haré ayuda idónea. Gn. 2:18

Con alegría

1. Dios ben - di - ga las al - mas u - ni - das por los la - zos de a-
2. Que el Se - ñor, con su dul - ce pre - sen - cia, ca - ri - ño - so es - tas
3. Que los dos que a - quí se a - prox - i - ma a ju - rar - se su

mor sa - cro - san - to, Y las guar - de de to - do que - bran-
bo - das pre - si - da, Y con - duz - ca por sen - das de vi-
fe mu - tua - men - te, Bus - quen siem - pre en Cris - to la fuen-

to en un mun - do de es - pi - nas y e - rror. Que el ho - gar que a for-
da a los que hoy se pro - me - ten leal - tad. Les re - cuer - de que
te de a - mor y de di - cha in - mor - tal. Y si a - ca - so de

mar - se co - mien - za con la u - nión de es - tos dos co - ra - zo - nes, Go - ce
na - da en el mun - do es e - ter - no, que to - do ter - mi - na, Y por
due - lo y tris - te - za se em - pa - ña - se su sen - da un dí - a, En Je-

siem - pre de mil ben - di - cio - nes al am - pa - ro del Dios de Is - ra - el.
tan - to, con gra - cia di - vi - na, ci - frar de - ben la di - cha en su Dios.
sús ha - lla - rán dul - ce guí - a que con - sue - lo y paz les da - rá.

LETRA: Daniel Hall, 1914, alt.
MÚSICA: En *Colección española*, s. 19
Para una tonalidad más alta (Mi♭) ver #503 (Despertad)

ARG

PUEBLA
10 10 10 9 D
Re

1 Jn. 4:10-19
Gn. 2:18-24
Ef. 5:21-31

Oración de matrimonio 594

Si Dios nos ha amado así, debemos también amarnos unos a otros. 1 Jn. 4:11

1. Pa - dre e - ter - no, hoy hu - mil - de - men - te te di - ri -
2. Tú, de la vi - da ins - pi - ra - dor su - pre - mo, se - lla es - te
3. An - te las prue - bas da - les va - len - tí - a, y a - que - lla
4. Pa - dre, que en es - te ho - gar que hoy se for - ma, ar - da i - ne -

gi - mos nues - tra o - ra - ción; Tú que tras - cien - des al en - ten - di -
pac - to con tu san - to a - mor; Y en tus pro - me - sas y en tu com - pa -
fe que ven - ce al ven - da - val; Se - a la luz de ca - da nue - vo
fa - ble el fue - go de tu a - mor; Es - ta u - nión, por ti san - ti - fi -

mien - to, u - ne a es - tas al - mas en tu ben - di - ción.
ñí - a vi - van tus hi - jos sin nin - gún te - mor.
dí - a au - ro - ra ple - na de fe - li - ci - dad.
ca - da, fiel se con - sa - gre siem - pre a ti, Se - ñor. A - mén

LETRA: Isabel G.V. de Rodríguez, 1959, alt. ⦿ URU
MÚSICA: Modesto González
Esta letra se puede cantar también con la música de #592 (Perfecto amor) y
#598 (Cuando las bases) usando el coro original de este.

GONZÁLEZ
11 10 11 10
Si ♭ (Capo 1 - La)

La familia bíblica 595

Esposas, estad sujetas a vuestros esposos, como conviene
en el Señor.

**Esposos, amad a vuestras esposas y no os amar-
guéis contra ellas.**

Hijos, obedeced a vuestros padres en todo, porque esto es
agradable en el Señor.

**Padres, no irritéis a vuestros hijos, para que no se
desanimen.**

Colosenses 3:18-21 (RVA)

596 La familia cristiana

Bendígate Jehová...y veas a los hijos de tus hijos. Sal. 128:5-6

Gn. 2:18-24
Ef. 5:21-6:4
2 Ti. 1:3-10

1. Dios or-de-nó la fa-mi-lia, ben-di-jo a los
2. A vues-tros pro-pios es-po-sos, ca-sa-das, es-
3. A-mad a vues-tras es-po-sas, ma-ri-dos, a-
4. O-be-de-ced a los pa-dres, hi-ji-tos, pues
5. Pa-dres, cri-ad a los hi-jos con cal-ma y

pa-dres e hi-jos, Y en su om-nis-cien-cia di-
tad, pues, su-je-tas, Co-mo si fue-se a
mad sin me-di-da, Cual Cris-to a-mó a la I-
e-sos es jus-to; Man-da-to es con pro-
sin pro-vo-car-los, En dis-ci-pli-na cris-

vi-na les dio le-yes pa-ra gui-ar-los.
Cris-to, su-mi-sas y muy res-pe-tuo-sas.
gle-sia, por e-lla en-tre-gan-do su vi-da.
me-sa, ha-ced-lo al Pa-dre con gus-to.
tia-na, con-fian-do que Dios va a cui-dar-los.

CORO

Su-je-ta-os u-nos a o-tros en fra-ter-no y san-to a-mor,

LETRA: Basada en Efesios 5:21-6:4, Felipe Blycker J., 1980
MÚSICA: Felipe Blycker J., 1980
© 1980 Philip W. Blycker en *Cánticos nuevos de la Biblia. Usado con permiso.*

GUA

SETECA
Metro irreg.
Fa m/La♭ (Capo 1 - Mi m/Sol)

Un feliz hogar **597**

Ef. 5:21- 6:4
Heb. 13:1- 8
Gn. 2:18-24

Yo sé que mandará a sus hijos...que guarden el camino de Jehová. Gn. 18:19

Con alegría

1. Gran fe - li - ci - dad se go - za en el ho - gar don - de el a -
Por - que Cris - to tie - ne el pri - mer lu - gar don - de ca - da
2. Pa - dres, a sus hi - jos de - ben e - du - car, ex - pli - can - do
En la co - rrec - ción no de - ben pro - vo - car i - ra en los
3. Hi - jos, a sus pa - dres de - ben res - pe - tar, siem - pre o - be -
El vi - vir a - sí pro - du - ce bien-es - tar, lar - gos dí - as

mor es dul - ce cual la miel;
fa - mi - liar le si - gue fiel.
los pre - cep - tos del Se - ñor;
hi - jos, si - no el a - mor.
dien - tes y con gra - ti - tud;
de a - le - grí - a y sa - lud.

CORO

Da - nos un fe -
Cris - to, rei - na en

liz ho - gar, lle - no de tu san - to a - mor.
nues - tro ho - gar, y en mi co - ra - zón, Se - ñor.

LETRA: Oscar López M. y Lynn Anderson, 1992
MÚSICA: Melodía argentina, arreg. Alvin Schutmaat, 1984
Letra © 1992 Celebremos/Libros Alianza. Se prohibe la reproducción sin autorización.

L.A.

ARGENTINA
11 11 11 11/Coro
Sol

598 Cuando las bases

Pero yo y mi casa serviremos al Señor. Jos. 24:15

Heb. 13:1-8
Job 1:1-5
Jos. 24:14-22

Con firmeza

1. Cuan-do las ba-ses de es-te mun-do tiem-blan y el mal co-rrom-pe
2. Haz que los la-zos que en a-mor es-tre-cha la rec-ta y san-ta
3. Los pa-dres crí-en con te-mor sus hi-jos, sin i-rri-tar-los,
4. Que ni el di-ne-ro ni el pla-cer se tor-nen en fal-sa me-ta

nues-tra so-cie-dad, Nues-tras ple-ga-rias ha-cia ti se e-le-van
vi-da con-yu-gal, Sua-ves y tier-nos, pe-ro fir-mes se-an;
en a-mor y fe; Se-an los hi-jos siem-pre a-gra-de-ci-dos;
del mo-der-no ho-gar; Bus-que ser-vir-te yo-fre-cer sus do-nes

CORO

por la fa-mi-lia, por la hu-ma-ni-dad.
na-da los pue-da nun-ca que-bran-tar.
nun-ca se a-par-ten de tu san-ta ley. Nues-tros ho-ga-res

guar-da, Se-ñor; Haz que pro-cla-men tu ver-dad y tu a-mor.

LETRA: Estr. #1-4 Federico J. Pagura, 1957, coro Pablo Sywulka B., 1990
MÚSICA: James Walch, 1875
Letra © 1962 Ediciones La Aurora. Usado con permiso.
Esta letra (estrofa) se puede cantar con la música de #592 (Perfecto amor).
Para una tonalidad más alta (Si ♭) ver #480 (A prisa, Iglesia).

ARG

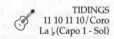

TIDINGS
11 10 11 10/Coro
La ♭ (Capo 1 - Sol)

Danos un bello hogar 599

2 Ti. 1:3-10
Ef. 5:21-6:4
1 Ti. 4:16-5:4
Con emoción

Trayendo a la memoria la fe no fingida...la cual habitó...en tu madre. 2 Ti. 1:5

1. Da - nos un be - llo ho - gar: don - de la Bi - blia nos
2. Da - nos un be - llo ho - gar: don - de el pa - dre es
3. Da - nos un be - llo ho - gar: don - de la ma - dre con
4. Da - nos un be - llo ho - gar: don - de los hi - jos con

guí - e fiel, Don - de tu a - mor bien - es - tar nos dé,
fuer - te y fiel, Y su e - jem - plo se pue - da ver,
de - vo - ción Se - pa mos - trar - nos tu com - pa - sión,
de - ci - sión Si - gan a Cris - to de co - ra - zón,

don - de en ti to - dos ten - gan fe.
don - de tu a - mor rei - ne en nues - tro ser. ¡Da - nos un
do to - dos vi - van en co - mu - nión.
do se res - pi - re tu ben - di - ción.

be - llo ho - gar! ¡Da - nos un be - llo ho - gar! A - mén.

LETRA y MÚSICA: B. B. McKinney, 1949, trad. Guillermo Blair, alt.
Trad. © 1978 Broadman Press. Usado con permiso.

CHRISTIAN HOME
Metro irreg.
Mi♭ (Capo 1 - Re)

600 Dios el Creador y Dueño

Sal. 46
Sal. 48:1-3, 9-14
Ef. 5:21-6:4

Con amplitud

Ahora pues, Jehová, tú eres nuestro padre. Is. 64:8

1. Dios, el Cre-a-dor y Due-ño de cuan-to en el mun-do es-tá
2. La fa-mi-lia ha for-ma-do pa-ra nues-tro go-zo y bien;
3. Dios, con-ce-de en tu gra-cia que los pa-dres hoy a-quí

Nos ha hon-ra-do al lla-mar-se nues-tro Pa-dre Ce-les-tial.
Pa-dre hu-ma-no le ha da-do co-mo lí-der y sos-tén.
Cum-plan con tus en-se-ñan-zas, i-mi-tán-do-te a ti.

Tier-na-men-te él nos guí-a; su-ple en ne-ce-si-dad;
A los pa-dres hoy hon-ra-mos, son de Dios pre-cio-so don;
Da-les gran sa-bi-du-rí-a, da-les fuer-zas y a-mor;

Fiel es en la dis-ci-pli-na, ge-ne-ro-so en su bon-dad.
Con a-mor a-gra-dez-ca-mos lo que ha-cen, lo que son.
Que e-jem-plo y guí-a se-an; oh, ben-dí-ce-les, Se-ñor. A-mén.

LETRA: Esteban Sywulka B., 1990
MÚSICA: Melodía croata, arreg. Franz Joseph Haydn, 1797
Letra © 1992 Celebremos/Libros Alianza. Se prohibe la reproducción sin autorización.
Esta letra se puede cantar también con la música de #154 (Cristo cual pastor) y #408 (Cristo es).
Para una tonalidad más alta (Mi♭) ver #450 (De la Iglesia).

GUA

AUSTRIA
8787D
Re

Lc. 2: 46-52
Jn. 11: 25-36
2 Ti. 1: 3-10

Familia Feliz 601

Y Jesús crecía en sabiduría y en estatura, y en gracia. Lc. 2: 52

LETRA y MÚSICA: Rafael Enrique Urdaneta, 1986, arreg. Mildred y Manolo Padilla
© 1986 *Casa Bautista de Publicaciones. Usado con permiso.* VEN

FAMILIA FELIZ
Metro irreg.
Si ♭ (Capo 1 - La)

El primer matrimonio 602

Dar quiso Dios al hombre compañía
Igual en dignidad y hermosura,
Y para componer tan gran figura,
Sueño y saber a un tiempo le infundía:

De su costilla la mujer hacía
Sabia, linda y honesta criatura;
Y el hombre arrebatado en su dulzura,
"Mi carne eres y hueso", le decía.

Luis de Ribera, s. 16

ESP

603 Honor a las madres

Pr. 31:10-31
1 P. 3:1-6
Ef. 5:21-31

La mujer que teme a Jehová, ésa será alabada. Pr. 31:30

Con solemnidad

1. An - te tu pre - sen - cia, Dios, re - u - ni - dos, a u - na voz,
2. Con pro - fun - da gra - ti - tud por su leal so - li - ci - tud,
3. O - ye, pues, la pe - ti - ción de es - ta fiel con - gre - ga - ción;

Hoy ren - di - mos to - do ho - nor a las ma - dres, oh Se - ñor,
Su cons - tan - te y fiel la - bor, te a - la - ba - mos, Sal - va - dor;
Te ro - ga - mos con fer - vor por las ma - dres, Dios de a - mor;

Por su a - mor y com - pren - sión, y su tier - na com - pa - sión.
Son in - men - sa ben - di - ción al ho - gar y la na - ción.
Que con tu di - vi - no bien co - ro - na - das hoy es - tén.

LETRA: Estr. #1-2 Esteban Sywulka B., 1992, #3 George P. Simmonds, 1964 ◉
MÚSICA: Melodía española, atrib. a Henry R. Bishop, arreg. Benjamin Carr, 1824
Letra #1-2 © 1992 Celebremos/Libros Alianza. Letra #3 © 1964 Cánticos Escogidos.
  Usado con permiso.
Para una tonalidad más alta (La♭) ver #229 (Hoy en gloria).

ESP MADRID
777777
Sol

604 Honor a los padres

1. Ante nuestro Padre Dios
   le alabamos con la voz
   Por su Hijo único
   quien al mundo él mandó;
   Hoy brindamos todo honor
   a los padres con amor.

2. Dios al padre Adán creó
   y la vida en él sopló;
   A su imagen lo formó
   y su comunión buscó;
   Hoy brindamos todo honor
   a los padres con amor.

© 1992 Celebremos/Libros Alianza. Esta letra se puede cantar con la música del #603 (Honor a las madres).

3. Del hogar, cabeza es él,
a su esposa siempre es fiel;
Por su ejemplo y dirección,
por su amor y provisión,
Hoy brindamos todo honor
a los padres con amor.

4. Sabio líder familiar,
digno y fuerte para guiar;
Loor al Padre celestial
por el padre terrenal;
Hoy brindamos todo honor
a los padres con amor.

GUA Felipe Blycker J. y Pablo Sywulka B., 1989.

Pr. 31:10-31
1 P. 3:1-6
Pr. 12:1-4

Bienaventurada 605

Se levantan sus hijos y la llaman bienaventurada. Pr. 31:28

*Después de la primera estrofa se puede leer Proverbios 31:10-16
*Después de la segunda estrofa se puede leer Proverbios 31:17-24
*Después de la tercera estrofa se puede leer Proverbios 31:25-31

LETRA: Basada en Proverbios 31:10-31, Elizabeth de Gravelles, 1986,
trad. Sonia Andrea Linares M.
MÚSICA: Joseph Barlowe, 1986
© 1986 Word Music. Usado con permiso.

IRENE
13 12 13 12
Do

606 Tú honraste a las madres

Su estima sobrepasa largamente a la de las piedras preciosas. Pr. 31:10

Pr. 31:10-31
1 P. 3:1-6
Ef. 5:21-31

1. Tú hon - ras - te a las ma - dres, oh ben - di - to Sal - va - dor,
   Al na - cer en es - te mun - do co - mo hi - jo de mu - jer;
   Haz, Se - ñor, que ca - da ma - dre cum - pla siem - pre su de - ber,
   Que te hon - re en to - do tiem - po y te sir - va con a - mor.

2. Tú, Se - ñor, que dis - fru - tas - te del cui - da - do ma - ter - nal,
   Hoy ben - di - ce a las ma - dres, te ve - ni - mos a pe - dir;
   Que en - se - ñen a sus hi - jos tus ca - mi - nos a se - guir;
   Cól - ma - les de paz y go - zo con tu ma - no di - vi - nal.

3. Tú, Je - sús, que el tra - ba - jo con Jo - sé lo hi - cis - te bien,
   Haz que fie - les te si - ga - mos con pa - cien - cia y hu - mil - dad;
   Que la vi - da ho - ga - re - ña mues - tre siem - pre tu bon - dad;
   Que las ma - dres sean e - jem - plo de cons - tan - cia y fe tam - bién.

4. Tú, oh Cris - to, que bus - cas - te a las al - mas con a - mor,
   Tú, que a to - dos a - tra - jis - te con ter - nu - ra y com - pa - sión,
   Haz que se - a nues - tra vi - da un ca - nal de ben - di - ción;
   Que las ma - dres trai - gan glo - ria a tu nom - bre, oh Se - ñor.

LETRA: Pablo Sywulka B., 1990
MÚSICA: Ludwig van Beethoven, 1824, arreg. Edward Hodges, 1864
Letra © 1992 Celebremos/Libros Alianza. Se prohíbe la reproducción sin autorización.
Esta letra se puede cantar también con la música de #172 (Gracias dad), #329 (Fuente de)
y #482 (Oh qué amigo).
Para una tonalidad más alta (Sol) ver #108 (Jubiloso).

GUA

HYMN TO JOY
8787D
Fa (Capo 1-Mi)

A mi madre 607

1 Ti. 5: 1-4
2 T. 4: 1-5
Stg. 3: 13-18

Muchas mujeres hicieron el bien; mas tú sobrepasas a todas. Pr. 31: 29

Con ternura
DUO

1. A mi ma - dre tan que - ri - da yo ja - más po - dré ol - vi - dar
2. La ben - di - ta ma - dre mí - a en la in - fan - cia me ins - tru - yó;
3. Su mi - ra - da de ter - nu - ra, be - llo ob - se - quio del Se - ñor,

Mien - tras du - re a - quí mi vi - da, mien - tras mi al - ma pue - da a - mar.
E - lla fue luz y a - le - grí - a que mis pe - nas mi - ti - gó.
Su ca - ri - ño y dul - zu - ra, los re - cuer - do con a - mor.

CORO

A mi ma - dre tan que - ri - da, la hon - ra - ré to - da la vi - da;

Su bon - dad fue sin me - di - da; gra - cias, Dios, por su a - mor.

LETRA: Cristóbal E. Morales, en *Lluvias de Bendición*, 1947, alt.
MÚSICA: Richard Hainsworth, 1919

MEX

HAINSWORTH
8 7 8 7 / Coro
Mi♭ (Capo 1 - Re)

Del santo amor de Cristo (Vea #349)

El hijo de la señora Lelia N. de Morris se preocupó al darse cuenta de que su madre se estaba quedando ciega. Mientras atendía su hogar, ella siempre tenía papel y lápiz en la cocina para anotar las palabras de nuevos himnos. Como la vista ya le fallaba, su hijo le construyó un pizarrón de 9 metros de largo en el cual ella podía trazar notas y letras muy grandes.

En 1914 Lelia quedó completamente ciega, pero esa difícil circunstancia no le apagó su gozo en el Señor, ni su deseo de servirle. Siguió colaborando en la obra de su iglesia y fue una esposa y madre ejemplar.

Le gustaba hablar acerca del santo amor de Cristo, y esto llegó a ser el título de uno de sus himnos más apreciados (vea #349). El coro dice, "Rico e inefable, nada es comparable al amor de mi Jesús". Aún cuando empezó a escribir hasta los treinta años de edad, nos dejó más de mil himnos que nos animan a seguir a Cristo con valor, sin desmayar en medio de los conflictos y contratiempos. Vea el himno #532 (A Combatir).

608 Un año más

Sal. 90: 1-6, 12-17
Lc. 10:25-37
Heb. 13:13-16, 20-21

Con energía   *Tú coronas el año con tus bienes. Sal. 65:11*

1. ¡Un a - ño más nos da el Sal - va - dor, un a - ño más de gra - cia y a - mor,
2. Un a - ño más; yo quie - ro ser fiel, y dar mi vi - da só - lo por él.
3. Un a - ño más, ¡qué di - cha se - rá! tal vez muy pron - to Cris - to ven - drá.

Pa - ra ser - vir - le de co - ra - zón,
¡Qué pri - vi - le - gio es vi - vir a - sí, pa - ra ser - vir a Cris - to!
¡Qué po - co tiem - po nos que - da ya

CORO

Quie - ro ser - vir a mi Je - sús, quie - ro es - par - cir do - quier su luz;

Quie - ro a - nun - ciar su a - mor y su cruz. ¡Quie - ro ser - vir a Cris - to!

LETRA: Raúl Echeverría M., 1946
MÚSICA: James M. Black, 1900
Letra © 1991 Celebremos/Libros Alianza. Se prohíbe la reproducción sin autorización.

GUA

WILLIAMSPORT
Metro irreg.
La ♭ (Capo 1 - Sol)

Raúl Echeverría M. (1905-1981)
El pastor y educador guatemalteco Raúl Echeverría se gozaba al ver el adelanto de su nueva iglesia. Dios les había permitido muchos triunfos, incluyendo el haber ganado un concurso internacional de asistencia a la escuela dominical. A fin de expresar su gratitud al Señor, Raúl compuso varios poemas e himnos para usarse en las ocasiones especiales de su iglesia, entre ellos: #608 (Un año más) y #449 (Mi iglesia querida). Su pluma ágil también produjo numerosos tratados y varios libros.

Dad a Dios inmortal alabanza

Dad a Dios inmortal alabanza,
su merced, su verdad nos inunda;
es su gracia en prodigios fecunda,
sus mercedes, humildes, cantad.
¡Al Señor de señores dad gloria,
Rey de reyes, poder sin segundo!
Morirán los señores del mundo,
mas su reino no acaba jamás.

Vio los pueblos en vicios sumidos
y sintió compasión en su seno;
de prodigios de gracia está lleno,
sus mercedes, humildes, cantad.
A su pueblo llevó por la mano,
a la tierra por él prometida;
por los siglos sin fin le da vida
y el pecado y la muerte caerán.

A su Hijo envió por salvarnos
del pecado y la muerte eterna;
de prodigios de gracia es torrente,
sus mercedes, humildes, cantad.
Por el mundo su mano nos lleva
y al celeste descanso nos guía;
su bondad vivirá eterno día,
cuando el mundo no exista ya más.

José Joaquín de Mora

Tú colmas el año de bendiciones

Salmo 65:11

Den gracias al Señor Todopoderoso
porque el Señor es bueno

PORQUE SU AMOR ES PARA SIEMPRE

Jeremías 33:11

José J. de Mora, 1874 [ESP] Esta letra se puede cantar con
la música de # 503 (Despertad)

Sal. 90: 1-6, 12-17
Sal. 39
Heb. 13: 13-16, 20-21
Con resolución

Principia un año nuevo 610

Ninguna palabra de todas sus promesas...ha faltado. 1 R. 8: 56

1. Prin - ci - pia un a - ño nue - vo; que se - a, oh Se - ñor,
2. Prin - ci - pia un a - ño nue - vo; en ti he - mos de con - fiar;
3. Prin - ci - pia un a - ño nue - vo; a - yú - da - nos, oh Dios,

Un a - ño en que nos mues - tres de nue - vo tu a - mor;
Se - gu - ros en tu ma - no po - de - mos des - can - sar.
A ser más con - sa - gra - dos, más pres - tos a tu voz;

Un a - ño de pro - gre - so y de pros - pe - ri - dad,
Tu gran mi - se - ri - cor - dia, tu gra - cia y bon - dad
Y se - a a - llá con - ti - go, o en la tie - rra a - quí,

Un a - ño en que go - ce - mos tu gran fi - de - li - dad.
En es - te nue - vo a - ño que - re - mos dis - fru - tar.
Que to - do lo que ha - ga - mos te glo - ri - fi - que a ti. A - mén.

LETRA: Frances R. Havergal, 1874, ◉ trad. Esteban Sywulka B.
MÚSICA: Samuel S. Wesley, 1864
Trad. © 1992 Celebremos/Libros Alianza. Se prohíbe la reproducción sin autorización.
Esta letra se puede cantar también con la música de #460 (Amémonos) y #533 (Estad).
Para una tonalidad más alta (Mi♭) ver #639 (Tu pueblo jubiloso).

AURELIA
7676D
Re

611 Con alegres corazones

El corazón alegre constituye buen remedio. Pr. 17: 22

Sal. 32
Sal. 90: 1-6,12-17
Pr. 17: 19-24

1. Con a - le - gres co - ra - zo - nes a - la - ba - mos al Se - ñor;
2. El Se - ñor te dio la vi - da; con su i - ma - gen te do - tó,

Ce - le - bran - do tu cum - plea - ños, hoy can - ta - mos con fer - vor;
Pa - ra glo - ria de su nom - bre, ri - cos do - nes te le - gó.

Te de - sea - mos mu - chos a - ños de com - ple - ta ben - di - ción;
Dios que ve - la tus pi - sa - das y a tu la - do siem - pre va,

Que tu vi - da se - a en Cris - to, tu de - li - cia y tu por - ción.
Por su gra - cia te sus - ten - ta con el cé - li - co ma - ná.

CORO

Si, can - tad, *sí, can - tad;*
* Can - tad, can - tad, fe - li - ci - dad de - sea - mos
Sí, lo - or, su a - mor
Coro opt. A Dios lo - or por - que en su a - mor Un a - ño

LETRA: Arturo Borja Anderson, c. 1940
MÚSICA: O. H. Cundiff, s. 20, alt.

GUA

REJOICE AND SING
8 7 8 7 D/Coro
Mi♭ (Capo 1 - Re)

(*) Nota: Metro (Tiempo) original en todo el coro - 4/4. En este caso la letra del coro se canta en dos voces (ejemplo: caballeros y damas) comenzando a cantar la primera nota de la melodía (damas) en el primer golpe (tiempo) del compás en vez del segundo. Habrán otras posibilidades a discrecreción del director de canto.

Arturo Borja Anderson (1887-1983)

Don Arturo fue un hombre de muchos talentos: artista, poeta, alcalde, escritor y pastor. Desde su conversión a la edad de 17 años, sintió una pasión por comunicar la verdad divina. Comenzando en el altiplano guatemalteco, predicó elocuentemente en español, como también en el idioma Cakchiquel. Al trasladarse a la ciudad capital no sólo sirvió en el pastorado, sino que continuó produciendo poemas, diálogos cristianos, dramas navideños e himnos. Escribió el #611 (Con alegres corazones) como una muestra de gratitud a Dios por la vida que le dio. Su poesía expresa una gran fe en el Cristo resucitado. Vea el #536 (Resurrección) Fue llamado a la presencia de Dios a la edad de 95 años.

612 Feliz, feliz cumpleaños

Con alegría

Enséñanos...a contar nuestros días, que traigamos al corazón sabiduría. Sal. 90:12

1. Fe - liz, fe - liz cum - plea - ños de - sea - mos pa - ra ti:
2. A Dios le da - mos gra - cias que con a - mor sin par,
3. O - re - mos pues, u - ni - dos, que te ben - di - ga aún más,

Fe - liz a - ni - ver - sa - rio, que - re - mos hoy de - cir;

Que el Dios om - ni - po - ten - te te quie - ra ben - de - cir.
Al fin de o - tro a - ño her - mo - so te per - mi - tió lle - gar.
Te col - me en lo fu - tu - ro de bien, pros - pe - ri - dad.

Que el Dios om - ni - po - ten - te les quie - ra ben - de - cir.

CORO

¡Fe - liz, fe - liz cum - plea - ños! que Dios en su bon - dad

¡Fe - liz a - ni - ver - sa - rio! que Dios en su bon - dad

Te dé muy lar - ga vi - da, sa - lud, fe - li - ci - dad.

Les dé muy lar - ga vi - da, sa - lud, fe - li - ci - dad.

LETRA: Eliza E. Hewitt, 1905, trad. Severa Euresti
MÚSICA: Grant Colfax Tullar, 1905

A HAPPY BIRTHDAY
7 6 7 6/Coro
Do

Gn. 12: 1-4
Ap. 22: 1-7
1 Ti. 2: 1-7

Nuestra Patria 613

Con convicción

Y sucederá que todo aquel que invocare el nombre del Señor será salvo. Jl. 2: 32

Nues - tra pa - tria se - rá pa - ra Cris - to, si u - ni - dos lu -
cha - mos por él; U - na tie - rra que hon - re al Ben - di - to y que
mues - tre de Dios el po - der. A lu - char, pues, con san - to en - tu - sias - mo;
pre - di - que - mos de Cris - to do - quier. ¡Oh Cris - tia - nos, lu - chad! vues - tra
pa - tria sal - vad, que Je - sús pron - to ven - drá. sús pron - to ven - drá.

LETRA y MÚSICA: Juan M. Isáis, 1956, arreg. Roberto C. Savage
© 1956 Juan M. Isáis. Usado con permiso.

MEX

NUESTRA PATRIA
Metro irreg.
Do

614 América será para Cristo

He aquí una gran multitud...de todas naciones y tribus...y lenguas. Ap. 7: 9

Sal. 150
Ro. 13: 1-7
Gn. 12: 1-4

1. A - mé - ri - ca se - rá pa - ra Cris - to, el ú - ni - co ca -
mi - no ha - cia Dios; Ve - rá lo que sus o - jos no han vis - to, con
só - lo ca - mi - nar de él en pos. A - mé - ri - ca se - rá pa - ra el
cie - lo, el cie - lo que Je - sús pre - pa - ró, El dí - a que tras

2. Des - pier - ta, pues, A - mé - ri - ca a - ma - da; a - lís - ta - te en las
fi - las de Dios; Es - cu - cha del Se - ñor la lla - ma - da, pues
es tan ca - ri - ño - sa su voz. Lla - man - do es - tá a tu puer - ta el Cor -
de - ro que de - rra - mó su san - gre en la cruz; Que se - a el Nue - vo

3. Co - lom - bia, Pa - na - má y Ve - ne - zue - la, Bo - li - via, Pa - ra -
guay, E - cua - dor, Ten - drán la paz de Dios que con - sue - la, la
paz que nos de - jó el Re - den - tor. Y Chi - le, el Pe - rú, la Ar - gen -
ti - na, y Cu - ba, U - ru - guay y el Bra - sil, Y el gru - po de las

4. Los pue - blos que han es - ta - do dor - mi - dos sa - brán que Dios les
a - ma en ver - dad: Ja - mai - ca, los Es - ta - dos U - ni - dos, y
Mé - xi - co y tam - bién Ca - na - dá. Los pue - blos que com - po - nen el
Ist - mo, y to - dos los del sur lo sa - brán; Sin Cris - to nun - ca ha -

5. La be - lla Gua - te - ma - la y Hon - du - ras, la her - mo - sa Ni - ca -
ra - gua, tam - bién, Ten - drán en las e - da - des fu - tu - ras la
vi - da y la sa - lud del E - dén. Y Dios ben - de - ci - rá a Cos - ta
Ri - ca; y Dios ben - de - ci - rá a El Sal - va - dor, Na - cio - nes que, aun - que

LETRA y MÚSICA: Alfredo Colom M., 1950, ● arreg. Roberto C. Savage ●
© 1956 Singspiration Music. Usado con permiso.

AMÉRICA SERÁ PARA CRISTO

COL

10 9 10 9 D
Si ♭ (Capo 1 - La)

rá - pi - do vue - lo,	al	la - do de Jeho - vá se sen - tó.
Mun - do el pri - me - ro	en	ir a las man - sio - nes de luz.
is - las ma - ri - nas,	ten -	drán sus ben - di - cio - nes a mil.
brá cris - tia - nis - mo;	sin	Cris - to só - lo rei - na Sa - tán.
se - an tan chi - cas,	son	gran - des a la faz del Se - ñor.

Oración por la patria 615

Te damos gracias, Dios, por nuestra amada patria
Que alumbras con tu sol y con tus mares bañas.
La luz primera aquí pudimos contemplar;
Que en ella brille al fin la luz de tu verdad.

Oh Padre Celestial, bendice a nuestra patria;
Concédele tu paz, otórgale tu gracia;
Que pueda prosperar en rectitud y bien,
Y a Cristo proclamar por Salvador y Rey.

MEX

Fidentina Z. de Díaz, 1950

En *Himnos y cantos para los niños*, 1950, México, alt . *Permiso solicitado.*
Esta letra se puede cantar con la música de #69 (De boca y corazón).

Sal. 100
Sal. 117
Gn. 2:4-7

A Dios, naciones, dad loor 616

Alabadle, bendecid su nombre. Sal. 100:4

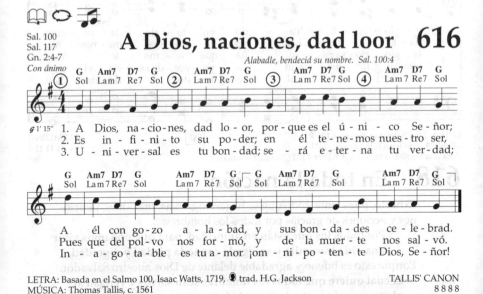

| 1. A Dios, na - cio - nes, dad lo - or, por - que es el ú - ni - co Se - ñor; |
| 2. Es in - fi - ni - to su po - der; en él te - ne - mos nues - tro ser, |
| 3. U - ni - ver - sal es tu bon - dad; se - rá e - ter - na tu ver - dad; |

| A él con go - zo a - la - bad, y sus bon - da - des ce - le - brad. |
| Pues que del pol - vo nos for - mó, y de la muer - te nos sal - vó. |
| In - a - go - ta - ble es tu a - mor ¡om - ni - po - ten - te Dios, Se - ñor! |

LETRA: Basada en el Salmo 100, Isaac Watts, 1719, trad. H.G. Jackson
MÚSICA: Thomas Tallis, c. 1561
Esta letra se puede cantar también con la música de #516 (La cruz) y
  #624 (A Dios).

TALLIS' CANON
8 8 8 8
Canon a dos o cuatro voces
Sol

617 Supremo Dios

Con solemnidad   *Bienaventurada la nación cuyo Dios es el Señor. Sal. 33:12*

1 Ti. 2: 1-7
Ro. 13: 1-7
1 P. 2: 13-17

#/b

1. Su - pre - mo Dios, te rue - go por mi pa - tria; go - bier - na con tu ma - no de jus - ti - cia. Se - as hon - ra - do y glo - ri - fi - ca - do en to - da la na - ción.
2. Hin - cha los rí - os, fe - cun - di - za el cam - po, lle - na las huer - tas, el ta - ller vi - si - ta; Y a to - do hom - bre da - le de tus bie - nes lo que es me - nes - ter.
3. Pa - ra tu rei - no se - a nues - tra pa - tria; tu vo - lun - tad la ley que ve - ne - re - mos; La cruz de Cris - to la glo - rio - sa en - se - ña que tre - mo - le - mos.
4. So - bre la tie - rra que por pa - tria a - ma - da te plu - go dar - nos, li - ber - ta - des bri - llen. Y no con - sien - tas que se for - jen nun - ca yu - gos de es - cla - vi - tud.
5. Cai - gan las a - ras de men - ti - dos dio - ses que al hom - bre va - na sal - va - ción le brin - dan. Sé tú el Dios nues - tro, y el de - bi - do cul - to to - dos te rin - dan hoy.

LETRA: Juan Bautista Cabrera, s.19
MÚSICA: Friedrich F. Flemming, 1811
Para una tonalidad más alta (Lab) ver #104 (Nunca, Dios mío).

ESP

FLEMMING
11 11 11 6
Sol

618 En toda la nación

Exhorto, pues, ante todo que se hagan rogativas, oraciones, peticiones y acciones de gracias por todos los hombres;...

Por todos los que están en autoridad, para que podamos vivir una vida tranquila y sosegada con toda piedad y dignidad.

Porque esto es bueno y agradable delante de Dios nuestro Salvador,

El cual quiere que todos los hombres sean salvos y vengan al pleno conocimiento de la verdad.

1 Timoteo 2:1-4 (BLA)

Alabad a Jehová 619

Alabad a Jehová, naciones todas; pueblos todos, alabadle. Sal. 117: 1

Sal. 117
Sal. 33: 1-12
Is. 2: 2-5

Con alegría

A - la - bad a Je - ho - vá, na - cio - nes to - das; pue - blos to - dos,

a - la - bad - le. Por - que ha en - gran - de - ci - do so - bre no -

so - tros su mi - se - ri - cor - dia, y la ver - dad de Je - ho -

vá es pa - ra siem - pre ¡A - le - lu - ya, a - mén! Y la ver -

dad de Je - ho - vá es pa - ra siem - pre ¡A - le - lu - ya, a - mén!

LETRA: Basada en el Salmo 117
MÚSICA: Compositor descon., Latinoamérica, s. 20, arreg. F.B.J
Arreg. © 1992 Celebremos/Libros Alianza. Se prohíbe la reproducción sin autorización.

L.A.

SALMO 117
Metro irreg.
Fa (Capo 1 - Mi)

620 Dios os guarde

Hch. 20: 32-38
2 Co. 13: 11, 14
Ro. 11: 33- 12: 1

Con tranquilidad   *Jehová...bajo cuyas alas has venido a refugiarte. Rt. 2: 12*

1. Dios os guar-de siem-pre en san-to a-mor; has-ta el dí-a en que lle-
2. Dios os guar-de siem-pre en san-to a-mor; en la sen-da pe-li-
3. Dios os guar-de siem-pre en san-to a-mor; os con-duz-ca su ban-
4. Dios os guar-de siem-pre en san-to a-mor; con su gra-cia os sos-

gue-mos A la pa-tria do es-ta-re-mos pa-ra
gro-sa De es-ta vi-da tor-men-to-sa, os con-
de-ra, Y os es-fuer-ce en gran ma-ne-ra con su Es-
ten-ga, Has-ta que el Ma-es-tro ven-ga a fun-

siem-pre con el Sal-va-dor.
ser-ve en paz y sin te-mor.
pí-ri-tu Con-so-la-dor.   Al ve-nir Je-sús nos ve-
dar su rei-no en es-plen-dor.

re-mos a los pies de nues-tro Sal-va-dor; Re-u-

ni-dos to-dos, se-re-mos un re-dil con nues-tro buen Pas-tor.

LETRA: Jeremiah E. Rankin, 1880, es trad.
MÚSICA: William G. Tomer, 1880

GOD BE WITH YOU
Metro irreg.
Si ♭ (Capo 1 - La)

Gracias, Dios 621

1 P. 5: 1-4
Tit. 2: 6-10
1 Co. 4: 1-5

Acordaos de vuestros pastores...considerad...su conducta, e imitad su fe. Heb. 13:7

1. Gra - cias, Dios, por los *pas - to - res, fie - les sier - vos tu - yos son;
2. Gra - cias, Dios, por los *pas - to - res, por su e - jem - plo y su fe;

Y con gran vi - sión y a - mor siem - pre lu - chan con fer - vor.
Ins - tru - men - tos son del Rey, siem - pre ve - lan por la grey.

Gra - cias, Dios, por los *pas - to - res, ¡Gra - cias, Dios!

* maestros, ancianos, obreros, etc.

LETRA: David Brambila B., 1991
MÚSICA: George F. Root, 1864, arreg. F.B.J.

TRAMP, TRAMP, TRAMP
Metro irreg.
Sol

Gratitud por el pastor 622

Hoy damos gracias al Señor por ti,
Pues él te hizo fiel y buen pastor
Que a sus ovejas sabe conducir
Por los caminos de su Salvador.

Hoy damos gracias al Señor por ti,
Pues él te hizo sabio sembrador

Que la Palabra sale a esparcir;
Dios fruto te dará por tu labor.

Hoy damos gracias al Señor por ti,
Pues él te hizo edificador;
Con piedras vivas sabes construir
La casa que da gloria al Redentor.

Ana María Sywulka de Dahlquist, 1959

Esta letra se puede cantar con la música de #519 (Aquí el pan).

GUA

623 Este templo dedicamos

Y así dedicaron la casa de Dios el rey y todo el pueblo. 2 Cr. 7: 5

2 Cr. 6: 18-21
2 Cr. 2: 5-9
Hag. 2: 6-9

Con firmeza

1. Es - te *tem - plo de - di - ca - mos a tu glo - ria, oh Se - ñor,
2. Por tu gra - cia, Dios e - ter - no, gran ar - tí - fi - ce y Se - ñor,

*sitio, aula, órgano, etc.

Pa - ra el cul - to de tus hi - jos que te sir - ven con a - mor.
Es - ta o - fren - da hoy ben - di - ce con tu Es - pí - ri - tu de a - mor.

De las ma - nos es he - chu - ra, ex - pre - sión de nues - tra fe;
Es - te *tem - plo de - di - ca - mos a tu glo - ria, oh Se - ñor,

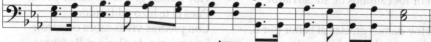

Es tri - bu - to que te o - fren - dan los cre - yen - tes, Pa - dre fiel.
Pa - ra el cul - to de tus hi - jos que te sir - ven con a - mor.

LETRA: Isabel G.V. de Rodríguez, s. 20
MÚSICA: John R. Sweney, 1879
Esta letra se puede cantar también con la música de #154 (Cristo cual pastor),
#172 (Gracias dad), y #408 (Cristo es Guía).
Para una tonalidad más alta (Fa) ver #424 (Dejo el mundo).

URU

GIVE ME JESUS
8 7 8 7 D
Mi ♭ (Capo 1 - Re)

NUESTRO
Culto

624 A Dios el Padre (La Doxología)

Bendito sea el Dios y Padre de nuestro Señor Jesucristo. Ef. 1:3

Sal 145:1-13
Sal. 150
Ef. 3:14-21

Con solemnidad

A Dios el Pa-dre ce-les-tial, al Hi-jo nues-tro Re-den-tor, y al

e-ter-nal Con-so-la-dor, u-ni-dos to-dos a-la-bad. A-mén.

Ritmo original

A Dios el Pa-dre ce-les-tial, al Hi-jo nues-tro Re-den-tor, y al

e-ter-nal Con-so-la-dor, u-ni-dos to-dos a-la-bad. A-mén.

LETRA: Thomas Ken, 1695, es trad.
MÚSICA: Atrib. a Louis Bourgeois, en *Salterio de Ginebra*, 1551
Esta letra se puede cantar también con la música de #5 (Cantad alegres), #308 (Tal como) y
    #516 (La cruz excelsa).

OLD 100
8 8 8 8
Sol

625 Celebremos el amor de Dios

La gracia del Señor Jesucristo sea con vosotros. 2 Co. 13:14

2 Cor. 13:11, 14
1 P. 5:6-11
Jud. vv. 20-25

Con regocijo

Ce-le-bre-mos el a-mor de Dios y la
Y su co-mu-nión, la co-mu-nión del Es-

LETRA: Autor descon., s. 20, trad. Lynn Anderson
MÚSICA: Compositor descon., s. 20, arreg. F.B.J.
Trad. y arreg. © 1992 Celebremos/Libros Alianza. Se prohíbe la reproducción sin autorización.

PLANO
Metro irreg.
Mi♭ (Capo 1 - Re)

gra - cia de su Hi - jo, en mi co - ra - zón,
pí - ri - tu di - vi - no

y en tu co - ra - zón. ¡Glo - ria a Dios! A - mén y a - mén.

1 Cr. 16:23-36
Sal. 29
2 Co. 13:11, 14

Gloria demos al Padre (Gloria Patri)

626

Dad al Señor la honra debida a su nombre. 1 Cr. 16:29

Con amplitud

Glo - ria de - mos al Pa - dre, al Hi - jo y al San - to Es -

pí - ri - tu; co - mo e - ran al prin - ci - pio, son

hoy y ha - brán de ser e - ter - na - men - te. A - mén.

LETRA: Autor descon., *Credo* del siglo 2, es trad.
MÚSICA: Christoph Meineke, 1844

MEINEKE
Metro irreg.
Sol

627 Alabad al Dios de los cielos

Varones: Alabad a Jehová, porque él es bueno,

Todos: Porque para siempre es su misericordia.

Damas: Alabad al Dios de los dioses,

Todos: Porque para siempre es su misericordia.

Jóvenes: Alabad al Señor de los señores,

Todos: Porque para siempre es su misericordia.

Niños: Al único que hace grandes maravillas,

Todos: Porque para siempre es su misericordia.

Varones: Al que hizo los cielos con entendimiento,

Todos: Porque para siempre es su misericordia.

Damas: Al que extendió la tierra sobre las aguas.

Todos: Porque para siempre es su misericordia.

Jóvenes: Al que hizo las grandes lumbreras,

Todos: Porque para siempre es su misericordia.

Niños: El sol para que señorease en el día,

Todos: Porque para siempre es su misericordia.

Varones: El que da alimento a todo ser viviente,

Todos: Porque para siempre es su misericordia.

Damas: Alabad al Dios de los cielos,

Todos: Porque para siempre es su misericordia.

Salmo 136:1-8,25,26 (RVR)

La siguiente respuesta musical (#628) la puede cantar la congregación o un grupo, en vez de leer la frase: "Porque para siempre es su misericordia", del #627.

628 Para siempre es (Respuesta musical)

Con entusiasmo

Jehová es bueno; para siempre es su misericordia. Sal. 100:5

Ef. 2:1-10
Heb. 4:11-16
Sal. 86:8-13

LETRA: Basada en el Salmo 136
MÚSICA: Hugo Filoia, 1986
© 1986 Hugo Filoia. Usado con permiso.

SALMO 136
Metro irreg.
Sol

VEN

Eterno Rey 629

Sal. 24
1 Ti. 1: 12-17
Ap. 19: 11-16

Cantad a nuestro Rey, cantad. Sal. 47: 6

1. E - ter - no Rey, ce - le - bra - re - mos tu glo - ria; oh Pa - dre
2. Gran Sal - va - dor, ce - le - bra - re - mos tu glo - ria; buen Re - den -
3. Es - pí - ri - tu, ce - le - bra - re - mos tu glo - ria; Con - so - la -

Dios, re - cor - da - re - mos la his - to - ria de tu a - mor y bon -
tor, en - sal - za - re - mos la vic - to - ria que ga - nas - te, Je -
dor, loa - mos tu gran mi - se - ri - cor - dia; nos das go - zo y so -

dad; nos sal - vas - te en ver - dad. A ti a - la - ba -
sús, al mo - rir en la cruz.
laz, nos co - bi - ja tu paz.

re - mos por siem - pre y siem - pre. A - mén.

LETRA: Comité de *Celebremos*, 1991
MÚSICA: Richard Wagner, 1844, arreg. F.B.J.
Letra y arreg. © 1992 Celebremos/Libros Alianza. Se prohibe la reproducción sin autorización.

CORO DE LOS PEREGRINOS
Metro irreg.
Do

630 Tu pueblo calla ante ti, Señor

2 S. 22:1-7
1 P. 1:13-23
1 Co. 2:4-14

¡Cuán amables son tus moradas, oh Señor de los ejércitos! Sal. 84:1

Con reverencia

Tu pue - blo ca - lla an - te ti, Se - ñor, om - ni - po - ten - te y so - be - ra - no Rey; Reu - ni - dos, te a - do - ra - mos al con - tem - plar tu san - ti - dad y glo - ria. Te loa - mos, te a - ma - mos, oh e - ter - no Dios. A - mén.

LETRA: Lynn Anderson, 1990
MÚSICA: George F. Root, s. 19
Letra © 1992 Celebremos/Libros Alianza. Se prohíbe la reproducción sin autorización.

[COL]

QUAM DILECTA
Metro irreg.
Mi♭ (Capo 1 - Re)

631 Te Alabamos (Te deum del siglo 4)

Te alabamos ¡oh Señor!
Tu poder y reino honramos:
Te adoramos ¡oh Señor!
Por tus obras te gloriamos:
Dios de fuerza y de bondad,
Desde la eternidad.

Por tu grande salvación,
Te alabamos noche y día,
Tuyo es nuestro corazón,

Nuestra alma en ti confía:
Cuerpo y mente ¡oh Señor!
Te ofrendamos con amor.

Padre nuestro, escúchanos.
Cólmanos de bendiciones:
Muéstranos tu rostro ¡oh Dios!
Presta, Espíritu, tus dones;
¡Jesucristo, pronto ven!
¡Gloria a ti, Señor! Amén.

Atrib. a Nicetas de Remesiana.

Engrandecido sea Dios 632

1 Cr. 16: 23-36
Sal. 48: 1-3, 9-14
Sal 96

Porque grande es el Señor, y digno de suprema alabanza. 1 Cr. 16: 25

Con amplitud

1. En - gran - de - ci - do se - a Dios en es - ta re - u -
2. Du - ran - te el dí - a que pa - só la ma - no del Se -
3. Pues has - ta a - quí nos a - yu - dó y siem - pre pro - vee -

nión, en es - ta re - u - nión; A - le - gres, jun - tos
ñor, la ma - no del Se - ñor De mu - chos ma - les
rá, y siem - pre pro - vee - rá; Con gra - ti - tud, pla -

CORO

a - u - na voz,
nos sal - vó: Dad glo - - - - ria,
cer y a - mor *Dad glo - ria, glo - ria, glo - ria, glo - ria,*

¡Glo -

glo - ria, glo - ria, glo - ria, Dad glo - ria a nues - tro Dios. A - mén.

ria!

LETRA: Enrique S. Turrall, 1902 ●
MÚSICA: James Ellor, 1838, arreg. en *Alabanza Cristiana* , 1969

DIADEM
Metro irreg.
La♭ (Capo 1 - Sol)

633 Ven, te invito

1 Cr. 16:8-12
Sal. 98:1-6
Sal. 147:1-11

Alabadle conforme a la muchedumbre de su grandeza. Sal. 150:2

Con vigor*

* 1ª vez = Despacio, 2ª vez = Moderado, Ultima vez = Muy rápido

Ven, te in-vi-to a can-tar al Se-ñor, ven, te in-vi-to a de-lei-tar-te en él; Ven, te in-vi-to a can-tar al Se-ñor con to-da tu voz, con to-do tu a-mor. Sue-nen vio-li-nes, to-quen trom-pe-tas; al-zad las vo-ces, ¡A-la-bad a Dios! Hom-bres y mu-je-res, ni-ños y an-cia-nos, sa-nos y en-fer-mos ¡A-la-bad a Dios! ¡Ey!

orig. batid las manos   *opt. jóvenes, sí todos*

LETRA: Atrib. a Fausto Tito, Perú, s.20
MÚSICA: Compositor descon., arreg. F.B.J.   PER
Permiso solicitado.

VEN TE INVITO
Metro irreg.
Re m

Sal. 100
Ex. 15:1-8
Is. 12

Cantad alegres, cantad a Dios 634

Con regocijo

Alegraos...y cantad con júbilo todos vosotros. Sal. 32:11

1. Can - tad a - le - gres, can - tad a Dios, ha - bi - tan - tes
2. Re - co - no - ced que Jeho-vá es Dios, él nos hi - zo y
3. En - trad por sus puer-tas con ac-ción de gra-cias, por sus a - trios con
4. Por-que Je - ho - vá, Je - ho - vá es bue-no, pa - ra siem-pre es

(D.S. CORO) glo - ria a - le - lu - ya;___ a - le - lu - ya,

de to-da la tie-rra. Ser-vid a Dios con a - le - grí - a;
no no-so-tros mis-mos; Pue-blo su - yo,___ su - yo so-mos
can-tos de a-la-ban-za; A - la - bad-le___ con can - cio-nes,
su mi-se-ri-cor-dia, Y su ver-dad___ per - ma - ne - ce

glo-ria a - le - lu - ya;___ a - le - lu - ya,___ glo-ria a - le - lu - ya;

CORO / Ultima vez / D.S.

Ser-vid a Dios con re - go - ci - jo.
y o - ve - jas de su pra - do.
ben - de - cid su san - to nom - bre. A - le - lu - ya,
por to-das las ge - ne - ra - cio-nes.

___ a - le - lu - ya,___ glo-ria a - le - lu - ya. (D.C.) A - mén.

LETRA: Basada en el Salmo 100
MÚSICA: Compositor descon., s. 20, arreg. F.B.J.
Arreg. © 1992 Celebremos/Libros Alianza. Se prohíbe la reproducción sin autorización.

SALMO 100
Metro irreg.
Mi♭ (Capo 1 - Re)

Juan N. de los Santos (1876-1944)

Juan Nepomuceno amaba mucho los salmos de la Biblia. Al leerlos, recordaba que David, Moisés y Salomón habían cantado esas porciones de las Escrituras junto con el pueblo de Dios. Como pastor, Juan anhelaba que su iglesia también cantara la Palabra del Señor, de modo que empezó a componer música para salmos métricos.

Colaboró en la compilación de varias colecciones, incluyendo *Cantos Bíblicos*, un himnario usado en México por varias décadas. Además tradujo más de mil himnos y fue autor de otros, como el #172 (Gracias dad a Jesucristo).

En nuestro himnario, *Celebremos su Gloria*, hay muchos salmos con música. Sigamos el ejemplo de Juan de los Santos, cantando los salmos en alabanza a Dios.

635 ¡Bienvenido!

Donde están dos o tres congregados en mi nombre, allí estoy yo. Mt. 18: 20

Fil. 2: 28-30
1 Co. 16: 17-21
Mt. 11: 25-30

Con alegría

1. Con gran go - zo y pla-cer nos vol - ve-mos hoy a ver; nues - tras
2. Has - ta a - quí Dios te a-yu-dó, ni un mo - men-to te de - jó, y a no -
3. Dios nos guarde en es-te a-mor, pa - ra que de co - ra-zón, con - sa -

ma-nos o - tra vez es - tre - cha-mos. Se con - ten-ta el co - ra-zón
so-tros te vol-vió, ¡Bien-ve - ni - do! El Se - ñor te a-com-pa - ñó,
gra-dos al Se - ñor, le a - la - be-mos. En la e - ter - na re - u - nión

en - san - chán-do-se de a-mor; to - dos a u-na voz a Dios gra-cias da-mos.
su pre - sen-cia te am-pa - ró, del pe - li - gro te guar-dó, ¡Bien-ve - ni - do!
do no ha-brá se - pa - ra-ción, ni tris-te - za ni a-flic-ción: ¡Bien-ve - ni - do!

CORO

¡Bien-ve - ni - do! ¡Bien-ve - ni - do! Los her - ma - nos hoy a - quí nos go -

za - mos en de-cir: Al vol - ver-nos a reu-nir, ¡Bien-ve - ni - do!

LETRA: Enrique S. Turrall, c. 1902
MÚSICA: James R. Murray, 1872, alt.

ESP

OVER JORDAN
7 7 11 D/Coro
Mi♭ (Capo 1 - Re)

Sal. 133
1 Ts. 4:9-12
Heb. 13:1-8

¡Hola! ¿Cómo estás? 636

Mirad cuán bueno y delicioso es habitar los hermanos juntos. Sal. 133:1

Con júbilo

1. ¡Ho - la! ¿Có - mo es - tás? Doy gra - cias a Dios por - que es -
2. ¡Ho - la! ¿Có - mo es - tás? Qué her - mo - so es reu - nir - nos y a -

ta - mos a - quí a - la - ban - do su nom - bre.
sí com - par - tir el a - mor del Se - ñor.

CORO

¡Bien - ve - ni - do se - as! ¡Bien - ve - ni - do se - as, *a - la -

be - mos al Se - ñor! mos al Se - ñor!

* orig. a la casa de Jehová

LETRA: Mireya Carpinteyro, 1987, coro adapt. Kenneth R. Hanna
MÚSICA: Mireya y Raúl Carpinteyro, 1987, arreg. Leslie Gómez C.
© 1988 Casa Bautista de Publicaciones. Usado con permiso.

CARPINTEYRO
Metro irreg.
Fa (Capo 1 - Mi)

Fritz "Federico" Fliedner (1845-1901)
Federico usó muchos medios para compartir el amor del Señor. Uno de los primeros misioneros evangélicos de Alemania, llegó a Madrid en 1870 y trabajó incansablemente entre las iglesias. Fue director de un orfanato y un instituto bíblico y fundó diez escuelas primarias.
Trató de unir las nuevas congregaciones del país y logró que muchas se afiliaran como la Iglesia Evangélica Española. También dirigió una casa editorial que publicaba libros, tratados e himnarios, y fundó dos revistas. Tradujo varios himnos, entre ellos el #16 (Alma bendice), #120 (Oh santísimo) y #126 (Oíd un son). A pesar de sus múltiples actividades no descuidó a la familia, y sus tres hijos continuaron su obra.

637 En la escuela dominical

2 Ti. 3:1-5, 14-17
Sal. 119:66-72
Pr. 6:16-23

Retén la forma de las sanas palabras que de mí oíste. 2 Ti. 1:13

Con expresión

1–3 En la es-cue-la do-mi-ni-cal yo es-cu-cha-ré con a-mor

Fiel a-lum-no de Cris-to soy, la Bi-blia me ha-bla hoy.
La Pa-la-bra de mi Se-ñor, Di-vi-no Sem-bra-dor.
Gran ver-dad y luz yo ve-ré que lue-go cum-pli-ré.

a mi cla-se go-zo-so voy;
por mi cla-se yo o-ra-ré;

LETRA: Sonia Andrea Linares M., 1991
MÚSICA: Melodía africana (Angola), arreg. Mario Rolando Gómez M.
Arreg. y letra © 1992 Celebremos/Libros Alianza. Se prohíbe la reproducción sin autorización.

KUM BAI YA
8 8 8 6
Do

638 Por siempre, amén

Dt. 32:1-4
Sal. 34:1-10
Ef. 3:14-21

Con júbilo

A él sea gloria...por todas las edades, por los siglos de los siglos. Amén. Ef. 3:21

En-gran-de-ci-do se-as, Je-ho-vá nues-tro Dios, por

to-das las e-da-des, por siem-pre. A-mén.

LETRA y MÚSICA: Julio Hidalgo, 1978
© 1978 Casa Bautista de Publicaciones. Usado con permiso.

HIDALGO
Metro irreg.
Fa (Capo 1 - Mi)

Tu pueblo jubiloso 639

Sal. 67
Sal. 95:1-7
Sal. 100
Con amplitud

Venid, aclamemos alegremente al Señor. Sal. 95:1

1. Tu pue-blo ju-bi-lo-so se a-cer-ca a ti, Se-ñor,
2. Ac-ce-so a ti, oh Pa-dre, te-ne-mos por Je-sús;
3. Oh Cris-to, te a-la-ba-mos de to-do co-ra-zón;

y con triun-fan-tes vo-ces hoy can-ta tu lo-or;
sin ver-te en tu glo-ria go-za-mos san-ta luz.
en ti te-ne-mos vi-da y e-ter-na sal-va-ción.

Por to-das tus bon-da-des, que das en ple-ni-tud,
Aun-que e-res in-fi-ni-to, ex-cel-so Cre-a-dor,
Tu gra-cia nos de-rra-ma cons-tan-te ben-di-ción;

tu pue-blo hu-mil-de-men-te te ex-pre-sa gra-ti-tud.
ha-bi-ta en no-so-tros tu Es-pí-ri-tu, Se-ñor.
te da-mos hon-ra, glo-ria y fiel a-do-ra-ción.

LETRA: Ida Reed Smith, c. 1894, trad. estr. #1 G. P. Simmonds, ⎙ #2-3 Comité de
Celebremos
MÚSICA: Samuel S. Wesley, 1864
Trad. estr. #1 © 1939 Cánticos Escogidos. Usado con permiso.
Trad. estr. #2-3 ©1992 Celebremos/Libros Alianza.
Esta letra se puede cantar también con la música de #187 (Cabalga) y #533 (Estad).
Para una tonalidad más baja (Re) ver #610 (Principia un año nuevo).

AURELIA
7 6 7 6 D
Mi ♭ (Capo 1 - Re)

640 Oh Padre en los cielos

Vosotros pues, oraréis así. Mt. 6: 9

Mt. 6: 9-13
Lc. 11: 1-10
Stg. 5: 7-20

Con ánimo

1. Oh Pa - dre en los cie - los, ve - ni - mos a ti,
2. El pan co - ti - dia - no hoy da - nos, Se - ñor, Pe - di - mos
3. Per - dón te pe - di - mos por nues - tro pe - car,
4. Del mal y el ma - lig - no pro - te - ge tam - bién,

que tu rei - no ya ven - ga;
Que tu vo - lun - tad se - a
Pro - vee al ham - brien - to por
De - be - mos a o - tros a -
A ti se - a glo - ria por

he - cha a - quí.
tu gran a - mor, San - ti - fi - ca - do se - a tu nom - bre.
sí per - do - nar,
siem - pre. A - mén.

respuesta antifonal

LETRA: Basada en Mateo 6: 9-13, Sarah J.B. Hale, s. 19,
    trad. en *Himnario Cristiano*, 1974, adapt. Oscar López M.
MÚSICA: Melodía caribeña, en *Songs of Zion*, 1981, arreg. F.B.J.
Arreg. © 1992 Celebremos/Libros Alianza. Se prohíbe la reproducción sin autorización.

WEST INDIES
Metro irreg.
Fa (Capo 1 - Mi)

641 La oración del Señor (El Padre nuestro)

Padre nuestro que estás en los cielos, santificado sea tu nombre.
Venga tu reino. Hágase tu voluntad, como en el cielo, así también
en la tierra. El pan nuestro de cada día, dánoslo hoy. Y perdóna-
nos nuestras deudas, como también nosotros perdonamos a
nuestros deudores. Y no nos metas en tentación, mas líbranos del
mal; porque tuyo es el reino, y el poder, y la gloria, por todos los
siglos. Amén.

Mateo 6:9-13 (RVR)

Apertura del culto 642

(Llamados a la adoración)

Del SENOR es la tierra y todo lo que hay en ella; el mundo y los que en él habitan. ¿Quién es este Rey de la gloria? El SENOR de los ejércitos, él es el Rey de la gloria.

Salmo 24:1, 10 (BLA)

¡Venid, cantemos con gozo al Señor! Aclamemos con júbilo a la roca de nuestra salvación. Acerquémonos ante su presencia con acción de gracias; aclamémosle con salmos.

Salmo 95:1*-2 (RVA)

Venid, adoremos y postrémonos; doblemos la rodilla ante el SENOR nuestro Hacedor. Porque él es nuestro Dios, y nosotros el pueblo de su prado, y las ovejas de su mano.

Salmo 95:6-7 (BLA)

Cantad alegres a Dios, habitantes de toda la tierra. Servid a Jehová con alegría; venid ante su presencia con regocijo.

Salmo 100:1-2 (RVR)

Entrad por sus puertas con acción de gracias, y a sus atrios con alabanza. Dadle gracias, bendecid su nombre. Porque el SENOR es bueno; para siempre es su misericordia, y su fidelidad por todas las generaciones.

Salmo 100:4-5 (BLA)

¡Aleluya! Alabad a Dios en su santuario; alabadle en su majestuoso firmamento. Alabadle por sus hechos poderosos; alabadle según la excelencia de su grandeza. Todo lo que respira alabe al SENOR. ¡Aleluya!

Salmo 150:1, 2, 6 (BLA)

Venid a mí todos los que estáis trabajados y cansados, y yo os haré descansar. Llevad mi yugo sobre vosotros, y aprended de mí, que soy manso y humilde de corazón; y hallaréis descanso para vuestras almas; porque mi yugo es fácil, y ligera mi carga.

Mateo 11:28-30 (RVR)

Perpetuamente cantaré las misericordias del Señor; con mi boca daré a conocer tu fidelidad de generación en generación. Diré: Para siempre será edificada la misericordia; en los mismos cielos establecerás tu fidelidad.

Salmo 89:1*-2 (RVA)

Bueno es alabar al Señor, cantar salmos a tu nombre, oh Altísimo. Bueno es anunciar por la mañana tu misericordia y tu verdad en las noches.

Salmo 92:1*-2 (RVA)

El credo de los apóstoles 643

Creo en Dios Padre Todopoderoso, Creador del cielo y la tierra; Y en Jesucristo, su único Hijo, Señor nuestro; que fue concebido del Espíritu Santo, nació de la virgen María, padeció bajo el poder de Poncio Pilato; fue crucificado, muerto y sepultado; descendió a los infiernos; al tercer día resucitó de entre los muertos; subió al cielo, y está sentado a la diestra del Dios Padre Todopoderoso; y desde allí vendrá al fin del mundo a juzgar a los vivos y a los muertos.

Creo en el Espíritu Santo, la santa Iglesia universal, la comunión de los santos, el perdón de los pecados, la resurrección del cuerpo y la vida perdurable. Amén.

Autor desconocido, s. 4.

644 Bendiciones Finales (Cierre del culto)

EL SEÑOR te bendiga y te guarde; el SEÑOR haga resplandecer su rostro sobre ti, y tenga de ti misericordia; el SEÑOR alce sobre ti su rostro y te dé paz.

Números 6:24-26 (BLA)

La gracia del Señor Jesucristo, el amor de Dios, y la comunión del Espíritu Santo sean con todos vosotros. Amén.

2 Corintios 13:14 (RVR)

Y a Aquel que es poderoso para hacer todas las cosas mucho más abundantemente de lo que pedimos o entendemos, según el poder que actúa en nosotros, a él sea gloria en la iglesia en Cristo Jesús por todas las edades, por los siglos de los siglos. Amén.

Efesios 3:20-21 (RVR)

La gracia de nuestro Señor Jesucristo sea con vosotros. Amén.

1 Tesalonicenses 5:28 (RVR)

Y el mismo Jesucristo Señor nuestro, y Dios nuestro Padre, el cual nos amó y nos dio consolación eterna y buena esperanza por gracia, conforte vuestros corazones, y os confirme en toda buena palabra y obra.

2 Tesalonicenses 2:16-17 (RVR)

Por tanto, al Rey de los siglos, inmortal, invisible, al único y sabio Dios, sea honor y gloria por los siglos de los siglos. Amén.

1 Timoteo 1:17 (RVR)

Y el Dios de paz que resucitó de los muertos a nuestro Señor Jesucristo, el gran pastor de las ovejas, por la sangre del pacto eterno, os haga aptos en toda obra buena para que hagáis su voluntad, haciendo Él en vosotros lo que es agradable delante de Él por Jesucristo, al cual sea la gloria por los siglos de los siglos. Amén.

Hebreos 13:20-21 (RVR)

Mas el Dios de toda gracia, que nos llamó a su gloria eterna en Jesucristo, después que hayáis padecido un poco de tiempo, él mismo os perfeccione, afirme, fortalezca y establezca. A él sea la gloria y el imperio por los siglos de los siglos. Amén.

1 Pedro 5:10-11 (RVR)

Y a Aquel que es poderoso para guardaros sin caída, y presentaros sin mancha delante de su gloria con gran alegría, al único y sabio Dios, nuestro Salvador, sea gloria y majestad, imperio y potencia, ahora y por todos los siglos. Amén.

Judas vv. 24-25 (RVR)

645 Sagrado es el amor

1 Jn. 4:6-12
Gá. 5:13-25
Ef. 4:1-6

Porque todos vosotros sois uno en Cristo Jesús. Gá. 3:28

1. Sa - gra - do es el a - mor que ha u - ni - do a - quí, A
2. A nues - tro Pa - dre Dios, ro - ga - mos con fer - vor, A -
3. Nos va - mos a au - sen - tar, mas nues - tra fir - me u - nión Ja -
4. A - llá en la e - ter - ni - dad nos he - mos de reu - nir, Y en

LETRA: John Fawcett, 1782, es trad.
MÚSICA: Johann G. Nägeli, 1828, arreg. Lowell Mason, 1845

DENNIS
6686
Fa (Capo 1- Mi)

C7 (Si 7) **F** (Mi) **C7** (Si 7) **F** (Mi) **B** (La) **F** (Mi) **B♭** (La) **F** (Mi) **C7** (Si 7) **F** (Mi)

los que un Dios y Sal - va - dor go - za - mos en ser - vir.
lúm - bre - nos la mis - ma luz, nos u - na el mis - mo a - mor.
más po - drá - se que - bran - tar por la se - pa - ra - ción.
dul - ce co - mu - nión y paz por siem - pre con - vi - vir.

Jud. vv. 20-25
Stg. 1:16-25
Ef. 3:14-21

Después de haber tenido aquí 646

Sed hacedores de la palabra, y no tan solamente oidores. Stg. 1:22

Con calma

G (Sol) **D7** (Re 7) **G** (Sol)

1. Des - pués, Se - ñor, de ha - ber te - ni - do a - quí de tu Pa -
2. En nues - tras al - mas gra - ba con po - der tu fiel Pa -
↑[4]
𝄞 2' 17"
3. Da - nos tu paz, la sen - da al tran - si - tar de a - le -

Em (Mi m) **A7** (La 7) **D** (Re) **G** (Sol) **Am** (La m) **D7** (Re 7)

la - bra la ben - di - ta luz, A nues - tro ho - gar con - dú - ce -
la - bra, ca - da ex - hor - ta - ción; Y que tu ley pu - dien - do
grí - as, prue - bas o do - lor, Y cuan - do al fin po - da - mos

D7 (Re 7) **G** (Sol) **Em** (Mi m) **Am** (La m) **D7** (Re 7) **G** (Sol) **C** (Do) **G** (Sol)

nos y a - llí de to - dos cui - da, ¡Buen Pas - tor Je - sús!
com - pren - der, con - ti - go es - te - mos en ma - yor u - nión.
des - can - sar, nos cu - bra el man - to de tu in - men - so a - mor. A - mén.

LETRA: John Ellerton, 1866, trad. Vicente Mendoza 🅟
MUSICA: Edward J. Hopkins, 1869
Esta letra se puede cantar también con la música de #519 (Aquí del),
#260 (Transfórmame) y #521 (Llegamos).

ELLERS
10 10 10 10
Sol

647 El Señor te bendiga

El SEÑOR te bendiga y te guarde. Nm. 6:24 (BLA)

LETRA: Basada en Números 6:24-26 (BLA)
MUSICA: Peter C. Lutkin, 1900, alt.

* *Se puede terminar aquí o seguir con el Amén (séptulo).*

LUTKIN
Metro irreg.
Do

Sal. 106:47-48
2 Co. 1:18-22
Ap. 22:12-17, 20-21

Amén (séptuplo) **648**

Bendito sea el Señor, por los siglos de los siglos. Amén y Amén.   Sal. 41:13

MÚSICA: Peter C. Lutkin, 1900

SEVENFOLD-LUTKIN
Do

* Se puede usar el Amén (séptuplo) separadamente o con la Bendición anterior.

649 Amén (triple)

A-mén, a-mén, a - mén.

MÚSICA: Compositor descon., Dinamarca

DANÉS
Sol

Amén (duplo) **650**

A-mén, a - mén.

MÚSICA: Atrib. a
Johann G. Naumann, s. 18

DRESDEN
Do

651 Amén (quíntuplo)

A - mén, a - mén, a - mén, a - mén, a - mén.

MÚSICA: Melodía afroamericana, arreg. F.B.J.

AFRO-AMERICAN
Fa (Capo 1 - Mi) ^block(3)

652 Al que está sentado

Se postraron delante del Cordero...y cantaban un nuevo cántico. Ap. 5:8-9

Sal. 47
Ap. 4
Ap. 7:9-17

Al que es - tá sen - ta - do en el tro - no y al Cor - de - ro,

se - a la a - la - ban - za, y la hon - ra, y la glo - ria y el po -

der por los si - glos de los si - glos. A - mén.

LETRA: Basada en Apocalipsis 5:13
MÚSICA: Compositor descon., Argentina, s. 20

ARG

AL QUE ESTA SENTADO
Metro irreg.
Do

© 1988 Asociación Bautista Argentina de Publicaciones. Usado con permiso.

NUESTRO
Himnario

* Estos índices se encuentran sólo en la Edición de Música.

653 INFORMACIÓN GENERAL

MODIFICACIONES

El comité de *Celebremos* ha hecho un estudio cuidadoso de la letra y música de los himnos que se encuentran en este himnario. Las modificaciones a los himnos ya conocidos obedecen a razones doctrinales, gramaticales, musicales o poéticas. En algunos casos se ha dejado la versión original junto con una optativa, la cual se indica con un asterisco.

DERECHOS RESERVADOS ("copyright")

 Cuando aparece el signo © adjunto al material literario o musical, significa que éste tiene los derechos reservados ("copyright"). Solamente se permite su uso bajo las condiciones estipuladas por el (los) dueño(s). Además de proteger el uso de himnos individuales con © "derechos reservados", la ley prohíbe cualquier reproducción o fotocopia de las páginas de este libro, porque el himnario *Celebremos su Gloria* también goza de protección legal.

Antes de reproducir material protegido por "derechos reservados" en cualquier forma (corarios, grabaciones, transparencias, etc.), es necesario comunicarse con el dueño (vea las direcciones en el índice). En la mayoría de los casos habrá que pagar una pequeña suma como alquiler (también llamada "regalía"). El hacer copias sin tramitar el permiso es un robo.

ENSEÑANZA BÍBLICA

 En la Biblia se prohíbe la piratería. El Señor nos enseña en su Palabra: "No hurtaréis...no retendrás el salario del jornalero" (Lev. 19:11, 13), y "Digno es el obrero de su salario" (I Tim. 5:18).

PASOS A SEGUIR PARA CUMPLIR LA LEY

1. Vea el índice de dueños.
2. Comuníquese con el dueño para solicitar el permiso, indicando la forma de uso.
3. Espere la respuesta del dueño.
4. Respete al pie de la letra las condiciones estipuladas por el dueño en cuanto a informes, regalías, cantidades y fechas.

Esto ayudará a mantener un testimonio cristiano y permitirá que nuestros compositores y autores gocen del debido reconocimiento económico.

654 DIBUJOS Y FOTOGRAFÍAS

29	Jay Bitner	211	Edmonson & Father	459+	Kris Davis
30	Misión Centroamericana	211+	Kris Davis	499	Misión Centroamericana
66	Gerald Kibler	248	Edmonson & Father	499+	Kris Davis
66+	Edmonson & Father	248	NASA	536	Edmonson & Father
66+	Kris Davis	248+	Arne Martinson	537	Edmonson & Father
108+	Edmonson & Father	285	Gerald Kibler	571	Misión Centroamericana
109	Cortesía Desafío	285+	Kris Davis	571+	Kris Davis
140+	Kris Davis	319	Pablo Sywulka	609	Word Publishing
141	Kris Davis	320	Edmonson & Father	609+	Wilfredo Johnson
191	Edmonson & Father	422+	Misión Centroamericana	609+	Kris Davis
191+	Richard Nowitz	422++	Kris Davis		
191++	Kris Davis	459	Edmonson & Father		

655 ÍNDICE DE DUEÑOS

A.B.A.P. Asociación Bautista/Publicaciones
Rivadavia 3474
1203 Buenos Aires, ARGENTINA
(54) 1-88-8924 Fax (54) 1-886745

Acuff-Rose Music Publ.
(Vea Word Music)

Benson (vea Singspiration)

Felipe Blycker J./Cánticos Nuevos
8625 La Prada Drive
Dallas, TX 75228 EE. UU. de A.
Fax (214) 327-8201

BMG Songs, Inc.
8370 Wilshire Boulevard
Beverly Hills, CA 90211
EE. UU. de A. (213) 651-3355
Fax (213) 655-8535

Fred Bock Music Co.
P.O. Box 333
Tarzana, CA 91356-0333
EE. UU. de A. (818) 996-6181
Fax (818) 996-2043

Broadman Press
The Sunday School Press
127 Ninth Avenue North
Nashville, TN 37234 EE. UU. de A.
(615) 251-2986
Fax (615) 251-3727

C.A. Music/Music Services
209 Chapelwood Drive
Franklin, TN 37064
EE. UU. de A. (615) 794-9015

C.M.I. (BudJohn Songs, Inc.)
(vea The Sparrow Corporation)

Candle Company Music
(vea The Sparrow Corporation)

Cánticos Escogidos
613 Bluff Canyon Cir.
El Paso TX 79912
EE. UU. de A.
(915) 833-7897

CANZION Producciones, S.A. de C.V.
Apdo. C-62, Durango, Dgo.
México, C.P. 34120
(52 18) 172464, Fax 180779

Casiodoro Cárdenas
4327 Lazyriver Dr.,
Durham, NC 27712 EE.UU.deA.
(919) 471-2635

Casa Bautista de Publicaciones
P. O. Box 4255
7000 Alabama St.
El Paso, TX 79914 EE. UU. de A.
(915) 566-9656
Fax (915) 562-6502

Catacombs Productions, Ltd
(Vea Lorenz Publications)

Celebremos/Libros Alianza
(Correspondencia/Permisos)
A.A. 100 Cúcuta, Colombia
Tel. (577) 574-2959
Fax (577) 574-3428

Certeza
Bernardo de Irigoyen 654
1072 Capital Federal
Buenos Aires, ARGENTINA
Tel/ Fax (54) 11-4331-5630

Copyright Company, The
(Vea Maranatha Music)

Cherry Blossom Music Publ. Co.
(vea The Sparrow Corporation)

Cherry River Music Publ. Co.
(vea The Sparrow Corporation)

Choristers Guild
2834 W. Kingsley Rd.
Garland, TX 75041
EE. UU. de A. (214) 271-1521

Brus del Monte
(vea Bruce W. Woodman)

Desafío
A.A. 27520 Bogotá, D. E.,
COLOMBIA (57-1) 287-8195

Div. Interamericana Adventista
P.O. Box 830518
Miami, FL 33283
Tel (305) 403-4700
Fax (305) 403-4600
EE. UU. de A.

Elinor F. Downs
63 Atlantic Ave., Boston
MA 02110 EE. UU. de A.

Ediciones La Aurora
José María Moreno 873
(1424) Buenos Aires, Argentina
Tel/Fax: 54 14 922-5356

Editorial Logos
Condarco 1440
1416 Buenos Aires,
ARGENTINA (54-1) 581-8514
Fax (54-1) 582-1121

Editorial Mundo Hispano
(vea Casa Bautista de Publicaciones)

Edmonson & Father
11836 Judd Ct., Suite 3040
Dallas, TX
EE. UU. de A. (214) 680-0644

Hugo Filoia
Res. Los Mangos Torre E. P.15
#151 Av. Constitución
Maracay, Arag, VENEZUELA

Gaither Music Company
P.O.Box 737
Alexandria IN 46001
EE. UU. de A.
(765) 724-8281 Fax (765)724-8290

Raúl Galeano
10700 N.W. 7 St. #3
Miami, Fl 33172
EE. UU. de A.

Mary Gillam
8803 Madison Ave., Apt. 106 C
Indianapolis IN 46227
EE. UU. de A.

Gospel Publishing House
1445 Boonville Ave.
Springfield, MO 65802
EE. UU. de A. (417) 862-2781
Fax (417) 862-0416

Hamblen Music
740 N. La Brea
Los Angeles, CA 90038
EE. UU. de A. (213) 938-5000
Fax (213) 936-6354

Hispanic Episcopal Church Center
815 Second Ave., New York
NY 10017 - 4594 EE. UU. de A.
(212)867-8400 Fax (212)949-6781

Hope Publishing Co.
380 S. Main Place
Carol Stream IL, 60188 EE. UU. de A.
(630) 665-3200 Fax (630)665-2552

Iglesia Metodista Unida
(Vea Maranatha Music)

Integrity's Hosanna
1000 Cody Rd.
Mobile, AL 36695
EE. UU. de A. (251) 633-9000
Fax (251) 776-5036

Elizabeth Isáis
Apdo. 21 -200
04000 México, D.F. MÉXICO

Juan M. Isáis
Apdo. 21 -200
04000 México, D.F. MÉXICO

Ruth (Mrs. Eugene) Jordán
1088 Churchill Pl.
St. Paul, MN 55126
EE. UU. de A.

The Joy of the Lord Music
(vea The Sparrow Corporation)

Killian McKabe
900 Coit, Central Tower
Dallas, TX 75243
EE. UU. de A. (214) 239-6000

Bob Kilpatrick
(Vea Lorenz Publications)

LeFevre-Sing Music Co.
(Vea Gaither Music Company)

Lillenas Publishing Co.
P.O. Box 419527
Kansas City, MO 64141
EE. UU. de A. (816) 931-1900
Fax (816) 333-4071

The Lockman Foundation
P. O. Box 2279
La Habra, CA 90632-2279
EE. UU. de A. (714) 879-3055

Oscar López Marroquín
8625 La Prada Dr.
Dallas TX 75228

Lorenz Publications
P.O. Box 802
Dayton, OH 45401-0802
EE. UU. de A. (937) 228-6118
Fax (937) 223-2042

664 BANDERAS L.A.

666 ÍNDICE DE METROS POÉTICOS

Títulos con [ ] son poesías

668 LECTURAS ESPECIALES

REFLEXIONES:

(*) Se sugiere experimentar con diferentes órdenes de secuencia, por ejemplo #228-#227 en vez de #227-#228

669 ÍNDICE DE RESPUESTAS MUSICALES

670 ÍNDICE DE POESÍAS

Para cantar la poesía, vea el "ÍNDICE DE METROS"

671 MÚSICA ESPECIAL

672 ÍNDICE DE ACORDES PARA GUITARRA

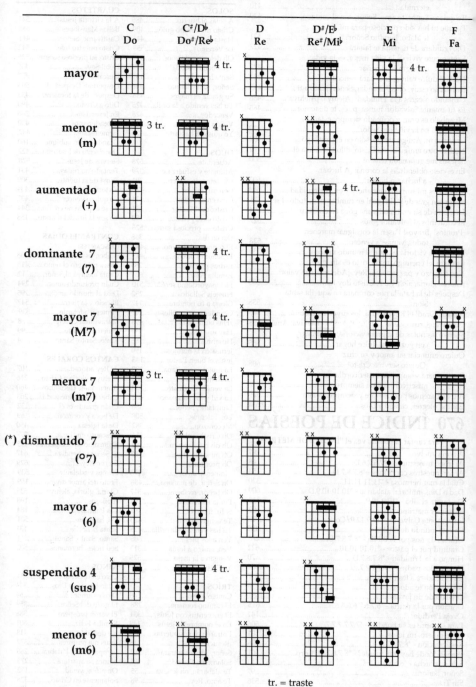

tr. = traste

* Véase página [7] "Explicación de los símbolos" C°7=Do°I, C#°7=Do#°II, Re°7=D°III, etc.

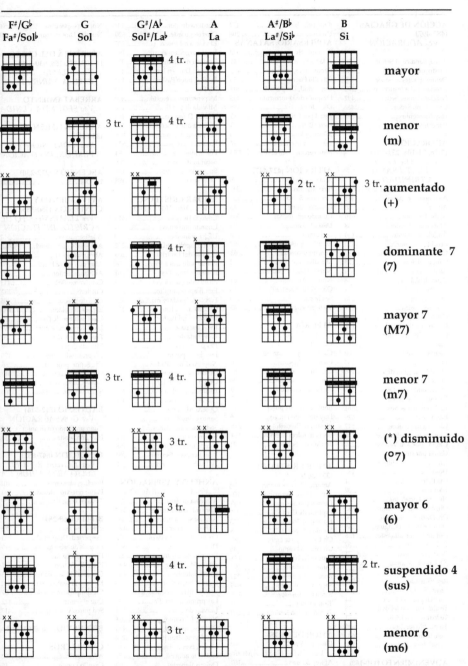

F#/G♭ Fa#/Sol♭	G Sol	G#/A♭ Sol#/La♭	A La	A#/B♭ La#/Si♭	B Si	
		4 tr.				**mayor**
	3 tr.	4 tr.				**menor (m)**
				2 tr.	3 tr.	**aumentado (+)**
		4 tr.				**dominante 7 (7)**
						mayor 7 (M7)
	3 tr.	4 tr.				**menor 7 (m7)**
		3 tr.				**(*) disminuido (°7)**
		3 tr.				**mayor 6 (6)**
		4 tr.			2 tr.	**suspendido 4 (sus)**
		3 tr.				**menor 6 (m6)**

tr. = traste

* Véase página [7] "Explicación de los símbolos" F#°7=Fa#°I, G°7=Sol° II, G#°7=Sol#° III, etc.

675 ÍNDICE DE CÁNONES (RONDAS)